D1003386

VA OÙ IL EST
IMPOSSIBLE D'ALLER

COSTA-GAVRAS

VA OÙ IL EST IMPOSSIBLE D'ALLER

Mémoires

ÉDITIONS DU SEUIL
25, bd Romain-Rolland, Paris XIVᵉ

ISBN 978-2-02-139389-7

© Costa-Gavras et les Éditions du Seuil, avril 2018

www.seuil.com

Τὰ μεγαλεῖα νὰ φοβᾶσαι, ὦ ψυχή.
Καὶ τὲς φιλοδοξίες σου νὰ ὑπερνικήσεις
ἂν δέν μπορεῖς, μέ δισταγμό καί προφυλάξεις
νὰ τές ἀκολουθεῖς. Κι ὅσο ἐμπροστά προβαίνεις,
τόσο ἐξεταστική, προσεκτική να εἶσαι.

Crains les grandeurs, mon âme.
Et si tu ne peux surmonter tes ambitions
Suis-les avec scrupule et précaution.
Et plus tu avances
Plus tu dois être vigilante et attentive.

Constantin Cavafis

La vie n'est pas celle qu'on a vécue
Mais celle qu'on se souvient d'avoir
Vécue pour la raconter.

Gabriel García Márquez

À Michèle Ray

Théâtre des Champs-Élysées, mars 1955. Nous venons de donner dix représentations avec le Ballet de danse nationale grecque de Dora Stratou, auquel je participais comme danseur et comme assistant à la chorégraphie. C'est mon premier voyage en France, conclusion d'une tournée commencée à Neuchâtel, La Chaux-de-Fonds et Lausanne en Suisse. Mais ça, c'est une autre histoire. Ma vie en France commence véritablement le 5 octobre 1955. J'ai débarqué à 9 h 30 du matin à la gare de Lyon après un voyage de dix-huit heures en bateau du Pirée à Brindisi et de trente heures de train jusqu'à Paris. À 22 ans, les heures perdues ne comptent pas. Elles sont remplies d'espoirs et de rêves. Quitter la Grèce à cette époque, pour moi, pour quelqu'un de mon milieu, ce n'était pas « mourir un peu », comme dit le poète, mais renaître. C'était fuir la misère, pas seulement la misère économique, dont on peut à la rigueur s'accommoder, mais l'autre, celle où tout espoir ou projet est impensable, la seule perspective autorisée étant celle de la survie au quotidien. Partir, c'était aller vers la lumière, vers l'accomplissement d'un rêve, même si ce rêve demeurait imprécis. En fait, le rêve c'était partir. Découvrir, apprendre, c'était le rêve dans le rêve.

À la descente du train, je suis saisi par l'immensité du hall et l'intensité des bruits dont l'écho, qui se répercute en continu, donne un sentiment d'exaltation et d'énergie. Me dirigeant vers la sortie, je me retrouve au bas de l'escalier du restaurant Le Train bleu dont la main courante aboutit à une tête de chimère. Dix ans plus tard je la filmerai dans mon premier long-métrage, *Compartiment tueurs*.

L'ami, plutôt la connaissance avec qui j'étais convenu deux mois auparavant qu'elle vienne me chercher, n'est pas là. Rencontré grâce à mon frère étudiant, cet ami, Stathis, était parti étudier le droit international en France. Arrivé avant moi, il avait loué une chambre que nous devions partager. Sa famille m'avait même chargé de lui apporter quelques affaires.

Stathis, donc, n'était pas à la gare. Mais j'avais son adresse. Notre adresse. Je la relisais, appuyé sur la chimère à tête de lion furieux : pont de Neuilly. Une fois sorti de la gare, la première image qui s'impose est celle des immeubles aux façades grisâtres, presque noires, sous une petite pluie sinistre et un ciel plombé. Puis vient la rumeur de la ville coupée par quelques coups de klaxons. L'ami n'est pas non plus dehors. Soudain, je suis pris de panique. Un frisson glacial me parcourt le dos et, avec lui, l'envie de faire demi-tour et de prendre le premier train pour Brindisi.

Ce frisson, ce saisissement, je l'ai souvent éprouvé. Il me renvoie toujours à cette phrase de mon père : « Tu fais face, tu te demandes pourquoi. » J'avais alors 6 ou 7 ans, un ivrogne dont on se moquait avec d'autres enfants s'était mis à me poursuivre. Je courais aussi vite que je pouvais mais je sentais son souffle se rapprocher et je l'imaginais se transformer en monstre à plusieurs têtes, prêtes à m'engloutir. À bout de souffle et en hurlant, je me trouve face à mon père. Je précipite contre lui, mon visage enfoui contre son corps. Je sens sa main sur ma tête et, le saisissement disparu, une onde de chaleur me parcourt alors que la voix de mon père tonne : « Disparais de notre vue ! »

Il me retourne pour que je voie l'ivrogne, devenu tout petit et misérable, s'éloigner. « Tu fais face, comme je t'ai appris pour les chiens, me dit-il doucement. Si tu te mets à tourner le dos et à fuir, ils te massacrent... » Ses mains me tenaient. Je sens toujours leur force.

Ce jour d'octobre 1955, j'ai quinze ans de plus et je suis à Paris, seul, sur le trottoir devant la gare de Lyon. De l'autre côté de la rue aux pavés crasseux, une station de taxis. Je saisis mon barda et je cours sous la pluie fine. Je glisse et me retrouve sur les pavés mouillés. L'humidité glacée traverse le fond de mon pantalon. À l'humiliation s'ajoute la perspective d'une énorme tache. Un chauffeur de taxi se précipite pour m'aider. En levant les yeux, je découvre, sur la façade de la gare, le bas-relief de deux fées, nymphes ou baigneuses, qui semblaient flotter, chacune sur un petit nuage. L'une avait le visage un peu masculin et sévère, la poitrine projetée en avant, le ventre courbe, les cuisses musclées ; l'autre, très féminine, au visage doux, au corps plein de *morbidezza*, comme disent les Italiens. L'image même de la Française telle que nous la rêvions, quand, jeunes lycéens, nous séchions les cours pour aller voir les films avec Françoise Arnoul. Vues de si loin, elles semblaient se donner l'une à l'autre ou à tous ceux qui les désiraient. *Des Parisiennes*, me suis-je dit. Pourtant, du pays d'où j'arrivais, nous étions habitués à voir des statues de femmes nues représentant des Fées, des Naïades, des Océanides, des Nymphes. Mais ici, c'était Paris. Je les regardais subjugué, et déjà un peu plus optimiste. Dans *Compartiment tueurs*,

Jacques Perrin arrive à Paris après avoir fui sa province et fait la même découverte en prenant un taxi au même endroit.

« Où on va ? » me lance le chauffeur de taxi. « Au pont de Neuilly… » dis-je sans quitter des yeux les Parisiennes. Mon assurance le fait démarrer. Je gardais cette vision et j'en cherchais d'autres le long des façades qui défilaient pour combattre ma fatigue et mon pessimisme que je sentais revenir. Ces murs noirâtres que je découvrais… « C'est le Louvre… », me dit le chauffeur, se méprenant sur mon intérêt. C'était une façade morne, malgré ses dessins sculptés sur la pierre qu'on devinait sous la couche de suie. Tout à coup le chauffeur me demande : « Au pont de Neuilly, mais où ? Ce n'est pas une adresse ça… » Je cherche fébrilement l'enveloppe : « 162, avenue Charles-de-Gaulle. »

Dans ce quartier, les façades sont plus propres et le numéro 162 semble cossu et accueillant. Je sors timidement en demandant au chauffeur de bien vouloir m'attendre. Le grand portail en bois donne dans un couloir au sol brillant et s'ouvre sur une grande cour carrée. Si c'est ici, c'est vraiment bien, même si la chambre au dernier étage sans ascenseur est petite, comme me l'a écrit Stathis.

Une très jeune femme, au physique un peu ingrat – aucune ressemblance avec les Parisiennes de la gare de Lyon et encore moins avec Françoise Arnoul – éponge avec une serpillière les marches de la loge du concierge. Cherchant le mot juste, j'ai à peine le temps de lui dire « je cherche M. Stathis » qu'elle se retourne vivement, me regarde affolée et se précipite dans la loge où elle disparaît. J'entends un murmure précipité suivi par un tonitruant : « Quoi ? »

Un colosse apparaît, plus large que haut, au visage qui s'empourpre alors qu'en trois enjambées il traverse la loge et se plante face à moi. Je recule, comme repoussé par son regard furieux qui me fixe. « C'est quoi ? » aboie-t-il d'une voix de fausset qui ne va pas du tout avec son physique, encore moins avec sa fureur. À peine le nom de Stathis est-il prononcé qu'il m'adresse une bordée de mots qui ne doivent être que des injures. J'en saisis quelques-unes : « salopard de merde... », « maquereau de Grec... ». Ce qui me laisse perplexe, *macro* voulant dire « long » en grec. J'étais bien en peine de comprendre le sens qui se dégageait de cette association.

Le geste accompagnant sa tirade me sort rapidement de ma confusion. Je pense qu'il va me frapper. Il m'indique surtout la sortie. C'est pire qu'une gifle. En reculant, je me cogne contre quelqu'un. Je sursaute. C'est le chauffeur de taxi. La bizarrerie de la situation et la tournure que prend l'affaire ont attiré son attention. J'ai compris plus tard qu'il avait eu pitié de moi. Il fait face au colosse qui, instantanément, baisse le ton de sa voix devenue aussitôt moins inquiétante et entame une longue explication en parlant à toute vitesse. Je comprends seulement « ce salaud de Grec... n'est plus là ». Il s'agit sans doute de Stathis. Le reste ne doit pas être chaleureux, ni pour lui ni pour moi, à en juger par les hochements de tête du chauffeur qui semble, lui, très bien comprendre. Saluant sans chaleur le colosse, il se retourne vers moi et me montre le taxi. Je le suis comme un automate. Sur mes talons le colosse se poste devant l'entrée de l'immeuble pour la bloquer. Enfin assis dans le taxi, je crois apercevoir la jeune fille qui nous regarde avec intérêt.

CHAPITRE 1

Paris

La voix du chauffeur me tire de mon état de sidération :
« Qu'est-ce qu'on fait, où on va maintenant ? » Je prends enfin
conscience de la situation. Le chauffeur me fixe, ennuyé, ne
sachant sans doute pas comment se sortir d'une situation aussi
inattendue. « Vous avez compris, votre ami n'est plus là, il a
été renvoyé… » Ça, je l'avais compris. Je ne le laisse pas finir.
La chambre étant libre, je peux la prendre seul et la payer. Je
cherche à sortir du taxi pour faire cette proposition au colosse
qui nous fixe toujours. « Si vous sortez, il vous frappera…
c'est un ancien flic. » Je comprends le mot « frapper », pas
celui de « flic », et reste tétanisé. Le chauffeur se penche vers
moi. Il me parle lentement, avec des mots simples, comme
on doit parler aux étrangers pour se faire entendre. Il devait
en avoir l'habitude, à moins que ma tête ne l'ait inspiré.

Je finis par comprendre que Stathis a séduit la fille du
concierge, déjà fiancée à un militaire. Un flirt qui a manifes-
tement attenté à la vertu de la jeune promise. Mis à la porte,
il est parti sans laisser d'adresse. La situation s'éclaircit. Elle
est catastrophique. C'est alors que mon regard tombe sur le
compteur. Il affiche une somme glaçante. Vaincu, je demande
alors au chauffeur de me conduire dans un hôtel bon marché.

La pluie avait cessé. Nous roulions vers la place de l'Étoile mais la seule chose que je voyais, c'était la somme affichée qui augmentait inexorablement. J'étais arrivé à Paris avec 110 dollars, maximum permis par les douanes grecques, et une petite somme illégale en francs. Stathis m'avait expliqué que nous n'aurions pas de problème, qu'en attendant de régulariser mon statut d'étudiant et de pouvoir recevoir de l'argent, il m'en prêterait et que mes parents rembourseraient les siens. Il était par ailleurs convenu que mes parents prélèveraient sur mon compte en banque les montants nécessaires.

Après mes études secondaires, j'avais travaillé un peu plus de deux ans et économisé dans la perspective de partir, fuir serait le mot juste, pour commencer des études en France. En Grèce, en raison des engagements politiques de mon père pendant l'occupation allemande, j'étais exclu du système universitaire. J'ai donc travaillé comme garçon à tout faire dans une société de travaux publics. Travail stérile et monotone, sauf le samedi, jour de la paye que j'étais chargé d'apporter au chantier, ce qui me permettait de rêver pendant le trajet et de voir la mer.

Mon désir de faire des études entravé par l'impossibilité d'entrer à l'université désespérait mon père. Mais cette injustice stimulait son énergie et lui donnait toutes sortes d'idées et de démarches à entreprendre pour m'assurer un avenir. C'est ainsi que les ateliers de réparations des machines à écrire Olivetti l'avaient enthousiasmé. Le propriétaire lui avait assuré qu'il y aurait toujours des Olivetti à réparer par des techniciens expérimentés et bien payés.

L'atelier, situé au centre d'Athènes, ressemblait à un vaste couloir coincé entre un magasin de vêtements de luxe pour femmes et le grand cinéma Kronos où l'on jouait *Un Américain à Paris*. Dans l'atelier, six ou sept hommes assez âgés devant leurs établis réparaient des machines à écrire, silencieux, concentrés comme des chirurgiens dans une salle d'opération. Sans préambule on m'a installé devant une machine à démonter entièrement. « Elle va être cannibalisée », m'a dit le chef. Je n'avais pas osé demander ce que ça voulait dire. « Tu dévisses les pièces et tu les mets dans des petits paniers. » Ces petits paniers semblaient me fixer, pas convaincus.

Mon père est parti satisfait de me voir déjà à la tâche. Au début, le désossage était amusant, facile aussi. Il est devenu monotone et sans la moindre surprise ou découverte. Une fois la machine démontée, je devais décrasser, faire briller chaque pièce avec une sorte de white-spirit marron et puant qui semblait m'attendre à l'autre bout de l'établi.

Et la pause déjeuner a stoppé net ma relation avec Olivetti. Soulagement et sortie sur le trottoir devant le cinéma. Les photos du film avec Gene Kelly, Leslie Caron et Georges Guétary, leurs visages réjouis, heureux, entourés de danseurs, cet univers de couleurs et de beauté paradisiaque ont fait disparaître de mon esprit les touches de l'Olivetti et les petits paniers pleins.

J'étais plus particulièrement intéressé par les escarpins, les chaussettes blanches et les pantalons coupés court, au-dessus de l'astragale. Ils commençaient à être à la mode et étaient portés par ceux de mon âge qui en avaient les moyens. Succès garanti auprès des jeunes filles.

Bien des années plus tard, j'en parlais à Gene Kelly, assis à côté de lui lors d'un dîner pendant le Festival de Cannes où il présentait son film *Hollywood*. Il m'avait alors expliqué que pour lui ce n'était pas une mode, mais une coupe destinée à laisser voir son jeu de claquettes.

19

La caissière du cinéma, qui avait remarqué mon intérêt, ma fascination, m'a fait signe d'entrer. Je lui ai montré le prix des places. Trop cher. « La première séance est à moitié prix », m'a-t-elle souri. Je suis entré dans la salle obscure le temps du déjeuner. Le film avait commencé. Les photos de l'entrée devenues vivantes m'avaient happé, les couleurs, les décors, la musique, l'euphorie des personnages, leur optimisme qui s'épanchait sur l'écran m'ont envoûté. J'ai vu le film deux fois d'affilée. L'atelier avait perdu tout son sens.

Je suis rentré à la maison à pied, le « moitié prix » ayant épuisé mes économies. J'avais la tête pleine d'images de cette vie où tout était si facile, si parfait, si étonnant.

Mon père m'attendait. Il était passé me chercher à l'atelier. « Ils t'ont vu entrer dans le cinéma. » Ma mère m'a souri comme elle savait le faire pour me rassurer. « Nous trouverons mieux », a conclu mon père, sans perdre son air sombre et mécontent.

Plus tard, il m'a trouvé une place chez un marchand de tissus avec un meilleur salaire et l'espoir que j'apprenne un métier d'avenir. Contrairement à ma mère, il ne croyait pas possible que je puisse réaliser mon envie de poursuivre des études. Quant à partir à l'étranger, c'était pour lui une utopie totale. Le commerce de tissus lui paraissait plein d'avenir. « L'humanité aura toujours besoin de se couvrir. » Ma mère, paysanne presque analphabète, pensait que le seul avenir pour ses trois fils était de suivre des études. Je l'avais entendue dire à mon père, alors qu'elle pensait que je dormais : « Il n'y a pas d'espace pour lui, laisse-le économiser pour qu'il parte hors d'ici. »

Le « hors d'ici » constituait le rêve des jeunes Grecs et l'angoisse de leurs familles, il était aussi pour beaucoup le seul espoir. On partait pour gagner sa vie. Pour faire des études. Seuls ceux qui en avaient les moyens pouvaient se le permettre. Nous ne les avions pas. Les paroles de ma mère m'ont fait pousser des ailes, donné tous les courages et toute la désinvolture nécessaire pour faire face à l'inconnu. Durant cette période, mes économies s'étoffèrent. Le livret de banque qui se remplissait page après page nourrissait mon optimisme. Mon père m'avait conseillé d'acheter des livres anglaises en or, plus sûres que la monnaie papier. L'achat et la vente de livres-or étaient le sport national. Trois des employés du magasin, les plus âgés, spéculaient sans arrêt. Ils m'avaient choisi pour aller faire ces échanges chez le courtier où ils ne voulaient pas être vus. Ils m'avaient choisi parce que je pouvais reconnaître les livres-or anglaises de celles qu'on appelait « les italiennes », d'une valeur moindre. Leur empressement, leur rapacité, doublés d'une très mauvaise haleine pour l'un, et d'un amour éperdu pour la reine Frederika pour les autres, me les avaient rendus odieux et, avec eux, leur trafic. Je n'ai pas écouté mon père, je préférais la monnaie papier.

Après deux ans de patientes économies, j'ai entamé des démarches auprès du consulat français pour préparer mon départ. C'est à ce moment-là que le gouvernement grec a dévalué la drachme de 50 %. Je me suis réveillé un beau matin avec mon petit compte en banque réduit de moitié.

Mon désespoir, sentiment trop passif, s'est transformé en haine active et m'a conduit à des actes qui m'ont fait perdre mon travail et me font encore honte. Mon père était furieux. J'avais gâché mon avenir. Ma mère murmurait : « C'est le destin. » Mon frère Apostolos, très calé en poésie, complétait : « Accepte le destin comme Ulysse, même quand il te persécute… » Moi je pensais qu'on construisait « son destin ». Ma mère répétait : « C'est les études qui font le destin. » Il me fallait concilier tout cela. Je commençais par retarder mon départ pour épargner de nouveau la somme évaporée de laquelle dépendait ce « destin ».

Dans l'immédiat, celui-ci était entre les mains du chauffeur de taxi qui venait de quitter la place de l'Étoile et s'engageait sur l'avenue des Champs-Élysées. Je l'entends encore me dire : « Voilà la plus belle avenue du monde, c'est d'ici qu'on la voit le mieux. » Il avait sans doute surpris mon regard sur son taximètre. C'est bien plus tard que j'ai compris sa remarque. Vue de la place de l'Étoile, l'avenue, par sa majesté et sa perfection, est à couper le souffle. Pour le moment, je suis dans mon brouillard. J'ai dû lui sourire et hocher la tête en signe d'approbation, comme je le fais quand je veux plaire à quelqu'un tout en détestant ma complaisance, résultat d'une éducation scolaire, religieuse et civique faite de peurs et de soumissions. Je découvrirais très vite que les Français de mon âge dialoguaient, contredisaient même leurs aînés et les autorités dans une attitude d'égal à égal. Cela m'impressionnait et provoquait chez moi un sentiment trouble. Plus tard, j'ai vu mes enfants le faire et cela m'a rempli de joie, alors qu'il me faut toujours faire un effort pour y parvenir.

Le chauffeur me conduit à travers des petites ruelles étroites comme des couloirs, une impression renforcée par la hauteur des immeubles. Je me souviendrai toujours du grouillement d'une foule tranquille, sereine même, qui allait et venait sous l'éclairage claquant des étalages de poissons, de légumes, de fruits qui abondaient. Les boucheries sans porte, toutes façades ouvertes sur une débauche de viande. Les piétons imperturbables, passant devant le taxi qui ralentissait sans que le chauffeur klaxonne ou jure Dieu et la Vierge, comme c'était la norme en Grèce.

Soudain, tout cela m'apparaît comme une divagation, une errance onirique, une évasion cinématographique. J'allais d'un moment à l'autre quitter mon siège, sortir d'ici pour retrouver notre maison et ma famille. Le taxi s'arrête, le chauffeur sort après m'avoir lancé deux mots que je ne comprends pas. Je le vois entrer par une petite porte rouge qui donne sur un étroit couloir. À son retour, il me trouve en train de compter mes francs, l'œil sur le taximètre. « Il y a des chambres », me lance-t-il avec un sourire de satisfaction dû probablement aussi au fait que je libère son taxi. La somme de la course est telle que le chauffeur, pour me consoler sans doute, m'annonce que c'est l'hôtel le moins cher de Paris. Je le regarde partir rapidement. Je me sens très seul. Bon marché, l'hôtel doit l'être à en juger par l'étroitesse de l'escalier qui mène à la chambre qu'on m'a indiquée en me tendant la clé sans plus de cérémonie.

La contradiction manifeste pour un hôtel de fauchés résidait, à mes yeux, dans la présence d'un épais tapis rouge qui couvrait l'escalier et la partie basse du mur. J'avais connu, au cours de deux fugues que j'avais faites dans ma jeunesse, en Grèce, les hôtels dits « bon marché », leur vétusté, leurs murs crasseux, leurs escaliers délabrés, leurs odeurs… Ici rien de tel. Je suis inquiet. Je n'ai pas demandé le prix, ne sachant pas comment formuler la question. La minuscule chambre est, elle aussi, tapissée de rouge, un peu sale. J'y tiens à peine avec mon barda. Un lit de célibataire est coincé contre le mur. Je découvre le luxe parisien : le bidet amovible et le lavabo surmonté d'un miroir. Il y a aussi une armoire avec un petit miroir à l'intérieur. À la maison, on se lavait à l'évier de la cuisine et le miroir était dans l'armoire de la chambre des parents. Je m'allonge tout habillé. Je m'efforce de retrouver mon calme, de penser à ce que je dois faire pour résoudre la situation inopinée dans laquelle je me trouve. Je chasse de ma tête avec violence l'idée de reprendre le train. Et je ne m'accroche pas à l'espoir de retrouver Stathis, que je n'ai d'ailleurs plus jamais revu.

À mon réveil, il fait nuit. Je ne sais plus où je suis. Je bondis hors du lit et hors de la chambre pour esquiver les sentiments obscurs qui risquent de me submerger et me réfugie dans le mouvement et l'action où tout le négatif perd de sa force. Je descends rapidement les marches rouges.

Pourquoi ai-je un souvenir si clair de ce rouge ? Derrière le comptoir, rouge profond, comme le reste, se tient un homme ? Une femme ? Je ne vois que le dessus de sa tête rousse, le visage penché, invisible. Une horloge au mur indique 17 h 30. Cinq heures et demie et il fait déjà nuit ! Qu'est-ce que c'est que ce pays... La tête aux cheveux roux se relève. C'est une femme avec une forte poitrine. Elle me sourit et attend. Je lui demande, sans savoir pourquoi, s'il y a un métro près d'ici. Je ne comprends rien, elle parle vite et dans sa barbe mais les gestes sont clairs. « Vous sortez à gauche et encore à gauche... » Dehors, je découvre qu'en effet il fait réellement nuit. Toute envie d'agir s'effondre. Ma seule issue, retrouver Stathis. Mais il faudrait alors écrire à mes parents afin qu'ils contactent les siens. Une attente de huit à dix jours ! Et passer dix jours à l'hôtel, c'est... c'est le désastre économique assuré.

Je sors dans cette rue étroite où une foule marche dans tous les sens jusqu'à me donner le vertige. Je les regarde : *Ils savent où ils vont, ce qu'ils feront demain. Ils sont attendus ou ils attendent quelqu'un pour passer la soirée, la journée de demain et bien au-delà.* Je vais à gauche et encore à gauche, comme me l'a indiqué la concierge. Je me retrouve devant le métro « Les Halles ». Je lis et relis ces deux mots en me demandant ce que *Halles* peut bien vouloir dire. Un peu plus loin, une immense construction en fer se déploie sur des centaines de mètres. Je vois la foule s'y affairer sous un éclairage bien plus lumineux, plus éclatant que celui de la rue. Je traverse et découvre l'intérieur de ce gigantesque bâtiment.

Devant des étalages à perte de vue, un monde coloré s'attarde autour des marchandises, dans un brouhaha qui semble descendre des verrières. Non loin de moi se tiennent deux hommes et une femme, grande et opulente, la poitrine très découverte. Ils ne me voient pas, comme tous ceux qu'ils croisent. Ils rient de bon cœur, surtout elle. Ses seins se trémoussent comme s'ils se réjouissaient de leur côté. Mais mon intérêt pour les seins en joie s'évanouit vite, submergé par un sentiment d'isolement et la peur de ne pas retrouver l'hôtel dont je n'ai pas retenu le nom. Je reviens sur mes pas. Voilà l'hôtel ! Voilà l'escalier rouge ! La femme rousse me donne la clé en me regardant à peine. Je retrouve ma chambre, mon lit à moitié défait, ma valise toujours fermée. Je m'assois sur le lit, trouvant un moment de répit dans cette intimité incertaine. Je me réveille en sursaut à 6 heures du matin. J'ai dormi douze heures. Je suis en nage et glacé. Mon allant du matin se transforme en désarroi quand je découvre où je suis.

Huit mois plus tôt, on l'a vu, j'étais arrivé dans ce même Paris, lumineux, resplendissant, avec un groupe de danses traditionnelles. Nous habitions dans un bel hôtel appelé « Californie », étions reçus partout avec gentillesse, générosité et quelques applaudissements. Je m'étais alors renseigné, avec mon amie Maria, la chorégraphe du ballet qui parlait français, sur les possibilités de m'inscrire à l'université et sur la vie des étudiants à Paris. Tout m'avait paru alors plus facile et accueillant que les renseignements donnés par le consulat français d'Athènes. Maria était sortie enthousiaste de la Sorbonne. C'était formidable pour moi, malgré la séparation que cela annonçait. Elle rêvait, elle aussi, de faire des études de chorégraphie supérieure chez Serge Lifar.

Soudain, je me souviens qu'on nous avait parlé d'une maison pour étudiants. Stathis avait aussi mentionné cette maison grecque. Idéale pour les études et très bon marché. L'allant revenu, je dévale les marches rouges. À la place de la dame rousse, un jeune type, grand, filiforme, des yeux d'insomniaque, me fixe. Je lui demande où se trouve la maison des étudiants. Devant son regard devenu glauque, j'insiste : « Où vivent les étudiants pour pas cher ? » « La Cité universitaire », me dit-il, l'air placide. Il m'explique comment y aller, métro, boulevard, et la Fondation hellénique pour les étudiants grecs. Il me donne un ticket pour le métro « Les Halles ». Je me précipite. Après quelques péripéties, je me retrouve à l'entrée de la Cité universitaire. Je reconnais la Fondation hellénique à ses colonnes ioniennes et son fronton néoclassique, proue d'un vaisseau rectangulaire extravagant. Mais je penserai à l'architecture plus tard, quand mon sauvetage sera assuré. Je monte les quelques marches. Un des volets de l'immense porte en bronze est ouvert. Je force ma timidité et j'entre.

Le hall est lumineux, un vague comptoir à côté d'une table où trois étudiants, dont deux assis, me fixent. Je me rappelle avoir pensé : *Ils ont de bonnes têtes*. Je m'adresse à celui qui est debout et qui semble avoir de l'autorité. Je demande si Stathis Iliou habite ici. « Il n'y a pas d'Iliou ici », me répond-il avec une froide assurance. Je demande où se trouve la direction pour louer une chambre. Je dis avec fermeté, pensant mieux m'introduire dans les lieux : « Je suis venu à Paris pour faire des études. » Les trois visages s'épanouissent d'une ironie souriante qui n'est guère rassurante.

Dans la foulée ils m'apprennent que l'une des choses les plus difficiles à Paris c'est d'obtenir une chambre à la Cité universitaire, et plus encore à la Fondation hellénique où la décision est prise à l'ambassade, si ce n'est à Athènes. Les trois se rendent compte du choc que leurs déclarations provoquent. L'un d'eux est français. Je découvrirai plus tard qu'il s'appelle Jean-Luc et étudie la musique grecque ancienne et le chant. Il m'invite à m'asseoir en m'offrant la chaise de Soulis qui reste debout. Soulis et Tony, le troisième, font office de portiers en alternance avec d'autres étudiants : une économie pour la Fondation et un avantage en nature pour les étudiants. Il s'établit vite une certaine intimité entre nous. Je leur raconte alors ma situation en détail. Tony traduisait, en riant sous cape. Jean-Luc semblait de plus en plus impressionné. Soulis restait de marbre.

Ma participation au ballet grec les bluffe et je sens mon statut changer radicalement. Ils m'écoutent avec attention et expriment de la compassion. Surtout Jean-Luc et Tony. C'est Jean-Luc qui résume la situation : elle n'est pas bonne, la solution est ici, et le fait d'avoir été membre du ballet présente un fort avantage. Tony qui fait également des études de chant approuve tout en me traduisant les propos de Jean-Luc. Soulis les interrompt et, sur un ton froid, demande : « Tu es inscrit à quelle fac ? » Il ne m'a pas écouté. Je le déteste, aussi pour son regard glacial qui ne cesse de me scruter. J'ai la respiration bloquée. « Pas encore inscrit, je viens d'arriver. » Jean-Luc reprend : « Le ballet a eu un gros succès. L'ambassade a donné une fête. Vous avez dû rencontrer l'ambassadeur ? »

« Oui, il est venu nous féliciter et nous inviter à la fête. » Je retrouve ma respiration. « La décision de l'ambassadeur peut prendre des semaines », lâche Soulis qui semble connaître le système. Le silence s'installe, le mot « semaines » tournoie dans ma tête. « Mgr Meletios pourrait nous aider », murmure avec peu de conviction Tony qui chante occasionnellement dans les chœurs de l'église grecque. Soulis a une moue de dédain.

Nouveau silence, nouveau sentiment infecté de solitude. C'est Jean-Luc qui le rompt. Il parle à Soulis, Tony traduit : « Ils pensent t'installer dans une chambre à deux, pour étudiants de passage… Si tu avais ta carte d'étudiant ça pourrait se faire dès demain matin. » « À condition que le petit Juif qui occupe l'autre lit ne dise rien », dit Soulis à Tony en grec. « Le petit Juif s'appelle Chévounel », le reprend Tony. « Sévounel, Sévounel… », concède Soulis, qui prononçait souvent le « ch » en « s ». Débute alors entre eux une vive discussion, sur un ton d'urgence euphorique qui se termine par un « Allez-y ! » impératif de Soulis. « Je vous attends pour déjeuner. »

Partis au pas de charge, je les suis sans avoir rien compris. Arrivés au métro, un homme me heurte. « Pardon. » Tony laisse passer une dame pour qu'elle puisse faire poinçonner son ticket, « Merci. » Un autre… « Pardon » à Jean-Luc, je ne sais plus pourquoi. « Pardon », « Merci ». J'observe ces répétitions spontanées, accompagnées parfois d'un « Pas de quoi », souvent d'un petit sourire et d'un petit mouvement de tête, comme pour confirmer la parole prononcée. Des années plus tard, mes enfants Alexandre et Julie, en vacances en Grèce, surprenaient mes proches. « Qu'est-ce qu'ils ont à répéter merci, merci ? » m'avait demandé, crispé, un vieil oncle. J'avais vite découvert qu'il y avait un petit plaisir à répéter ce mot, *merci, merci* ! Plaisir provenant sans doute du respect exprimé envers l'autre, et envers soi-même.

Nous descendons du métro aux Halles. À l'hôtel, nous récupérons mes papiers et retour au métro. Tony me traduit le mot *Halles* qui m'intriguait tant et m'explique l'importance et la fonction de ce lieu à Paris. Ils prennent goût à jouer les cicérones. Ils me décrivent tout par le menu et avec joie, alors que, de mon côté, je ne pense qu'à ma situation incertaine. Nous arrivons devant Sa Majesté La Sorbonne sur laquelle j'avais tant fantasmé. Moins d'une heure après, nous en sortons. J'avais ma carte d'étudiant, ma carte de restaurant universitaire, une brochure avec le programme de première année, la bienvenue de la préposée aux inscriptions et son conseil de vite et bien apprendre le français. J'étais désormais étudiant en licence de lettres modernes. Tout cela accompagné d'une certaine considération pour ma personne que je n'avais jamais ressentie jusque-là.

Le lendemain matin, j'arrive à la Fondation à 7 heures. Je croise Tony, comateux, raccompagnant une blonde frétillante et onctueuse comme un loukoum. Soulis m'attend. Sans un mot, il me conduit au premier étage. Le dénommé Chévounel m'attend aussi, mal réveillé, vaguement souriant. Il me montre le lavabo derrière un rideau et le lit. « Pas de draps avant d'être officialisé », ironise-t-il en se recouchant. Tony nous rejoint. « Explique-lui », lui demande Soulis avant de partir. Tony m'indique où sont les douches et les toilettes communes. Il me conseille de ne pas défaire mes bagages. Les femmes de ménage passent une fois par semaine et ne doivent pas s'apercevoir des changements. « La nuit, quand tu veux pisser, tu vas au lavabo », et il me fait une démonstration en faisant couler l'eau. J'entends un « flap-flap », comme si on giflait mollement la porcelaine du lavabo. J'appris plus tard que Tony s'ingéniait, en secouant son sexe contre la porcelaine, à laisser imaginer son opulence. Il me demande le nom de l'imprésario qui a fait venir le ballet à Paris. Je me souviens du nom de « Robin », comme celui des Bois. « Parlez moins fort », proteste Chévounel. Nous sortons dans le couloir. Tony a son idée, il veut en savoir plus.

L'après-midi, rejoints par Jean-Luc, nous arrivons au théâtre des Champs-Élysées. Dans les couloirs conduisant vers les loges et l'administration, Jean-Luc et Tony découvrent émerveillés les murs couverts d'affiches de spectacles. L'odeur des lieux me donne la sensation de retrouver Maria et le vertige de l'approche du spectacle, du face-à-face avec le public qui me paralysait toujours avant l'entrée en scène.

Jean Robin est le directeur artistique du théâtre. Il met un moment à se rappeler de moi, ou à faire semblant. Plutôt surpris, il nous accueille amicalement. D'entrée et *via* Tony qui traduit, je lui raconte mes difficiles débuts parisiens. Je vais jusqu'à répéter, après Tony, certains mots pour mieux souligner la gravité de ma situation. Jean-Luc, très loquace et sans la moindre inhibition, explique le problème de la Fondation. Il insiste sur l'importance d'une recommandation venant du directeur artistique du théâtre, ainsi que de l'ambassadeur grec.

Soudain Jean Robin décroche son téléphone et, comme cela se passe dans un film américain, je l'entends demander « Monsieur l'Ambassadeur ». « Il appelle l'ambassadeur ! » me murmure Tony. Ça, je l'avais compris. Jean-Luc me fait un clin d'œil. Je me concentre pour essayer de comprendre l'échange téléphonique, à l'évidence chaleureux de part et d'autre. Après les salutations d'usage, l'évocation de souvenirs communs, du nom du ballet et de sa directrice, Mme Stratou, Jean Robin change de ton et je l'entends prononcer le nom de la Fondation hellénique. Soudain il s'adresse à moi et me demande mon nom de famille, mon âge, les études que j'entreprends. Suit un échange de remerciements et de salutations. Puis il raccroche et s'adresse à moi en parlant lentement : « Vous devez vous présenter lundi matin au directeur de la Fondation. » Il se lève, me tend sa carte de visite : « Appelez-moi s'il y a un problème. » Tandis qu'il nous reconduit, Tony ne manque pas l'occasion de lui glisser que Jean-Luc et lui accepteraient de faire de la figuration.

Quelques mois plus tard, tous les trois, plus sept autres étudiants dont deux Africains de la MOM (Maison de la France d'Outre-mer), amis de Tony, faisions de la « figuration intelligente » dans *Boris Godounov*, l'opéra de Moussorgski présenté par une troupe bulgare dans le cadre du Festival d'opéras au théâtre des Champs-Élysées.

Vingt ans plus tard, *Section spéciale* s'ouvrira sur *Boris Godounov*.

D'autres figurations ont suivi, entre autres pour *Les Caprices de Marianne* d'Henri Sauguet. Séduit par le costume en peau de bête, j'avais accepté de « jouer » Spadassin l'assassin. Mes amis finissaient au premier acte et partaient. Spadassin l'assassin, lui, était abattu à la fin. J'ai alors compris la futilité des « grands rôles ».

Mais le meilleur de ces souvenirs de scène est le ballet *Le Caméléopard*. Tony et moi portions sur scène Jean Babilée. Il bondissait, alors que nous restions accroupis au milieu de la scène. De ma place, je pouvais le voir danser, touchant à peine le sol de ses pointes, c'était envoûtant. Jean Babilée appartenait à une autre dimension, fauve et spirituelle, que les autres danseurs. C'était un mythe vivant. J'étais ému de le sentir sauter sur mon dos, y prendre appui et repartir dans son envol. Je pensais à Maria qui parlait de lui comme du nouveau Nijinski.

Cinquante ans plus tard, un dimanche matin à Uzès, ma femme Michèle et des amies se promenaient sur la place du marché. J'avais préféré une terrasse de café, à l'ombre des platanes. J'ai vu venir et s'asseoir tout près de moi Jean Babilée. La dame qui l'accompagnait est partie vers les étalages. Le mystère Babilée était là, tout près. Le regard toujours jeune, le visage inchangé. Le corps gardait toute sa sveltesse. J'ai découvert que l'esprit aussi, quand je me suis présenté. Nous avons discuté. Il a été simple et chaleureux, sans emphase. Il avait appris notre « collaboration » dans un petit texte que j'avais écrit à l'occasion d'un hommage qui lui était rendu à la Cinémathèque de la danse. Il a souri à mon récit détaillé de la chorégraphie et de ses envols. Il se le rappelait assez bien. Pas de ses porteurs. Il s'en est excusé avec humour. Nous avons parlé de cinéma, qu'il avait un peu pratiqué et aimait, mais pas autant que de la danse.

« Foudoukidis veut nous voir », m'annonce Soulis en entrant très tôt un matin dans la chambre et sans frapper. Il a un air mystérieux. « Moi aussi ?! » Je suis stupéfait. Il fait oui de la tête. Toujours mystérieux. Dans son bureau, le directeur de la Fondation m'ignore. Il s'adresse d'abord à Soulis : « Monsieur Georgiades, tu as bien réussi ton coup en m'ignorant. » Puis il se tourne vers moi : « Il est inutile de sortir avec ta valise pour revenir. Tu déménages au deuxième étage. Tu auras une chambre individuelle. » Il me donne une feuille à remplir et nous fait signe de sortir, sans un mot. Le directeur Foudoukidis était un homme gentil à l'occasion et faible en permanence, terrorisé d'un côté par les étudiants, fils de bonnes familles qui se libéraient une fois à Paris, et de l'autre côté par les autorités grecques, conservatrices et autoritaires. J'étais le mouton noir. Nos relations ne se sont jamais réchauffées.

Nous sommes devenus très proches avec Tony et Jean-Luc, qui me guidaient dans cette société humaine, nouvelle pour moi. Un soir, au restaurant de la Cité universitaire, nous sommes quatre, dont une grande blonde. La nouvelle amie de Tony, Nicole, ne le lâchait pas des yeux pendant qu'il commentait sa libido volcanique. Il parlait en grec et nous faisait rire. Nicole riait aussi sans comprendre, mais comme c'était Tony qui parlait, ça ne pouvait être que désopilant. Est venue se joindre à nous Danaï, que j'avais déjà croisée. Elle m'avait impressionné avec ses sourcils à la Frida Kahlo, au-dessus d'un visage anguleux, sévère, mais agréable. Elle avait des manières raffinées et la désinvolture que donne l'assurance de ne pas avoir besoin des autres. Elle s'est assise et nous avons échangé des regards plutôt appuyés ainsi que quelques sourires complices sur Tony et ses grosses plaisanteries. Au moment de nous séparer, Danaï me demande avec simplicité et sans se préoccuper des autres si je veux bien l'accompagner. Elle habitait en face de la Cité, dans une maison où on louait des studios. Aujourd'hui, c'est un grand hôpital. Arrivés devant le perron, elle me dit simplement : « Tu veux monter ? » J'étais à Paris depuis à peine un mois. J'avais commencé à m'habituer aux surprises qui se succédaient, mais là... Nous sommes montés. Elle a fermé la porte derrière moi. J'ai découvert un studio confortable. Sa main s'est posée sur mon épaule, elle m'a retourné, a passé son index sur ma cicatrice à la joue et m'a embrassé longuement. Avec douceur et sans empressement. Je restai sans bouger alors que je m'enflammais et me demandais comment répondre à son baiser. L'homme grec se réveillait en moi avec tous ses complexes et envies de supériorité. C'est alors que je l'ai entendue me dire : « Tu peux partir, sinon tombe ton manteau. » J'allais de surprise en surprise. C'est encore elle qui décidait. J'enlevai mon manteau, lentement, tout en regardant avec insistance les photos aux murs. Je surpris son regard un peu ironique. « Tu as envie de coucher avec moi ou de faire du tourisme ? » On ne m'avait jamais demandé ça de cette façon. « Coucher avec toi. » Ma voix venait du fond de la gorge, voilée, rauque. Comme si les mots hésitaient à sortir.

Son réveil sonne à 7 h 30. Danaï fait des études de médecine. Elle m'embrasse rapidement, me dit avoir passé une bonne nuit et me demande mon âge. Elle reste les yeux grands ouverts. J'avais déjà vécu ce genre de situation. Ma tête ne correspondait pas à mon âge. Maria la chorégraphe avait eu la même réaction au début de notre liaison quand je lui avais répondu 21 ans. Elle était près de s'effondrer. Elle en avait 31. Elle avait murmuré : « Ne le dis à personne… »

Danaï sort en me lançant : « À ce soir à 7 heures. Je te ferai la cuisine. » Je reste un moment au lit en repensant à la nuit passée et à cette relation qui commence, si prometteuse. Le soir, j'apprends que Danaï a 23 ans. J'avais déjà découvert, en faisant le tour du studio et des photos de famille, qu'elle était fille de médecin et faisait partie de la bourgeoisie grecque. Grosse voiture américaine, bateau à moteur, etc. J'ai voulu comprendre comment on devient médecin. Je me souvenais de mon frère Hakos qui, à son premier contact avec un cadavre à disséquer, avait fui et vomi.

Danaï m'a emmené à sa fac, m'a passé une blouse blanche et je me suis retrouvé devant une table en fer où trônait une jambe humaine à la couleur brunâtre, inquiétante. Il y avait au moins une vingtaine de tables semblables. Danaï découpait des petits morceaux de chair, les examinait et les jetait dans un seau sous la table. « Et comme ça jusqu'à l'os. » Je suis parti, ou plutôt, je me suis enfui.

Elle en a ri toute la soirée. Elle faisait bien la cuisine, ce dont je me fichais. Elle aimait les longues discussions, les évocations de livres lus qu'il fallait commenter. Elle aimait surtout passer les soirées en couple au studio. Cela m'empêchait de lire le soir tard et de travailler mon français, nous ne parlions qu'en grec. Une situation casanière s'installait, ajoutée à des rapports sexuels qu'elle voulait avec de très longs préludes, une sorte de méditation corporelle et gestuelle, avant d'aller à ce qui me semblait être l'essentiel. Ça ne pouvait pas durer. J'étais prêt à fuir, mais je ne savais pas comment. Un matin, au réveil, elle me demande gentiment de m'habiller, de partir et de ne plus revenir. Et ajoute : « Toi tu veux baiser et moi je veux faire l'amour. » Je n'avais pas compris la différence. Aucune colère de sa part, pas un sourire, elle était déterminée. Je suis donc parti, furieux d'avoir été humilié alors que je ne pouvais espérer mieux qu'une telle relation. Je me suis promis de méditer sur ces contradictions. Mais pas immédiatement, j'étais trop vexé. J'avais quitté la Grèce, mais je n'étais pas encore arrivé à Paris.

Petit à petit, tout s'organise à souhait, avec des rencontres et des découvertes singulières et enrichissantes, comme celle de la Cinémathèque. Mon français parlé était encore anémique, alors que l'écrit et le lu avaient progressé. Mon langage quotidien et intime restait le grec. En Grèce, nous apprenions le français au lycée, un cours par semaine. Notre professeure, une dame plus large que haute, nous disait que les Français prononcent « voui » et pas « oui ». Mon frère, excellent élève et par là même insolent, la corrigeait : « Madame, j'ai vu Françoise Arnoul au cinéma, elle disait "oui" et même "oui, mon amour". » Choquée et énervée, la professeure insistait sur son « voui ».

Un soir, au cinéma Gaumont Alésia, pendant la projection, un ami grec se penche vers moi et me demande : « Tu as compris ce qu'il a dit ? » Il était étudiant aux Beaux-Arts depuis plus d'un an ! J'ai eu peur et je suis allé demander au directeur de la Fondation si je pouvais changer de pavillon. Il a compris mes raisons et, n'ayant pas digéré mon entrée forcée à la Fondation, il a facilité mon départ. J'ai été accepté à la Maison des Provinces de France après un échange avec un étudiant français qui a pris ma place. C'était pour moi LA découverte. Dans les espaces communs, comme le salon ou la bibliothèque, on trouvait tous les journaux : droite, gauche, royalistes, communistes, chrétiens… une diversité impensable à la Fondation hellénique.

Mai 1958. De Gaulle est de retour au pouvoir. C'est la guerre en Algérie – on parle alors de « pacification ». Pendant une de ses extraordinaires conférences de presse, il répond à un journaliste qui s'inquiète de le voir instaurer une dictature : « Est-ce que j'ai jamais attenté aux libertés publiques fondamentales ? Je les ai rétablies. Et y ai-je une seconde attenté jamais ? Pourquoi voulez-vous qu'à 67 ans, je commence une carrière de dictateur ? » Cela m'avait plu malgré ma volonté de me tenir à distance de la politique : des amis à la Sorbonne m'avaient en effet vivement conseillé, si je ne voulais pas être expulsé, de rester éloigné des manifestations et des mouvements politiques. Je demeurais donc dans la confortable situation de spectateur.

À cette époque, Jean-Luc a été appelé pour faire son service militaire et a été envoyé en Algérie où les opérations militaires se multipliaient. Tony communiquait avec lui, puis soudain plus rien. Après des recherches et un contact avec sa famille à Bordeaux, nous avons appris que Jean-Luc, légèrement blessé, souffrait d'un traumatisme psychique. Puis plus de nouvelles. J'ai peu à peu cessé de penser à lui, étant pris par les cours à la Sorbonne, les lectures longues et laborieuses avec le dictionnaire à portée de main, et mes visites de plus en plus fréquentes à la Cinémathèque.

De son côté, Soulis terminait ses études. Il hésitait entre rentrer au pays ou rester avec Agathe, fille d'un grand industriel fabriquant d'une marque d'apéritif très connue. Agathe avait des fesses rebondies, des seins à l'américaine et des jambes de leveur de poids. Elle pensait que l'avenir de Soulis était en France, et s'était mis en tête de le présenter à ses parents pour préparer cet avenir. Soulis a fini par accepter, à condition que je sois, moi aussi, invité. Ça l'amusait de voir une famille de grands bourgeois français, mais pas seul. Agathe, très heureuse, a insisté pour nous préparer à *l'épreuve de la pêche*. Son père faisait servir des pêches comme dessert à ses invités provinciaux ou à ses clients étrangers. Il aimait les voir se démener pour les éplucher. Nous avons donc eu des séances d'entraînement de *déshabillage* de pêches au couteau et à la fourchette.

L'appartement des parents était monumental, un dernier étage en face de l'hippodrome de Longchamp. Nous avons été reçus par les parents, père et mère, avec des sourires aux bouches fermées, lèvres serrées et regards inquisiteurs. Seule une tante âgée, fleur bleue bien fanée, nous souriait et nous parlait avec amitié. Nous n'avons pas eu de pêches mais des poires. Nous les avons mangées à la grecque, c'est-à-dire avec la peau. Soulis a été au bout de la provocation, il l'a croquée sans se servir du couteau, à la surprise joyeuse de la tante et au désespoir d'Agathe. Quant à moi je l'ai coupée en tranches et je me suis servi de la fourchette. Soulis n'est pas allé plus loin avec Agathe. Elle a fini par l'exaspérer avec son amour colonisateur. Il l'a quittée pour une brune milanaise à la taille de guêpe et aux fesses généreuses. Son père produisait des films publicitaires et des dessins animés pour enfants. Après Milan, Soulis est rentré à Thessalonique chez son père. Et nous nous sommes perdus de vue.

Durant les périodes où nous étions fauchés, qui étaient fréquentes, Tony avait la solution. Il proposait en s'amusant : « Les Halles ? » Il s'agissait de se lever à 4 h 30, prendre le premier métro et arriver aux Halles vers 5 heures. Un service nous orientait vers les camions. Une heure de déchargement de cageots nous faisait une bonne paye et des fruits à volonté, ou des poireaux quand on n'avait pas de chance. Soulis nous accompagnait parfois, non pour la paye car il avait les moyens, mais pour observer cette humanité qui nourrissait Paris. Il s'intéressait aux camionneurs exténués par d'interminables heures de conduite, qui se détendaient dans un coin ou dans leurs cabines avec une douceur pratiquée par une péripatéticienne, plus très jeune et pas très chère. Soulis songeait à tourner un documentaire sur ce que Zola avait décrit dans son livre *Le Ventre de Paris*.

En 1966, après avoir vu mon film *Compartiment tueurs*, Harry Saltzman, producteur des James Bond avec Albert Broccoli, me proposa d'adapter pour le cinéma le livre de Zola, avec Sophia Loren dans le rôle de la belle Normande, la poissonnière. Mais, de mes relations avec Harry, je reparlerai plus tard.

Avec Tony nous sommes restés en contact de manière discontinue. La dernière fois que je l'ai vu, c'était en 2008, au Festival de Zurich où j'étais l'invité d'honneur. Tony avait peu changé. Marié à une Zurichoise, il ne parlait toujours pas un mot d'allemand. Ça le fatiguait d'apprendre. Il avait traversé les hasards de la vie comme les oiseaux de la Bible qui ne sèment ni ne récoltent, mais survivent grâce à Dieu qui s'occupe de tout. Pour Tony, son Dieu devait être les femmes et l'amour. Jusqu'à sa Suissesse, havre de paix moral et physique, m'avait-il confié. Deux ans après notre rencontre, une carte postale avec une signature illisible m'apprenait que Tony Balkano (son nom d'artiste) nous avait quittés, sans douleur.

La découverte du monde universitaire était pour moi l'incarnation de rêves confus, hypothétiques, en train de se définir et peut-être de se réaliser. Lire et lire encore, apprendre une langue, entrer dans ses méandres, ses secrets, ses sinuosités étourdissantes, générait à la fois une inquiétude métaphysique et une satisfaction toujours renouvelée : chercher à apprendre comment écrire, décoder, comprendre le mystère de l'écriture, pénétrer la galaxie des mots qui, en se succédant, racontent la vie, les hommes, les femmes, qui font rire ou pleurer, s'envoler ou choir, enfin qui vous permettent d'aller là où il est impossible d'aller.

J'aimais arriver tôt dans l'amphithéâtre pour le voir vide, passer près du tableau noir et sentir l'odeur de la craie. Cette odeur me poursuivait depuis l'enfance. À l'école du village, où nous avons vécu pendant l'occupation allemande, il y avait une seule classe pour tous, petits et grands. La craie y était un luxe. Je ramassais les petits bouts pour ne pas en manquer. Ici, il y avait de la craie à profusion. J'aimais regarder les bancs, vieux et rassurants, en bois de chêne et de formes arrondies, brillants, un peu usés par les frottements ou les caresses des jeunes corps qui s'y étaient assis depuis plus d'un siècle. L'amphithéâtre se remplissait en quelques minutes d'une foule jeune et vive, volubile, jusqu'à l'arrivée du professeur. Alors tombait un silence total et s'éveillait l'attention. Je regardais mes camarades, assis en demi-cercle, et n'éprouvais que le sentiment de mes manques, de mon inculture.

Je me demandais si je pourrais un jour faire partie intégrante de leur monde. Je m'étais mis à les imiter dans tout ce qu'ils faisaient, comme j'avais imité au métro de la porte d'Orléans les passagers qui quittaient leurs wagons en courant vers la sortie. Jusqu'au jour où j'ai compris qu'ils se dépêchaient pour ne pas manquer le bus qui les emmenait vers leur banlieue, alors que j'allais de mon côté à la Cité universitaire, toute proche. Imiter mes camarades d'études était débilitant. Je redevenais donc moi-même, tout en continuant à les observer, les écouter, les fréquenter le plus possible. Ils parlaient de livres ou de films, et je m'arrangeais pour lire les livres et voir les films dont ils parlaient.

CHAPITRE 2

Étudiant

Près d'un mois après le début des cours à la Sorbonne, j'entends un petit groupe parler d'un film qui passe dans un endroit appelé Cinémathèque. Je les suis. Dix minutes plus tard, rue d'Ulm, nous descendons au sous-sol d'un bâtiment où j'ai pu lire cette inscription : Institut pédagogique. Je découvre un petit hall et une salle de cinéma aussi pitoyable que celles d'Athènes, le Rozikler ou l'Alaska. Nous y allions quand nous séchions les cours pour voir des films de cow-boys. On y entrait comme des voleurs. De cette période grecque, le seul film dont je me souviens, car il m'avait curieusement ému, c'était *M* dont j'ai découvert bien plus tard qu'il était réalisé par Joseph Losey, un remake de *M le Maudit* de Fritz Lang. Que ce film soit passé à l'Alaska est d'ailleurs une aberration.

À la Cinémathèque il y avait une assemblée de jeunes gens en effervescence. Ils parlaient fort, avec passion, deux ou trois à la fois. Il y avait des rires, des jeunes filles, moins nombreuses mais tout aussi passionnées que les garçons. La plupart semblaient bien se connaître. C'était une salle heureuse qui, de toute évidence, attendait un événement important. À la caisse, une dame un peu forte, aux mains mal soignées, au regard scrutateur et méfiant, m'avait houspillé parce que je n'avais pas la monnaie exacte. Ma voisine m'a fait signe de ne pas m'en faire. Je la retrouvais assise à côté de moi. Elle m'a souri et demandé : « Première fois ici ? » Elle était blonde, ses yeux, ronds et bleus comme le ciel. « Oui. Première fois. »

Soudain la salle s'est tue, des applaudissements ont éclaté. « Voilà l'événement ? » Un homme légèrement voûté, un peu comme un ours, est venu devant l'écran face à nous et, ne portant aucune attention à l'accueil chaleureux de la salle, s'est mis à parler. Aussitôt, ce fut le silence total. Il a parlé du film qu'on allait voir, avec des mots nouveaux, très loin de ceux qui, pour moi, définissaient et expliquaient un film. Ses propos de plus en plus passionnés s'accéléraient, de sorte que je n'ai pu comprendre et retenir que des bribes de phrases comme « chef-d'œuvre massacré, film de neuf heures puis cinq et encore coupé », « tragédie grecque... film sur l'amour de l'argent... violence... ironie... ». Le nom de Freud était prononcé deux ou trois fois, « lumière et photo..., dramatique..., écriture épique... ».

Il a conclu sa longue diatribe en regrettant de ne pas pouvoir nous montrer les cinq heures mais seulement trois heures de cette œuvre qui avait « révolutionné l'écriture du cinéma ». Les mots « Freud » et « écriture » m'avaient particulièrement frappé. Je ne connaissais qu'une écriture, celle des mots dans les livres. La projection a commencé. J'ai lu le titre *Greed*, sous-titré *Les Rapaces*, un film d'Erich von Stroheim.

À la sortie, j'ai senti que ma voisine voulait me parler. J'ai fui. Quelques jours plus tard, nous nous sommes retrouvés : « Vous êtes parti comme fâché. » J'étais rentré à la Cité universitaire choqué, l'esprit troublé par ce film prodigieux. Plus tard, j'ai vu des adolescents sortir de la projection d'un film, assombris, comme fâchés aussi, refusant d'en parler. Comme notre fille Julie, qui allait jusqu'à changer de trottoir plutôt que devoir discuter avec nous à la sortie du cinéma.

J'ai commencé à fréquenter assidûment les projections de la Cinémathèque. L'homme qui présentait les films s'appelait Henri Langlois. Il montrait et présentait parfois des longs-métrages avec des sous-titres que personne ne comprenait : des films japonais avec des sous-titres finnois, ou encore des films soviétiques avec sous-titres polonais. Il n'expliquait pas l'histoire mais le style de l'œuvre, les intentions du réalisateur. Ma voisine du premier jour, qui s'appelait Michèle, m'a dit, entre autres, qu'elle m'avait vu « tourneboulé » après la sortie des *Rapaces*. J'avais immédiatement ouvert mon petit dictionnaire pour comprendre ce mot. En grec, la racine du mot *anastatomenos* vient du mot *soulevé* ou encore de *résurrection*. Ça l'a fait rire et elle m'a demandé dans quelle langue était mon dico et d'où venait mon accent. « Grec. » « Connaissez-vous Georges Foundas, l'acteur ? » « Oui, il est très connu. »

En fait je l'avais côtoyé sur le tournage de *Stella*, un film de Michael Cacoyannis dans lequel le ballet grec faisait une courte apparition. J'avais déjà décidé de ne jamais évoquer mon passage au ballet. Soulis y avait une ou deux fois fait des allusions un peu lourdes, qui faisaient rire l'assistance. Je l'avais coupé net. Une fois devenu réalisateur, j'ai continué à ne pas parler de ce passé, même à des proches. Je n'ai pas dit non plus que, pendant l'Occupation, je gardais quatre ou cinq chèvres qui nous donnaient du lait. Une certaine presse n'aurait pas manqué d'évoquer *l'ancien petit pâtre grec…* Michael Cacoyannis a parlé un jour de *Stella* à un journaliste new-yorkais et lui a montré l'extrait où le ballet apparaît. Ce journaliste n'a alors cessé de me poursuivre pour vérifier son scoop. J'ai platement démenti.

L'hiver 1956 était très rigoureux. Un soir, je rentrais à pied de la Cinémathèque, rue d'Ulm, un parcours d'une trentaine de minutes. Je le faisais souvent, profitant de l'espace et du temps pour réfléchir au film que je venais de voir. Le lendemain, je me réveillai avec de la fièvre, le nez et le visage pris. On m'a conseillé l'hôpital de la Cité universitaire. Hôpital, pour moi, signifiait : « payer ». Plus on me le recommandait, plus je voyais le prix de la visite augmenter. En fin de journée, je me suis résigné, car j'avais l'impression que ma tête allait éclater. À la dame qui m'a accueilli, j'ai dit que je voulais que le docteur me prescrive quelque chose de plus fort que de l'aspirine. Elle m'a inscrit, a copié ma carte de résident de la Cité et m'a très gentiment conduit à la salle d'attente. « Vous êtes grec ? » « Oui, madame. » « Très beau pays. » Tout le monde me disait ça. Ce pays, je ne le connaissais pas, si ce n'était le trajet du Péloponnèse jusqu'à Athènes, et encore, dans un car bondé et assis sur un tabouret dans l'allée entre les sièges.

Un jeune docteur me sort de ma rêverie et me conduit à son bureau. Jusqu'ici, pas le moindre paiement. Ça m'inquiète. Je m'empresse de lui dire que les aspirines n'ont pas d'effet. Il me demande de me déshabiller. « Le haut seulement. » Auscultation approfondie, fond des oreilles, du nez, les yeux : « On va vous hospitaliser, vous avez une sinusite aiguë et un début de... » Je n'ai pas compris la suite. Le lendemain matin, de multiples examens. Le tout avec une considération amicale constante et quelques : « Quel beau pays, la Grèce ! », ou encore : « Ah les îles, inoubliables ! » Je n'avais jamais vu d'îles, sauf sur les cartes de géographie à l'école.

Le deuxième jour, le jeune docteur arrive avec deux confrères et des radios : « Vous n'avez pas mentionné que vous avez eu la tuberculose. » Je ne comprends pas le mot. Ils me regardent tous les trois avec une inquiétante curiosité. Puis je comprends. C'étaient les poumons. Je suis sidéré. Avoir la tuberculose à cette époque en Grèce était plutôt fréquent et désastreux. J'ai la *fumatioci*... Mes yeux ont dû se remplir de larmes. Le docteur s'assoit sur le lit. Il m'explique que j'ai dû avoir la tuberculose mais que c'est fini. Il me montre la radio et répète le mot « calcification » plusieurs fois : « calcifié ». Les deux autres hochent la tête en souriant. Je comprends enfin que mon organisme a éradiqué la maladie. Il a touché ma cicatrice à la joue, en articulant : *cicatrisé*. Tout allait bien. « Vous sortirez demain matin après le passage du médecin. » À la réception, on me donne des médicaments à prendre les jours suivants. Sans rien me demander. C'est Tony qui, plus tard, m'a expliqué : tout était gratuit.

Ma voisine de la Cinémathèque, la jeune femme blonde aux yeux tout ronds comme deux billes d'agate bleue, m'avait dit qu'elle préparait le concours d'entrée à une école de cinéma. Nous nous sommes revus quelques fois pendant les projections. Mon appétence pour les films ne cessait de grandir.

Un an plus tard, à la rentrée de l'Idhec (l'Institut des hautes études cinématographiques), je l'ai vue arriver. Elle avait réussi le concours et moi mon entrée « sur titres ». Elle s'appelait Michèle Firk. Et jusqu'à son départ de l'Idhec, nous sommes restés bons amis. Elle m'a présenté, à ma grande surprise, l'acteur George Foundas de passage à Paris, qu'elle semblait bien connaître et qui, heureusement, ne se souvenait pas de moi. Elle m'a aussi donné quelques leçons de politique française qui ne ressemblaient en rien à ce que je connaissais, ni à ce que j'imaginais.

M'ayant entendu parler des policiers français, de leur politesse et de leur bonhomie en comparaison avec leurs collègues grecs, surnommés les *Batsos* (*batsos* voulant dire *gifle* en grec) pour leur propension à vous gifler au moindre manquement. Ici je me sentais estimé, Michèle me traitait de naïf et me parlait de la répression policière contre les grèves dans le Nord de la France, des massacres en Algérie. Elle était la seule à parler de « la Révolution algérienne » et de « la Guerre d'indépendance algérienne ». J'écoutais, puis je lui expliquais ma position d'étranger : « spectateur ». Nouvelle volée de bois vert ! J'ai fini par rectifier : « Spectateur, mais pas sourd ni aveugle. » Ça l'avait fait rire.

Michèle Firk n'est pas revenue la deuxième année et fut suspendue des cours pour absentéisme. On murmurait qu'elle était communiste, qu'elle militait pour l'indépendance de l'Algérie, une position radicale dangereuse alors en France. Elle animait le ciné-club Action et écrivait dans la revue *Positif* où elle critiquait les *Cahiers du cinéma* et leurs « héros du cinéma américain ». On comprenait là les raisons pour lesquelles elle avait quitté l'Idhec, nous considérant comme des petits-bourgeois davantage fascinés par Roger Vadim, Alfred Hitchcock, David W. Griffith, que par Chris Marker, Alain Resnais et Agnès Varda.

Je n'ai plus pensé à Michèle jusqu'à ce qu'Annie Tresgot, une autre camarade de l'Idhec, m'apprenne, des années plus tard, que Michèle était partie pour Cuba. En 1968, elle s'est suicidée quand la police a fait irruption dans son studio au Guatemala après avoir capturé son compagnon, Camilo Sanchez, commandant des FAR, mouvement révolutionnaire luttant contre le pouvoir et la colonisation américaine. Il était accusé d'avoir exécuté un ambassadeur américain. J'ai pensé quelquefois à Michèle Firk, qui avait croisé furtivement mais intensément ma vie. Je me demande ce qu'elle aurait pensé de mes films, elle si entière dans ses convictions.

La Cinémathèque française de la rue d'Ulm a sans doute été la première étape dans la découverte qu'au cinéma il existait des œuvres relevant d'une dimension que je ne soupçonnais pas jusque-là. Une dimension équivalente à celle des œuvres du théâtre classique, grec ancien, français, anglo-saxon. Gilles Deleuze, alors professeur assistant, Jean Mitry et Georges Sadoul donnaient un cours de filmologie à la Sorbonne. J'ai commencé à y assister, jusqu'au jour où, pendant un cours de Deleuze, il m'est apparu de manière flagrante que mon français était trop faible pour me permettre de gravir une telle montagne de savoir. Il évoquait fréquemment la notion de subjectivité, que je n'arrivais pas à associer aux films. J'ai retrouvé et compris plus tard cette notion dans ses livres, *L'Image-Temps* et *L'Image-Mouvement*. Je décidais de reprendre le cours de filmologie l'année suivante, avec un français mieux maîtrisé. À l'Idhec je retrouvais comme professeurs Jean Mitry et Georges Sadoul, qui m'ont appris durant deux années comment voir les films autrement. Et par là même, à aimer davantage le cinéma.

Un soir je rentrais à pied à la Cité universitaire, après un exposé à la Sorbonne sur le thème de *La Comédie humaine* et la projection à la Cinémathèque du film de Jean Renoir, *Toni*. L'association Balzac/ *Toni* m'a très probablement donné l'idée de me renseigner sur l'Idhec. Plus mon français s'améliorait, plus mes velléités d'écriture en français s'amenuisaient, face à l'immensité, la complexité de la langue française et de sa syntaxe. L'Idhec avait une réputation internationale et était, disait-on, considérée comme « une des meilleures écoles de cinéma », son concours d'entrée étant réputé pour être un des plus difficiles.

Je trouvais l'adresse de l'école dans l'annuaire téléphonique : 92, avenue des Champs-Élysées. Une adresse intimidante mais l'accueil fut bienveillant. La dame du secrétariat répondait en détail à mes questions. Puis son ton a brusquement changé. Son regard s'est fugitivement posé sur quelqu'un derrière moi. Intimidé, je n'ai pas osé me retourner. J'ai entendu une voix masculine, forte, métallique : « De quoi s'agit-il ? » « Un futur candidat », a répondu la dame, me donnant un statut qui m'a à la fois surpris et flatté.

Je me retourne et me retrouve face à un homme plutôt trapu, au regard sévère et peu accueillant : « Monsieur Tessonneau », a murmuré la dame. Il portait un manteau gris foncé et un chapeau gris clair. « Qui êtes-vous ? » Je me présente. Il me fixe avec attention et intérêt quand je lui dis que je préparais une licence de lettres et que j'habitais à la Cité universitaire. Je savais que le fait de mentionner cette adresse suscitait en général l'estime de mon interlocuteur. « Venez ! » me dit-il en faisant un geste pour que je le suive. Je rentre dans un grand bureau un peu triste mais avec une large vue sur les Champs-Élysées, et en fond une moitié de l'Arc de triomphe. Impressionnant. Tout en enlevant son manteau et son chapeau, M. Tessonneau m'explique qu'il est le directeur de l'Institut et m'invite à m'asseoir. À l'idée d'un entretien impromptu, je me sentis paralysé devant ce personnage important. Des années plus tard, je le croisai dans la rue, toujours impressionné face à lui. Il me félicita pour ma « carrière » et, en bavardant, je l'ai senti impressionné. Par moi.

Mais revenons à notre première rencontre. Il me pose une série de questions auxquelles je réponds avec empressement, d'autant plus que je me sentais écouté avec un certain égard. Il me précise que le concours d'entrée ne concerne que les Français et que les étrangers sont acceptés « sur titres ». Lorsqu'il me demande mon âge, sa réaction fuse : « Vous êtes à la limite pour l'Idhec. » Quel choc ! « Et que feriez-vous de votre projet universitaire si vous étiez accepté chez nous ? » « Je le poursuivrais. Ça prendra plus de temps pour la licence mais je… » Il approuve, compréhensif. Finalement il me conseille de préparer un dossier qui justifierait mon désir d'étudier dans une école de cinéma. Et aussi, ajoute-t-il en se levant pour signifier la fin de l'entretien, un exposé de cinq ou six pages sur les tragédies grecques. Pour lui, à l'évidence, me proposer un tel sujet était un cadeau. Pour moi c'était une double angoisse. Je ne disposais pas de « titres » et le théâtre grec ancien n'était pas enseigné dans mon lycée.

Je passais beaucoup de temps à la bibliothèque de la Sorbonne à consulter et à copier les préfaces, les épilogues, les préambules sur les cinq grands : Sophocle, Eschyle, Euripide, Ménandre et Aristophane. C'était pour moi l'occasion d'apprendre quelques fondamentaux de la culture grecque. Je parvins à rédiger dix pages, avec quelques idées et expériences personnelles, et aussi quelques remarques sur mes manques, mes lacunes et faiblesses dus à mon éducation grecque. Ma franchise fut appréciée. Francine, une amie éphémère, m'avait aidé à mettre mon exposé en bon français, tout en respectant un certain nombre de fautes d'orthographe et de syntaxe afin de rendre mon devoir plus crédible. Les rencontres « éphémères » étaient fréquentes à la Cité universitaire. Elles se faisaient souvent aux bals du samedi soir, dans les différents pavillons. Beaucoup de jeunes femmes y venaient. Ces liaisons pouvaient durer un week-end, une semaine ou la vie.

Francine, pharmacienne, cultivée et furieusement jalouse, me citait son grand-père qui avait fait la guerre des Balkans et disait : « Si dans la forêt tu rencontres un loup et un Grec, tire sur le Grec. » La blague la faisait beaucoup rire, mais hérissait mon amour-propre. Malgré l'éloignement et mon indifférence grandissante pour la Grèce, un minimum de patriotisme persistait.

Avant la rentrée des cours à l'Idhec, l'école proposait pour les étudiants étrangers deux semaines d'introduction à l'art en France. Nous étions six sur les vingt-quatre reçus. La première semaine, une visite des musées était prévue un lundi, le jour de fermeture. L'un des accompagnateurs était Michel Leiris. Ses connaissances et son éloquence nous avaient impressionnés. Il citait souvent Aimé Césaire, l'écrivain et homme politique connu pour sa lutte en faveur de la reconnaissance de la « négritude ». Pour James Blue, américain, Johan van der Keuken, hollandais, et moi le Grec, c'était la découverte du « fait nègre », vu et interprété bien différemment. Un nouveau centre d'intérêt entrait dans ma vie.

Mes deux années d'études à l'Idhec furent d'une densité jamais vécue auparavant, passionnantes et exaltantes. J'avais choisi comme spécialité la mise en scène, la réalisation, mais, quand le programme le permettait, je suivais les autres cours : le montage, la prise de vues, le son, la décoration, la photo, le développement et le tirage. C'était grisant. La machine ou la machinerie nécessaire à fabriquer un film, à créer un univers ou un monde à partir de rien, était désormais à ma portée. Il fallait la maîtriser, la sentir, l'apprivoiser, en faire une compagne de l'aventure qui allait naître. Et d'abord, apprendre l'usage d'une caméra et le montage. J'avais senti, dès l'analyse des premiers films que nous faisions, que le montage devait être pensé sitôt l'écriture du scénario.

Premier contact avec le « monstre-caméra ». Il y avait toute une littérature autour de la caméra. Il y en a un peu moins de nos jours, la caméra digitale ayant tué le mystère et avec lui une certaine poésie. On appelait la caméra la « boîte magique », on parlait de « l'œil de la caméra » ; on disait : « la caméra aime telle actrice ou acteur », ou encore « la caméra ne l'aime pas ». C'était poétique, mais la vérité était ailleurs. Il fallait d'abord apprendre à connaître parfaitement cette machine, qui après tout n'était qu'une machine.

La première leçon, au double sens du terme, est donnée par Ghislain Cloquet, chef opérateur de renommée et homme peu commode. Après nous avoir présenté une Caméflex, caméra argentique, il ouvre une valise métallique avec de nombreux objectifs sécurisés dans des niches de mousse. Cloquet nous laisse le temps de les contempler dans un silence religieux. Puis il nous explique que ce sont des objectifs de caméra, chacun avec une valeur de foyer, de focale différente. Il se tourne alors vers moi et me demande de lui montrer « le 50 mm ». Effaré, je regarde les objectifs, puis les autres étudiants. Pourquoi diable me demande-t-il ça à moi ? Veut-il m'humilier ? Vingt paires d'yeux allaient et venaient des objectifs jusqu'à moi. Après avoir goûté mon désarroi et ménagé son effet, sans nul doute pédagogique, Cloquet prend un objectif et nous montre la bague métallique qui entoure la lentille de verre : « C'est écrit ici, 50 mm. »

C'est avec cette rigueur que j'ai appris pendant deux ans les rudiments de la conception d'un film. Mais rien sur le choix du film à faire.

Un jour, Cloquet nous fait faire des essais avec une nouvelle pellicule. La TriX, trois à quatre fois plus sensible que la Kodak traditionnelle. Cette petite révolution technique participera à la naissance de la Nouvelle Vague. Comme chaque invention technique, elle a changé la conception des films, leur esthétique, leur économie. Elle a facilité le tournage hors studios, dans des décors naturels, car elle nécessitait beaucoup moins de lumière artificielle. L'essai consistait à rester dans une chambre, sans la moindre lumière, et à allumer une allumette devant son visage. Cloquet m'avait encore choisi. Avais-je les traits les plus tourmentés ? Miracle, le visage était parfaitement éclairé.

À l'époque, Cloquet préparait *Le Trou* de Jacques Becker, qui a dû voir ces essais : il cherchait des têtes de jeunes voyous. J'étais invité à me présenter pour le casting. Je n'ai eu ni le courage et encore moins la clairvoyance de refuser. Adolescent, je rêvais de ressembler à Dana Andrews ou Humphrey Bogart. Et voilà que ces rêves étaient ranimés ! Ce fut un désastre, une humiliation et une fureur contre moi-même. Les mots de consolation de Jacques Becker et de Jean, son fils et assistant, n'ont fait que m'humilier davantage. Philippe Leroy-Beaulieu fut choisi pour le rôle. Cette mésaventure m'a néanmoins permis de prendre conscience de l'importance et de la difficulté d'être acteur. J'ai toujours refusé les propositions qui m'ont été faites par la suite, sauf une fois, à la demande amusée de Simone Signoret, pour *La Vie devant soi* de Moshé Mizrahi.

Le spectateur d'un film peut ne pas voir un éclairage ou un décor raté. Mais les acteurs sont les principaux collaborateurs du metteur en scène. Ce sont eux qui portent l'histoire aux spectateurs. Un acteur qui « rate » son personnage, le spectateur le ressent dans son affectivité, cela n'échappe pas à sa sensibilité. Il était de bon ton de prêter à Hitchcock les mots selon lesquels « les acteurs sont du bétail ». Ça peut rassurer certains réalisateurs qui ne savent comment s'y prendre avec eux et les laissent « faire », c'est-à-dire ne les laissent s'inspirer que du scénario, sans leur donner d'indications précises sur le personnage qu'ils interprètent, sa psychologie, ses humeurs à chaque scène, ses relations avec les autres personnages…

À l'Idhec, il n'y avait aucun enseignement sur la direction et les relations avec les acteurs. En deuxième année, la question s'était posée à nouveau. Surtout après une visite de Gérard Philipe, qui nous avait parlé du métier d'acteur avec une ferveur qui nous avait laissés ébahis, et inquiets. Nous avons fait avec Christian de Chalonge une démarche auprès de M. Tessonneau qui, à la surprise générale, a accepté d'ajouter des séances de direction d'acteur. Hélas, mal conçus, mal organisés, ces contacts avec les comédiens n'ont pas duré. L'indifférence et l'indolence l'ont emporté.

Deux professeurs de la mise en scène ont néanmoins marqué mes deux années d'études. Un troisième, qui remplaça les deux autres, ne m'a laissé que le souvenir de sa sincérité plus que celui de son enseignement : d'emblée, il nous avait prévenus que la mise en scène ne s'enseignait pas et qu'il était là pour superviser la préparation et le tournage de nos films de fin d'études.

En première année, où toutes les interrogations attendent des réponses définitives, nous avons eu monsieur M., doté d'un léger strabisme, de peu d'autorité et d'un passé professionnel dans le cinéma qui ne suscitait pas une admiration débordante. Son expérience de tournage encore moins. Cela nous rendait plutôt durs avec lui, et notre intolérance était aussi grande que notre ignorance. Nous avions des idées précises sur les films que nous rêvions de réaliser un jour. Mais ils étaient déjà tournés ! Monsieur M. nous le faisait découvrir chaque jour davantage, grâce à sa grande connaissance théorique du cinéma. En première année, en plus des cours théoriques, nous devions tourner le remake d'une scène d'un grand classique du cinéma, une scène devant se dérouler dans un bar, un living-room ou une chambre à coucher : c'étaient les trois seuls décors de plateau dont l'école disposait. On découvrait alors que la mise en scène est une affaire de vision strictement personnelle, d'habileté et surtout de talent. Encore fallait-il en avoir. L'autre découverte était que la mise en scène ne s'enseigne pas. De même qu'on ne peut enseigner à un peintre les couleurs à utiliser. Le musicien apprend les notes, mais pas la musique qu'il va composer. À l'écrivain, on ne peut apprendre quel mot choisir, ni où mettre une virgule.

Monsieur M. insistait sur la règle du « champ contre-champ ». La seule règle est qu'il n'y a pas de règle, avait rétorqué Jean-Pierre Petrolacci, meilleure plume et meilleur tempérament de la classe. Monsieur M. insistait : les « champs contre-champs » doivent se faire à la même distance et avec le même objectif de caméra. Sans quoi c'est une hérésie et le spectateur est dérangé. « J'aime être hérétique et dérangé », m'avait murmuré James Blue avec son accent américain. L'enseignement normatif de monsieur M. n'entamait pas notre fougue. Je dirais même le contraire, il nous stimulait. À croire que c'était *sa* méthode pédagogique. Nous étions impétueux dans nos jugements, qu'ils soient exprimés ou pas. En réalité, plus nous étions ignorants, plus nous affirmions nos certitudes.

Où placer la caméra quand il y a cinq à dix places possibles ? Quel objectif utiliser quand on en dispose d'une dizaine ? Quelle histoire raconter, comment et pourquoi celle-ci et pas une autre ? Quels acteurs choisir ?

Chacun avait sa réponse, définitive. Personne d'autre ne peut répondre à ces questions, dans sa recherche d'une cohésion pour son film, la solution ne pouvant venir que de soi. Je suis convaincu que, quelles que soient les réponses à ces questions, chacune a sa pertinence. C'est ce qui fait les grandes œuvres, le fait qu'elles ont trouvé une réponse unique et inédite. Le montage, phase finale de l'œuvre, doit chercher à son tour d'autres réponses, nombreuses et tout aussi complexes. Il constitue la phase finale de l'œuvre. C'est au montage que le film s'écrit ou se réécrit, et c'est définitif.

C'est en deuxième année d'études que j'ai découvert le rôle, la fonction déterminante du montage. René Clair m'a dit, des années plus tard : « Si tu veux faire de la mise en scène, passe du temps dans une salle de montage. »
C'est aussi durant cette deuxième année que s'élaborait le film de fin d'études. Il s'agissait de faire un court-métrage de neuf à dix minutes, le temps d'une bobine de 300 mètres de pellicule argentique. Il fallait écrire le scénario d'une histoire, qui devait nécessairement se dérouler dans un des trois décors existants, un dispositif interchangeable en contreplaqué, peint ou couvert d'un papier peint, qu'on modifiait très rarement. Pendant le tournage du film de l'un, les autres étudiants devaient occuper une fonction de technicien, électricien, machino, cameraman, assistant metteur en scène, etc.
En réfléchissant à mon projet de film, je suis allé consulter M. Bertrand, professeur d'architecture-décoration, pour savoir s'il était possible d'utiliser un autre décor. Impossible, faute de moyens. Mais si j'avais une idée, l'école et lui-même me donneraient leur accord et un coup de main. Mais pas d'argent. Nous étions, et j'étais déjà, tributaires de la dépendance du

cinéma à l'argent. Cela n'a pas changé depuis. Une relation d'amour-haine féroce s'est établie entre ces deux mondes, qui fait des victimes, et parfois des heureux, des deux côtés. Mais les « morts » sont du côté du cinéma.

M. Bertrand saisit l'occasion pour me rappeler que Christian de Challonge avait fait un exposé oral sur l'architecture romane, et me demanda d'en faire autant sur le Parthénon. « Vous êtes la personne indiquée pour cela. » C'était me destiner à être considéré comme un spécialiste ou un connaisseur de l'histoire grecque, un domaine jamais enseigné ni même effleuré durant ma scolarité. J'avais visité le Parthénon avec mes parents, et mon impression avait été mitigée, entre ce que je voyais et ce que j'attendais : ma mère répétait que le Parthénon, c'était nous. Ce que je découvrais autour de moi était peu convaincant. Il m'a fallu découvrir l'âme de ce lieu pour comprendre.

De retour à la bibliothèque de la Sorbonne et surtout à celle des Beaux-Arts, ce fut le *trip* du voyage : photos, dessins, plans, études, explications, couleurs... À l'origine, le Parthénon était en grande partie coloré. La construction, la modernité de cette étonnante réalisation de 2 500 ans reste sans égale. Elle semble être rectangulaire, carrée, rectiligne. Elle est faite de courbes, d'arrondis, de cintrages, bref de sensualité et de perfection. Pour moi, ce fut une découverte, une adoration jamais démentie, conjuguée à une haine et un profond mépris pour les vandales qui n'ont pas respecté ce chef-d'œuvre, à commencer par les paléochrétiens et pour le plus récent lord anglais Elgin. Mon exposé a plu à mes camarades et M. Bertrand m'a félicité. Il a trouvé ma conclusion un peu trop anti-anglaise : « Mais ce n'est pas à nous, Français, de vous jeter la première pierre. » Annie Tresgot m'a traduit le sens de cette expression, toute nouvelle pour moi.

Je ne manquais pas l'occasion de rappeler à M. Bertrand mon idée de « décor pas cher pour mon film ». Il m'a écouté et fait un grand sourire. « Ce n'est pas le Parthénon ? » a-t-il ironisé. Ça ne l'était pas : je lui avais simplement proposé de retourner les « feuilles », les murs en contreplaqué, du décor du living-room, pour en faire une étable en y ajoutant deux lits superposés en bois, de la paille, et en peignant le tout en gris sale. L'idée fut acceptée et réalisée avec joie par deux machinistes du plateau de l'école, cela les sortait de la routine.

Un événement exceptionnel nous a alors tous diversement interpellés. Deux étudiants hongrois ont soudain débarqué à l'école et sont entrés d'office en seconde année. Ils nous ont été présentés comme deux rescapés de la répression sanglante qui avait suivi le soulèvement populaire d'octobre 1956 en Hongrie. Une manifestation étudiante à Budapest avait été suivie par quelque deux cent mille personnes demandant le changement de politique du gouvernement communiste. L'intervention des milices prosoviétiques et des tanks du Pacte de Varsovie avait stoppé la révolte dans un bain de sang. Nos deux étudiants, tout comme des milliers d'autres Hongrois, avaient réussi à fuir leur pays et s'étaient réfugiés en Europe occidentale. Ils nous ont raconté la répression subie durant le soulèvement, mais aussi et surtout leur vie précédant les événements. Ils n'étaient pas crus par tous. Certains étudiants murmuraient que la manifestation avait été organisée par les services secrets américains.

J'écoutais les Hongrois, surtout l'un d'eux, Maté Rabi-novsky, grand brun émouvant, avec une attention mêlée d'une certaine méfiance et même de doute. Un sentiment prosoviétique existait encore en moi, mûri de longue date par la bataille de Stalingrad, tombe de l'armée de Hitler, et par l'idéal communiste d'une société meilleure, plus juste et plus démocratique, alors que j'avais vécu sous un régime qui ne respectait ni les principes de justice, ni même ses propres promesses. Et la France où je venais d'arriver, et que j'admirais, menait pour sa part une guerre coloniale, comme d'autres pays occidentaux dits libres.

L'un des récits de Maté Rabinovsky retenait particulièrement mon attention. En Hongrie, les jeunes désireux de suivre des études supérieures, universitaires ou autres, devaient fournir un certificat sur leurs pères, sur leur famille en général, prouvant leur allégeance au parti et leur non-appartenance à la bourgeoisie. Sans cela, pas d'études possibles. Ç'avait été mon cas en Grèce, mais pour des raisons diamétralement opposées. Mon père, anti-royaliste et ayant participé à la résistance dans le mouvement EAM (Front national de libération) dirigé par les communistes, était officiellement considéré comme communiste et antisocial. Il avait perdu son travail et avait été emprisonné à diverses reprises. Pas de certificat possible pour moi. La seule solution était d'aller étudier en France, pays où les études étaient libres et gratuites. Des années plus tard, j'ai entendu Miloš Forman déclarer avoir été victime du même traitement que Rabinovsky en Tchécoslovaquie.

Les discussions allaient bon train, surtout pendant le déjeuner à la cantine de l'usine voisine qui nous accueillait parmi les ouvriers. Je n'avais pas évoqué mon cas. Inutile de se mettre au diapason des « moi aussi en Grèce ». Seule libération de toutes ces contradictions politiques et discussions obsessionnelles pour moi, le cinéma et son apprentissage.

C'était le plus urgent, le plus important et surtout le plus passionnant. J'en arrivais même à me désintéresser de la guerre en Algérie, malgré les étudiants et les camarades que je voyais partir là-bas. J'étais conforté dans mon idée de me consacrer exclusivement à mes études, encouragé par le discours du président de l'Idhec, Marcel L'Herbier, grand metteur en scène qui avait souligné l'importance du cinéma dans notre monde, et aussi la nôtre, nous étudiants, pour le cinéma.

1959. J'obtiens mon diplôme de fin d'études dans de bonnes conditions. Mon film de promotion s'intitule *Les Ratés*. Un mois plus tard, je reçois un message de la direction de l'Idhec qui me propose de faire un stage sur un film, *L'Ambitieuse*, d'Yves Allégret. Je devais dès le lendemain prendre contact avec le premier assistant, aux studios de Boulogne. Je me suis présenté à Claude Pinoteau. L'aventure « cinéma » allait commencer…

CHAPITRE 3

Assistant

Claude Pinoteau m'explique qu'il a besoin de moi pour deux semaines de tournage à Paris. L'équipe arrivait de Tahiti et repartait terminer les prises de vues sur la Côte d'Azur. « Voilà la scène d'aujourd'hui, fais-moi le dépouillement », jargon de cinéastes pour dire : *Fais la liste de tout ce dont nous avons besoin pour tourner cette scène*. C'était une mise à l'épreuve. Le « dépouillement » de tout le scénario est effectué avant le tournage du film par le premier assistant-réalisateur. Le stagiaire, grouillot de toute l'équipe, va chercher les acteurs dans leur loge pour le tournage, et reste à leur disposition, mais surtout à la disposition du premier et du deuxième assistant, prêt à tout faire, bien et vite.

La star du film, Richard Basehart (*La strada*, *Il bidone* de Fellini, *Moby Dick* de John Huston), distant et poli, était toujours prêt pour le tournage. Il ne présentait aucun problème pour le stagiaire. La vedette féminine, Andréa Parisy, brune svelte et amie du producteur, aucun problème non plus. Jean Marchat, de la Comédie-Française, me reçoit nu et souhaite que je l'aide à s'habiller. « Nous sommes prêts à tourner, monsieur Marchat. » « C'est portugais, votre accent, Costa ? » « Grec, monsieur Marchat. » « Ah, les Grecs ! » suivi d'une longue tirade sur ces derniers, leurs dieux, la mer, les îles, la lumière... Pas moyen de partir. « Ne vous retournez pas, cher Costa, entre hommes... Passez-moi mon pantalon, celui sur la chaise... » Je le lui tends à distance en regardant ailleurs. J'en parle à Claude qui a bien ri et me donne un truc. « Tu frappes, tu ouvres sa porte, tu dis vite ce que tu as à dire et tu refermes. »

Je n'ai plus aidé M. Marchat, qui d'ailleurs avait une habilleuse. L'autre actrice du film, Nicole Berger, belle, yeux pétillants, reste distante. Juste assez pour en tomber amoureux. Le sommet de la quinzaine a été d'accompagner Valentina Cortese (*Les Bas-Fonds de Frisco* de Jules Dassin, *La Comtesse aux pieds nus* de Joseph L. Mankiewicz) et femme de Richard Basehart. Elle ne jouait pas dans le film mais venait souvent sur le tournage. « Un petit café serré, Costa. » Je courais avec joie, deux, trois fois. J'avais fini par lui parler de *Femmes entre elles*, le film d'Antonioni. « Vous avez vu ça, Costa ? » Elle était surprise ou faisait semblant. J'aimais l'entendre prononcer mon nom. Je trouvais ce plaisir un peu niais, mais je le savourais.

Tous ces moments sont gravés dans ma mémoire comme dans du marbre. Par la suite, il y eut d'autres rencontres avec des célébrités. Leur empreinte s'est vite floutée avec le temps. Le souvenir de Valentina, aux yeux mystérieux, aux mains d'une finesse sublime, reste parfaitement net. Dernièrement je l'ai vue à la télévision. Elle est devenue une vieille dame. Pourquoi diable m'a-t-elle fait ça ?

Un peu oublié aujourd'hui, Yves Allégret, le metteur en scène du film, était célèbre à l'époque. Cela arrive à la plupart d'entre nous : tomber un jour dans l'oubli. Nous avions cité ses films à l'Idhec et étudié *Dédée d'Anvers* et *Les Orgueilleux*. Il était affable avec moi, aimable, sans plus. Pendant le tournage à l'hôtel George-V, j'étais chargé de bloquer l'entrée du décor pendant les prises de vues, fonction essentielle du stagiaire. Une jeune fille, sûre d'elle et un peu crâneuse, veut entrer malgré ma présence que je voulais autoritaire. Je l'arrête en précisant qu'on allait tourner. « Ce ne sera pas long... » « Qui êtes-vous ? » rétorque-t-elle. « Assistant stagiaire. On va tourner, je vous prie d'attendre... » « Je n'attendrai pas, je suis la fille du metteur en scène. » C'était notre première rencontre avec Catherine Allégret, fille d'Yves Allégret et de Simone Signoret. Ça n'allait pas être la dernière.

Les deux semaines de tournage se sont déroulées à une vitesse et dans une exaltation impossible à décrire. Il n'y a rien de plus maussade que la fin d'un tournage, même s'il arrive que cela soit aussi une délivrance. Ce soir-là, nous rentrons avec Claude Pinoteau dans sa voiture. Silencieux, Claude pense sans doute à la suite du tournage sur la Côte d'Azur. Moi à mon retour à l'inactivité. J'envisage de reprendre le chemin de la Sorbonne et ma licence de lettres. Continuer aussi les petits boulots, le lavage de voitures au garage de Neuilly pendant les week-ends, et peut-être un retour aux Halles.

Soudain Claude, avec la simplicité et la droiture qui le caractérisaient, me demande si je veux être son deuxième assistant sur le film qu'il va commencer, dès la fin du « Allégret ». Je tombe des nues, prêt à hurler de joie. J'accepte calmement, aussi simplement qu'il me l'a proposé. Une fois seul, je me trouve devant un double dilemme : le contrat signé avec l'Idhec stipule que je ne dois pas travailler en France pendant dix ans, d'autant que je n'ai pas de carte de travail mais une simple carte de séjour d'étudiant. Je ne m'attarde pas sur le problème insoluble du contrat signé. Je me concentre sur la carte de travail. Les fiches de paie du film, celles de la figuration au théâtre et un certificat de Jean Robin, du théâtre des

Champs-Élysées, ont suffi pour que je l'obtienne. C'étaient des temps heureux, il y avait abondance de travail. Pour la fonctionnaire qui accordait cette carte, les justificatifs étaient plus un alibi qu'un moyen de contrôle. J'ai donc obtenu ma carte, ainsi libellée : « Assistant metteur en scène de théâtre à l'exclusion du cinéma. »

En 1959, la guerre en Algérie est à son paroxysme. Le slogan « Algérie française », aussi déraisonnable qu'il puisse paraître aujourd'hui, est alors revendiqué par la majorité des Français.

Dans la métropole, une « nouvelle vague » de cinéastes est née. Leur ambition est de rompre avec le passé et de créer des œuvres qui annoncent un changement depuis longtemps souhaité, clamé même. *Nuit et Brouillard* d'Alain Resnais, *Moi, un Noir* de Jean Rouch, *Du côté de la côte* d'Agnès Varda, *Les Mistons* de François Truffaut… tous secouent le cocotier et la routine confortable et repue des productions françaises. Ils sont suivis par des longs-métrages de fiction : *Les 400 Coups* de Truffaut, *Le Beau Serge* de Claude Chabrol, *Paris nous appartient* de Jacques Rivette, et bien d'autres…

À l'Idhec, certains défendaient Roger Vadim et son *Et Dieu créa la femme* qui me laissait indifférent. Une effervescence jubilatoire se répandait, comme un feu attisé par l'envie de renouveau, chez les jeunes cinéastes, et jusqu'à une nouvelle cinéphilie. C'était comme une petite renaissance, sans doute, suivant l'exemple du néoréalisme italien qui avait enflammé les jeunes critiques français, issus en grande partie de la revue *Cahiers du cinéma*. Critiques et cinéastes à la fois, ils avaient tendance à se célébrer les uns les autres. Leur autre projet commun consistait à dénigrer ou démolir les anciens : René Clair, Julien Duvivier, Henri Verneuil, Claude Autant-Lara,

Jean Delannoy… Ce qu'ils firent avec ténacité. Je me souviens du metteur en scène Gilles Grangier, qui me demandait, bouleversé, humilié : « Dites-moi Costa, vous qui êtes jeune, savez-vous pourquoi ils sont si déchaînés contre nous ? »

Que dire ? Une génération poussait dehors, avec une sorte de fanatisme esthétique, la génération précédente. Un nouveau dessein critique était né. Je suivais ces nouveaux venus, dans les revues comme à l'écran. Leur sujet principal était l'amour et, en général, dans son contexte social. Cela ne m'intéressait que par le réalisme qu'ils réussissaient à introduire dans leur mise en scène et leur scénario. En revanche, des films comme *Lettres de Sibérie* de Chris Marker, *Les Cousins* de Claude Chabrol ou *Les Amants* de Louis Malle m'avaient profondément ému et concerné. *À bout de souffle* de Jean-Luc Godard me passionnait par sa forme et grâce à ses acteurs. Je trouvais l'histoire plutôt chétive et j'étais étonné et admiratif qu'avec un scénario si ténu, Godard ait pu faire un film si remarquable.

La Nouvelle Vague m'était proche – j'appartenais à la même génération par sa nouveauté, mais je m'en sentais éloigné pour tout le reste. Ma préoccupation essentielle était la survie. Le compte en banque d'Athènes était tari, et ma nostalgie de retour au pays asséchée. La proposition de Claude tenait donc du miracle. Il s'agissait du film de Jack, son frère. Les Pinoteau constituaient une petite dynastie dans le cinéma. Le père Lucien était régisseur, la belle-mère costumière. Lucien avait été un des grands régisseurs, avec plus de cent films à son actif. À commencer par les films de Jacques de Baroncelli et de Germaine Dulac, jusqu'à ceux de Julien Duvivier et Vincente Minnelli. Ses fils fréquentaient les tournages dès l'enfance. Claude était passé d'enfant acteur à stagiaire, puis d'accessoiriste à l'un des meilleurs assistants français, avant de devenir metteur en scène. D'une grande qualité humaine, il était respecté par tous. Le seconder allait m'ouvrir la porte de cette profession si fermée. Ma vie de cinéaste et les rencontres que j'ai faites par la suite sont aussi dues à la confiance que cet homme exemplaire m'a accordée. J'ai appris à le connaître, lui et sa famille, et à le considérer comme un grand frère.

Théorème de l'assistant : il satisfait les demandes du metteur en scène, du mieux possible. Il participe à la réalisation du film avec entrain, en déployant toute son énergie physique et mentale, et avec l'envie de faire vite et bien. Il accomplit ses tâches sans rien dire, et surtout évite toute critique à l'égard du metteur en scène. À moins, bien sûr, que le metteur ne le lui demande. Pendant la préparation, Claude me chargea de trouver un chapeau de majorette américaine. Je fis le tour des lieux américains dans Paris : consulat, église américaine, associations… Je rendais compte à Claude de mes recherches, jusqu'au jour où il m'arrêta : « Ne me dis pas ce que tu fais… seul, le résultat compte. » Précepte essentiel au cinéma.

Le film que Jack Pinoteau allait diriger s'appelait *Robinson et le Triporteur*. La vedette était Darry Cowl. Un sujet populaire, loin de la fièvre et des ambitions créatives qui agitaient le petit monde du cinéma. Cette grosse production franco-espagnole faisait suite au colossal succès du film *Le Triporteur*, réalisé par la même équipe. Ce genre de succès ouvre des appétits « box-offistiques », c'est la règle. On produit la suite, l'argent est là, à profusion, et l'optimisme règne sans compter. Souvent, il y a carence de prudence et d'un minimum de pessimisme, ingrédients à mon avis indispensables à toutes productions cinématographiques et artistiques en général. Ce film a été pour moi la première grande leçon de cinéma, du premier jour de préparation jusqu'à sa sortie en salles.

Il s'agissait de faire « drôle ». Les costumes de Darry Cowl devaient être « drôles ». Le Triporteur devait avoir des touches de « drôlerie ». Les décors, aux couleurs vives et gaies, aussi exotiques que « drôles ». Le chien de Darry aussi. Raté, on n'a trouvé qu'un chien noir et sans charme.

Pendant le tournage à Paris, aux studios de Billancourt, Claude me dit un jour : « On me parle d'un assistant qui court sans cesse. » Je lui demande, surpris, « il y a une autre équipe ? ». « Mais non, l'assistant c'est toi ! » ajoute-t-il, pince-sans-rire. Je ne me rendais pas compte. Mon enthousiasme n'avait pas de limite.

Le tournage parisien terminé, nous partons dans la voiture du metteur en scène, avec Susanne, la belle-mère de Claude, pour Torrevieja, près d'Alicante où nous attend l'équipe espagnole avec une certaine déférence. Nous venons en effet d'un pays au cinéma libre, quand eux vivent sous la dictature féroce du général Franco, avec leur cinéma soumis à une censure brutale. Sans parler de la répression pesant sur la vie quotidienne.

J'avais promis à Claude d'étudier l'espagnol pour pouvoir communiquer un minimum avec l'équipe. Au début, mon petit lexique les amuse ainsi que ma détermination à parler leur langue. Les mots que je ne connaissais pas, je les disais en français ou en grec, en les « hispanisant ». Cela marchait assez souvent. Puis le rythme du tournage s'est accéléré, devenant plus difficile, avec de nombreux déplacements, la construction de décors qui posait des problèmes et l'organisation qui n'était pas à la hauteur. De son côté, la « mise en scène », c'est ainsi qu'on appelle par pudeur le réalisateur, perdait du temps, entre hésitations et changements imprévus. La nervosité allait croissant, je sentais l'équipe espagnole me devenir hostile, je découvrais des regards antipathiques. C'était troublant, mais je passais outre. Un soir, après le tournage, Blanca, la script-girl, me prend à part : « Fais attention, les électros et machinos veulent te casser la gueule. » J'étais sidéré ! « Tu leur parles soi-disant en espagnol, ils ne te comprennent pas, puis tu les engueules pour ne pas avoir fait correctement ce que tu leur as demandé. »

Je vais les voir le soir même, je m'excuse et je leur demande, avec l'aide de Blanca, de se montrer plus exigeants envers moi et de m'aider à mieux parler leur langue. C'est Virgilio, machino, petit, la cinquantaine, cheveux frisés et yeux rieurs, qui se charge de m'apprendre « comment parler l'espagnol ». Lui et les autres se sont bientôt mis à me donner le nom de chaque objet, le mot juste pour chaque idée et chaque sentiment. Virgilio m'apprend aussi à aborder les filles en leur disant « *Que siesta tienes* », sans me préciser que la réponse pouvait être une gifle. Il m'apprend aussi cette formule : « *Me lo dices o me le cuentas* », plus intellectuelle.

Soudain, Élisabeth, la femme de Claude, une très jolie Américaine, jeune mère radieuse d'une petite fille, contracte la poliomyélite. Claude la ramène à Paris et Bernard Toublanc-Michel le remplace. C'est Bernard qui me présentera plus tard à Agnès Varda, qui avait un projet de documentaire sur la Région Champagne. Et c'est chez Agnès que je rencontrerai Jacques Demy.

La polio emporte Élisabeth en quelques jours, un drame que je ressens au plus profond de moi, comme la perte d'un des miens. Les jours suivants sont sinistres, effrayants, la réalité de la mort de cette jeune femme, devenue une amie, anéantit tout plaisir et toute confiance dans le quotidien. Même l'envie de cinéma m'a quitté. Mais un tournage ne connaît qu'une logique : continuer. Nous finissons donc le tournage à Torrevieja, avant de rejoindre les studios à Madrid.

D'Alicante à Madrid, toujours avec la voiture du metteur en scène, il y a près de quatre cents kilomètres. Nous subirons pas moins de cinq contrôles par des policiers coiffés du chapeau napoléonien, fouille approfondie de la voiture bourrée de bagages et toujours les mêmes questions : « Qui êtes-vous ? Où allez-vous ? Que faites-vous ? » Puis, un sourire professionnel : « Allez-y ! » À l'arrivée au studio, il y aura encore un contrôle.

À Madrid, Béatrice Altariba, star du film et compagne de Darry Cowl, me présente Jissia, une jeune actrice blonde d'origine polonaise, élancée, le regard doux. Jissia parlait quatre langues, toutes avec un accent, même le polonais. Je la salue d'un « *Que siesta tienes* ». Béatrice s'attend à ce que je reçoive une gifle. Eh bien, non ! La réponse est : « *Tu tambien.* » Un dimanche matin, Jissia monte dans ma chambre d'hôtel. À peine entrée, le téléphone sonne et une voix autoritaire m'ordonne : « La dame doit descendre immédiatement. » La porte s'ouvre et deux malabars entrent et font sortir Jissia en m'ordonnant d'aller voir la direction de l'hôtel. Le directeur m'explique, sur un ton sans appel, qu'ici ce n'est pas la France et que seule une épouse officielle a le droit de venir dans ma chambre.

Le soir, j'insiste pour aller chez Jissia. Malgré ses craintes, elle accepte. Mais il faut obtenir l'accord du concierge gardien, sorte de policier ombrageux, muni d'un gourdin. Jissia lui précise que je monte prendre un objet et repars aussitôt. Il demande à voir mes papiers. J'allais refuser, mais elle me fait signe d'obéir. Il les examine et dit à Jissia : « Montez le chercher, on vous attend ici. » Il semblait que toute la ville était surveillée. Seules les loges des acteurs ne l'étaient pas...

Le tournage avait pris deux semaines de retard. Cela ne semblait déranger personne aux Films du Cyclope, la société de production. J'ai retrouvé cet état d'esprit à Universal, lorsque je tournais *Missing*. La production ironisait sur mon souci de tenir le plan de travail et le budget. « Prends ton temps pour faire ton film, me disait Eddy Lewis, le producteur. Si ça marche, tu seras un héros, si ça ne marche pas, budget et plan de travail respectés ou pas, tu seras jeté. »

Après trois semaines à Madrid, le tournage terminé, je rentrais chez moi à Paris. En fait, il s'agissait d'une chambre de bonne rue du Cirque, avec WC sur le palier, que le patron du garage où je lavais les voitures m'avait louée. Dans le courrier, un relevé de mon compte en banque me laisse pantois. Quinze semaines de salaire de second assistant m'ont rendu riche. Comme il pleut à verse, je sors de la maison, j'entre dans le premier magasin pour hommes et m'achète un imperméable. C'était la première fois que je faisais un tel achat, sans réfléchir et ni hésiter pendant des jours, voire des semaines. Je ne me suis plus jamais senti aussi riche.

Je suis allé voir le film à la première séance, le jour de sa sortie et j'ai découvert ce que je n'avais pas vu pendant le tournage : ce qui devait être drôle ne l'était pas. Tout ce travail pour un tel résultat ! J'étais confronté à une réalité du cinéma que je n'avais jamais soupçonnée auparavant. Je quittais la salle vraiment triste.

Mme de Carbuccia, la patronne des Films du Cyclope, me propose alors de travailler sur *Le Saint mène la danse*, un film réalisé par Jacques Nahum, avec Félix Marten, Françoise Brion, Jean Desailly, Michèle Mercier. Le tournage se déroulait à Paris. Il s'agissait d'un polar plutôt intimiste, nouant des relations étroites entre divers personnages. J'allais découvrir une autre vérité du cinéma : seule la mise en place des acteurs détermine la mise en image. C'est donc l'affaire très personnelle du metteur en scène de déterminer la psychologie de chaque personnage, ses motivations les plus intimes et ses rapports avec les autres personnages, afin d'organiser la chorégraphie de leurs relations physiques et sentimentales. Le relatif huis clos où l'histoire se déroulait permettait au second assistant d'être souvent derrière la caméra et de voir dans le moindre détail ce que saisissait l'objectif. Je découvrais les difficultés et surtout le rôle déterminant du talent, ou de l'absence de talent, du metteur en scène.

Après le film de Jacques Nahum, je travaillais sur deux documentaires. Claude m'avait recommandé au metteur en scène Daniel L. Le premier portait sur une nouvelle technique de construction d'immeubles à Paris, le second sur l'industrie des jouets français. J'étais à la fois assistant, régisseur, chauffeur et second assistant caméra. Les leçons de l'Idhec trouvaient là leur plein emploi.

Ma préoccupation permanente restait ma carte de travail, qui excluait tout emploi dans le cinéma. Heureusement, personne ne me l'avait encore jamais demandée. Grâce à mes nombreuses feuilles de paie, j'obtins enfin une carte de résident, renouvelable tous les six mois.

Pendant le tournage de la construction d'une série d'immeubles, non loin du Bon Marché, Daniel L. voulut faire une prise de vue de Paris depuis l'extrémité du bras d'une grue, qui devait faire un panoramique de 180 degrés. Le chef opérateur, taciturne et souvent renfrogné, dit sèchement : « Je n'y vais pas. » Daniel L. était hors de lui. La situation paraissait bloquée. Je proposai : « Je veux bien essayer, mais je n'irai qu'au milieu du bras, pas à l'extrémité. » Aussitôt dit, aussitôt fait. Ce fut la plus grosse peur de ma vie. Le chef opérateur et le grutier avaient raison : l'amorce du bras de la grue dans l'image était stable, mais le Paris qu'on voulait montrer par ce stratagème tremblait sous les vibrations de la grue. Daniel exigea que je refasse le plan. Je refusai, et découvris alors la fragilité de l'autorité d'un réalisateur. Cet épisode transforma nos rapports, qui devinrent tristes et sans joie. L'épisode me fit réfléchir à ma propension à vouloir toujours faire plaisir.

Pour le documentaire sur les jouets, nous tournions dans la fabrique des poupées Bella. La finition d'une poupée est un moment tragico-comique. On emboîte ses beaux yeux bleus dans un bruit peu ragoûtant et on coud ses cheveux sur la « peau » tendre et rose du crâne, au point qu'on souffre en la regardant. Après ces cruautés, arrive la partie romantique, c'est-à-dire l'habillage. La petite culotte, la robe et les chaussures sont mises avec des gestes délicats par une ouvrière assez âgée. Sa voisine, très jeune, quintessence de la féminité méditerranéenne, noue les petits lacets blancs avec ses jolies mains soignées. Elle s'appelle Louise. Je lui souris, elle me sourit, pleine de charme et de vagues promesses. Un incident sur la pellicule me donne le prétexte de retourner la voir. Louise, de ses mains délicates, laçait les petites chaussures de poupées avec les mêmes gestes. Nous nous sourions, plus encore que la première fois, et je lui demande si ce n'est pas un peu monotone. « C'est quoi monotone ? » « Eh bien, toujours nouer des lacets. » « Mais non ! me dit-elle en souriant, je fais ça depuis sept mois et je ne changerais pour rien au monde. » Je suis resté songeur. Que valaient ma passion et mon exaltation vibrante pour le travail que j'aimais ? Songeur aussi sur Louise, l'autre poupée de la fabrique, qui venait de perdre toute sensualité à mes yeux.

Claude Pinoteau fut bientôt appelé comme conseiller technique auprès de Jean Giono, qui allait réaliser *Crésus* avec Fernandel. Claude me présenta au premier assistant, Bernard Paul, qui me prit comme second. Le tournage devait avoir lieu à Forcalquier, Superbagnères, Banon et au Contadour, une région d'une beauté imperturbable et sauvage à la fois, avec des ciels et des couchers de soleil « bibliques », comme ne cessait de le dire Rellys, une ancienne gloire des comédies marseillaises et des films « avec l'accent du Midi ».

La rencontre avec Jean Giono, immense écrivain, fut et demeure un moment de grande émotion. J'avais lu certains de ses livres. Je n'ai pas osé lui dire que la fin de *Moulin de Pologne* était toujours en moi. Lui m'a parlé de la Grèce antique qu'il connaissait bien.

J'allais parfois le chercher en voiture à Manosque, pour le conduire sur le tournage. À cette heure bien matinale, les paysages que nous traversions étaient couverts de rosée, leurs dépressions envahies d'une très fine nappe de brume transparente, d'une douceur immobile et mystérieuse. C'est Jean, il voulait qu'on l'appelle Jean, qui me montrait et commentait. Il avait une histoire pour chaque ruine, pour chaque bergerie et hameau, et cette histoire était toujours en relation avec les êtres humains, leurs joies, leurs haines, leurs malheurs ou leurs mesquineries, mais aussi leurs accomplissements. « Tu vois ce berger, il a eu une histoire avec… » Il racontait, il racontait, et le parcours jusqu'au tournage se raccourcissait singulièrement. Une fois arrivés au Contadour, le soleil avait effacé brume et rosée pour nous laisser voir les montagnes, jusqu'au pic du Midi. Un jour, je lui dis que la région ressemblait au Péloponnèse. Il corrigea : « Sauf le mistral. » Sur le Contadour, il me montra les pierres plates qui couvraient le sol et m'expliqua très sérieusement que « c'est le Mistral qui les fait voler et les frottements sur la terre et sur les autres pierres les rendent comme ça, plates ». Je ne savais pas s'il fallait le croire, mais c'était raconté de manière si sérieuse avec son accent que j'aimais tant que ça en devenait de la poésie pure.

Un bûcheron, figurant du film, mourut soudain d'une cirrhose. Quand Claude nous l'avait présenté, pour sa physionomie vraiment spéciale, Jean, qui le connaissait, avait dit : « Regarde ses yeux, il va bientôt mourir… » Il fut engagé pour deux jours. Une semaine après, on le retrouva mort dans la forêt à côté de ses deux bouteilles de vin rouge, vides. Jean souhaitait aller à l'enterrement. Nous l'avons accompagné. « Ça consolera un peu sa veuve. »

L'enterrement me fait penser aux funérailles de mon parrain, au village. Et Giono, à côté de moi, à mon grand-père. Je devais avoir 7 ou 8 ans. Comme ici, les femmes pleuraient. Mes Grecques étaient plus théâtrales et sonores dans leur chagrin, par coutume ou par esprit de compétition. Comme ici, je restais sans émotion, petit garçon collé à mon grand-père, je regardais la tragédie. Comparé aux autres, il était calme et serein. Ça me plaisait. Au bord de la tombe, on ferma le cercueil et on cloua le couvercle avant de le mettre en terre. À chaque clou enfoncé, les pleurs s'amplifiaient. Le pope psalmodiait la prière des morts, le visage tourné vers le ciel et les bras levés, comme pour montrer à l'âme le chemin qu'elle devait prendre. J'ai vu alors la main de mon grand-père à la hauteur de mon visage, non pas aller vers le ciel mais montrer du doigt la tombe et les pelletées de terre qui commençaient à couvrir le cercueil dans un bruit grossier mêlé aux cris et aux pleurs des femmes. C'était l'apocalypse. Effrayé, je levais les yeux sur mon grand-père. Il m'a regardé puis s'est tourné vers le cercueil de mon parrain qui se couvrait à jamais, et que son doigt pointait encore.

Le cercueil du bûcheron reçoit les premières pelletées de terre. Le bruit me ramène à la réalité. Jean, Claude et Bernard me regardent. En voiture, je leur raconte le geste de mon grand-père. Sans leur dire que ce geste a constitué pour moi un mystère, qui ne s'est éclairci que peu à peu, bien des années après. Claude, catholique et croyant, est choqué. « On ne fait pas ça à un enfant. » Bernard est indifférent. Jean me regarde : « Ce qui se passe sous la terre est immonde, détestable… », dit-il avec douceur. « Ton grand-père était cruel. » J'osais, avec force : « Non, il était gentil. » « Gentil avec toi, cruel avec le pope. » Puis, sans transition, il me demande si j'ai lu Henri Barbusse. J'avais lu *Le Feu*, que Francine m'avait offert avec *Voyage au bout de la nuit* de Céline, en livre de poche. « Lis *L'Enfer* », me conseille Jean, sans autre explication.

Fernandel ne pose aucun problème pour les assistants, si ce n'est sa ferme volonté de monter au Contadour avec sa grosse voiture américaine, cadeau des Américains lors de son dernier voyage aux États-Unis. Ce mastodonte se coinçait souvent sur les petits chemins, il fallait aller le récupérer avec la Jeep en utilisant des pioches pour le dégager. J'ai toujours aimé Fernandel, formidable acteur comique, avec sa « gueule » ; il me remplissait de gaieté en attente du prochain éclat de rire. J'aimais fredonner *Ignace, Ignace Boitaclou* ou encore *Félicie aussi*. Pendant le tournage j'ai compris comment une grande star, un grand comique, peut défendre son statut de vedette et son hégémonie de star.

Il y avait dans le scénario une scène où Fernandel, alias Jules, trouve un conteneur avec plusieurs millions. Il se rend à la banque pour se renseigner sur ce qu'on pourrait faire

« si » on avait des millions. L'employé, interprété par Pierre Repp, avait été choisi pour sa spécialité comique : il butait sur les mots et faisait des contrepèteries vraiment surprenantes comme : « clybicette pour bicyclette » ou encore « ciclybette ». Il construisait ainsi des phrases « bousculées » mais compréhensibles. L'effet comique était infaillible. En répondant à la question de Jules, l'employé Repp partit dans une délirante, époustouflante explication sur le meilleur placement possible des millions. Derrière la caméra, l'équipe, à commencer par Giono, se retenait pour ne pas pouffer de rire et gâcher le son. Au « Coupez ! », un éclat de rire général remplit l'espace. Seul Fernandel reste de marbre. Il demande à refaire la prise pour lui, même s'il était de trois quarts dos. La prise a été refaite quatre fois. À la quatrième, Pierre Repp, épuisé, avait perdu toute sa fraîcheur, à moins que l'homme de théâtre qu'il était, et pour qui le travail de répétition d'une scène doit tendre vers la perfection, n'ait fini par abdiquer. « Ça va », dit finalement Fernandel et il quitta le plateau. Claude m'a confié plus tard que Fernandel était allé au montage. C'est la dernière prise qui est dans le film.

Le film suivant ne m'a laissé qu'un souvenir fugitif : *L'Homme à femmes* de Jacques-Gérard Cornu. Mais les acteurs, eux, sont restés gravés dans mon souvenir : Danielle Darrieux, Mel Ferrer et Pierre Brice, qui a fait par la suite une grande carrière en Allemagne en jouant un chef indien dans une importante série télévisée. Il y avait aussi une très jeune actrice, frêle, délicate et d'une beauté prête à éclore. C'était Catherine Deneuve. Je crois que c'était son premier ou deuxième film.

Je n'ai pas réussi, osé serait le mot juste, à l'appeler René, malgré ses demandes réitérées. Je l'ai appelé « monsieur » pendant le tournage et bien après. Jusqu'à ce jour de 1965 où je lui téléphonais pour lui montrer mon premier film. J'ai dit : « Bonjour, René, c'est Costa… » Il a éclaté de rire.

Cinq ans auparavant, Claude m'envoyait un pneumatique : « Nous allons faire le film de René Clair. Va voir Vallin demain matin aux studios de Boulogne. » Dans ce « nous allons faire », lié à Vallin, premier assistant renommé, je voyais une contradiction. Mais à l'idée de travailler pour René Clair, je bondis de plaisir. De taille très moyenne, un corps massif, une réputation de dur, Serge Vallin m'accueille froidement. Il me laisse debout pendant un long moment sans lever les yeux du scénario. Puis il me lance : « Je t'appelle Constantin ou Costa ? » « Costa. » « Alors, Costa, va me chercher un paquet de Gitanes maïs. Tu sais où est le tabac ? » Oui bien sûr, tout comme je connaissais son truc, célèbre dans le petit monde des assistants. Serge Vallin chronométrait le temps que mettait sa victime pour faire l'aller-retour. C'était un test déterminant pour établir une relation de travail avec lui. Quand, après quelques instants, il m'a vu revenir avec ses Gitanes maïs, il est resté ébahi. J'avais tout préparé d'avance. J'étais sorti du studio, puis, après avoir attendu un peu, étais revenu. Je crois qu'il s'en est douté. Il ne m'a rien dit. Il m'a remis le scénario et m'a montré un bureau : « Je veux ton dépouillement pour lundi. » Il n'y eut pas un mot de plus durant toute la journée. Le lendemain matin, je me suis rendu aux bureaux des Films Sonor, sur les Champs-Élysées, où m'attendait Claude.

René Clair avait une organisation du travail bien différente de celle des autres metteurs en scène. Claude était réalisateur adjoint et avait des responsabilités artistiques. Il avait été le conseiller de Jean Cocteau pour ses films, dont *La Belle et la Bête*. Serge Vallin, aux studios, avait la responsabilité de l'organisation du travail. J'allais être l'homme-liaison.

Après un court briefing, Claude me conduit au bureau du réalisateur dont j'avais choisi d'étudier et d'analyser le film à l'Idhec : *Sous les toits de Paris*. René Clair se lève de son bureau et vient vers moi en me tendant la main. Il a un petit rire en voyant ma « paralysie faciale », comme il le racontera plus tard. Il nous invite à nous asseoir et esquisse le programme des deux semaines à venir. Il nous parle, même à moi, comme à de vieux collaborateurs : Claude et lui partiront en repérage dans le Sud-Ouest, je resterai au bureau pour préparer des listes d'acteurs pour la distribution des rôles – ce qu'aujourd'hui on appelle le casting. À l'époque, c'étaient les assistants qui faisaient la distribution. Du coup, on allait au théâtre, on voyait tous les films.

Celui-là allait s'appeler *Tout l'or du monde*. Bourvil en était la vedette et incarnait trois personnages : le vieux père veuf, le fils célibataire qui vivait avec lui et le deuxième fils, immigré en Amérique du Sud où il élevait des lamas. Le tournage se déroulerait aux studios à Paris, puis à Castillonnès dans le Sud-Ouest, et enfin dans les Pyrénées qui tiendraient lieu d'Amérique du Sud. René Clair, qui connaissait bien les acteurs, avait déjà choisi Alfred Adam et Annie Fratellini. Il voulait aussi Philippe Noiret et Claude Rich. Nous avons commencé à recevoir les agents d'acteurs pour la dizaine de rôles qui restaient à pourvoir.

Claude me passe soudain le téléphone : « C'est la troisième fois qu'il m'appelle, il a une petite liste d'acteurs, on n'a pas de rôle pour eux. » Je réponds et je me présente. « Oui, oui je sais… », dit une voix grave, lente et bien posée. « Je m'appelle Gérard Lebovici, je voudrais vous rencontrer vous, puisque Pinoteau est occupé, pour vous demander un service. » Dilemme, car cette voix m'agaçait, mais son assurance m'impressionnait. Je le reçois le lendemain. Il me tend sa liste d'acteurs et leurs photos. Jean-Pierre Cassel, Claude Berri, Françoise Dorléac, Marcel Bozzuffi, Serge Rousseau, lui-même et trois ou quatre autres. La plus petite liste d'agents de Paris, avec trois acteurs connus, les autres inconnus. « Je sais, dit-il avant que je n'aie le temps de réagir, aucun d'eux ne correspond à ce que vous cherchez, sauf Françoise Dorléac. » C'était exact, mais René Clair voulait Colette Castel qu'il avait dirigée dans *Les Grandes Manœuvres*.

Gérard Lebovici était déjà au courant. Le service qu'il attend de moi est de lui organiser une rencontre avec René Clair. Aucun de mes arguments, notamment l'absence de raison pour justifier cette rencontre, ne le fait changer d'avis et de volonté, moi non plus. Jusqu'à ce qu'il me dise : « Pour vous c'est très important d'être son assistant ? » « Second. Oui. » « C'est aussi important pour moi de le rencontrer et de lui parler cinq minutes. » Je cède et lui promets de transmettre sa demande. Le surlendemain, René Clair le reçoit. Ils restent ensemble près d'une heure. À la sortie, Gérard Lebovici me remercie et me dit en me montrant sa liste d'acteurs : « Demain le cinéma français, ce sera eux, vous et moi ! » Et il s'en va. J'en reste bouche bée. C'est René qui a eu le mot juste : « Diable d'homme, ce Gérard Lebovici. » Il se souvenait de son nom.

Les Américains qualifient volontiers certains de « roi de ceci ou de cela ». En Europe, nous disons plutôt le « pape de ceci ou de cela »… C'est ce que Gérard Lebovici est rapidement devenu, et pour longtemps, dans le cinéma français. Il a marqué et sans doute changé le cinéma français grâce à sa vision novatrice et son formidable et si complexe caractère. Il a géré la carrière de la majorité des actrices, acteurs et cinéastes. Il a été mon agent, dès mon premier film. À propos de mon deuxième film, *Un homme de trop*, qui n'a pas été un succès, c'est le seul qui a eu le mot dont j'avais terriblement besoin. « Quand on a fait un film avec ce savoir-faire, on fera des films toute sa vie. »

Lebo, car c'est désormais ainsi qu'on l'appelait, affectueusement ou pas, avait une véritable fascination pour Jacques Mesrine, voyou notoire. Plus tard, il me proposa de faire un film sur sa vie, avec Belmondo dans le rôle de Mesrine. Nous en avons parlé avec Jean-Paul, et je lui dis ma répulsion pour ce personnage. Nous avons abandonné le projet et Lebo m'en a voulu. En 1969, il a créé une maison d'édition, Champ Libre. Sa rencontre avec Guy Debord, écrivain et poète, a accéléré sa radicalisation. La communication avec lui devenait difficile. En 1981, les rêves révolutionnaires s'évanouissaient avec la victoire de François Mitterrand. Lebo, que je voyais peu, m'a appelé pour me féliciter, sans chaleur, pour *Missing*.

En 1984, on l'a retrouvé assassiné dans un parking. Les auteurs de cette exécution n'ont jamais été retrouvés. Plusieurs versions ont été avancées. J'ai la mienne. Je connaissais sa fureur de vivre et son esprit d'esthète novateur, sa fascination pour la beauté et son goût pour la célébrité. J'ai tendance à croire que, se sentant condamné par la maladie, il a mis en scène sa propre mort.

Mais revenons à 1961 et au début du tournage de *Tout l'or du monde*, aux studios de Boulogne. Mon camarade Christian de Challonge est engagé comme stagiaire, après avoir subi le fameux test des Gitanes maïs de Vallin. Christian est resté désinvolte et même ironique avec lui, ce que je lui enviais. Vallin m'a demandé : « Tu as briefé Christian ? » « Je lui ai juste dit de faire vite. » « Un peu trop vite, comme toi. »

Premier jour de tournage. Réunion solennelle de l'équipe dans le décor de la propriété de Marcial, le fils émigré en Amérique du Sud. Trois lamas nous regardent avec curiosité pendant que René Clair prononce son discours de bienvenue. Il nous met en garde contre eux et leur mauvaise habitude de cracher. Rire général. Puis réunion des assistants dans la cabane-bureau du metteur en scène installée sur le plateau. René Clair s'adresse à moi : « Tu seras l'assistant-scénario. » C'est-à-dire être constamment près de lui, avec le scénario et le viseur (l'instrument d'optique définissant le cadre) pour transmettre ses indications à l'équipe et aux figurants. C'est un immense honneur, et un soulagement de ne pas être sous la tutelle de Vallin.

Ces rapports hiérarchiques, cette organisation du travail et de l'économie des films, la cabane-bureau, le tournage en studio, les sujets sans subjectivité, bref l'académisme, étaient ceux-là mêmes que la Nouvelle Vague vilipendait et rejetait sans appel. Mais « l'académisme » produisait aussi de beaux films : je ne citerais que *La Vérité* d'Henri-Georges Clouzot, *La Traversée de Paris* de Claude Autant-Lara, *Un singe en hiver* d'Henri Verneuil.

René Clair était violemment attaqué dans les *Cahiers du cinéma*, notamment par Pierre K. Des années après sa mort, le Festival de Venise lui consacra un hommage. Invitée, Bronia, son épouse, me demanda de l'accompagner. Le soir de la cérémonie, Pierre K. monte sur scène et prononce un vibrant hommage de l'œuvre de René Clair et de l'homme. Bronia se penche vers moi : « Le repentir est une deuxième faute. » Je ne sais toujours pas aujourd'hui si elle avait raison. En tout cas pour ce repenti-là.

Pour *Tout l'or du monde* l'équipe investit bientôt le village de Castillonnès, dans le Lot-et-Garonne. Le tournage d'un film change beaucoup la vie d'une petite ville. Il électrise les jeunes ou les agresse par l'opulence qu'il affiche, ses mystères et les rêves qu'il fait naître. Les jeunes femmes y sont les plus sensibles, ce qui hérisse encore plus ceux qui se sentent agressés. Nous sommes installés avec Claude et sa fille dans une maison voisine de celle des Clair. Bronia nous invite souvent le dimanche, et nous parle du cinéma des années trente et de la création de la Cinémathèque. Elle aime bien Langlois mais déteste sa compagne, Mary Meerson, que j'avais aperçue à la caisse de la Cinémathèque. Bronia lui reproche les malheurs de son mari, Lazare Meerson, mort très jeune, qui était grand chef décorateur et collaborateur de René Clair.

Bourvil est un homme plein de gentillesse et d'un humour subtil. Il nous invite, avec Philippe Noiret et Claude Rich, à manger du confit d'oie et boire du vin de Cahors. La première fois j'ai rapidement piqué du nez. Une source récurrente de blagues pour Bourvil.

Être « assistant-scénario » signifiait passer de longues heures aux côtés de René Clair. L'installation d'un plan, par lui, était suivie d'un temps, souvent long, de préparation technique : éclairage, mise en place de la caméra, accessoiriste, etc. Cela permettait des moments d'apartés où il aimait parler du passé du cinéma. Rien ne pouvait m'intéresser davantage.

Clair n'évoquait jamais les attaques menées contre lui. Pas plus qu'il ne nommait ses pourfendeurs. En revanche, il parlait des « filmologues » qui cherchaient « l'univers » du metteur en scène, « la signification » du film, et ironisait sur la « subjectivité » et ce qu'était censé exprimer un metteur en scène. « Il n'exprime pas, affirmait-il, il pense à son histoire, et pas à lui-même mais aux spectateurs. » « Lesquels ? Ils sont si différents », avais-je osé. « Oui mais ils rient tous ou pleurent tous à une bonne histoire. Regarde Sophocle et Molière, qui ont traversé les siècles. » Il me parlait avec admiration du cinéma américain, soucieux de s'adresser au grand public. Il avait passé cinq ans à Hollywood pendant la guerre et y avait réalisé quatre films. Il ironisait sur les producteurs qui lui avaient proposé des westerns. « Ce n'était pas votre monde », avais-je dit en évitant le mot « univers ». « Non ce n'était pas ma spécialité et surtout ce n'était pas mon plaisir. » Il insistait sur leur manque de culture et sur leur brutalité. En quittant un restaurant, il avait vu sortir un vieil homme, David W. Griffith, et s'était précipité pour le saluer. En revenant auprès de ses amis producteurs, il leur avait dit son enthousiasme : « C'était D.W. Griffith. » Personne ne savait qui il était. « C'est aussi ça, Hollywood ! »

Le jour du tournage de la dernière scène du film, René Clair me dit : « Nous allons faire le plus gros plan du film. » Il ne faisait en général pas de gros plans. Je lui avais posé la question. Il ne les considérait pas comme appropriés pour cette comédie où il fallait laisser l'espace aux acteurs et aux spectateurs. Là, il s'agissait d'une scène romantique sur un pont. Bourvil prend Annie Fratellini dans ses bras : un plan à deux, cadré à hauteur de la poitrine. Son souci permanent était le rythme des scènes. Il faisait et refaisait chaque plan en insistant auprès des acteurs pour réduire les « temps morts ». Il fallait toujours gagner deux à trois secondes. « Sur les trois cents plans du film, cela peut faire dix minutes de moins à l'arrivée. »

Un jour, en parlant avec lui de la Grande Guerre, durant laquelle il avait été ambulancier, je lui raconte l'histoire de Jean Giono qui, avec deux autres soldats, s'était couché toute une nuit dans la neige dans l'espoir d'attraper une pneumonie. Ils n'avaient rien eu… René Clair me demande si j'ai lu *Voyage au bout de la nuit*. « Oui je l'ai lu. » Ça l'a un peu étonné. Je lui parle de ma licence de lettres abandonnée. Il me conseille de la reprendre, « à condition que tu ne deviennes pas un "filmologue". Ils sont tous licenciés en lettres, ça leur fait perdre leur humour. » Il me conseille aussi de passer du temps dans une salle de montage, si je veux un jour faire des films. « Tu apprendras plus qu'avec ta subjectivité. » Ce mot lui revenait comme un mauvais souvenir qu'on chasse.

Pendant ces brèves conversations, j'écoutais plus que je ne parlais. Je découvrais un homme profondément sensible, avenant, attentionné, passionné par son travail. Un Français appartenant à une France rêvée, ou de rêve, comme dans les comédies de Feydeau, de Courteline ou encore chez Alfred Jarry, mâtiné d'un romantisme à la Edmond Rostand, loin de la violence du monde qui nous entourait et de ses bouleversements. Bien des années plus tard, en 1967, j'ai malgré tout demandé à René de signer une pétition en faveur de Míkis Theodorákis, qui était alors emprisonné par les colonels grecs. « Ces colonels sont des ânes », me dit-il en apposant sa signature, ce qui devait sans doute être pour lui une première.

Dans une scène, Bourvil « fils » partait chercher son frère, éleveur de lamas, dans la Cordillère des Andes et s'embourbait dans un ruisseau. On nous en avait signalé un dans la montagne. Un dimanche, nous partons le découvrir, René Clair, Claude qui conduisait et moi. Nous arrivons dans un paysage beau et désertique, et nous voyons au loin, dans l'immensité, un couple. « Des naufragés de la montagne », badine René Clair. En s'approchant, il s'écrie : « Mais c'est John ! » C'était John Huston et Suzanne Flon, qui s'étaient réfugiés, pensaient-ils, loin du monde et des regards indiscrets. Au premier étonnement succède une vaste rigolade, poursuivie par un long déjeuner truffé de souvenirs et d'histoires hollywoodiennes que je m'efforçais de comprendre. Je ne cessais de regarder ces deux colosses du cinéma s'amuser comme des adolescents. Quand nous nous sommes souvenus de la raison de notre venue, le jour déclinait déjà. Trop tard pour aller voir le ruisseau, que finalement René Clair et Claude ont choisi sur photos.

Du roman de Roger Vercel, *Au large de l'Éden*, Henri Verneuil rêvait de tirer un film. Le cinéma semble toujours préoccupé par ce lieu mythique et cherche à le faire exister. Jean Gabin accepta de jouer le capitaine d'un bateau qui pêchait la morue au large du Groenland. *L'Éden*, ici, était une métaphore de l'enfer. « Que dirais-tu de passer trois ou quatre semaines sur un chalutier ? » me demanda Claude Pinoteau. Je suis malade sur la moindre embarcation. Mais je répondis : « Pourquoi pas ! De quoi s'agit-il ? » Il s'agissait de partir avec une petite équipe de prises de vues sur un chalutier tout neuf, le *Victor Pleven*, pour filmer depuis le bateau des fonds de transparence de la mer et du Groenland. « Vous vivrez avec les matelots... »

Pendant que Claude m'explique l'expédition en détail, je repense à mon voyage en bateau du Pirée vers l'Italie. J'avais passé mon temps à vomir sur ma couchette. Et cette fois-ci, il allait falloir travailler. Claude avait terminé. Moi j'étais toujours plongé dans mes angoisses. « Alors ? » « Alors pas de problème. Je pars quand ? » En guise de dernier encouragement, il m'annonça que j'allais avoir un salaire de premier assistant.

À son tour, Henri Verneuil m'explique ce qu'il veut : une centaine de plans pouvant servir aux trucages. Les problèmes techniques devaient être résolus sur place, sur le bateau. Cela allait exiger une forte concentration et un gros travail.

Nous embarquons à Saint-Malo à bord du *Victor Pleven*, par un temps maussade. Nous sommes quatre, trois à la caméra et moi à la réalisation. Me voyant regarder la hauteur impressionnante de la proue et sa rondeur, le capitaine de route – il y avait aussi un capitaine de pêche – me dit, pensant me rassurer, que le bateau est le dernier cri de la technologie, ce qui lui permettait de « rouler » par tous les temps. Et pour rouler, il a roulé !

Durant les quatre jours et nuits de voyage sous la tempête, au lieu des deux jours et nuits habituels, je suis resté recroquevillé sur ma couchette, sans rien retenir de la nourriture que je m'efforçais d'avaler. Quand j'ai entendu Dumaître, le chef opérateur, évoquer la possibilité de me rapatrier, j'ai quitté ma couchette et n'ai cessé de manger. À l'arrivée, au large du Groenland, la mer s'était calmée et la pêche au chalut a pu commencer.

Un large filet en forme de bouche géante traîne au fond de la mer, et avale tout sur son passage, coquillages, étoiles de mer, crabes, petits poissons et morues. À chaque passage, c'est une hécatombe, et il y a trois à quatre passages toutes les vingt-quatre heures. Une fois la poche vidée, on garde la morue et tout le reste est rejeté à la mer, au grand plaisir des centaines d'oiseaux qui suivent le bateau comme une traîne de mariée. Plusieurs chalutiers de diverses nationalités raclent et désertifient aussi, comme nous le faisons, le fond de la mer. Tandis que nous filmons, mon mal de mer s'apaise petit à petit. Les matelots travaillent quatre heures, puis se reposent quatre heures, jour et nuit, sept jours sur sept, pendant toute la campagne de pêche qui peut durer deux à trois mois. Leur travail consiste à éviscérer, couper la tête de la morue, garder le foie, saler la chair et jeter le reste.

La cuisine ne ferme jamais, les matelots peuvent se restaurer à volonté. À bord, mon plat préféré devient les lèvres de morue frites au beurre. Un régal. Nous filmons plusieurs fois par jour, selon la position du soleil, l'état de la mer et ses couleurs qui changent constamment, les icebergs que l'on croise, sans oublier la côte lointaine du Groenland sous différentes lumières. Un travail long et minutieux.

Le matelot le plus âgé, que j'aime regarder saler la morue, m'invite un jour à prendre un verre dans sa cabine. Je me retrouve avec trois vétérans de la pêche. On aurait dit une réunion clandestine. Ils me demandent ce que j'ai fait comme études pour faire ce métier : « Est-ce que tu as étudié le latin ? » Leur curé insiste pour que leurs fils étudient le latin : « Est-ce que le latin est nécessaire ? » Leur curé m'énervait. J'avais fait du latin, mais on m'y avait forcé. « Le latin est nécessaire si on veut devenir professeur de latin. » Je souligne le fait que le latin n'est pas indispensable pour faire du cinéma... L'un d'eux a sans doute compris et a changé de sujet en me demandant si les enfants à Paris « étudient beaucoup la religion à l'école ». J'avoue ne pas le savoir. Depuis mon arrivée à Paris, je me suis libéré des « soucis » religieux si présents en Grèce. Je finis par énoncer une vérité première : pour faire des études, une chose est très importante, le baccalauréat. Puis la discussion se poursuit sur les salaires, un autre sujet périlleux. André Dumaître, le chef opérateur, ancien résistant et communiste, discute souvent avec les capitaines. Les salaires fixes des matelots sont une misère. Ils sont néanmoins intéressés aux résultats de la pêche : si les cales du bateau rentrent pleines, les salaires seront nettement plus élevés. Et *vice versa*. Je découvre une

France dont je ne soupçonnais pas l'existence. J'ai menti à mes trois amis matelots sur nos salaires.

Après trois semaines, nous en avons terminé. *L'Aventure*, un destroyer qui patrouille au large et protège les chalutiers français, est venu nous chercher pour nous conduire à terre. La séparation a été un moment de grande émotion. Tous les matelots, nos amis, sont sur le pont. La sirène émet des saluts longs, éraillés comme par l'émotion. Pendant longtemps nous sommes restés les uns et les autres sur les ponts jusqu'à fusionner avec l'horizon.

L'Aventure nous dépose à Godthab, capitale du Groenland, puis un vieil hydravion à bout de souffle sur la base de l'OTAN, *Sonde Stromfjord*. Des manœuvres militaires nous obligent alors à rester sur place vingt-quatre heures, aucun avion de ligne ne pouvant atterrir. Nous assisterons à un étrange ballet d'avions militaires atterrissant et disparaissant aussitôt dans ce paysage blanc, glacé et sans limites. Les avions semblent littéralement être engloutis par la montagne. Le lendemain, par le hublot, nous pouvons voir la piste aboutir à une ouverture surprenante dans la montagne de glace. Aucun avion n'est plus visible. Comme dans James Bond. C'est assez extraordinaire.

Arrivés à Paris, nous nous attendions à être accueillis en vainqueurs. Ce fut le bide. Le projet ayant été abandonné, notre travail avait perdu tout intérêt. Henri Verneuil et Jean Gabin avaient, entre-temps, décidé de tourner *Un singe en hiver*, d'Antoine Blondin, proposé par Michel Audiard. Des problèmes techniques et économiques avaient eu raison de l'*Éden* de Roger Vercel. Pendant mon séjour sur le chalutier, Claude m'avait demandé par radio si Gabin pouvait passer deux ou trois jours à bord. Je lui avais alors décrit les conditions de vie qui étaient les nôtres. D'autre part, le tournage aux studios de Londres, équipés pour la construction du bateau et pour les trucages, travelling matte, chute de vagues, tempête, coûtait plus cher que prévu. À cela s'ajoutait la demande de Gabin, qui, devant prendre de nombreux paquets d'eau sous forme de pluie et de vagues, avait exigé que cette eau soit chauffée ! Les cinq mille mètres de pellicule que nous avions tournés sont partis au laboratoire où ils ont sûrement disparu à jamais.

Quant à notre petite équipe, elle a enchaîné sur *Un singe en hiver* qui est, à mon avis, le meilleur film de Verneuil. Jean Gabin considérait lui aussi que c'était son meilleur film. Près d'une décennie plus tard, lors d'une visite à Simone Signoret sur le tournage du film *Le Chat*, de Pierre Granier-Deferre, en 1971, Simone avait voulu me présenter à Gabin : c'est lui qui est venu vers moi en imitant mon accent : « Nous sommes prrrrêts, monsieur Gabin. » Il m'a serré la main chaleureusement en me disant : « Nous avons fait mon meilleur film », et en ajoutant : « Quand faisons-nous un film ensemble ? »

Pendant le tournage d'*Un singe en hiver*, il y a eu avec Gabin des moments inoubliables, comme sa première rencontre avec Belmondo. Ils ne se connaissaient pas. Toute la production, à commencer par Verneuil et Jacques Bar, le producteur, croisait les doigts pour que tout se passe bien. Quand Gabin est entré dans le restaurant où on l'attendait, il s'est dirigé droit vers Jean-Paul et l'a pris dans ses bras : « Mon fils ! » Ils ne se sont plus quittés. Deux grands du cinéma, un sur la sortie, l'autre venant d'atterrir. Gabin savait que Belmondo allait en quelque sorte être son « héritier » auprès du grand public. Chacun était le représentant, le témoin, l'archétype de la sensibilité cinématographique du Français de son époque. Gabin était idolâtré par sa génération. Un jour, après le tournage, une dame aux cheveux blanc-bleu et très « comme il faut » l'avait approché, très émue, et l'avait félicité pour ses « réparties si spirituelles, inspirées comme un grand auteur de théâtre ». Gabin lui avait souri, sans un mot. Verneuil avait suppléé à l'absence de réaction de Gabin : « Vous avez raison, madame, on ne prête qu'aux riches. » Contente, elle avait hoché la tête. Je ne suis pas sûr qu'elle ait compris son humour.

CHAPITRE 4

Rencontres décisives

Nous sommes en 1962 et les propositions de films affluent. Il suffit de choisir. Avec Claude, nous nous décidons pour René Clément. J'avais une passion pour *Monsieur Ripois* et *Gervaise*. Nous avions étudié à l'Idhec *La Bataille du rail* et j'avais été obnubilé par l'intelligence de sa technique, sa caméra soutenant le récit avec force dans une parfaite osmose. Ce choix de travailler à ses côtés allait constituer pour moi une expérience décisive. Faire partie de l'équipe de René Clément, c'était comme entrer dans les ordres, et plus encore avec ce film, *Le Jour et l'Heure*, une grosse production qui reconstituait la période de l'occupation allemande. Le tournage commençait à Paris et, après avoir traversé tout le pays, se terminait dans les Pyrénées. Le film racontait l'histoire d'un pilote de guerre américain qu'une bourgeoise parisienne conduisait jusqu'à la frontière espagnole, tandis qu'entre eux allait naître une relation d'amour inassouvie. Simone Signoret était la bourgeoise, l'accompagnatrice. Stuart Whitman, l'aviateur. Il y avait aussi Geneviève Page, Michel Piccoli, Pierre Dux, Marcel Bozzuffi. Claude Pinoteau s'occupait de la préparation de la traversée du pays. Moi, de Paris et des acteurs.

Ma première rencontre avec Simone Signoret s'est passée à la Roulotte, comme on appelait leur appartement de la place Dauphine. Pour des stars comme Montand et Signoret, je m'attendais à découvrir un grand et luxueux appartement. Je me suis retrouvé dans un rez-de-chaussée, avec une toute petite pièce d'entrée qui donnait sur un bureau minuscule, une cuisine de quatre ou cinq mètres carrés et une salle de séjour toute en longueur. Le tout bas de plafond.

Il y avait un piano à queue et un long buffet très beau en acajou sur lequel était posé l'Oscar que Simone avait reçu en 1960 pour *Les Chemins de la haute ville* (*Room at the Top* réalisé par Jack Clayton). En face, une petite cheminée, un canapé bas à trois places et trois petits fauteuils étroits. Une petite porte à côté de la cheminée conduisait, je l'ai su plus tard, par un petit escalier à mi-étage sur une chambre à coucher, au plafond encore plus bas, et une petite salle de bains. C'était tout.

Simone Signoret me fait asseoir face à elle : « Tu es grec ? » « Oui, madame. » « Appelle-moi Simone. » Nous parlons des costumes, du nombre de situations, des possibles changements. En partant, elle me demande de lui parler un jour de la Grèce. Je réponds : « Volontiers, Simone. » Avoir appelé par son prénom cette grande actrice ayant gagné un Oscar, c'était le choc de ma vie. Je me sentais un peu péquenaud, mais sincère.

René Clément, qui avait une formation d'architecte, avait l'habitude de dessiner les plans, les costumes, les décors, les accessoires, et souvent dans les moindres détails. Il aimait aussi expliquer longuement les situations, la psychologie, le caractère des personnages. Bella, sa femme, une petite ronde un peu « grand-mère », était souvent présente. Quand les explications de René se prolongeaient, elle lui disait en italien avec sa voix grave et son accent polonais : « *RRené, stringere, stringere.* » Je l'aimais beaucoup, elle avait un jugement juste. Toujours du bon côté. C'est-à-dire, du côté de RRené.

J'avais dit à Simone à propos d'un manteau : « Bella pense que… » Elle m'interrompit : « Bella m'emmerde… » Puis, après un moment : « Elle t'a dit quoi, Bella ? » Comme moi, elle l'aimait bien et respectait son point de vue. Bella venait de Pologne, comme le père de Simone. René Clément ayant longtemps travaillé en Italie, il connaissait peu les acteurs français. Un jour il me demanda : « Simone m'a recommandé un certain Piccoli, tu connais ? » Qui ne connaissait pas Michel Piccoli ! Et comment expliquer à Clément l'importance de Piccoli sans le vexer ? À l'arrivée de Michel, j'essaie de lui faire comprendre que Clément… « Il ne me connaît pas ? » me coupe Michel. Et il éclate de rire. Je le conduis jusqu'au bureau de Clément, qui le reçoit comme un inconnu. Michel présente son CV. Au fur et à mesure, Clément comprend l'importance de cet acteur. Et me jette un regard noir.

Je suis retourné chez Simone Signoret pour lui présenter le plan de travail et écouter ses observations. Une dame brune, plutôt mince, m'ouvre. Elle a des yeux pétillants et un léger accent du Midi, chaleureux. Malgré la porte fermée du salon, je peux entendre le piano et Montand qui chante puis s'arrête avant de reprendre. La dame brune me fait entrer dans le petit bureau. J'attends debout. Soudain, le chant se transforme en cris. « Mais non, non, Bob, non ! » Le piano reprend quelques notes, les cris aussi. La porte s'ouvre, Simone apparaît, détendue, alors qu'une explication violente remplace les « non, non ». Simone m'entraîne vers la sortie. La dame brune réapparaît : « Elvire, nous allons Chez Paul. » Elvire était la « patronne » de la Roulotte. C'était la femme de Julien, le frère de Montand, et la mère de Jean-Louis Livi, futur collaborateur de Gérard Lebovici, puis dirigeant d'Artmedia et enfin grand producteur indépendant.

Installés Chez Paul, le restaurant voisin, j'ouvre le plan de travail. « Claude m'a dit que ton père était communiste, c'est pour ça que tu as quitté le pays ? » Simone a une voix douce et me fixe avec ses grands yeux qui semblent perpétuellement changer de couleur. Je perds aussitôt toutes mes certitudes d'assistant en mission. Que me veut-elle ? Je sais qu'elle et Montand sont très à gauche, communistes peut-être. Cherchant à montrer mon inexistante quiétude, je réponds que mon père a fait de la résistance contre les Allemands avec les communistes, comme beaucoup de Grecs. Qu'il est anti-royaliste, et donc considéré comme communiste. Qu'il a perdu son travail et moi la possibilité de faire des études en Grèce. Ouf, je l'ai dit ! Je retourne au plan de travail. La voix douce, avec sa petite singularité bien connue, me demande encore : « Il n'y avait que les communistes qui résistaient ? » « Non, il y avait aussi les anti-royalistes. » Et me voilà parti à expliquer pourquoi mon père n'aimait pas le roi. Simone avait milité pendant la guerre civile de 1947-1949, comme beaucoup d'autres en France, dont Picasso, contre les tribunaux militaires et les exécutions sommaires. Le philosophe grec, Kostas Axelos, avait initié Simone à l'histoire de cette terrifiante période.

Comme toujours à Paris, on connaît des petits pays quelques événements spectaculaires et quelques personnages marquants, mais peu ou rien du petit peuple et de ses calvaires. J'ai donc raconté à Simone que l'anti-royalisme de mon père avait pour fondement la guerre qu'il avait été obligé de faire contre les Turcs, de 1920 à 1922, une guerre voulue par le roi. Cet imbécile, avec quelques autres crétins, voulait restaurer Byzance. C'était la « Grande Idée » (*Megali Idea*). Mon père avait combattu pendant deux ans en Asie Mineure. Il y avait perdu tous ses amis et camarades et, avec eux, la guerre elle-même. La « Grande Idée » s'était transformée en « Grande Catastrophe ».

L'arrivée de Montand et de son pianiste m'a interrompu et soulagé. Simone me présente Montand comme « l'autre immigré ». Il me serre chaleureusement la main et me tapote l'épaule. Une vraie émotion. Puis il me présente Bob. Aucune trace entre eux de l'engueulade. Bob Castella, petit, pianiste génial au sourire candide, est à la fois l'homme de confiance et l'âme damnée de Montand. Ils nous quittent après avoir bien fait rire Simone. J'avais ri aussi, sans avoir compris le propos. Il s'agissait de musique et de paroles. Je reprenais avec une certaine fermeté le plan de travail et mes notes. « Il faudra qu'un jour tu m'en dises un peu plus sur les Grecs », a conclu Simone, et nous nous sommes penchés sur le plan des douze semaines que nous allions passer ensemble.

Clément dirigeait les acteurs avec une grande économie de gestes. Sans que son regard ne les quitte, tout en cherchant à être leur complice. Les petits gestes précis de ses mains accompagnaient les paroles, non pour les souligner, en battant l'air comme le font certains, mais pour renforcer la complicité et la confiance. C'était très prenant à regarder, comme les mains d'un danseur hindou. Parfois, les élucidations devenaient très détaillées, comme ses dessins. Simone Signoret avait l'amitié et l'autorité pour les abréger. Stuart Whitman, lui, s'y perdait. Habitué aux réalisateurs américains qui sont en général très laconiques, Stuart écoutait le français, puis la traduction en anglais de l'interprète, et finissait par rester embourbé dans ce flot de paroles. Promu par son agent à devenir le prochain John Wayne, dont il était le protégé, Stuart s'était préparé à ce type de personnage dur et bourru, plutôt qu'à celui d'un pilote égaré dans un monde inconnu, avec une grande bourgeoise qui le guidait, dans une histoire sentimentale qui naissait mais allait se révéler sans espoir.

Pour les prises de vues, René Clément se servait principalement d'une petite grue qu'il faisait entrer dans les décors les plus exigus, avec une *maestria* qui ne manquait pas de nous épater. Installée sur ce support, la caméra trouvait une maniabilité et une souplesse de mouvement qu'il est possible d'obtenir aujourd'hui avec un steadicam. Encore faut-il avoir le talent et les idées.

Ce talent et cette imagination se concrétisèrent lors du tournage d'une scène qui se déroulait dans le couloir d'un train bondé, avec une foule compacte qui rendait tout déplacement des acteurs et surtout de la caméra impossible. Simone Signoret et son aviateur, poursuivis par un gestapiste, devaient traverser le couloir du wagon. La caméra qui les précédait devait de son côté passer au milieu des têtes des voyageurs. René Clément ne voulait pas demander aux figurants de s'écarter pour laisser passer la caméra, puis se remettre en place pour revenir dans le champ de l'objectif, une méthode aux résultats peu satisfaisants. Il voulait faire sentir au spectateur que l'obstacle humain était dangereux et mortel pour les deux personnages principaux du film.

La solution imaginée par Clément et Bernard Evein, le chef décorateur, consistait à suspendre la caméra au plafond du couloir et à la faire avancer entre les visages. Encore fallait-il pouvoir exécuter ce mouvement. Ils firent alors construire un wagon spécial avec, au plafond, des rails auxquels était suspendu un petit chariot portant une caméra. Mais une fois la caméra fixée, on voyait le plafond truqué. Il fallut donc fabriquer plusieurs morceaux de plafonds qui se soulevaient pour laisser passer la caméra et se rabaissaient après son passage.

Alain Douarinou, le cameraman, petit et trapu, très « ours », était suspendu, tête en bas, pour contrôler le cadre. C'était une construction formidable. Il fallait naturellement en avoir eu l'idée, mais aussi les moyens. Et des machinos de grande habileté. Aujourd'hui encore, les plans de cette séquence sont saisissants. Toutes ces prouesses techniques, esthétiques, ainsi que les scènes d'action n'ont cependant pas réussi à « sauver » le film, c'est-à-dire à intéresser ou attirer les spectateurs. La qualité, la célébrité des acteurs et la richesse de la production n'y ont pas suffi non plus. « *The production value* », pour reprendre le mot américain.

J'ai passé beaucoup de temps à essayer de comprendre les raisons de cette désaffection du public, tout comme le mystère de l'adhésion du public qui fait un succès. Pour reprendre le mot de Cocteau : « Il y a des règles pour faire un succès mais nous ne les connaissons pas. »

Pendant le tournage, début août 1962, nous avons appris la mort de Marilyn Monroe. Une armada de journalistes et de photographes cherchait à approcher Simone pour l'interviewer. Pour les éviter, elle nous a demandé, à Claude et à moi, de l'accompagner avec notre voiture. Une relation amicale et complice était née. Claude faisait beaucoup rire Simone avec ses histoires sur le cinéma d'après-guerre et sur les acteurs, des anecdotes souvent moqueuses, mais jamais méchantes. Simone riait d'un rire heureux et franc qui donnait envie d'être ensemble.

La fin du tournage se déroulait aux environs de Toulouse, près d'un vignoble. Le propriétaire de ce gigantesque domaine avait invité René Clément, ses acteurs et son « état-major », avait-il précisé, à visiter sa cave. À la fin de la visite, pendant nos commentaires admiratifs et justifiés, le vigneron choisit un magnum de rouge dont il essuya délicatement la poussière avant de le débouchonner avec des gestes de chirurgien. Après nous avoir tous servi, il nous conseilla de sentir le parfum, puis de juste « mouiller nos lèvres » avant de le déguster. Le geste de porter le verre au nez puis aux lèvres fut mal interprété par Stuart Whitman. Il but son verre cul sec et se retourna, content de lui et souriant, vers le vigneron qui le fixait avec un regard de tueur. Silence. Stuart souriait toujours. Simone sauva l'honneur avec son rire éclatant et communicatif, en expliquant à Stuart le rituel du moment et de l'événement. Stuart eut droit à un deuxième verre de ce vin sublime, qui, d'après l'étiquette, avait été mis en bouteille à la date de l'histoire du film, 1942. Nous étions vingt ans plus tard.

De retour à Paris, Simone nous invite à déjeuner Chez Paul. Montand nous rejoint, il vient de terminer le film de Jack Cardiff, *Ma geisha*, avec Shirley MacLaine, et il ne semblait pas satisfait. Il me demande si on étudie le travail de Cardiff à l'Idhec. Pas vraiment, sauf pour son travail de chef opérateur sur *La Comtesse aux pieds nus* et quelques autres. Simone demande alors à Claude de raconter l'histoire du producteur Boutel devenu metteur en scène sous le nom de Teboul. Montand rit beaucoup, nous demande si on joue au volley-ball et, dans la foulée, nous invite à passer le week-end chez eux à la campagne. Pris par ses obligations paternelles, Claude n'est pas libre. Je ne me sens guère à l'aise pour y aller seul, mais Simone insiste.

Ce premier week-end à Autheuil fut pour moi à la fois un plaisir euphorique, qui me propulsa à la limite de la béatitude, et une authentique épreuve par la sympathie que me témoignaient tous les invités présents : Jean-Louis Livi, José Artur, Jorge Semprún et Colette, sa femme, Pierre Mondy, avec qui Simone parlait d'une pièce de théâtre qu'ils allaient monter ensemble. « Tu veux un assistant ? lui demande-t-elle. Le voilà, il est vraiment bon. » Huit mois plus tard, Pierre m'appelait pour l'assister dans sa mise en scène des *Petits Renards*, une pièce de Lillian Hellman, au théâtre Sarah-Bernhardt.

À Autheuil, je me trouvais dans un milieu situé à des années-lumière de celui qui m'était familier. Malgré l'ambiance détendue, bon enfant, qui régnait, et l'amitié que tous me témoignaient, chaque geste, chaque parole prononcée me posait problème. « Détends-toi ! » m'a murmuré à l'oreille deux ou trois fois Montand, en me tapotant le dos. C'était le meilleur moyen pour me rendre plus nerveux encore, et maintenant il me fallait cacher ma nervosité. La personne la plus mystérieuse de cette assemblée pour moi était Jorge. Lorsque la discussion, pendant les déjeuners ou les dîners, tournait autour de la politique, ses brèves interventions sur la politique de De Gaulle, et surtout sur l'Union soviétique et le PC français, étaient brillantes et limpides, sans pathos ni excès dans les critiques. Quand Jorge jouait au volley-ball, il était comme un jeune étudiant sans mystère. Ce qui pour moi épaississait le sien. Près d'un an plus tard, Simone me donna un de ses livres : *Le Grand Voyage*. Le mystère s'éclaircit.

Jacques Demy avait écrit le scénario de son deuxième long-métrage, *La Baie des Anges*, dont Jeanne Moreau avait accepté le rôle principal. Un producteur allait le financer. Jacques cherchait un assistant. Je l'avais croisé lors de la brève rencontre de travail que j'avais eue avec Agnès Varda, chez eux, rue Daguerre, lorsque Agnès préparait un film de commande sur le champagne, mais le projet avait été abandonné. Jacques, discret, réservé, m'avait demandé si je voulais être son assistant. J'ai retenu un « Oui ! » tonnant, pour une réponse sur le même ton que le sien : « J'aimerais beaucoup ! » La douceur de Jacques me plaisait. Elle créait un sentiment de paix et d'énergie. Être l'assistant de ce jeune metteur en scène était une chose inespérée. Nous avions presque le même âge. On parlait de lui, surtout on écrivait sur lui avec la plus grande admiration. Il était de la Nouvelle Vague. « Associé », précisait-il.

Je découvrais avec lui une nouvelle façon de faire un film et de le concevoir. C'en était lumineux de simplicité et de subjectivité, très original, et rigoureux dans les choix de tournage. Avec Demy, la virtuosité technique ne servait pas à soutenir la dramaturgie et la psychologie des personnages, mais simplement à montrer ce que les acteurs exprimaient et vivaient, à l'intérieur d'un univers que le metteur en scène ordonnait.

Lors d'une première réunion, avec Bernard Evein, chef décorateur, Jean Rabier, chef opérateur, et moi, Jacques nous annonça que tout ce qui concernait Jeanne Moreau devait être blanc, ses cheveux blond platine, à la Jean Harlow, ses vêtements, sa voiture, sa chambre d'hôtel… Je cherchais le regard de Rabier pour voir sa réaction. Il s'était assombri. Evein souriait avec complicité. J'étais moi-même un peu inquiet, encore prisonnier d'un dogme qui refusait le blanc, les opérateurs le bannissant parce qu'il créait souvent des halos ou des auréoles diffuses autour des objets ou des tissus. Ils le remplaçaient en général par du bleu pâle ou du gris clair. Ce jour-là, personne n'a osé discuter la décision de Jacques. La douceur ferme avec laquelle Jacques l'avait annoncée était sans appel. La « Symphonie en blanc », comme l'appelait Evein, pour charrier Rabier, est arrivée aux oreilles de Paul-Edmond Decharme, le producteur. « Alors ? » m'a-t-il demandé. Il respectait trop Jacques pour lui poser une question artistique. Très sérieux, je lui ai annoncé qu'il faudrait probablement peindre en blanc les salles de jeux des casinos où on allait tourner. Stupéfait, il s'est mis à pester contre ces ramenards de la Nouvelle Vague. J'ai eu beaucoup de mal à le convaincre que je plaisantais.

Paul-Edmond Decharme venait de Tahiti. Il avait quitté la France aussitôt après la Libération. Son ambition était désormais de faire des films de « jeunes ». Il avait commencé avec Jacques Demy, de la Nouvelle Vague, un début important, disait-il. Il m'avait demandé si j'étais Nouvelle Vague, comme on vous demande si vous êtes catholique ou bouddhiste. « Non… Pas encore », avais-je ajouté, vu sa tête. Il devait penser qu'il s'agissait d'une sorte de secte. Ou encore d'une loge maçonnique. Ce qui ne manquait pas de sens. Il avait du respect pour les œuvres de la Nouvelle Vague, surtout pour celles qui marchaient bien. J'ai peu à peu compris qu'il avait une réelle sensibilité, contrariée par les problèmes de production et d'argent.

La préparation du film s'est poursuivie à Nice, qui était notre base. Pendant le repérage, j'ai trouvé dans le vieux Nice un palais abandonné où Bernard Evein a aménagé une chambre d'hôtel toute blanche pour le personnage qu'interprétait Jeanne Moreau. Dès son arrivée Jacques a conduit Jeanne dans cette chambre. Il s'agissait de l'acclimater à l'environnement intime de Jackie, son personnage. Je me souviens du contentement de Jeanne à la découverte de cette chambre d'un luxe désuet, dont l'éclat s'était terni dans tous ses détails. Tout montrait que chaque chose avait été prévue, choisie pour le plaisir et le bonheur de son occupant, mais tout s'était défraîchi, comme pour rappeler la fragilité du bonheur et la déchéance du plaisir.

Pour Jacques, la direction d'acteur commençait par cette rencontre du personnage avec son environnement intime. Jeanne et Jacques ont passé un long moment à discuter et à se familiariser avec ce lieu. Nous les attendions dans le couloir, conscients qu'une sorte de fusion était en train de s'opérer entre le metteur en scène et son actrice. Jacques a recommencé cette visite avec Claude Mann, le personnage masculin du film, puis avec les deux. Les acteurs n'étaient pas pour lui « les employés du metteur en scène », comme cela arrive avec certains metteurs en scène.

Jack Lemmon m'avait raconté l'histoire d'une célèbre actrice qui demandait à son metteur en scène, en l'occurrence Billy Wilder : « Billy, pourquoi je dois rentrer dans mon bain de cette manière ? » « Parce que tu es payée 500 000 dollars pour faire ce que je te demande de faire, ma chérie. » Et elle l'a fait, avait conclu Jack Lemmon, qui avait beaucoup travaillé avec Billy Wilder et semblait très impressionné par son autorité.

Pour Jacques Demy, les acteurs n'étaient pas non plus ses collaborateurs. Il s'agissait d'une histoire d'amour entre lui et l'interprète de l'histoire qu'il avait écrite. Jacques allait jusqu'à diriger les figurants, ce qui d'habitude est laissé à l'assistant. Des années plus tard, pendant le tournage de mon film *Mad City*, à San José, près de San Francisco, nous avions une grosse figuration qui occupait le premier assistant à temps plein. Un jour, instinctivement, je suis allé donner des instructions à deux figurants proches de la caméra, quand mon premier assistant s'est précipité vers moi et m'a brusquement éloigné : seul l'assistant devait leur transmettre mes indications, ces deux figurants venaient de changer de statut et étaient devenus des acteurs, avec un cachet d'acteur. Règle syndicale aux États-Unis.

Les relations de Jacques avec ses acteurs et son équipe se prolongeaient pendant les pauses où on parlait cinéma, comme à la Cinémathèque. Nous évoquions des metteurs en scène comme Rossellini, Ruy Guerra, Mizoguchi. Cette simplicité et cette convivialité faisaient que chacun se responsabilisait comme si c'était son propre film. Ces relations m'ont, je pense, allégé et débarrassé de certains clichés de la tradition « machiste » et de l'autoritarisme pyramidal que j'avais accumulé tout au long de mes participations à de grosses productions.

Dès la fin du tournage de *La Baie des Anges*, Paul-Edmond m'annonça qu'il allait faire un autre film Nouvelle Vague. Cette fois, il s'agirait d'une comédie. « Ils n'aiment pas rire à la Nouvelle Vague, m'affirmait-il avec un soupçon d'interrogation dans l'affirmation. Eh bien, on les fera rire. »

Je pensais que Paul-Edmond allait être déçu, car ceux de la Nouvelle Vague aimaient rire, mais pas *faire rire*. Me voyant douter, il insista. « Je veux introduire un metteur en scène Nouvelle Vague qui fera sa première comédie américaine comme la Nouvelle Vague les aime, avec deux acteurs "hyper Nouvelle Vague". Tu commenceras la préparation dès que j'aurai signé les contrats. » Et il partit s'enfermer dans son bureau. Claude Pinoteau, au téléphone, m'éclaira sur le mystérieux plan de Paul-Edmond : « Ton ami veut que je sois le conseiller technique de Marcel Ophüls pour son film *Peau de banane*, avec Jeanne Moreau et Jean-Paul Belmondo. Et toi le premier assistant. » Jeanne Moreau l'avait convaincu de produire le film. Claude connaissait bien Marcel. Il l'avait rencontré pendant la production de *Lola Montès*, le film de son père, Max Ophüls, où Claude avait été premier assistant.

Le tournage de *Peau de banane* se déroula à Paris, aux studios de Billancourt, puis sur la Côte d'Azur et en Camargue, dans une ambiance détendue et amicale. Les deux grands noms à l'affiche rendaient le film confortable sur le plan économique, ce qui était appréciable. L'amitié née entre Marcel et moi a perduré, et mon admiration pour son œuvre de documentariste l'a affermie, malgré les éloignements et le caractère parfois explosif de Marcel. Après la sortie en salles, Paul-Edmond se montra fort désappointé, car le film n'avait pas été considéré comme faisant partie de la Nouvelle Vague. Une comédie, c'était déjà suspect. Qui plus est, elle n'avait ni les codes, ni les prescriptions, ni les préceptes pour être canonisée « Nouvelle Vague ».

En revanche, le film de Marcel Ophüls eut une importance capitale dans ma vie privée. Richard Hellmann, fils du distributeur allemand, accompagnait la production pour se familiariser avec le système français. C'était un jeune homme joyeux et sympathique, bon vivant, aux manières désinvoltes que permettent le statut social, la connaissance de quatre langues et le fait de n'avoir besoin de personne. Nous sommes devenus proches, bien qu'il me trouvât trop distant devant l'essaim de jeunes femmes qui tournaient autour de la production et de l'équipe du film. Il m'avait répété gravement qu'il avait « une fille » pour moi. « Une amie, mannequin chez Chanel », m'avait-il précisé, qu'il avait connue à Kitzbühel en Autriche où elle faisait du bobsleigh. Un mannequin ! J'en avais croisé. Je les trouvais spectaculaires, mais la plupart du temps d'un vide intérieur et d'une banalité de conversation à effeuiller des tournesols. Épuisantes à force de dire des lieux communs. J'ai finalement appelé cette jeune femme une fois de retour à

Paris. Elle partait pour Nice voir ses parents. Je lui ai promis de la rappeler. Elle n'avait dit ni oui ni non à l'idée de me rencontrer, ne manifestant aucun enthousiasme. Je sentais même de la méfiance. Était-elle sérieuse ? Présomptueuse ?

Désormais pris par le nouveau film de René Clément avec Alain Delon, *Les Félins*, je n'y pensais presque plus. Même si l'association mannequin-Chanel me laissait rêveur. Clément allait tourner un policier psychologique. Une grande excitation régnait au sein de la production. Son dernier film, *Plein soleil*, était dans tous les esprits, et avait rencontré un succès mondial. Delon y était extraordinaire.

Pour *Les Félins*, Jane Fonda avait accepté le rôle féminin. Fille d'Henri Fonda, elle montait au firmament des actrices, très fort et très vite. Lola Albright, magnifique actrice, rivale de Jane dans l'histoire du film, jouait le rôle d'une riche Américaine qui avait engagé comme chauffeur Alain Delon, lequel fuyait des tueurs.

Bella Clément avait proposé que ce soit un jeune qui aille accueillir Jane à l'aéroport. J'étais le plus jeune. Bella, René et Jacques Bar, le producteur, l'attendraient à l'hôtel. Bella m'avait demandé si je connaissais Andreas Voutsinas, le gourou grec de Jane, son répétiteur à l'Actor's Studio. Je ne le connaissais pas. Je crois que Bella se méfiait de son influence sur Jane.

À l'aéroport, tout ému et intimidé, j'ai accueilli Jane qui a fait preuve d'une amicale simplicité, et a montré son enthousiasme, surtout dû à son arrivée à Paris. Elle a voulu rencontrer Signoret et Montand. Puis elle est entrée dans le petit cercle de Vadim, s'est mariée avec lui et a disparu du monde que nous fréquentions.

Je l'ai revue plus tard, en 1969, à New York, à la sortie de *Z*.

Alors dans sa période d'engagement politique, Jane m'a invité à aller accueillir avec elle un membre des Black Panthers à l'aéroport de La Guardia. Huey Newton, plutôt petit, avec une tête ovale, noble, le regard sévère s'est montré chaleureux et m'a appris que lui et ses amis avaient volé une copie de *Z* et une de *La Bataille d'Alger* pour les projeter lors de leurs réunions publiques où la police n'osait pas rentrer.

Le meeting qui a suivi m'a laissé profondément ému et troublé. Il y avait là l'expression d'une force, d'une volonté de se libérer des humiliations séculaires, sans aucun complexe d'infériorité. C'était une assemblée furieuse, désinhibée. L'atmosphère était à la guerre civile.

Quelques années plus tard, Charles Blühdorn, le patron de la Gulf+Western, propriétaire de la Paramount, qui m'avait proposé de réaliser *Le Parrain*, est revenu vers moi avec un autre sujet sur la mafia. Un de ses amis m'a affirmé que la mafia avait été sollicitée par le FBI, dans les années des grandes protestations aux USA, pour introduire massivement la drogue chez les Black Panthers et sur les campus des universités contestataires. Une fois la protestation disqualifiée, décimée, le FBI avait repris la répression contre la mafia encore plus violemment et sans tenir compte des services rendus. Charles voulait en tirer un film. Il m'a assuré de l'authenticité de cette histoire et de ses sources. Je l'ai déçu, une fois de plus, en refusant.

Quant à Jane Fonda, nous nous sommes revus à Los Angeles pendant la campagne sénatoriale de Tom Hayden, son second époux. Tom était un des « Sept de Chicago », les figures de proue de la contestation américaine contre la guerre du Vietnam. Il avait été, en 1969, aux côtés notamment de Jerry Rubin et d'Abbie Hoffman, mis en accusation pour incitation à la révolte lors d'un retentissant procès politique. Michèle, qui avait connu Tom lors de ses séjours à Cuba, avait suivi le procès à Chicago, lors de notre séjour à New York pour la sortie de *Z*. Tom m'avait fait découvrir les banlieues de Los Angeles où, disait-il, vivaient cinq cent mille clandestins latino-américains. De son côté, Jane m'emmenait chez l'habitant, à des réunions de soutien pour Tom, rassemblant dix à quinze personnes. J'ai découvert chez ces gens une Amérique d'une authenticité crue et sans artifices, que le cinéma ne montrait souvent que scénarisée et cinématographiée.

Nous avions souvent évoqué avec Jane l'idée de faire un film ensemble. Ce désir ne s'est jamais concrétisé, peut-être n'était-il pas assez fort chez moi.

Pendant l'écriture du scénario de *Music Box* avec Joe Eszterhas, Irwin Winkler, ou le patron des Artistes Associés, ou les deux, connaissant mes relations avec Jane Fonda, lui ont parlé du projet, sans me prévenir. Elle avait répondu très favorablement à leur proposition. À Hollywood, ce type d'échange équivaut à un contrat signé. Quand je l'ai appris, je leur ai dit sans détour que je ne voyais pas Jane dans le rôle, mais plutôt Jessica Lange. Irwin en est très vite convenu. Il fallait l'annoncer à Jane. Qui allait s'en charger ?

À Hollywood, on n'aime pas être le porteur des mauvaises nouvelles. Dans les temps reculés, on tuait le messager. Notre société n'admettant plus ces « excès », de nos jours c'est la réputation, le statut même du messager qui sont compromis. « Écris-lui, elle comprendra », m'a suggéré suavement Irwin. J'ai donc écrit une longue lettre à Jane lui expliquant les raisons de mon refus. Mais pas toutes. La production a été soulagée. Jane a dû m'en vouloir, mais sans jamais le montrer. Plus tard, j'ai appris qu'un arrangement avait été trouvé avec son agent, ce qui satisfaisait tout le monde, tout en alourdissant le budget du film.

Pour le tournage des *Félins* qui commençait sur la Côte d'Azur, notre QG s'était établi au studio de la Victorine. Grâce à un hasard triomphant, nous avions déniché, couverte de poussière et d'oubli, la Rolls-Royce de Calouste Gulbenkian, « Mr 5 % », le roi du pétrole, mort dix ans auparavant. Construite d'après ses propres plans, elle était unique au monde. De couleur beige et noir, elle avait toute sa partie haute en Plexiglas afin que son occupant fût visible de tous et de tous les côtés. Seuls les aveugles ne se retournaient pas sur son passage.

Le premier jour de tournage, sur la promenade des Anglais, devant le Casino, Alain Delon, chauffeur de la Rolls, prend le volant pour faire un tour de « prise en main ». Une foule observe le phénomène à quatre roues démarrer. À son retour, Alain percute un lampadaire avec l'aile et le phare avant droits. Consternation générale : Clément, Jacques Bar, moi et toute l'équipe sommes tétanisés. La foule, elle, s'amuse. Alain sort en levant les bras, désolé, mais pas trop. « Les freins », se justifie-t-il face à nous et à la foule. René Clément a eu le mot de la fin dans un murmure discret mais furieux : « Il l'a fait exprès. On admirait la voiture et pas lui. » Je me suis dit qu'Alain n'en avait peut-être même pas eu conscience.

Mon ami Richard Hellmann m'appelle pour me dire que le mannequin de chez Chanel allait arriver à Nice : il me donne le téléphone de ses parents et me précise que Michèle Ray attend mon coup de fil.

Pendant le tournage d'un film, le premier assistant n'a pas de vie privée ou très, très peu. Il commence son travail à 7 heures et finit à plus d'heure ! Rendez-vous est pris avec Michèle Ray, le dimanche soir au bar du Negresco. La production, en ces temps heureux, y logeait l'équipe, tout au moins l'état-major et les stars.

Michèle raconte à propos de cette rencontre que, lorsqu'elle m'a vu en entrant dans le bar du Negresco, elle a pensé : « Mais Richard est fou, ce garçon-là… quinze jours. » Quant à moi, je la regardais s'approcher et, comme d'habitude, comme pour un casting, j'ai fait le premier cliché instantané. Vue d'ensemble : élégance parfaite, aucune de ces modernités vestimentaires qui ne durent que le temps d'une saison, le visage ovale classique, beaux yeux. Partie haute du corps : poitrine sans exagération. Partie médiane : taille souple. Toujours vue de face, fesses à deviner. Partie basse : de belles et longues jambes. Retour au visage, vraiment plaisant, regard évaluateur. Elle me tend la main qui est petite comme celle d'une adolescente. L'ensemble est superbe. Elle s'assied avec grâce, je m'assois et manque de tomber. Elle sourit. De la classe ! Passée cette première vision admirative je me demandais pourquoi Richard avait dit qu'elle était « une fille pour toi ». À l'évidence, elle n'était pas une de ces filles que l'on recommande pour de brèves rencontres. Elle n'était pas bavarde, ne me posait pas de questions ni ne sollicitait d'anecdotes sur Alain Delon ou Jane Fonda, très présents dans les journaux locaux. Richard, m'étais-je dit, me proposait une liaison sérieuse, durable, ce à quoi je ne tenais absolument pas.

Mon ambition d'alors se bornait à passer mes soirées à lire des livres d'histoire, de philosophie, d'art et de littérature. C'était un plaisir et, par-dessus tout, un moyen de combler les lacunes de mon éducation. J'avais déjà lu Platon en français, ainsi qu'Aristóteles, qu'ici on appelle Aristote, je ne sais pas pourquoi.

J'ai découvert les présocratiques avec étonnement et grand plaisir. Parmi eux, les sophistes étaient considérés comme les voyous de la philosophie, et leur nom, « sophiste », reste assimilé aux qualificatifs de fallacieux, d'infâme, par les éducateurs et l'Église grecque. Leur pertinence est toujours d'actualité. J'ai lu Jules Vallès, Jean-Paul Sartre, Céline et tant d'autres. Cela me satisfaisait davantage que les soirées passées en tête à tête, aussi jolie et attentive que puisse être l'autre tête. Danaï et ses soirées casanières m'avaient vacciné. Je les fuyais. En résumé, toute cohabitation aurait été une intrusion dans la concentration que requérait mon apprentissage, lequel représentait, dans un monde où je me sentais si fragile et si précaire, mon seul espoir de ne pas retourner là d'où je venais.

« Parce que tu n'es pas amoureux », me répétait Bernard Paul, l'autre assistant du film, « Ou parce que tu cherches la riche héritière », ajoutait-il, mi-figue mi-raisin. Cette rhétorique blagueuse que l'immigré entend souvent n'est ni amicale ni vraie. Pour moi, passer de temps en temps un week-end à la campagne chez les Montand comblait tous mes besoins de fréquentation sociale.

J'ai pourtant revu Michèle les deux dimanches suivants, dont une fois avec son fils Patrick, âgé de 7 ans, qui me regardait de côté. Michèle s'était mariée à 16 ans, avait eu un fils à 17 et divorcé à 22. Notre mère, nous étions trois frères, nous répétait souvent le même conseil : jamais une femme divorcée, c'est un péché mortel.

Digression familiale : mon grand-père Konstantinos, né en 1867, était resté célibataire jusqu'à l'ouverture de son magasin où on vendait de tout et où on réparait tout. La plus belle du village est venue un jour pour faire réparer sa bottine. En la lui remettant, la main du grand-père est montée, caressante, le long de la jambe. La belle l'a giflé et est partie. Le lendemain, elle est revenue avec l'autre bottine. Neuf mois plus tard naissait mon père.

Trente-trois ans plus tard, on proposa à mon père une belle, forte et saine jeune femme qui habitait un village lointain. Attirés par les qualités énoncées, mon père et un ami allèrent rendre visite à ses parents, un peu comme dans *America, America*, le film d'Elia Kazan. Les yeux bleus perçants et le visage autoritaire de la jeune femme ont fait fuir mon père. Avec son ami, en quittant le village, ils s'arrêtèrent à la source pour abreuver leurs chevaux. Mon père vit alors arriver la belle. L'a-t-elle fait exprès ? Elle a sauté de son mulet et... je n'ai jamais pu savoir quelle image avait le plus ému mon père. Était-ce la sveltesse, la grâce, l'élégance, la détermination, ou simplement les belles cuisses fugitivement dénudées dans le mouvement du saut ? Toujours est-il que mon père est aussitôt retourné chez les parents de la jeune fille et leur a demandé sa main. J'arrivai un an plus tard. On m'a donné le nom de mon grand-père, Konstantinos. Je chassais l'idée que le bar du Negresco puisse être la bottine de ma grand-mère ou le mulet de ma mère.

Le rythme du tournage des *Félins* devenait frénétique. Des doutes étaient exprimés sur le scénario. La production fit alors venir l'écrivain américain Charles Williams, auteur de nombreux romans policiers, dont *Peaux de bananes*. Clément et lui travaillaient le dimanche et les soirées, jusque tard dans la nuit, à réécrire des scènes. J'ai vécu alors ce que je soupçonnais : l'enfer d'un tournage dont le script s'écrit ou se réécrit au jour le jour. Le bouleversement que cela produit dans l'équipe du film, la fureur, le malaise, l'anxiété que cela crée chez les acteurs. Il arrive qu'ils commencent à douter du metteur en scène, ou pire, du personnage qu'ils sont en train d'interpréter. La confiance accordée à René Clément était totale, surtout de la part d'Alain Delon qui donnait le ton.

Une autre raison justifiait cette confiance. Nous vivions la mode de l'improvisation, qui était presque un dogme culturel chez certains cinéastes. Ceux qui n'improvisaient pas étaient considérés avec condescendance. René Clair, que je voyais parfois, me disait : « Si j'improvise et que je veux un chat siamois, comment je fais ? J'arrête le tournage pour aller le chercher ? »

Quand le tournage sur la Côte d'Azur toucha à sa fin, nous avons décidé avec Bernard Paul de rentrer à Paris en voiture et de nous arrêter à Saulieu pour faire un gueuleton dans le fameux restaurant à étoiles, La Côte d'Or. Trois jours plus tard, nous devions reprendre le tournage aux studios d'Épinay. J'ai proposé à Michèle, qui devait aussi rentrer à Paris, de remonter avec nous. Puis j'ai ajouté avec simplicité que, comme nous comptions partir très tôt le matin, elle pouvait passer la nuit au Negresco. Sinon, nous passerions la chercher. « Je passerai la nuit au Negresco », a-t-elle répondu avec un tout petit sourire.

Ce voyage fut enthousiasmant. Les dix heures de voiture ont défilé comme un spectacle continu où j'étais à la fois acteur et spectateur. Nous parlions, nous nous écoutions les uns les autres, nous riions et les silences étaient comblés par les pensées et les émotions que cette grande fille, gaie et grave à la fois, suscitait en moi, tout en éveillant une curiosité d'une autre nature que celle, toujours vite rassasiée, que j'avais connue avec d'autres femmes. Nous avons rivalisé avec Bernard, à qui l'amuserait le plus et le mieux. J'ai alors découvert qu'elle était rieuse et riait souvent à contretemps sur des sujets qui, habituellement, ne font pas rire, ce qui nous égayait encore plus tous les trois. Le gueuleton programmé à L'Hostellerie de la Côte d'Or fut un moment de détente et de calme après la folle course qui avait précédé. Michèle choisissait les meilleurs plats, et nous avons regretté de ne pas l'avoir imitée. Voyant que nous avions fini à deux la bouteille de bourgogne, elle ne buvait pas, elle décida qu'elle conduirait le reste du trajet. Elle nous apprit alors qu'elle faisait des compétitions automobiles, des courses de côte, avec sa MG décapotable. Arrivés à Paris tard le soir, elle a bien voulu passer la nuit chez moi.

Le lendemain matin, je l'accompagnai chez elle et on se promit de s'appeler. Manière de laisser chacun libre de le faire, ou pas. J'allai au studio préparer la suite du tournage et passai la journée à vérifier les décors, la régie, les costumes, les figurants. Je me suis surpris plusieurs fois à penser à Michèle. C'était nouveau, inquiétant même, vu le nombre de problèmes à résoudre dans l'immédiat. Deux jours passèrent. Pas de coup de téléphone. Agacement. Inquiétude. J'habitais rue Saint-Séverin et ma demande de ligne téléphonique datait maintenant de six bons mois. À cette époque, on pouvait l'attendre jusqu'à un an. Je n'avais donc que le téléphone de mon bureau, au studio. Michèle, elle, avait sa propre ligne, chez elle. Je l'appelais une, deux, trois fois. Pas de réponse. Il n'y avait pas de messagerie en ce temps-là.

Elle téléphona enfin. Nous avons alors commencé une relation amoureuse, ardente, passionnée, unique. Mais, pour éviter tout « suspense » propre aux romans sentimentaux, je peux d'ores et déjà dévoiler le moment culminant de cette relation : notre mariage, le 31 août 1968, pendant le tournage de *Z* en Algérie.

CHAPITRE 5

De l'enfer aux tueurs

Le tournage des *Félins* terminé, Paul-Edmond me contacte pour m'annoncer, sur un ton jubilatoire, que dans un mois il commence une « très importante production » avec un casting « atomique ». Mais il faut garder le secret. « Soyez libre », m'a-t-il vouvoyé.

Un mois de vacances ! Je reprends mes habitudes de lecture, de fréquentation assidue des salles de cinéma et de théâtre avec Michèle quand elle est libre. Puis, sans savoir ni comment ni pourquoi, j'achète et lis un polar, ce qui ne m'arrivait que rarement, et uniquement les vieux Série noire cartonnés noir et jaune que j'avais commencé à collectionner. Je ne me souviens plus si je l'ai choisi après avoir lu une critique, ou pour le titre, ou pour le nom de l'écrivain : Sébastien Japrisot. Le roman s'intitule *Compartiment tueurs*, paraphrasant la mention « Compartiment fumeurs », lisible alors dans les trains. Cette lecture m'enthousiasme, les personnages, leurs situations, leurs relations s'entremêlent, se croisent dans une construction littéraire foisonnante, soutenue par des dialogues modernes et drôles.

Pourquoi ne pas imaginer un film à partir de cet ensemble ? J'avais lu et disséqué les scénarios des films sur lesquels j'avais travaillé. J'avais assisté et participé à leur mise en image, à leur réalisation et vu les résultats à l'écran. À l'Idhec, nous n'avions pas étudié la construction, la structure de scénario, mais avec *Compartiment tueurs*, j'avais un « matériel littéraire » qui pouvait être adapté. Je m'emparais de ce « matériel » comme un exercice, un entraînement à l'écriture scénaristique. Je m'y suis mis avec le courage du débutant qui n'a aucune obligation ni responsabilité, et avec l'innocence et l'inconscience du novice pour qui tout est possible. J'ai vite fini, satisfait d'avoir trouvé des solutions plus facilement que je ne le pensais. Michèle a voulu lire mais a vite abandonné : le déchiffrage de mon écriture illisible rendait la lecture pénible et détestable. Je lui ai promis de le faire taper.

Paul-Edmond Decharme avait signé avec son casting « atomique » et, de fait, il l'était bel et bien : Jean-Paul Belmondo et Jean Seberg, le plus célèbre couple de la Nouvelle Vague. Mais cette fois Paul-Edmond n'avait pas fait mention de la Nouvelle Vague, synonyme de trop d'échecs au box-office. Le film s'appellerait *Échappement libre*, et serait réalisé par Jean Becker. Jean s'était souvenu de moi et de mon essai d'acteur. Il en a beaucoup ri, moi un peu moins. Le tournage se déroulait à Brême en Allemagne, puis à Paris, Barcelone, Naples, Rome, Athènes et Beyrouth. Une coproduction européenne avec l'acteur allemand Gert Fröbe, qui arriva avec une jolie blonde, laquelle partit peu de temps après avec un électricien. Drame.

J'hésitais à accepter. Je ne voulais pas m'éloigner si longtemps de Paris, de Michèle. Mais l'aventure était unique et nous étions tous de la même génération, à commencer par Belmondo et Becker. Jean Seberg avait une poignée d'années de moins. L'histoire était celle d'un trafic d'or, transporté dans une MG décapotable. Pendant notre périple, et grâce à la présence de Belmondo et de Seberg, nous étions invités partout, dans les ambassades françaises, chez de riches producteurs locaux et dans les boîtes de nuit. Jamais, ni avant ni après, je n'ai fréquenté autant de boîtes de nuit. Nous étions tous les jours entourés d'une foule d'admirateurs et d'admiratrices. Enfin, il serait plus exact de dire que c'était Jean-Paul Belmondo qui était entouré. Jean Seberg nous accompagnait parfois, mais il fallait la raccompagner tôt, et c'était une bonne raison pour Jean Becker et moi de faire de même. Puis à Barcelone, Mme Becker, Mme Belmondo et Romain Gary, le mari de Jean Seberg, sont arrivés et tout est rentré dans l'ordre.

Long et jalonné d'aventures, notre *Échappement libre* arrivait à la fin des prises de vues. Le décor final était Beyrouth. Une ville riche, libre et cosmopolite, où les communautés et les religions semblaient vivre encore en bonne intelligence.

Il y avait un immense casino et de belles boîtes de nuit. Nous y avons été invités et accueillis avec une exubérance amicale et bien orientale. La piste de danse était au bord d'une piscine dans laquelle ont fini une dizaine de fêtards, à la suite d'une sorte de pari proposé par Jean-Paul qui, lui, est resté bien au sec au bord de l'eau.

Il était temps pour moi de rentrer à Paris, mon territoire, et de retrouver Michèle. Surprise : je me trouvais propriétaire d'un téléphone, grâce à un ami niçois de Michèle, Paul Carenco, haut placé aux PTT. Fini les cabines téléphoniques au sous-sol des bistrots, un peu sales, un peu sombres, envahies par les effluves de cuisine ou de toilettes, dans l'attente qu'un causeur ou une jaseuse finissent par libérer la place. Une autre surprise : une lettre de Columbia Pictures me demandant de contacter M. Henri-Georges Clouzot. Son bureau m'informa qu'il était à Saint-Paul-de-Vence et qu'il souhaitait me voir au sujet de son prochain film. Face à un tel événement, j'étais ébloui. Instinctivement et sans que cela soit conscient, vu d'où je venais, un petit village de l'Arcadie, il était impossible que Monsieur Clouzot demande à me voir et m'invite à Saint-Paul-de-Vence, à La Colombe d'Or. Si par miracle c'était vrai, il me fallait accepter instantanément, inconditionnellement.

Cette inhibition de la conscience est comme une couche de mauvaise lie, comme un résidu que la combustion de mon nouveau savoir et de ma nouvelle situation n'avait pas réussi à éliminer définitivement. Mais je la combattais. « Tu as dit oui ? » me demanda Michèle. « Oui, je pars demain. » « Ça peut bien attendre quarante-huit heures. Tu viens d'arriver. » Elle avait raison. J'aimais, j'admire encore son détachement face à la célébrité, à la notoriété, au pouvoir. Elle l'affronte avec respect, mais sans condescendance, ni servilité. Nos enfants sont faits du même bois, et je les admire aussi. Mes empressements, parfois proches de la complaisance, trouvent leur source dans la peur, une peur inculquée jour après jour à l'école, à l'église, par les flics, par le vendeur de tickets du tramway, par l'oncle politisé, bref par tous ceux qui ont un pouvoir, petit ou grand, sur vous. Ils ressentent la même peur, étant eux-mêmes soumis à d'autres pouvoirs. Ils la transmettent, inconsciemment, mais ce pouvoir les satisfait, les grandit à leurs propres yeux. C'est comme une vengeance contre ceux qui leur ont inculqué cette misère qu'est la peur du plus important que soi.

J'arrive à La Colombe d'Or, auberge magique, mythique pour sa collection de tableaux de maîtres, pour la liste des célébrités qui y séjournent, mais aussi pour son architecture locale authentique. J'entre et la magie continue. Je me trouve face aux Montand qui discutent avec Titine et Francis Roux, les propriétaires. Simone et Yves séjournaient souvent à La Colombe. Ils sont surpris de me voir. Montand fait une mine inquiétante et drôle lorsqu'il apprend les raisons de ma venue.

Puis Henri-Georges Clouzot me reçoit dans son bungalow, sa pipe passant de la bouche à la main, pour revenir aussitôt à la bouche. À ses côtés, le responsable du bureau parisien de la Columbia qui, pendant toute la rencontre, qui durera près de deux heures, parlera peu mais hochera beaucoup la tête, comme les chats japonais en porcelaine que Chris Marker collectionnait. Clouzot me prévient d'entrée que la préparation du film ne commencera pas tout de suite. En attendant, il veut que je prenne bien connaissance du scénario, qu'il puisse faire appel à moi ponctuellement, mais tout en restant à son entière disposition. Situation paradoxale et contraignante, mais qui aurait dit non ? Qui aurait discuté la volonté du grand metteur en scène, dans ces lieux où nul ne manquait d'évaluer et d'apprécier sa propre importance pour y avoir été invité ? Henri-Georges exige le secret absolu sur ce qui allait être dit, et sur le scénario que j'allais lire. Il ne cesse de me fixer avec ses yeux noirs, un peu enfoncés, sous des sourcils hautement broussailleux.

Pendant un long moment, il me fait pénétrer dans l'univers de son film et de son thème central, qu'il voulait exprimer par des images. Un long monologue suit, fascinant par son intelligence et ses projections vers le futur. Je pose deux ou trois questions pour montrer que je le suis très attentivement. Soudain, il s'arrête et me remet le scénario, très épais, et une longue liste d'acteurs. Il me demande si je les connais. Je les connaissais. Enfin, un dossier avec des dessins et des photos des décors extérieurs souhaités et déjà repérés. Il conclut par l'injonction de l'appeler aussitôt le scénario lu. M. Columbia me raccompagne jusqu'à la sortie et me précise que je serai payé à plein temps, même si « Henri-Georges ne fera appel à vous qu'une fois par semaine ».

Les Montand m'invitent à dîner, mais je refuse. Je veux dîner dans ma chambre et travailler. Yves admire, avec une moue bouffonne, mon paquet de documents. « Secret absolu », lui dis-je en l'empêchant d'ouvrir le scénario. « Bon courage ! » Montand connaissait bien Clouzot avec qui il avait fait *Le Salaire de la peur*. Simone, qui ne trouvait à Henri-Georges aucun humour, souligne l'importance de faire son film.

Dans ma chambre, je m'installe dos à la fenêtre qui donne sur la piscine et le jardin. Sur la table, du papier, un stylo bleu, un rouge et le scénario de 300 pages. Les scénarios font en général entre 90 et 130 pages. Quand on en reçoit un, le geste presque spontané consiste à aller voir la dernière page et son numéro, manière d'évaluer la durée du film. Une heure et demie plus tard le téléphone sonne, je décroche. La voix d'Henri-Georges : « Avez-vous lu ? » « Je suis en train, je vous rappellerai, monsieur. » Et il raccroche, sans doute déçu. Je suis un lecteur lent. J'ai essayé la méthode de lecture rapide, utilisée paraît-il par le président Kennedy, mais ça n'a pas marché. Je me souvenais des mots, pas de l'histoire qu'ils racontaient. Un scénario, je le lis encore plus lentement. Au-delà de l'histoire, il faut connaître les personnages, leur psychologie, les relations qui les nouent, et détecter les problèmes techniques.

Vers 22 heures, nouveau coup de fil. Cette fois je prends les devants : « J'ai lu, monsieur, mais je préfère reprendre certaines parties et vous voir demain matin. » Silence. S'il m'envoie au diable, qu'est-ce que je fais ? Il a été très correct. « Bien, demain matin à 8 h 30… non, 9 heures. » Au petit déjeuner, Simone Signoret me dit : « Clouzot – tout le monde l'appelait Clouzot – prend des pilules pour dormir et des pilules pour se réveiller. » D'après mon frère, le cardio-logue, c'est peut-être ces excès qui ont provoqué l'infarctus qui l'empêcha de finir son film et l'obligea à passer plusieurs semaines à l'hôpital, dans le noir.

À 9 heures, j'entrais dans son bungalow. M. Columbia était là. Henri-Georges finissait un petit déjeuner frugal et me demanda sans détour comment j'avais suivi l'histoire et si j'avais décelé de grosses difficultés de tournage. Aucun pro-blème pour l'histoire, qui se déroulait très bien. En revanche, j'avais découvert de nombreux problèmes concernant les scènes de Marcel, le mari jaloux. Ses visions, les passages du noir et blanc à la couleur… Je lui montrai mes nombreuses notes. Il préféra que je les lui lise, une à une.

Chaque question appelant une longue réponse, chaque réponse relançant une question, n'ayant pas, pour la plupart des problèmes évoqués, de solutions. Commença alors une discussion méthodique : comment, où et avec qui trouver des solutions ? Elle dura deux jours, touffus, denses, par moments énervants, jusqu'à l'exaspération. Avec des silences intermi-nables, pendant lesquels je ne savais ni quoi faire ni quoi dire. Certaines scènes ne pouvaient se tourner qu'avec des trucages très sophistiqués ou impossibles à réaliser. Et ce, alors qu'il ne voulait pas de trucages. Il exigeait de tout filmer en direct sans trucage. Aujourd'hui, on peut tout, « absolument tout » faire. Mais ces deux journées furent aussi riches en réflexion sur le cinéma, les acteurs et leur psychologie, que sur la jalousie poussée jusqu'à la folie.

Henri-Georges parlait beaucoup du cinéma qui changeait, des nouvelles formes du récit par les images, qu'il croyait nécessaires afin d'éviter la routine et la décrépitude des films.

Sans jamais le nommer, il faisait allusion à ce qui, pour lui comme pour toute une génération de réalisateurs, constitua un choc esthétique et émotionnel : le *8½* de Fellini. Ce film alla même jusqu'à provoquer chez certains cinéastes une réelle « mise en crise ». Je pense que Clouzot en faisait partie. Sortir des récits classiques et créer une œuvre d'une forme inédite était à l'évidence le projet de *L'Enfer*. Mais *8½* n'était pas le commencement d'un nouveau mouvement, d'une nouvelle école née en Italie, comme l'avait été le néoréalisme. C'était l'œuvre d'un auteur à part, unique, une œuvre personnelle parfaitement subjective, parfaitement singulière.

Clouzot voulait réaliser *L'Enfer* comme une histoire simple et ordinaire autour de la jalousie qu'il pensait pouvoir transcender en une œuvre majeure, grâce à des prouesses techniques, à une création d'images inédites, issues de nouvelles technologies et des arts plastiques, grâce aussi à des sons novateurs. Il entrait, sans s'en douter, dans un labyrinthe dont l'issue était aléatoire, pour ne pas dire hasardeuse. Il tenta de suivre un fil d'Ariane salvateur, celui d'une recherche dans toutes les directions, visuelles et auditives. Il s'y consacra pendant des mois, dans les meilleures conditions possible.

J'allais le voir de temps en temps. Sa petite équipe travaillait dans une euphorie, un optimisme, une fascination pleine d'espoir. Au visionnage des images, étonnantes, nouvelles, emplies de mystère et de suspense, les producteurs américains avaient ouvert grand leur bourse. Mais, en fin de compte, ces images n'appartenaient qu'à elles-mêmes et pas au personnage du film, Marcel, l'homme fou de jalousie. Clouzot avait sans doute fini par le comprendre. Commença alors l'odyssée d'un tournage sans précédent dans l'histoire du cinéma français, et peut-être mondial. Bernard Paul et Christian de Challonge, qui m'avaient remplacé auprès de Clouzot, m'ont raconté les

péripéties ahurissantes, tragiques et tragi-comiques du tournage, de son interruption, avec Clouzot perdu et désespéré
dans le labyrinthe de son *Enfer*. Mais j'avais alors commencé la
mise en production de mon propre film, *Compartiment tueurs*.

Après mon séjour à La Colombe d'Or et ma première
rencontre avec Clouzot, j'étais rentré à Paris. Henri-Georges
m'appelait pour des questions mineures, qu'il considérait
comme extrêmement importantes.

Au même moment, Henri Verneuil préparait *Cent Mille
Dollars au soleil*. Claude Pinoteau s'occupait de la partie du
tournage qui aurait lieu au Maroc, Henri souhaitait que je
prépare le tournage parisien, où il y avait peu à faire, excepté
un important casting. Je remarquais sur son bureau le livre
de Japrisot, *Compartiment tueurs*. Henri a vu mon regard :
« C'est un formidable polar, j'ai essayé avec Albert Simonin
de l'adapter. On n'a pas trouvé de solutions... » J'allais dire :
« J'en ai une. » Mais je me suis tu. Je n'allais pas plastronner
devant Verneuil, qui avait derrière lui une vingtaine de films
à succès. Si ni lui ni Simonin n'avaient réussi, c'est que la
chose était infaisable et que je m'étais trompé.

J'expliquai à Henri que je pouvais l'aider pour les repérages
et dresser des listes d'acteurs, mais guère plus, car j'étais attaché à Clouzot.

Rentré chez moi, je me précipitai sur mon scénario de
Compartiment tueurs, et le relus, non sans mal à cause de mon
écriture. Je trouvai ça « pas mal », malgré tout. Je l'emportai
au studio pour le faire taper par une secrétaire.

Marguerite était une vieille fille d'une soixantaine d'années,
aux cheveux noirs comme le jais et aux yeux bleus transpa-
rents et mélancoliques. Toujours l'air chagrin, elle travaillait

à la direction mais elle avait toujours du temps pour faire de petits extras. Elle m'aimait bien. Quand je passais à son bureau, je chantonnais : « Marguerite, Marguerite, si tu veux faire mon bonheur, prête-moi, prête-moi ton cœur. » Ça la faisait sourire. Le directeur des studios de Boulogne, Julien Derode, m'avait dit un jour : « Arrêtez ! Elle va vous prendre au sérieux. »

Derode, bon vivant et railleur, avait beaucoup fait pour attirer en France les productions américaines, notamment *Le Jour le plus long*. À la vue de mon nom sur le manuscrit à la mention « adaptation », Marguerite me demanda, souriante : « Qui produit ? » « Personne, il n'y a pas de producteur. » « Ce sera prêt lundi. » Elle souriait toujours. Commença alors une histoire pour le moins paradoxale en termes de logique de production cinématographique et de bon sens professionnel.

Le lundi, je recevais le télégramme suivant :
435 ROMA 092/301 4630 1845 HISTOIRE MINCE ET ASSEZ GENRE QUI FIT JADIS SUCCÈS CLOU-ZOT MAIS TECHNIQUE DÉCOUPAGE DIALOGUES BRILLANTS ET FLUIDES STOP DÉCISION DÉPEND SURTOUT CONDITIONS EXCEPTIONNELLES RÉU-NIONS ACTEURS PREMIER PLAN ET PRODUCTION AVEC FINANCEMENT RESTREINT SERAI PARIS SEIZE DÉCEMBRE. DERODE.

C'était bien Julien Derode ! Marguerite avait aimé le scé-nario et le lui avait donné avant son départ pour Rome. Elle était ravie de son coup. Je me sentais désarmé face à elle, à la fois furieux... et heureux. Elle me remit trois exemplaires du scénario. Toujours souriante.

Michèle a lu et aimé. Julien Derode a bondi hors de son fauteuil lorsque je lui ai dit que je n'avais pas les droits du livre et que je ne connaissais même pas l'auteur, Sébastien Japrisot. Tout en décrochant le téléphone, il me traitait de fou et d'inconscient et me regardait ahuri. Il appela Jean Rossignol qui, avec sa femme Suzanne, s'occupait des droits pour Gallimard et d'autres éditeurs. Julien me passa l'écouteur. Rossignol répondit que Verneuil avait été intéressé par *Compartiment tueurs* mais avait abandonné. « Le livre m'intéresse », lui dit Derode qui conclut : « Faites-moi une proposition pour une option. » Je n'en revenais pas. En quelques minutes, nous étions entrés en pré-préproduction. Je réfléchissais vite : que dire, que faire, comment me comporter ?

Derode raccrocha : « On a bloqué les droits. » Détendu, amusé, et aussitôt dans le vif du sujet : « À quels acteurs connus penses-tu ? » Je n'avais pensé à personne. Je lance des noms qui me viennent à l'esprit : Piccoli, Perrin et Catherine Allégret, la fille de Simone, pour les jeunes. Je savais que Catherine voulait être actrice, sans trop se l'avouer. Je poursuivis au hasard avec les noms des acteurs que j'aimais : Charles Denner, Pierre Mondy, Claude Mann… Ces noms plaisaient à Derode. « Pour Catherine, je verrai avec Simone… »

Je le coupai : « Non, je vais faire lire le scénario à Simone et lui en parler. » Il me donna son accord, comme si j'étais déjà le metteur en scène. Nous nous quittâmes sur la promesse de nous revoir avec une liste complète d'acteurs. « Avec quelques noms importants », souligna Derode.

Je me retrouvais dans la rue, à la sortie des studios de Boulogne, abasourdi, fébrile. Devenir metteur en scène ? Et par-dessus le marché en France, où la grande majorité des metteurs en scène venaient de la bourgeoisie ? Je n'avais jamais envisagé cela, sauf peut-être dans mes rêves les plus lointains…

Et voilà que ça me tombait dessus comme un orage d'été. Être assistant était déjà une chance considérable, et un travail assuré. Si je faisais un film et que je le ratais, quelle serait ensuite ma situation ? J'avais connu des metteurs en scène qui avaient fait un premier film sans connaître le succès et avaient disparu. Retourner à l'assistanat, pas question ! Qui voudrait comme assistant un collègue ? Et quelle humiliation !

Je décidais de demander son opinion à Simone Signoret. Beaucoup de ses amis le faisaient, pour des scénarios, pour des premiers montages, pour des pièces de théâtre. Elle avait un jugement très sûr, et surtout elle disait ce qu'elle pensait, sans détours ni compliments consolateurs ou édulcorés. Elle ne reculait pas avant de donner la critique négative qu'on ne veut pas entendre mais qui est la seule chose à dire et à entendre. Sans quoi, on se trouve piégé, entre compliments et critiques inutilement blessantes. On pense aux uns et aux autres, on perd sa lucidité, et alors où est la vérité ?

J'appelai Simone à La Colombe d'Or, lui parlai du scénario et de ce que je considérais comme l'emballement de Derode, qu'elle connaissait bien. Elle me répondit que Julien n'était guère le genre à s'emballer. Rassurant. Je lui ai fait parvenir le scénario, sans lui parler de Catherine.

En attendant, plein d'anxiété, je fais ma liste idéale pour Derode. Je préviens M. Columbia de mon impossibilité de poursuivre le projet de *L'Enfer*. J'écris aussi à H.-G. Clouzot pour m'excuser. Je me doute que ma défection va le rendre furieux. Mais devant un tel cas de force cinématographique majeure...

Durant toute cette période, je voyais peu Michèle. Elle était très occupée de son côté, plongée dans un projet pour le moins improbable : mener un raid automobile, de la Terre de Feu jusqu'en Alaska, avec deux 4L Renault conduites par quatre très belles jeunes femmes. La direction de la Régie avait accepté avec enthousiasme ce projet insensé. L'expédition « Michèle Ray les 4 ELLE ». Michèle, Éliane, Betty et Martine s'exerçaient donc à manier des 4L sur toutes sortes de terrains. Elles apprenaient aussi les secrets du moteur à explosion et du châssis souple. Elles le faisaient avec une ardeur de championnes olympiques, et une exaltation quasi poétique. Je les aidais à installer et à apprendre à se servir de leur matériel photographique et cinématographique.

Simone Signoret me rappelle et me demande de venir à Saint-Paul pour parler du scénario. « Sinon attends. Nous rentrons dans une semaine. » Attendre une semaine ! Avec la tension et la vitesse qu'imposait Derode, ça allait être intenable. Je n'ai pas osé lui demander de m'en parler au téléphone. Le ton de sa voix, résolu, définitif, m'en a dissuadé.

Je décide de descendre à Saint-Paul-de-Vence, au risque de tomber sur Henri-Georges Clouzot, célèbre pour ses remontrances impitoyables. Je prends le risque, tant pis ! Simone m'attend à l'entrée de la grande salle de La Colombe d'Or. Elle me montre dans la cour le grand bas-relief en céramique de Fernand Léger et me raconte qu'une brindille ayant caché le point derrière le F, une touriste s'est extasiée en montrant l'œuvre à son mari : « Regarde, c'est un Fleger ! » Je me dis qu'elle me raconte cette histoire pour me mettre dans de bonnes dispositions avant l'énoncé de la dure vérité.

Assis dans un coin, nous sommes entourés de tableaux de maîtres que je vois sans émotion tellement je suis tendu, les bruits s'éloignent, la lumière est douce, épargnée par les contrastes de l'ensoleillement. Nous sommes en mode cocooning. Pendant le voyage, j'ai tout envisagé, et surtout le pire.

C'est un vieux réflexe devenu principe avec l'âge : « Prépare-toi au pire, le plus petit mieux sera un grand plaisir. »

Simone me parle longuement du scénario, en détail, soulignant ses qualités et son efficacité cinématographique. Je n'en reviens pas. J'attends les critiques. Au lieu de quoi elle poursuit : « À toi, maintenant. Tu veux faire quoi avec ce scénario ? Et avec qui ? »

Je m'envole. « Je veux faire un polar. Le point que tu n'as pas mentionné et qui est essentiel pour moi, c'est que l'assassin est un policier, parmi des policiers traditionnels, honnêtes, et qu'il est nostalgique de l'Afrique du Sud raciste. » Simone me regarde un long moment, comme si elle se repassait en flash-back les scènes du scénario. Elle me dit ne pas avoir vu la métaphore. Si celle-ci en est une, elle n'est pas claire. Et elle ajoute : « Attends la sortie du film pour en parler. »

La préfecture de police de Paris, alors dirigée par Maurice Papon, ne manquera pas de remarquer, elle, le personnage du policier assassin et raciste. Elle refusera toute possibilité de tournage dans les rues de Paris. Or, sans ces autorisations, il n'y avait pas de film possible. Montand a alors appelé à l'aide Louis Amade, poète, parolier d'Édith Piaf et de Gilbert Bécaud, mais aussi préfet et conseiller technique à la Préfecture. Montand lui demanda un rendez-vous, et je m'y rendis avec le directeur de production. Montand s'était excusé. En fait, il avait peur que le poète-préfet ne lui propose des poèmes à inclure à son répertoire.

Nous fûmes très amicalement reçus par Louis Amade, un homme raffiné et délicat. Il vanta les beautés de la Grèce, sa nature, ses hommes, avant d'en venir au point qui posait problème. À l'évidence, il connaissait bien le scénario. Après m'avoir écouté, attentif et compréhensif, lui expliquer la catastrophe que représentait une interdiction de tournage dans Paris, il me demanda, bienveillant, s'il n'était pas possible que cet assassin ne soit pas un inspecteur de police, mais un stagiaire. « À condition, bien sûr, ajoute-t-il, que cela ne change pas le sens de votre histoire. » Ça la changeait, naturellement. Mais pour que le film puisse se faire, l'inspecteur a été rebaptisé « Inspecteur stagiaire ». C'est-à-dire pas vraiment policier. La censure satisfaite, nous avons pu tourner dans Paris en toute quiétude.

Je poursuis avec Simone ma vision du film, en revenant sur l'expression de Derode : « une histoire mince ». Ni plus ni moins mince que celle de *L'Inconnu du Nord-Express* de Hitchcock. Mais ce qui me passionne dans ce polar, c'est la foule de personnages et de situations simples, quotidiennes, dans notre société, pas du tout spectaculaires, invisibles même, mais qui peuvent, une fois isolées sur l'écran, trouver leur dimension, comique, dramatique, ridicule, poétique, incomprise, pathétique, bref humaine. Enfin je lui confie que j'avais glissé ici et là, notamment dans le personnage de Cabourg, quelques vérités qui me concernaient.

Nous sommes interrompus par Raoul Lévy, le producteur de *Et Dieu créa la femme* de Roger Vadim et de *La Vérité* de Clouzot, venu saluer Simone. Elle me présente. Je me dis : « Pourvu qu'elle ne lui parle pas du scénario », qu'elle a devant elle et qu'il regarde avec curiosité. Elle n'en parle pas.

Après son départ, elle conclut : « Ce n'est pas *Potemkine*, mais c'est un film à faire, si tu penses pouvoir le réaliser aussi bien que tu l'as écrit. » Son jugement est lucide, sagace. Je reste un moment incapable de parler. Que dire ? Elle attend. Je finis par parler des acteurs, ce que Derode souhaitait, et de mon idée d'engager Catherine, sa fille. Sa réponse me laisse pantois, désarçonné : « Catherine doit d'abord réussir son bac. Si tu veux, je peux jouer la vieille actrice. » Elle me fixe avec un sourire qui donnait à ses yeux mi-clos un côté asiatique. Tout cela en goûtant, j'en suis sûr, mon incrédulité, mon émotion. Je ne sais quel autre sentiment s'inscrivait sur mon visage, et sur mon corps qui s'agitait sur ma chaise. Je commence par lui dire, sur un ton grave et sans doute ampoulé, que je n'aurais jamais osé lui proposer un rôle si peu important et décalé… Elle me coupe : « Tu n'as pas répondu à ma proposition. » Elle souriait encore. J'avais compris. Je l'imitais : « Je crois que je vais accepter ta proposition. » Et je m'efforçais de sourire. Elle éclate de rire. Je la regarde et je me dis : « Le sort du film est scellé, plus aucun moyen de faire marche arrière. » « Tu devrais prendre un agent », me conseille-t-elle et nous passons aux autres acteurs. Elle adorait Piccoli, aimait Perrin et admirait Denner. À propos d'un autre : « Bon acteur, mais faux-cul ! » Montand nous rejoint bientôt et annonce que c'est l'heure du déjeuner. Puis il ajoute : « Il paraît que tu as écrit un bon scénario, il n'y a rien pour moi ? » Au point où j'en étais, tout était normal, acceptable. Ce scénario qui, quelques jours auparavant, dormait encore dans un tiroir, se trouvait désormais associé à deux acteurs prestigieux, admirés en France et dans le monde entier. Je répondis : « Écoute, Montand, lis et choisis le personnage qui t'intéresse. »

Pendant le déjeuner, je ne pouvais m'empêcher de penser que tout se passait d'une manière trop idéale, pour ne pas dire idyllique. Je soupçonnais Simone d'avoir aimé le scénario, d'avoir téléphoné à Derode pour lui dire son intérêt, celui de Catherine aussi, et pourquoi pas celui de Montand. Mon voyage à Saint-Paul-de-Vence prenait soudain un autre sens : toutes les propositions concernant le film devaient être acceptées en premier lieu par moi, le réalisateur, et non par

Derode, le producteur. Cela correspondait parfaitement à l'éthique de Simone.

Une semaine plus tard, les Montand sont de retour à Paris. Réunion à la Roulotte. Montand a lu le scénario. Cabourg ? Il n'est pas sûr de pouvoir le jouer. Je le pense aussi et je comptais le proposer à Piccoli pour qu'il en fasse une vraie composition. Ce qui fut le cas. Et nous nous sommes tant amusés. Montand aimait le personnage de Bob Vaski, mais trop particulier, trop épisodique. Et j'avais déjà en tête Charles Denner. Je lui parle de l'inspecteur Grazziani et détaille ce que je veux en faire. Il fait la moue, puis écoute.

La police avait une mauvaise image dans les milieux de gauche. Le souvenir de la guerre d'Algérie était encore proche. La participation de la police dans cette tragédie, notamment lors d'une manifestation contre la colonisation française, le 17 octobre 1961, où des centaines d'Arabes furent noyés dans la Seine et, de façon plus générale, la violence de la répression policière étaient présentes dans tous les esprits. Je lui proposai de jouer le rôle avec l'accent du Midi : ce ne serait plus Montand mais Grazziani, un masque pour un retour aux sources. Montand avait l'accent quand il se relâchait à la campagne et quand il se fâchait, tout particulièrement avec Bob Castella. Refus. « Ça fera Fernandel, Raimu... » J'insiste car je sens que le personnage l'amuse. « Essayons et, si tu n'es pas à l'aise, tu te doubleras sans accent. » Simone, qui s'intéressait à tout, intervint : « Il a raison, essaie, c'est un bon rôle ! »

Le premier jour de tournage, Montand – l'inspecteur Grazziani –, Claude Mann – l'inspecteur stagiaire – entrent chez l'actrice Darrès – Simone Signoret : « Vous connaissez l'objet de notre visite ? » lui demande Grazziani avec son accent bien de Marseille. À la fin de la journée, Montand est venu me dire : « On continue comme ça. » Dans une de ses biographies, des années plus tard, il dit avoir compris qu'un personnage se compose de l'intérieur, et non avec des postures à la manière de tel ou tel, comme il l'avait fait jusqu'alors, et il citait le nom de quelques stars de Hollywood. Le soir du premier jour de tournage, Montand est allé dire à Derode : « Laisse faire au petit ce qu'il veut. »

Pour la constitution de l'équipe, Derode m'a imposé le chef monteur, le chef décorateur, pour le chef opérateur je l'ai emporté de haute lutte. Mais il insistait pour un dialoguiste, inquiet sans doute qu'un non-francophone ait écrit les dialogues. Simone a protesté, mais Derode a tenu bon. Pascal Jardin fut donc engagé. Au tournage, nous sommes revenus aux dialogues initiaux, largement inspirés du roman de Japrisot – je n'ai d'ailleurs signé que l'adaptation.

Le choix des acteurs a été une fête. Après lecture du scénario, Michel Piccoli, Jacques Perrin, Charles Denner ont accepté immédiatement. Claude Mann aussi. Pierre Mondy aussi, cela l'amusait de jouer le chef commissaire imbu de lui-même et un peu bouffon. Jean-Louis Trintignant, lui, a dit : « Un assassin, j'en suis ravi ! » La renommée s'est vite établie, c'était un film d'amis et de famille, avec les trois Montand. Simone a fait venir Nadine Alari, Claude Dauphin, Maurice Chevit, Monique Chaumette, Serge Rousseau, André Valmy qui m'avait donné la réplique lors des essais catastrophiques du *Trou* de Jacques Becker, Tanya Lopert en femme adultère, José Artur, Josée Steiner, Clément Harari métamorphosé en clochard. Un grand nombre d'acteurs voulaient en être, c'était comme pendant la récréation : *Et moi et moi !* C'était sympathique, émouvant même.

132

Marcel Bozzuffi, avec qui je m'étais lié d'amitié pendant le tournage du film de René Clément, m'interpelle : « Et moi, je reste dehors ? » J'écrivis alors une courte scène pour lui et Georges Géret : deux flics, gardiens devant un immeuble, lieu d'une scène de crime, se mettent à comparer le style de sculptures Art Déco de la façade avec celui du Moyen Âge. Claude Berri apparaît en bagagiste à la gare de Lyon, et Daniel Gélin, célèbre acteur, en vétérinaire. Françoise Arnoul, star de mon adolescence, est infirmière vétérinaire, avec une poule dans les bras. Jean-Louis Livi, un témoin muet. Bernadette Lafont, égérie de la Nouvelle Vague, que je ne connaissais pas, m'approche au studio : « Alors vous faites un film ? Tout ce que vous voulez ! » Dans le film, elle engueule son mari, Christian Marin, pendant un interrogatoire de police. Je me demandais comment gérer tous ces égocentriques. Mais tous se montraient amicaux et généreux, demandant simplement : « Qu'est-ce que je dois faire ? » Je ne cessais de me dire : et si le film est raté ?

Michèle aurait pu en être elle aussi. Elle était partie faire son raid de la Terre de Feu à l'Alaska. Cela devait durer longtemps, et personne ne savait quantifier ce « longtemps ». Chez Renault, le temps était le cadet de leur souci. Il n'en était pas de même pour Derode et mon tournage. J'avais de rares nouvelles de Michèle, et elle de moi. Je pensais que la fin de notre liaison s'organisait d'une façon sensée, logique. L'éloignement, les distances, celle géographique et celle de la passion, ressentis par chacun de nous deux, ordonnaient la séparation de sorte qu'on se trouvait comme après un ouragan, un matin de paix et de clarté, le passé rangé au grenier des souvenirs. Je n'avais qu'un sujet en tête, mon film, et j'ignorais tout du sien.

Pendant la préparation, je proposais au chef décorateur, Rino Mondellini, un schéma des bureaux de la police en forme pyramidale, à l'image du corps humain. Le bureau du chef, au sommet, de style pompeux et vaste, reflète son personnage. Près de lui, le bureau de Grazziani, modeste. C'était là que les choses importantes avaient lieu. Le reste du décor matérialisait ce « corps » avec ses organes et fonctions habituels, dans un espace assez grand mais non cloisonné. Je voulais que ce décor soit signifiant, même si le spectateur ne le percevait pas forcément. Rino s'y opposait. Ça n'avait rien à voir avec les bureaux du 36 quai des Orfèvres qu'il avait déjà reproduits plus d'une fois dans divers films. Je les connaissais et me méfiais du réalisme. L'affaire est arrivée jusqu'à Derode, que seul l'argument financier a fini par convaincre. Ma proposition fut retenue.

Je voulais aussi que la fin du film soit spectaculaire, avec une course-poursuite. Un polar permet cela, c'est même dans sa nature. Refus de Derode, pas d'argent. J'insiste en lui expliquant que je veux l'improviser, sans cascadeurs ni dérapages contrôlés, déjà vus et revus. Derode consent finalement à me « donner » une toute petite équipe caméra, les jeunes poursuivants, mais pas de voiture de police avec laquelle devait fuir le stagiaire assassin. C'était tout. C'était aussi une façon de refuser.

Pour l'obliger à s'engager davantage, j'ai fait transformer ma Dauphine Renault en *voiture pie* et je demandais aux jeunes de venir avec leurs motos et leurs mobylettes. Derode a cédé. Nous avons passé trois nuits à filmer cette poursuite, dans une ambiance de fête, de vitesse et d'enfantillages dangereux. Un plaisir sans entrave. La musique de Michel Magne a ajouté à la dynamique de cette poursuite organisée de manière impromptue, sans préparation. J'avais promis aux jeunes que, si je faisais d'autres films, ils en seraient. J'ai tenu parole. Guy Mairesse a joué dans mes trois tournages suivants, Jean-François Gobbi m'a suivi jusqu'à ce qu'il fasse fortune comme marchand d'art. Les financiers ont aimé et Derode a dit : « J'adore la poursuite. »

Je suivais le montage du film jour après jour. Cela hérissait le monteur, Christian Gaudin, habitué à ne voir le metteur en scène que quelques heures par semaine. J'ai dû lui expliquer que je considérais le montage comme l'écriture définitive du film. Il était impensable pour moi de ne pas l'accompagner dans les moindres décisions. Christian a fini par en convenir. Il a aussi accepté mon refus de laisser des « plages de respiration » au spectateur. « Le spectateur est venu voir un polar, il respirera à la sortie du cinéma. »

Faire un film est une aventure humaine paradoxale, exaltante aussi, puisqu'il s'agit de créer un univers en partant de rien. Il faut convaincre et collaborer avec un grand nombre de personnes qui mettent leur talent, leur savoir-faire, et pour certains beaucoup d'argent. D'autant qu'il s'agit de créer une œuvre, un *produit*, disent certains, pour laquelle il n'y a aucune « demande », comme il y en a pour la voiture, le four à micro-ondes ou les parapluies. Au fur et à mesure que le jour de la sortie en salles approche, cette aventure exaltante, chaque fois différente, se transforme en préoccupation, en inquiétude et en anxiété.

Compartiment tueurs a été bien accueilli par le public et par de nombreux critiques. Je voudrais évoquer le cas de trois d'entre elles, assez dissemblables. Elles avaient pour point commun une réelle curiosité pour le débutant cinéaste que j'étais et qui allait établir une relation obligée et permanente avec la critique.

Robert Chazal de *France Soir* a comparé *Compartiment tueurs* au *Detective Story* de William Wyler. Je me souvenais de ce film que j'avais aimé. Je me souvenais des scènes au commissariat et l'affluence des personnages qui étaient arrêtés ou étaient interrogés. Je me souvenais enfin de Kirk Douglas et de son agressivité extrême. Avais-je été influencé par ce film ? Inconsciemment, c'était possible. Cette comparaison a sans doute contribué à « conceptualiser » ma démarche comme étant « à l'américaine ». Je l'ai acceptée comme un hommage, même si cette remarque était parfois énoncée sous la forme de reproche.

Pour les *Cahiers du cinéma*, plus que de la critique, il s'agissait d'un mot : « Film exécrable… ». Ce mot exécrable m'a glacé. Chaque fois que je le croise dans une phrase, cette phrase devient ennemie. Et je n'ai jamais eu à cœur de l'utiliser. Trois films plus tard, les *Cahiers du cinéma* connaissaient de graves difficultés économiques. Ce même critique « exécrant » vint me voir un jour aux studios de Billancourt pour solliciter mon aide pour sa revue en difficulté. J'en ai parlé à Michèle. Pour la première fois, je suis devenu actionnaire : sept parts, comme Michel Piccoli. Nos dividendes : un exemplaire des *Cahiers*. Puis une, deux augmentations du capital m'ont fait perdre mes parts. Fin des dividendes.

Enfin, la critique de Bosley Crowther, du *New York Times*, avait, paraît-il, contribué à classer *Compartiment tueurs* parmi les dix meilleurs films de l'année. Je ne l'avais jamais lue. Dernièrement, une amie, Nathalie Nezick, me l'envoie, précédée d'un avant-propos qui m'a ravi et m'a ôté l'envie de lire

Bosley Crowther pendant une journée, pour ne pas gâcher le plaisir. « Pour résumer, ça aurait pu être : film d'un réalisateur que l'on ne peut rattacher à la Nouvelle Vague mais qui filme comme un cinéaste de la Nouvelle Vague et de l'*underground* américain. Sachant que ces deux mouvements se sont mutuellement inspirés l'un l'autre, on peut donc en conclure, selon le théorème compliqué du réjouissant Bosley, que vous êtes le "méta-réalisateur" de la Nouvelle Vague. » Nathalie m'a bien fait rire.

La relation avec M. Bosley Crowther n'allait pas en rester là. En visite à Paris, un déjeuner était organisé en son honneur par le patron des Artistes Associés, Ilya Lopert, qui avait invité une quinzaine de cinéastes. Ilya présente chacun d'entre nous. Quand il prononce mon nom, je remarque que Bosley Crowther me fixe avec intérêt. À la fin des présentations, il se lève, fait le tour de la table, suivi d'Ilya, surpris. Ils viennent jusqu'à moi. Bosley répète mon nom à l'américaine en mettant l'accent sur le Co et le Ga, me serre la main très vigoureusement, tout en me parlant en anglais, que je comprenais peu et mal, sauf les mots « *Sleeping Car Murderers* », qu'il répétait, suivis de mots qu'Ilya approuvait en souriant avec force hochements de tête. « *Ayves* » Montand et Simone « *Signoréé* » n'ont pas été oubliés dans l'éloge. Je répète plusieurs « *Thank you, sir* ». La bourrasque passée, je m'assois sous les regards de toute la tablée. À mes côtés, on a placé Mlle Tanya Lopert, fille d'Ilya, une jeune femme blonde à l'accent américain, qui me regarde avec une curiosité souriante. Elle m'éclaire bientôt sur M. Bosley et son importance pour les réalisateurs américains. Cet homme avait, semble-t-il, le pouvoir de les propulser au firmament cinématographique ou de les catapulter en enfer.

137

Ilya revient vers moi, très affectueux, et me souffle que le geste de Bosley Crowther, s'il avait lieu à Hollywood, serait automatiquement suivi d'une proposition de contrat pour cinq films. « Pas en France, me dit-il, mais tu viens aux Artistes Associés quand tu veux et avec le projet que tu veux. »

CHAPITRE 6

Les Cévennes

Gérard Lebovici m'invite à petit-déjeuner au Fouquet's, la cantine du cinéma, avant que, bien des années plus tard, elle ne se transforme le temps d'une soirée en cantine politique, ce qui allait changer sa réputation. Gérard m'avertit : des propositions de toutes sortes vont affluer. Il me conseille de les écouter, mais sans m'engager avant que nous en parlions ensemble. Nous étions de bonne humeur, optimistes, moi avec un avenir à l'évidence « radieux » qui se profilait, et Gérard qui venait d'acquérir, « d'avaler » pour certains, la très importante agence André Bernheim, initiant son ambition et sa vision pour le cinéma français.

À la même époque, Harry Saltzman, producteur avec Albert Broccoli de la série des *James Bond*, souhaite me rencontrer. Philippe Grumbach, un ami commun, organise le déjeuner, une coutume au cinéma, où les rencontres se font autour de déjeuners ou de petits déjeuners, presque jamais de « thé » ou de « café ». Harry Saltzman est un homme petit, au visage rond et jovial. Il semble détendu comme aucun autre producteur de ma connaissance. Il parle bien le français. Il a posé sur la table un objet carré métallique, or et argent, grand comme un réveille-matin de grand-mère, admirablement ciselé, trois ou quatre points en Crystal colorés y clignotent avec suavité. On a envie de le toucher. Harry répond à mon regard interrogateur : « Ça ne sert à rien, c'est pour l'homme qui a tout. » Puis il me salue avec une belle simplicité et, sans préambule, m'interroge : « Quel film avez-vous envie de faire ? »

Philippe Grumbach m'avait prévenu de la franchise et de la rectitude de cet homme qui pouvait passer pour un boutiquier de mercerie et qui a secoué la production cinématographique mondiale avec ses *James Bond*. Après une courte hésitation, je lui réponds : « *La Condition humaine* d'André Malraux. » Vivement intéressé : « C'est quoi ? » Philippe lui résume l'histoire et, en excellent journaliste qu'il était, met bien en valeur le triple contenu du roman : l'aventure, la politique, la part historique. La réaction est immédiate : « Trop de Chinois ! » Le réflexe de Harry pouvait être lié à la politique officielle américaine de l'époque, qui ne reconnaissait pas la Chine de Mao. Près d'un milliard d'hommes et de femmes n'existaient pas pour les Américains. Leur allié était l'île de Taïwan de Chiang Kaï-chek. Les chances de succès d'un tel film en Amérique, chauffée à blanc contre la Chine de Mao, étaient nulles. Mais les raisons du refus de Harry pouvaient être tout simplement liées à ce qui s'imposait pour lui comme un réflexe commercial : « Trop de Chinois. »

Sans s'y attarder, il me demande si je connais l'écrivain Jean-Pierre Chabrol et son livre *Un homme de trop*. L'écrivain oui, mais pas le livre. Si ça m'intéresse, il est partant pour faire le film. Il me relate longuement comment il voit la Résistance française et ces jeunes maquisards qui luttaient contre les nazis. Depuis quelques discours de De Gaulle, et le film *Passage du Rhin* d'André Cayatte, on disait « nazis » et non plus « Allemands ».

Exit, donc, *La Condition humaine*, sur laquelle j'avais longuement fantasmé. Quand les Américains, libérés de leur manichéisme antichinois, ont reconnu la Chine, *La Condition humaine* m'est revenue par deux canaux. Carlo Ponti, producteur italien supposé faire le film avec Fred Zinnemann, me propose le projet. J'appelle Zinnemann à Londres. Il est surpris par mon appel : « Ces changements, on les apprend en général par la presse ! » Mais oui, il avait bien abandonné le projet. Il me met en garde contre Ponti dont il agrémente le patronyme d'un impressionnant nombre de noms d'oiseaux. Les exigences de Carlo Ponti, intéressé à monter l'affaire pour Sophia Loren, s'avèrent inacceptables. J'ai donc refusé.

L'autre proposition, quelques années plus tard, arriva de Hollywood. Sydney Beckerman avait monté une coproduction américano-française avec Jacques Bar, le producteur français. Je commençai à travailler avec le scénariste Larry Hauben, oscarisé pour son adaptation de *Vol au-dessus d'un nid de coucou*. Tout allait tellement bien que j'ai vu un soir, stupéfait, le président Giscard d'Estaing annoncer à la télévision, parmi d'autres accords avec le Premier ministre chinois, la coproduction de *La Condition humaine* avec la Chine, alors que rien n'était conclu. Incontestablement, il avait fallu rallonger la liste, trop courte, des accords. À New York, je pris un premier contact, en attendant le scénario, avec la jeune et belle, à vous en faire perdre votre dignité, Meryl Streep, ainsi qu'avec Al Pacino et Jon Voight. Pas d'engagement, mais un accord de sympathie. Il ne manquait que le voyage en Chine. Nous l'avons fait avec Jacques Bar et Michèle.

L'accueil a été chaleureusement tiède, digne et souriant, à la chinoise. Le pays venait de sortir de la « Révolution culturelle ». On sentait l'envie de changement, sinon la modernisation qui restait refoulée, comme réprimée par la peur d'un retour de cette « révolution » qui avait installé et légitimé une tyrannie d'un nouveau type. Il y avait aussi le poids des vétérans de la grande révolution maoïste. Nous avons rencontré et discuté avec un petit groupe qui avait participé au soulèvement de 1927. La réunion a eu lieu à leur cantine, dans les anciens studios de tournage de Shanghai, où le portrait de Mao grand format avoisinait ceux de Marx et de Staline. Nous nous sommes assis autour de tasses de thé. Sans enlever leurs casquettes, sans familiarité ni amabilité, ils ont marqué leur intérêt pour un film sur cette époque. Je sentais leur nostalgie malgré le prosaïsme du traducteur.

Leur amertume excluait les évolutions qui avaient suivi, leurs fortes convictions étant « qu'on va y revenir... et poursuivre ».

Le signe que cette période historique était pourtant dépassée nous a été confirmé par deux marchands italiens avec qui Michèle bavardait lors du voyage en avion de Pékin à Shanghai. Ils se déplaçaient sans guide, et faisaient de bonnes affaires en troquant de faux meubles Louis XV fabriqués à Milan contre des dentelles faites main.

À l'ambassade de France à Pékin, le premier secrétaire, le formidable Claude Martin, organisa une projection de *L'Aveu* pour les dignitaires chinois. Salle pleine, silence impénétrable durant la projection. La froide atmosphère se réchauffa autour du buffet à la française. Suivit une discussion passionnée, autant qu'elle pouvait l'être avec des officiels chinois rescapés, m'avait précisé Martin, de la Révolution culturelle, des Gardes rouges et du *Petit Livre rouge*, qui avaient fait des millions de morts. La suite a été la découverte d'une population entièrement habillée en bleu et, dans les rues, des milliers de vélos. Nous avons visité les lieux que Malraux décrivait dans son livre avec une précision photographique, alors qu'il n'aurait passé à Shanghai que trois ou quatre jours.

Le Bund, ce grand boulevard en bord de mer, était resté tel quel, fourmillant de monde, comme dans le livre. La prison était abandonnée, ouverte aux quatre vents. Le Black Cat, le cabaret et sa salle de jeux, était en ruine et transformé en entrepôts. Les concessions internationales, leurs villas fastueuses à l'abandon, occupées par de nombreuses familles dont les enfants pullulaient dans les jardins en friches. « Tout est possible de rénover », me répétait le gentil interprète pendant que le représentant du gouvernement hochait la tête dans un geste mystérieux qui ne promettait rien, tout en ne refusant rien.

Pendant la visite du Studio national de films, qui fut suivie d'une chaleureuse rencontre avec les cinéastes, empreinte d'une grande curiosité de part et d'autre, je m'étonnais du nombre peu élevé de films réalisés les dernières années.

Un jeune metteur en scène, qui connaissait le cinéma français plus par la lecture que pour avoir vu les films en question, m'expliqua alors avec une certaine ironie que, pendant la Révolution culturelle, les décisions du metteur en scène étaient souvent discutées et remises en question par l'équipe. Cela se traduisait par des arrêts, accompagnés de longues discussions où chacun faisait ses propositions, elles-mêmes soumises aux critiques…

« Boutade », avait murmuré son voisin, et nous sommes passés à d'autres sujets, comme celui de la rémunération des réalisateurs ou acteurs américains. Les sommes astronomiques les laissaient totalement incrédules.

À la lecture du scénario, les Chinois ont exigé des changements qui rendaient le film impossible sans dénaturer tant l'œuvre de Malraux que la vérité historique. Nous avons néanmoins visité les quartiers chinois de Hong Kong, Kuala Lumpur, Singapour. Tous modernisés. Des décors inenvisageables pour le tournage du film.

Au fil des années, d'autres metteurs en scène ont voulu faire ce film. Il y a quelques années, c'était Michael Cimino et, plus récemment, Frédéric Mitterrand. S'il ne le fait pas, d'autres s'y essaieront ou le fantasmeront.

Un homme de trop, proposé par Harry Saltzman, m'intéressait. C'était pour moi la possibilité de faire un film sur la Résistance, je devrais dire sur les Résistances. Pendant la préparation du film de Clément, *Le Jour et l'Heure*, j'avais beaucoup lu sur le sujet. J'avais compris que les motivations de chaque organisation étaient très variées, les engagements proliférant au fur et à mesure des victoires des Alliés, surtout après le Débarquement. Je parle de mon intérêt pour le projet à Lebovici, mon agent, qui en parle à Saltzman, qui engage un producteur français, Froment, lequel signe un contrat avec moi, avec les Artistes Associés et Ilya Lopert. Tout se fait sans les habituelles et laborieuses transactions et négociations. Harry voulait que les obstacles soient rapidement surmontés. J'écrirais le scénario. Accepté. Une béatitude euphorique dominait et les marques de déférence à mon endroit se multipliaient. J'ai essayé d'actionner mon principe du « s'attendre au pire ». En vain, je baignais dans le miel de la félicité.

Michèle était revenue. La réussite du raid Terre de Feu-Alaska était totale. Leur retour fut triomphal, et leurs voitures furent exposées aux Champs-Élysées. Chez Renault, c'était le bonheur. Six mois de pistes jalonnés d'aventures, ponctués de réceptions officielles, de conférences de presse, la une de très nombreux journaux, des rencontres avec les chefs d'État dans chaque capitale de leur parcours, avant de repartir sur des routes à peine praticables, boueuses, toujours dangereuses. De retour à Paris, tout cela étant terminé, est arrivé le moment du repos et de la nostalgie. Je sentais que la vie sédentaire ne convenait pas à Michèle. Moi, j'étais pris par le rêve du film qui se profilait sans le moindre obstacle. Michèle, fascinée politiquement par la lutte et la ténacité des Vietnamiens contre l'agression américaine, décida de se rendre à Saigon avec une accréditation presse du *Nouvel Observateur* et une caméra super 16 Bell & Howell à ressort. Je pensais que ce serait la fin, une fin sans douleur. Mais une fois de plus, je me trompais sur moi-même. Je me réfugiais dans l'écriture du scénario, j'entrais dans le film.

Deux thèmes me captivaient. D'une part, les jeunes fuyant la loi sur le STO (Service du travail obligatoire) de Vichy, qui les obligeait à aller travailler en Allemagne, officiellement pour libérer des soldats français prisonniers des Allemands. Ils se réfugiaient dans les montagnes, où leur engagement devenait réel, fervent. Ils vivaient de peu, cachés dans les forêts, nuit et jour en danger de mort. Comme dans un western. J'ai alors pu visualiser la vie de mon père, un maquisard parmi d'autres, ce que je n'avais jamais réussi à faire enfant, en me couchant ou en me réveillant, quand je l'imaginais seul, fuyant, en permanent danger de mort.

D'autre part, le thème de la présence fortuite dans un groupe d'un inconnu qui refuse tout engagement et ce à une période de l'histoire où le non-engagement était un engagement. Ce thème me passionnait.

Daniel Boulanger, que j'admirais, s'est impliqué avec plaisir dans l'écriture du scénario, surtout des dialogues, car pour le reste il approuvait mes propositions. Le scénario a été accueilli avec enthousiasme par Froment et ceux qui l'entouraient. Je me suis laissé convaincre par les zélateurs de mon scénario, qui allaient devenir les adorateurs de mes images. L'ami Frédéric Rossif me dit espérer ne pas me voir faire un de ces films où les résistants, assis au coin d'une cheminée, bouffarde au bec, refaisaient la guerre, la France, le monde… C'était aussi notre volonté, avec Daniel Boulanger. J'apprenais au passage le mot « bouffarde ». Mon intention était de multiplier les personnages, des jeunes de provenance, d'éducation, de classes diverses, réunis autour d'un même but. Faire vivre cette chorale, avec les qualités qui étaient les leurs : celles de la jeunesse et de l'innocence. Vivant dans la clandestinité, cachés dans la forêt, mal armés, mal nourris, en danger de mort permanent. Et qui n'en restaient pas moins jeunes, joyeux, déjouant la gravité et le sérieux de leur situation où les tragédies ne manquaient pas.

Jacques Perrin, Claude Brasseur, Maurice Garrel, Julie Dassin, Patrick Préjean, Med Hondo, Michel Creton et une dizaine d'autres futures célébrités acceptent d'en être. Pour les vétérans, j'ai l'accord de Charles Vanel, François Perrier, Bruno Cremer, Gérard Blain, Jean-Claude Brialy, et Michel Piccoli dans le rôle de « l'homme de trop ».

Le nombre d'acteurs et le montant de leurs cachets ne posent aucun problème à la production. Nous sommes chez les Américains, au propre comme au figuré. À ma grande surprise, Harry Saltzman me propose comme directeur de production Louis Daquin, ancien grand résistant, metteur en scène mais également membre éminent du Parti communiste. Proposition étonnante de la part d'un Américain, d'autant qu'en 1966 la guerre froide ne favorisait pas ce genre de décision. Je n'ai jamais compris la motivation de Harry, à part le fait que Daquin était un homme de qualité et qu'il connaissait la Résistance.

Nous faisons avec Louis les premiers repérages dans la France profonde. Je découvre la beauté majestueuse du Massif central, un paysage sculpté par une nature jaillissante et farouche. Nos longs parcours sur les routes sinueuses favorisaient la discussion que Louis entretenait avec plaisir dès qu'il s'agissait de la Résistance. Il avait validé le scénario : « Pas mal réaliste. » Il aimait parler de son parti résistant, des actes héroïques des maquisards communistes et de la répression féroce qu'ils subirent. Ce qui nous amena à évoquer l'histoire de mon père. Louis aimait écouter et compatir aux emprisonnements, exils et autres humiliations que mon père, comme le reste de notre famille, avait endurés. Pour lui, c'était la même droite qui en était coupable. Il arrivait souvent à mon père de cohabiter en prison ou en exil, dans des îles, avec des prisonniers communistes. J'avais remarqué que lors des retours de ces exils, sans procès, à la faveur d'élections ou par la volonté de tel ou tel ministre de la Sécurité, ou encore lors des visites d'officiels américains, mon père rentrait avec des noms d'auteurs à lire. Ça, je ne l'ai pas raconté à Louis Daquin, mais à Simone Signoret. Mon père disait : « Il faut lire Voltaire, Zola, Jack London », et il cherchait leurs livres, souvent difficiles à trouver. Il se méfiait aussi, le libraire pouvant le dénoncer. Mon frère Tolis le charriait : « Zolas, il doit être Grec, ça doit pas être terrible. » « Zola, il est français. » « Grec. En France, ils ne prononcent pas les s finaux. » Et c'est ce que j'ai cru jusqu'à mon arrivée à Paris.

En prenant des précautions, je discutais avec Louis des relations du PCF avec l'URSS et de son alignement inconditionnel. J'apprenais à apprécier Louis, je ne voulais pas le mettre en difficulté ni dans l'obligation de me sortir le laïus prosoviétique habituel. En parcourant ensemble le Massif central, il me répondait avec une ironie gênée, un peu langue de bois, et arrêtait quand la conversation risquait de se prolonger, s'interrompant alors pour me montrer un beau paysage ou un pic de montagne verdoyant. Ces « sujets politiques » et ces échappées étaient passionnants. Notre relation, en dépit de sa singularité, restait conviviale, directe.

Les Cévennes me rappelaient le Péloponnèse, où j'avais passé cinq ans sous l'occupation allemande. « Choix juste », me confirma le commandant Manu, un ancien résistant engagé comme conseiller technique, plutôt laconique et aux jugements sans appel. Nous nous sommes vite entendus, en tout cas pour ce qui concernait les nazis et les collaborateurs, ennemis définitifs. Autre lieu de tournage : la ville de Saint-Flour, dont j'aimais la place fermée comme une scène de théâtre, et la pierre de ses maisons, poreuses, grises, presque noires, d'origine volcanique. Enfin, le viaduc de Garabit, gigantesque pont de chemin de fer construit par Gustave Eiffel. Un décor idéal pour la partie finale du film, que j'avais imaginée comme une métaphore.

Pendant le tournage, il n'était pas facile de contenir les ardeurs d'une vingtaine de jeunes en pleine campagne, armés, mais sans possibilité de tirer. Ils éprouvaient une insatisfaction latente. Même si tout avait commencé dans le calme et la discipline, peu à peu, pris dans l'action et soumis à l'effort physique, au port d'armes, certains se sont libérés et ont dépassé les bornes de l'acceptable. La présence de jeunes spectateurs locaux, et tout particulièrement de jeunes spectatrices, pour qui Paris, ses fantasmes et ses promesses s'incarnaient dans ces jeunes acteurs « héroïques », tout cela chauffait les esprits et les corps. Mes acteurs étaient en manque de ne pouvoir « tirer pour de vrai ». Trois se sont procuré des carabines 22 long rifle. Marc Porel, le plus jeune, acheta une carabine à canon court et, un soir de joie excessive, s'est mis à tirer dans les couloirs de l'hôtel. Scandale. Descente des gendarmes. Menace d'interdire le tournage dans la région. À ma demande, l'Idhec nous envoya un troisième assistant qui s'appelait Alain Corneau, grâce à qui l'ordre fut vite rétabli. Quelques années plus tard, Alain devenait un metteur en scène de premier plan.

Le commandant Manu jugeait tout cela comme étant la règle. Celle des représailles dont il avait été lui aussi la victime. Pendant la résistance, les miliciens vichystes avaient arrêté sa femme et, après l'avoir violée, l'avaient tuée dans des circonstances abominables. Il m'a raconté qu'à la Libération, lui et trois de ses amis s'étaient occupés personnellement de deux miliciens, violeurs, tueurs, que la justice locale leur avait laissés.

Le titre de commandant, Manu ne l'avait pas gagné dans la Résistance, mais en Indochine, après la Libération. J'ai fini par lui demander s'il ne trouvait pas contradictoire d'aller combattre les résistants indochinois, après s'être battu contre l'occupant allemand. Le gentil, le souriant, l'ami, le laconique, le commandant Manu a brutalement changé de visage, son corps entier s'est raidi. Il m'a regardé un long moment avec des yeux d'homme outragé. « Je ne comprends pas ce que vous voulez dire, monsieur… » Il m'a quitté, dans un silence de plomb. Je m'en suis voulu. Pourquoi diable lui faire la morale ? Je me suis demandé si ce qui comptait davantage pour moi n'était pas l'autosatisfaction d'avoir dit ce que je pensais plutôt que l'envie de connaître ses raisons. Il a fallu quelques jours pour nous rapprocher. Je cherchais le moindre prétexte pour le consulter. Il a fini par comprendre mon intention, se montrant moins distant, mais plus laconique que jamais.

Le tournage se termine avec dix jours de retard. Personne ne me le reproche ni ne s'en inquiète. Au dernier dîner commun, le commandant Manu s'approche de moi avec une certaine gravité. Il me regarde bien dans les yeux : « En Indochine, nous avons dû défendre la civilisation occidentale contre l'autre ennemi, le communisme… Nous avons pris parti. » Sans me quitter des yeux, il me serre longuement la main. Et me tourne le dos.

Un homme de trop est un échec. Je dois affronter cette humiliation vis-à-vis de ceux qui m'avaient fait confiance, et de ceux qui tentent de me remonter le moral en m'enfonçant davantage. Mes envolées narcissiques et enthousiastes retombent comme un soufflé.

Michèle m'exhorte à laisser au temps le soin de répondre aux raisons de cet échec. Et de penser à un prochain film.

Mais *Un homme de trop* me poursuivait. En 1967, pour la première fois depuis mon arrivée en France, je décide de fuir Paris et d'aller voir mes parents et mon frère Tolis à Athènes, en évitant tout autre contact pour ne pas m'entendre dire : « Et ton film, alors ? »

Mon frère était avocat, les succès et les échecs, il connaissait. Il affrontait les deux avec sarcasme et dérision. Il faisait de même avec la société grecque et son monde politique. Tolis avait été un élève brillantissime. J'avais redoublé une classe, il m'avait rattrapé. Il lui arrivait même de corriger le professeur : « Monsieur, il faut deux *f* à effort. » Tête du professeur… Moi je me recroquevillais, la classe se marrait. J'ai vécu deux années de martyre et d'admiration pour lui. Puis, on l'a envoyé dans un lycée de la banlieue pour conduite irrévérencieuse.

Adulte, Tolis était devenu une sorte d'anarchiste de droite, ce qui lui permettait d'exercer son formidable talent pour l'ironie et le persiflage. Tous et tout y passaient. Ses railleries m'amusaient, mais cela n'allait pas plus loin. En réalité, la société grecque ne m'intéressait pas, je m'en étais sauvé, au propre comme au figuré. Paris commençait à me manquer. Il y avait là tout ce que je possédais, même un échec retentissant qui, comme disait mon frère, « vous fait repartir plus fort ». Il ne savait pas qu'il allait être le démiurge de ce nouveau départ.

Le jour de mon départ, Tolis et ma mère m'accompagnèrent à l'aéroport. C'était un vendredi matin, j'évitais de rester pour le week-end car ma mère, fidèle à la tradition, organisait des déjeuners dominicaux avec des amies ou des simples connaissances, dont une fille était en âge de se marier. Rien n'était dit directement. Tout était suggéré, jusqu'à l'importance de la dot. Nous n'étions pas loin de la célèbre scène du film d'Elia Kazan, *America, America.*

Je partais aussi avant le dimanche pour ne pas avoir à me rendre avec ma mère à la messe, ce qui la rendait très fière, et ce qui avait été le cauchemar de mon enfance.

Un moine avait vendu à ma mère, presque analphabète, une brochure « tombée du ciel dans un bloc de granit. Les prières de dix moines avaient descellé ce bloc. Ils avaient alors découvert à l'intérieur un texte qu'il fallait lire une fois par jour pour être aimé de Dieu, son auteur, et éviter l'enfer ». Adolescent, je l'ai lu pendant des mois, terrifié.

Avant de nous séparer, Tolis glissa un livre dans mon sac de voyage et, devançant ma grimace, me dit : « Je sais, je sais, mais celui-ci, c'est un très bon livre, écrit par un ami. » « Un ami qui désire connaître mon opinion ? » « Il ne sait pas que je te le donne. »

Notre mère est souriante. En général, elle pleure, parce qu'elle a peur des avions. Mon frère m'explique : « Elle a vu Onassis passer et un avion avec Onassis ne tombe pas. » Onassis était un des plus grands armateurs au monde. Un an après, il épousait Jacky Kennedy, la veuve du président assassiné.

CHAPITRE 7

Un titre idiot

Dans l'avion, je n'ai pas vu Onassis. Je sors le livre de mon sac. Un énorme *Z* orne la couverture, l'auteur : Vassilis Vassilikos. Première réaction atavique, impulsive : « Un titre idiot. » Depuis mon arrivée à Paris, j'avais appris à me méfier de cette hâte à vouloir avoir une opinion, une idée, sans trop y réfléchir. J'avais observé autour de moi que, face à la nouveauté, à l'inattendu, à la surprise, petite ou grande, on prenait son temps. « Ne pas réagir à la méditerranéenne », comme disait Dominique, une ancienne amie, pétillante créatrice de prêt-à-porter. Elle avait une Volkswagen Coccinelle, et de nombreux amis et amies qui nageaient et skiaient beaucoup. Peu après notre rencontre, quelques mois après mon arrivée à Paris, elle réussissait à me convaincre de manger des cuisses de grenouilles. D'origine méditerranéenne, elle connaissait cette propension à l'impétuosité.

L'avion quitte la piste pour survoler une vaste surface d'eau d'un bleu profond, lisse comme un miroir. Je retourne à regret à ce livre et son énigmatique *Z*, cherchant sa signification. J'y entre sur la pointe des pieds, comme on entre dans un lieu tout en se demandant : qu'est-ce que je fais là ? Je découvre au fil des pages les détails d'un assassinat que je ne connais que très vaguement. Des assassinats, dans la Grèce d'après-guerre, il y en a eu pour tous les goûts, politiques, crapuleux, extrémistes... Celui-ci est d'une nature inédite. L'enquête est passionnante, avec des découvertes imprévisibles, des personnages d'une vérité poignante. Une première secousse, puis une deuxième et un arrêt. Nous sommes arrivés. Par le hublot, je vois une passerelle approcher, Onassis en descendre et monter dans une limousine. Je n'ai pas fini le livre. Je me lève, mécontent, troublé par cette lecture. J'émerge d'un monde insoupçonné, d'un monde plus humain, trop humain, du fait de l'iniquité de son appareil d'État et de la trahison de toute éthique. Je termine la lecture le soir même.

Le dimanche matin, tôt, vers 6 heures, Jorge Semprún m'appelle : « Allume la radio : des militaires grecs viennent de renverser le gouvernement et ont pris le pouvoir. » Peu après, un coup de fil de Chris Marker m'annonce « la naissance de la dictature démocratique grecque ! ». Je passe la matinée à écouter les nouvelles avec un sentiment croissant d'indignation et d'agacement. La Grèce revenait en moi avec une intensité, une insistance que je n'aimais pas. Michèle, qui était alors à l'étranger pour la sortie de son livre sur le Vietnam, m'appelle pour savoir ce que je compte faire. « Je ne sais pas. » « Comment ça, tu ne sais pas ?! » Elle s'y mettait elle aussi. Il allait y avoir des pétitions à signer, des manifestations, des *sit-in* devant l'ambassade de Grèce, une forte agitation, noble, générale et généreuse, sincère. Petit à petit, elle se réduirait pour laisser place à des actions ponctuelles, à la résignation de la part de nombreuses personnes, sinon toutes.

Déjeuner avec les Montand Chez Paul. Les Semprún, Jorge et Colette, participent à cette rencontre dominicale assez habituelle. Mais cette fois, le rituel se transforme en réunion de crise, empreint d'une émotion furieuse. Les questions restent sans réponses. Quelle attitude adopter ? Jorge a, sinon les réponses, les analyses les plus justes. Nous répétons en boucle les nouvelles que nous connaissons tous. Les répéter, c'est comme vérifier leur énormité. Des arrestations par milliers, des tanks dans les rues d'Athènes pour « sauver le pays du communisme », ce communisme qui avait déjà amorcé son déclin. Je me sens révolté sans trop le montrer. Une révolte enfantine, viscérale, monte en moi.

Les militaires veulent empêcher la gauche d'accéder au pouvoir, un changement politique que les Américains, très présents avec leur base militaire en Grèce et leur flotte en Méditerranée, ne peuvent tolérer. Des militaires dressés, fabriqués par et pour la guerre froide, des fils de paysans ou de familles pauvres. C'était pour eux le seul avenir dans une société bloquée : l'école militaire des officiers. Certains d'entre eux, je le découvrirai en faisant des recherches aux États-Unis au moment de réaliser *État de siège*, avaient complété leur formation à l'université militaire de Fort Benning à Georgetown, Washington. L'uniforme transforme le plébéien ou le prolo en citoyen supérieur, investi de pouvoirs, de dignité, noble gardien de l'identité grecque, chrétienne et occidentale.

Petit flash-back : l'obligation du service militaire m'avait naguère conduit à rencontrer des officiers supérieurs de l'armée grecque. En effet, après deux ans passés à Paris, la nostalgie de la famille, et surtout l'opportunité d'un billet aller-retour gratuit comme accompagnateur d'un groupe du Club Paris-Athènes de la famille Kambourakis, qui organisait des voyages en Grèce, en train et en ferry, avaient assoupi ma prudence. Pour mon retour en France, il me fallait renouveler mon passeport et obtenir une dispense de mon service militaire. Autant dire une catastrophe annoncée. Le service militaire durait deux ans. Cela signifiait ne revenir à Paris que deux ans plus tard pour finir mes études à l'Idhec. Inconcevable.

Le système clientéliste est donc mis en marche. Mon père mobilise le député pour lequel il votait et qu'il aidait depuis toujours à obtenir quelques voix dans son village. Il y avait aussi mon oncle Stavros, le frère de ma mère, officier de police éternellement lancé à la poursuite des communistes. C'était la caution politique. Son autorité était incontestable : sans lui, mon père aurait été éliminé lors de sa première arrestation. Son intervention s'avéra cruciale. Grâce à eux tous, j'avais obtenu un rendez-vous avec un colonel. Ce jour-là, je suis conduit directement dans son bureau sans attendre. Signe positif ? Le colonel reste assis : massif, une moustache luxuriante noire coupait son visage en deux. Derrière lui, un grand portrait du roi et de la reine. Des années plus tard, je mettrai ces portraits dans *Z*.

Il y avait aussi des portraits de généraux, des anciens « Pères de la Patrie », et d'autres en voie de le devenir. Le colonel me fixe un long moment d'un œil farouche. Mon optimiste se dissipe. Je connaissais ce regard, celui qu'ont les policiers avant de vous envoyer leurs torgnoles. « Alors, tu ne veux pas faire ton service militaire ! » Je proteste : « Mon... » « Tu ne veux pas servir ta patrie, ton diplôme est plus important que ton pays ? » Pause. « Si tout le monde faisait comme toi, on aurait les Bulgares à l'Acropole. » Je me ressaisis, sentant la calamité arriver. « Une année... même huit mois seraient suffisants. » Il me coupe. « Ton centre de recrutement est à Tripoli, va les voir, tu leur expliqueras. »

Nouveau branle-bas de combat de l'oncle et du député. Même réception à Tripoli, dans le Péloponnèse, par un haut gradé. Pas de moustache mais le même regard à vous couper les genoux, et le même discours sur la patrie en danger, à cause des « bulgaro-communistes ». Même réponse de ma part : « Pas plus d'une année… » Pris d'une idée soudaine, j'ajoute que, pendant cette année d'études, à l'hôpital, des étudiants pourront continuer à me soigner d'une tache sur mon poumon. Il change immédiatement de mine. Il sonne. Un sous-off entre. « À l'infirmerie ! » Un très jeune médecin m'examine sur l'écran des rayons X, un appareil flambant neuf : « Et les Français te soignent pour ça ? » J'insiste avec moult détails sur les soins reçus à l'hôpital de la Cité universitaire. Il m'écoute. À l'évidence, il n'en croit pas un mot. « Combien de temps pour finir tes études ? » « Un an. » Il s'assoit à son petit bureau, prend une feuille de papier et, pendant qu'il écrit, me dit dans un très bon français : « Passe au médecin français mon bonjour, et dis-lui qu'il peut arrêter les soins. » Après un silence : « C'est toujours Foudoukidis qui dirige la Fondation hellénique ? » Je me sens misérable. En me reconduisant, il me serre la main à la française. « J'espère que tu nous feras de bons films. » Je rentre à Paris avec la ferme décision que, la Grèce, c'est fini pour moi.

En ce printemps 1967, avec cet outrage que lui inflige la dictature, la Grèce revenait en moi avec force. C'est Simone qui, arrêtant la litanie sur les répressions des colonels, pose la vraie question : « Et maintenant, qu'est-ce qu'on fait ? » Nous exprimons l'espoir que le régime des colonels ne sera pas reconnu par les États démocratiques. Jorge nous dément. Les USA reconnaissent le coup de force et accordent leur légitimité aux colonels. Bientôt, tous les autres gouvernements les suivent à la queue leu leu, comme marchent les loups. C'est également le cas de personnalités diverses. Un célèbre académicien français écrit dans *Le Figaro* : « Les colonels vont moraliser la Grèce en mettant fin à la corruption et aux bakchichs. » C'est bien sûr le contraire qui se produira. Pendant les sept ans de leur dictature, les colonels ont fait, en matière de corruption, mieux que tous les politiques qui les avaient précédés. Mon emportement est alimenté par toutes ces informations, et se double d'un sentiment d'humiliation, comme si une insulte m'était faite... à moi ! En même temps, je juge mes sentiments néo-patriotiques totalement scabreux, voire déplacés.

Après avoir passé une nuit dans un labyrinthe de réflexions plus contradictoires les unes que les autres, je me lève tôt. Je vais prendre un café au Flore et je guette les fenêtres de Jorge qui habitait en face. À 7 heures, il ouvre ses volets. Je monte. D'entrée, je lui dis que je veux faire un film avec ce livre, *Z*. Je lui en avais déjà parlé. Il n'est nullement surpris par mon incursion : « Raconte ! » La veille, une discussion avec Michèle m'avait convaincu que ce film ne pouvait se faire qu'avec Jorge. Elle n'avait qu'une peur, que je veuille lui raconter l'histoire et que je gâche tout. Il est vrai que je raconte très mal les histoires, surtout quand elles me passionnent.

Je lui résume le livre, chapitre par chapitre. L'attention avec laquelle il m'écoute m'encourage. À la fin de ma longue narration, il dit simplement : « Faisons le film. »

Faire un film s'apparente à un marathon : c'est une aventure passionnante, harassante, jalonnée d'obstacles et dont on ne sait jamais si on verra le terme. Dans notre cas, une première difficulté surgit : les droits du livre. De toute évidence, l'auteur Vassilis Vassilikos ne peut qu'être qu'emprisonné par les militaires, ou en fuite. J'essaie de contacter ses proches. C'est finalement Julie Dassin, la fille du metteur en scène, qui m'apprend par hasard que Vassilikos est à Rome. Le lendemain, j'arrive dans une petite pension, située dans une des ruelles proches de la Piazza di Spagna. Je trouve Vassilis, étonné par ma proposition. Il me donne son accord sans hésiter. Naît alors une amitié qui est toujours vive et profonde. J'invite Vassilis à venir s'installer à Paris.

Je vais voir Ilya Lopert, mais son accueil chaleureux tiédit à mesure que je lui résume l'histoire du film. Cela me coupe tous mes moyens. Je sens que je raconte mal, et que j'entre dans la spirale du perdant. Ilya avait travaillé avec des grands metteurs en scène et des grands acteurs de Hollywood. Des états d'âme, il en avait vu, des détresses aussi. Il me stoppe net : « Ce n'est pas le film que tu dois faire après l'échec d'*Un homme de trop*. Qui va s'intéresser à l'assassinat d'un député grec ? Mais je te donne de quoi payer ton scénariste, pas toi, ton scénariste. Je lirai et je déciderai de la suite. » Ilya était un grand joueur de poker. C'était presque un hourra.

Jorge était terriblement sollicité : Espagnols antifranquistes, Français antifranquistes, Espagnols, Français, cosmopolites déçus du communisme, producteurs de films militants, éditeurs ambitieux, ne cessaient de le contacter. Jorge, très poli, répondait à tous, presque tous. Les premiers jours de travail, nous sommes sans cesse interrompus, et le travail se voit toujours repoussé au lendemain. Les reprises sont laborieuses, énervantes. Il faut chaque fois récapituler, retrouver le rythme, la continuité des idées, remettre Jorge dans le « bain » de cette histoire compliquée où se croisent de nombreux personnages. Nous travaillons à partir du texte grec, et de quelques chapitres déjà traduits. Montand nous propose alors de nous isoler chez eux, à la campagne. Mais comme ils y vont souvent, nous devons faire face à un autre type d'interruption, surtout les week-ends avec leurs invités. Un ami de Jorge, Jacques Ouvrier, médecin radiologue, nous propose alors sa maison de campagne, assez loin de Paris.

Pendant ce tête-à-tête de plus de cinq semaines, interrompu par de brèves visites de nos femmes, nous apprenons à travailler ensemble. Après discussions et contradictions résolues, jamais par un compromis, mais par une solution originale, l'écriture du scénario avance, prend forme. Nous jouons aussi beaucoup au flipper, au bistrot du village voisin, lorsque le manque d'idées nous exaspère. Ou encore nous faisons la cuisine, quand nous n'avons pas envie de sortir.

Je me lève tôt, Jorge aussi. Au premier étage, je l'entends tousser, il fume beaucoup. Je prépare le café, je grille des tartines. Notre méthode de travail est simple, le principe de la forme du film ayant été déterminé par l'histoire elle-même, nous établissons une continuité tout en ne la considérant pas comme définitive, mais modifiable à tout moment. Nous agençons les scènes selon le principe immuable des exigences dramatiques, tout en respectant l'éthique des personnages et des événements historiques.

Il en alla ainsi de la vie privée du personnage principal, le député Lambrákis, interprété par Yves Montand : le fait de ne pas évoquer ses relations avec d'autres femmes que son épouse revenait à en faire un héros chevaleresque, séraphique. Par ailleurs, développer ces relations signifiait freiner le déroulement de l'action. Nous décidons donc de les suggérer par quelques images brèves et significatives. Pour que l'histoire soit universelle, nous décidons de désigner les personnages par leurs fonctions : docteur, avocat, juge, procureur, etc. Seuls les assassins auraient un nom : Vago et Yago, ceux du livre.

Le général, autre personnage essentiel de l'histoire, avait réellement dit : « Dreyfus était coupable. » Cette phrase exprimait son antisémitisme. Nous sommes ensuite partis de la plaisanterie de Montand à propos de Simone, demi-juive, « plus juive que les Juifs », pour arriver à la réplique du géné-

160

ral sur le personnage incarné par Charles Denner, demi-juif : « Ce sont les pires, ils se croient supérieurs, y compris aux autres Juifs. » Nous développons aussi l'idée – que beaucoup répétaient, à commencer par les médias – selon laquelle la CIA avait participé au coup d'État. Les Américains donc. Nous n'avions aucun élément tangible pour l'affirmer, nous ne pouvions pas davantage l'éluder, l'escamoter. Nous écrivons une scène où deux personnages s'affrontent, l'un accusant les Américains, l'autre les défendant. Scène de près de deux pages, banale, avec des propos déjà entendus cent fois. Nous préférons paraphraser l'aphorisme : « Bats ta femme tous les matins, si tu ne sais pas pourquoi, elle le sait. » Que nous transformons en : « Dis du mal des Américains, si tu ne sais pas pourquoi, eux le savent. » À la sortie du film aux États-Unis, comme partout ailleurs, cette « maxime » est devenue le centre de nombreux débats.

Mon sentiment à l'égard des militaires, plus particulièrement ceux du coup d'État, était qu'il s'agissait d'un petit groupe que l'idéologie de la guerre froide et l'anticommunisme avaient transformé en personnages burlesques, inconséquents et hautement dangereux. Ils avaient participé à la guerre civile où l'Autre, les lois, l'éthique, comptaient pour rien.

La fin d'un film est toujours pour ses auteurs une préoccupation majeure. Le spectateur emporte, en quittant la salle, ce qui détermine son « état d'âme ». Le cinéma américain a érigé en principe le *happy end*, l'abréaction qui assure aux spectateurs un sentiment de satisfaction, de défoulement. Les Grecs anciens qui l'ont inventé l'appelaient « catharsis ».

Nous avions deux fins possibles : celle où le juge et les *good guys* triomphent en inculpant les militaires, les *bad guys*, et l'autre montrant le triomphe des militaires en train de liquider ou d'emprisonner les *good guys* et le juge. Fin anxiogène par excellence. Nous décidons de choisir la deuxième, qui correspondait à la vérité historique.

En ce qui concerne la méthode, j'écrivais les scènes de façon succincte, en insistant sur la psychologie des personnages, sur les détails techniques et de mise en scène. Jorge leur donnait une forme finale en ajoutant les dialogues. Ce travail à deux mains permit au scénario d'avoir une parfaite cohérence. Il faisait deux cents pages ! Nous rions une fois de plus avec l'histoire de John Ford et de son producteur qui lui dit : « Il y a vingt pages de trop. » John Ford ouvre alors le script et arrache vingt pages : « Elles n'y sont plus. »

Un homme de trop est invité au Festival de Moscou. Ça tombe bien, nous avons fini avec Jorge et une semaine en Russie donnera le temps à Ilya de lire le scénario. « Lebo » aime et envoie aussi le script à Robert Dorfmann. Il pensait que seule une solution française permettrait la production du film.

Avec Michèle nous partons pour Moscou accompagnés de Bruno Cremer, Jean-Pierre Chabrol et quelques autres. Pendant une semaine, je ne serai pas réduit à attendre à côté du téléphone en broyant du noir. Certains lisent très vite, d'autres mettent des semaines, voire des mois avant de répondre, ou ne répondent jamais. Même chose avec les acteurs. Moins si le metteur en scène est célèbre. Je trouve cela vulgaire et d'un manque de considération détestable.

Avec Michèle, nous découvrons Moscou. Ce que nous voyons et ceux que nous fréquentons nous impressionnent. L'accueil est parfait. Nous déclarons être mariés, sans quoi pas de chambre commune possible à l'hôtel Russia, où une babouchka surveille les bonnes mœurs à l'entrée de chaque étage.

Les projections de films ont lieu dans l'immense salle du Kremlin, où se réunissent les représentants de l'URSS. Cinq mille places.

Trente-six ans plus tard, invités par Gorbatchev avec Montand et Jorge, nous présenterons dans cette même salle *L'Aveu* et débattrons avec le public moscovite. Pour le moment, nous décidons avec Michèle de voir le plus de films possible, deux ou trois par jour, certains venant de pays inattendus. C'était une expérience singulière, un nouvel aperçu du cinéma mondial. Louis Malle, Robert Mulligan, Stanley Kramer, Dino Risi, Fred Zinnemann, Julio García Espinosa, Satsuo Yamamoto, Mohammed Lakhdar-Hamina, qui jouera un peu plus tard un rôle important pour le tournage de *Z* à Alger, Norodom Sihanouk, roi du Cambodge, metteur en scène et acteur de son film…

Autre découverte, les gigantesques studios de Moscou. Ils disposent de tous les équipements modernes pour les prises de vues, mais souffrent d'une installation électrique qui devait dater du temps du cinéma muet. À la fin de la visite, la délégation française est invitée à un « verre de l'amitié » par le metteur en scène Tchoukhraï, qui tourne son film. Nous nous retrouvons autour de ce « verre » avec des acteurs russes et quelques techniciens. Petit discours de bienvenue amicale, réponse sur l'amitié… Pendant ces échanges, j'aperçois à une petite distance de nous un groupe qui nous observe avec curiosité. J'interroge Nadia, notre interprète. Ce sont les machinos, électros, et accessoiristes du film. J'insiste : « Pourquoi ne sont-ils pas avec nous ? » Gênée, Nadia murmure : « Ça ne se fait pas chez nous. »

Suit une réception à l'ambassade de France. M. Pompidou, Premier ministre, en visite à Moscou, nous reçoit, serre la main de chacun, avec un petit sourire ou un mot aimable, et quelques phrases échangées avec Michèle à propos du Vietnam. Alexis Kossyguine, Premier ministre de l'URSS, arrive alors et se livre au même rituel. À le voir de si près et dans la banalité de la proximité de l'homme âgé, l'œil un peu éteint, le regard furetant partout et nulle part, celui qu'on voyait aux actualités comme le chef de la vaste et démesurée URSS, le chef des pays révolutionnaires, perd beaucoup de son aura et de son mystère. Le cinéaste Sergei Bondarchouk l'accompagne. Il vient de faire un film monumental d'après le roman de Tolstoï, *Guerre et Paix*. Un beau film. Ses détracteurs disant que si Napoléon avait eu les moyens de Bondarchouk, il n'aurait pas perdu la guerre de Russie.

Pendant les présentations, Bondarchouk me dit avoir vu *Un homme de trop* et me demande comment j'ai tourné un plan précis. Silence autour de moi. Je suis ému à en perdre la parole. Je finis par lui expliquer : « Très gros plan d'un maquisard en fuite, objectif zoom au 200/250 mm, la caméra le suit sur un très long travelling latéral, le zoom s'ouvre au rythme de la fuite du maquisard pour découvrir ses compagnons qui fuient aussi. Le zoom s'ouvre jusqu'au 35 mm pour découvrir aussi le vaste paysage du maquis à l'aube. La caméra finit son mouvement, nous découvrons avec elle que la fuite est vaine, les Allemands sont là, cachés. » Puis, une petite phrase murmurée par le grand metteur en scène. Traduction de Nadia : « Très simple, en effet. »

J'ai revu Sergei Bondarchouk au Mexique, treize ans plus tard, pendant la préparation de *Missing*. Il préparait un film sur la révolution mexicaine. Nous échangeons des salutations amicales, le passé créant une certaine intimité. Il me demande, après une légère hésitation, comment je travaille avec la ministre de la Culture. Je faisais un film américain, et ne dépendais en rien de la ministre, sœur du président du Mexique. Ma curiosité piquée, je lui demande pourquoi. Il sourit comme s'il allait me raconter une farce : « J'ai demandé deux mille figurants, elle m'en accorde cinq cents en expliquant à mon assistant que les mêmes pourraient passer devant la caméra, faire le tour et repasser... autant de fois qu'on le voulait. » Une blague ? Il en circulait beaucoup sur cette ministre, toutes de cette même finesse. Bondarchouk était un homme sérieux, grave avant tout, nous avons ri avec une certaine complicité, sans autre commentaire. Quelque temps après, j'apprenais qu'il avait abandonné le projet.

Le jour du palmarès, Nadia, qui avait également été l'interprète des Montand lors de leur voyage en 1956, m'appelle pour m'annoncer qu'elle vient nous chercher. J'ai un prix. *Un homme de trop* a un prix ! Michèle, qui aime le film, est contente. La salle du Kremlin est pleine à craquer, la scène traversée par une installation, sorte de longue table couverte d'objets divers que l'on distingue mal de loin. L'interprète de Louis Malle m'apprend que Louis est parti mais que son film *Le Voleur* a un prix. Je suis appelé, après une dizaine de cinéastes primés. Sur scène, je comprends que tous les films sélectionnés par le festival sont primés et reçoivent un diplôme accompagné d'un objet artistique. Le mien est une sorte de grand poisson en bronze, qui fait la joie d'Hélène Froment, la femme du producteur d'origine russe. Je garde le faux parchemin : « Ce film valorise l'idée de la résistance contre les nazis. »

À notre arrivée à Paris, nous apprenons que le film est invité au Festival de Taormina en Sicile. Il faut y aller, c'est important pour la sortie du film en Italie. Les festivals de cinéma ne sont que félicité et vanité quand le film est favorablement reçu par ceux auxquels il s'adresse, ou même seulement par une partie d'entre eux. Cet *Homme de trop* est une blessure qu'à chaque festival on ravive, mais refuser d'y aller est un impair vis-à-vis de ceux qui vous ont fait confiance. Nous irons donc à Taormina, et Jean-Claude Brialy nous accompagnera.

Robert Dorfmann m'invite au Fouquet's, c'est donc sérieux. Il va droit au but : « *Z* n'est pas un film à faire. » Pour me flatter, il ajoute : « Avec toi, Costa, je ferais le Bottin du téléphone. Mais pas *Z*. » Il me propose de mettre immédiatement en production *Le Fils*. Montand est partant. L'histoire d'un caïd corse qui rentre d'Amérique pour voir sa mère.

Le coup est rude. Robert est un homme que j'admire et que j'estime. Je lui explique que je prendrai le temps qu'il faut pour « monter » *Z*. Nous ferons *Le Fils* aussitôt après, ou quand je me rendrai compte que *Z* n'intéresse définitivement personne. Robert comprend parce qu'il connaît la passion qui nous guide pour faire un film. Il l'avait eue jeune, et il l'avait toujours. Des années plus tard, au cours d'une vente aux enchères à la bougie, chez un notaire, Michèle racheta un lot de trois films de la succession Robert Dorfmann dont *L'Aveu* et *Le Fils* réalisé finalement en 1972 par Pierre Granier-Deferre, et avec Montand.

Ilya Lopert m'appelle de Roumanie, où les Artistes Associés tournent une grosse production, et, sur un ton de réprimande quelque peu paternel, me déclare : « Tu vas à la catastrophe, personne ne pourra suivre cette histoire, c'est un scénario de plus de trois heures, bavard, sans personnage central, sans histoire d'amour et sans femme. Montand ne sera dans le film qu'une dizaine de minutes. » Il me cite un film avec Gregory

Peck et Anthony Quinn, *Et vint le jour de la vengeance*, de Fred Zinnemann, qui avait valu aux Artistes Associés des années d'interdiction en Espagne. Il ne veut pas que ça leur arrive en Grèce. Exit Ilya et les Artistes Associés.

Michèle vient de rentrer d'un long séjour en Bolivie, où elle a assisté à la fin du procès de Régis Debray, compagnon de Che Guevara et accusé de terrorisme. Elle a écrit un très important article pour *Remparts Magazine* sur la vraie version de la mort du Che. Un magazine américain influent de la gauche radicale américaine. Elle avait aussi réussi, grâce à un stratagème impossible à imaginer par un homme, à empêcher la vente des carnets du Che à Magnum, une société américaine. Les carnets ont été publiés en premier à Cuba.

Son retour a transformé la maison en carrefour de journalistes étrangers, venus l'interviewer. Certains, que je croisais avant d'avoir le temps de m'éclipser, me saluaient : *Hello Mr. Ray !* Ils me prenaient pour Nicholas Ray. C'était l'époque aussi où se croisaient à la maison toutes sortes de révolutionnaires latinos et tous *barbudos*. Autant de scènes que, des années plus tard, notre fille Julie a transposées à sa manière dans son premier film, *La Faute à Fidel*.

Je commençais à donner le scénario de *Z* aux acteurs avec qui j'avais déjà travaillé. Montand, Perrier, Perrin, Denner me disent oui. Un seul refus : Piccoli. Peut-être est-ce dû à l'échec d'*Un homme de trop* ? Trintignant, oui, Dux, oui, Bozzuffi, oui. La 20th Century Fox étant en train de produire des sujets « forts », Lebo envoya le script de *Z* au représentant de la compagnie à Paris. Me voilà reçu très aimablement par le représentant de la Fox, dans l'immense bureau connu comme le « bureau Darryl Zanuck », producteur mythique qui avait produit à Paris *Le Jour le plus long*. Une grande photo du Che est accrochée sur le mur derrière le représentant de la Fox, qui s'assied et me fait signe de l'imiter. Il remarque mon regard insistant, étonné par le portrait du Che avec son cigare. « Nous produisons un film sur le Che interprété par Omar Sharif. Jack Palance sera Fidel Castro », ajoute-t-il avec une pointe d'émotion. « Richard Fleischer est le metteur en scène. Le film s'appellera *CHE !* Avec un point d'exclamation », précise-t-il. Soudain, son expression devient professorale : « Quel est le message de votre film ? Vous en aviez un pour *Un homme de trop* ? » Je me cabre et le regrette aussitôt. « Je ne crois pas aux messages. Au cinéma, on fait des images. Elles peuvent intéresser, captiver, passionner… C'est ce qu'on attend d'elles. »

J'allais parler des images de l'Amérique, découvertes pendant mon adolescence à travers les films avec Esther Williams. Tout y était beau et paradisiaque, la musique… Les femmes avaient de longues jambes, les maisons, leurs moquettes, les piscines que je découvrais pour la première fois, l'amour sans les « saletés » du sexe, les méchants qui étaient toujours punis… J'avais envie d'y être, de vivre dans ces images. Comme dans mon enfance, être dans les images du Paradis vues à l'église, où les biches étaient à côté des lions sous le regard de Jésus, de sa mère, des saints, tous représentés avec de belles couleurs. Et l'image de Dieu, Pantocrator, à la voûte de l'église. Il supervisait ce paradis. « Il nous juge avant d'y être reçu avec sévérité et amour », nous prévenait le pope.

Mais je ne vais pas raconter cela au représentant de la Fox, dont le visage a changé d'humeur : « Film choral, bavard, absence de rôle principal et de femme, pays inconnu. Pas d'histoire d'amour, fin insatisfaisante… » Pour finir avec un mot qui se voulait complice : « Dites-moi, ces gens ne forniquent jamais ? »

Enfin une bonne nouvelle ! Le Centre national du cinéma nous accorde l'avance sur recettes. La commission, présidée par Edgar Morin, donne son label à notre scénario.

Comme lieu principal de tournage, il me faut une ville côtière méditerranéenne, les françaises sont trop typiques et connues, les italiennes le sont moins. Le Festival de Taormina sera utile pour engager des contacts avec des producteurs italiens. Taormina, c'est la beauté et le plaisir d'être au soleil, à la plage, de bien manger. Jean-Claude Brialy nous fait rire, surtout Michèle à qui il raconte les coulisses du tournage d'*Un homme de trop*, les excentricités des jeunes acteurs, tout ce qu'un metteur en scène ne voit jamais. Aucun producteur italien ne s'est intéressé au scénario de *Z*. Certains pensaient qu'il s'agissait de Zorro. Ils sont déçus, car Jacques était une star en Italie.

La projection d'*Un homme de trop* dans le superbe théâtre antique nous déconcerte, car les spectateurs rient beaucoup sur les dialogues des jeunes maquisards, Jean-Claude me regarde, interloqué. À la sortie de la salle, des amis nous apprennent que les dialogues – les films en Italie sortent doublés – étaient truffés de gros mots et d'allusions sexuelles.

En Italie, le film marchera assez bien. En Amérique, il sort sous le titre *Shock Troops* et les Artistes Associés en ont modifié la fin pour avoir un *happy end*. Ailleurs, ils l'ont appelé *Maquis : les lions de l'enfer*. Une leçon à ne pas oublier.

Près de quarante-cinq ans plus tard, en 2017, *Un homme de trop* restauré ressort après une trentaine d'années de batailles pour la récupération des droits. Sur Arte, le film fait un gros succès public et une adhésion critique unanime et nouvelle. Ainsi Samuel Douhaire de *Télérama* écrit : « Une mise en scène à l'américaine, sèche, ultra-physique, efficace, jamais vue jusqu'alors et jamais égalée depuis dans un film de guerre français. »

Le livre de Michèle, *Des deux rives de l'enfer*, qui raconte ses sept mois passés au Vietnam et sa capture par les Vietcongs, publié en France et traduit dans plusieurs pays, sort aux États-Unis. J'en profite pour faire mon premier voyage à New York, cette étonnante mégalopole, visitée maintes fois sur des photos, mais plus intimement connue grâce aux films. Et rêvée sans limite. J'allais la connaître, la vivre physiquement. Dès l'aéroport, assis sur le siège avant du bus, j'ai pu voir au loin la fine silhouette de gratte-ciel, un dessin posé sur l'horizon, comme une invite. Au pont de Brooklyn, je pouvais embrasser entièrement du regard Manhattan, appel impératif vers cette poésie sauvage d'architecture et de mystère. Je me suis vite trouvé entouré, terriblement petit, parmi ses cyclopéennes constructions du génie et de la démesure humaine. Je me sentais minuscule et terriblement joyeux. En cherchant à voir là-haut le ciel de ces rues en forme de couloirs, j'ai surpris ma voisine me sourire. Je me suis senti dans un environnement amical, intime, presque sensuel, malgré son gigantisme, son excès en tout.

Soudain, ici, tout me semblait possible. Je suis arrivé à l'Algonquin, l'hôtel à l'époque préféré des Français, entre autres des Montand devenus amis des vieux propriétaires. Le couple s'était installé là quand Montand avait fait son show à Broadway. Petit hall d'un luxe désuet, ascenseur conduit par un vieux Noir impeccable, toujours là et toujours souriant durant toutes les années suivantes où nous sommes souvent revenus.

Michèle était en train de déjeuner avec David Halberstam, journaliste et écrivain, prix Pulitzer pour ses reportages sur la guerre du Vietnam pour le *New York Times*. Il avait écrit que si, au lieu de bombarder les habitants, les Américains leur avaient parachuté des Cadillac, cela aurait coûté moins cher et donné une meilleure image du capitalisme. Il avait aussi calculé que le coût de la guerre équivalait à couvrir d'une fine couche d'or tout le Vietnam. Michèle et lui échangeaient des souvenirs de guerre auxquels je ne comprenais rien, si ce n'est que ça les faisait tristement sourire, jamais rire.

Pour la conférence de presse, l'éditeur est arrivé avec l'attaché de presse, Jeremy Stone, neveu de Ivy Stone, fondateur du magazine à la pointe de l'actualité politique *I.F. Stone Weekly*. Il n'y avait pas beaucoup de journalistes objectifs. Malgré ma position de spectateur et mon anglais très modeste, j'en repérais deux. Leurs regards étaient rudes, ils fixaient Michèle avec haine et ne témoignaient pas la moindre curiosité ni le moindre intérêt pour ses réponses. Leurs questions étaient d'ailleurs plus crachées que prononcées.

Pendant le dîner, Ivy Stone, qui nous avait rejoints, a récité à mon intention trois pages de l'*Odyssée* en grec ancien. Je n'en avais étudié au lycée que deux pages ! Il nous a ensuite expliqué, en très bon français, que le journalisme radical était minoritaire en comparaison de la grande presse écrite et des trois grandes chaînes de télévision, qui pratiquaient une information « objective et de bon aloi », en respectant la frontière entre les faits et les opinions ou les commentaires, entre information et divertissement, et qui défendaient la position officielle sur la guerre.

Comme Michèle, il pensait que la guerre du Vietnam, commencée officiellement par Johnson en 1964 mais déjà bien « entamée » par Kennedy, n'allait pas être gagnée. Qu'un nouveau genre de journalisme allait se développer, grâce aussi aux transformations technologiques boostées par la guerre et par les frustrations créées aux USA et dans le monde occidental en général par la défaite à venir. Ce qui est arrivé en 1975, sept ans après notre discussion. Un certain Robert Murdoch allait devenir le champion de ces nouveaux médias. Quelques années plus tard, je découvrais *Lambert Le Roux* alias *Murdoch*, dans la pièce de David Hare et Howard Brent, *Pravda*, que je suis allé voir à Londres. Inadaptable au cinéma, malgré son extraordinaire force et l'interprétation d'Anthony Hopkins. Le film restait à imaginer.

Notre relation avec les frères Stone s'est enrichie avec la rencontre de Judy Stone, grande critique d'art et de cinéma au *San Francisco Chronicle*, devenue au fil des années une amie.

Janvier 1968. Je cherche un producteur et une ville portuaire pour le tournage de *Z*. Mon casting est au complet, le plus beau que l'on puisse rêver : Irène Papas, François Perrier, Pierre Dux, Jacques Perrin, Magali Noël, Renato Salvatori, Georges Géret, Jean Bouise, Yves Montand… Mais le projet n'intéresse personne. À Prague, c'est « le Printemps », seul sujet qui intéresse désormais. Cinéastes, caméras et micros sont braqués sur ce miroitement de liberté, sur cette dépression sans précédent du système communiste.

CHAPITRE 8

Alger, Paris, Prague… et Cannes

Au cours d'un déjeuner à trois avec Michèle, j'informe Jacques Perrin que *Z* se meurt. Il nous parle de l'Algérie, où il vient de produire un documentaire sur *Reggane*, la base des essais nucléaires français dans le désert algérien. Et il a appelé sa toute neuve société de production *Reggane*. Il se montre positif : « Il y a peut-être des possibilités de production, et Alger est aussi une ville méditerranéenne. » « Eh bien ! Allons voir… »

Son ami le metteur en scène Mohammed Lakhdar-Hamina nous attend. Il nous amène à Chérif Belkacem, autre ami de Jacques et ministre de l'Économie. Jeune, beau, moderne, plein d'humour, il nous accueille chaleureusement. Pendant tout le tournage du film, il sera notre supporteur attentif et assidu.

Il nous recommande à son collègue ministre de l'Information, Mohamed Seddik Benyahia. D'un physique fragile, son œil pénétrant ne nous a pas quittés durant tout l'entretien. Je lui raconte brièvement l'histoire du film en insistant sur la forme que j'envisageais. « Pourquoi un thriller, il s'agit d'une histoire vraie ? » me demande-t-il, curieux. « Parce que la forme du thriller fait monter au mieux le fond de la réalité, selon Victor Hugo. »

Puis nous visitons longuement Alger. Nous découvrons, avec Michèle, une ville que nous n'avions vue qu'à la télévision, pendant les années de la guerre d'Indépendance, l'insurrection, les manifestations violentes et la répression brutale. Les deux communautés, algérienne et pied-noire, s'y étaient divisées de manière radicale. Six ans après l'Indépendance, la ville était pacifiée, pleine de vie. Pour moi, il y avait l'architecture, les rues, le port, la mer, tout ce que je cherchais. Comme à Salonique, où se passait l'action du film.

Le ministre Benyahia nous convoque enfin : « Vous pouvez faire votre film chez nous », nous dit-il en nous accueillant. J'ai aimé sa façon de nous mettre en confiance, d'entrée, sans manière ni suspense. Pendant qu'on nous sert le thé à la menthe, il précise : « Nous vous donnerons nos techniciens, le matériel de prises de vues, toutes les autorisations, les séjours dans les hôtels, mais pas d'argent car nous n'en avons pas. »

J'approuve poliment, un peu refroidi, pendant que Jacques répond dans un élan inspiré : « Nous trouverons l'argent qu'il faut ! » L'acteur Jacques Perrin venait de se convertir en producteur de film. Il s'est avéré être un très grand producteur.

J'ai appris, des années plus tard, que le réalisateur Lakhdar-Hamina avait donné le scénario de Z au président Houari Boumédiène. Le lendemain, convoqué à la présidence, il était reçu par un président ombrageux : « Alors, tu veux qu'on produise un film sur des colonels qui ont pris le pouvoir par un putsch ? » Lakhdar était tétanisé. Boumediene éclata de rire : « Vous pouvez le faire, votre film ! Je n'ai rien à voir avec vos colonels grecs ! Nous, nous sommes des révolutionnaires ! »

Nous nous sommes mis en mouvement à une vitesse folle, déployant une énergie diamétralement opposée à celle vécue durant les mois d'attente, de refus ou d'indifférence polie, où nous allions de déception en déception, obligés d'écouter les conseils désespérants de tous ceux qui ne croyaient pas au film et banalisaient notre rêve.

Jacques Perrin a signé immédiatement avec l'ONCIC, société nationale algérienne pour le cinéma. Rentré à Paris, il obtint, arracha plutôt, que Valoria Films, la société de distribution d'Hercule Mucchielli, distribue *Z* et lui octroie un modeste financement indispensable pour le tournage en Algérie. Jacques négocia âprement avec Jean-Louis Livi, chez Artmédia, les cachets des comédiens. Trintignant eut cette remarque généreuse : « Tu me proposes un tel rôle que je le ferai gratuitement ! » En 1969, Jean-Louis reçut pour *Z* le prix d'interprétation masculine au Festival de Cannes.

Tout en gardant la forme du thriller, je veux donner un ton, une couleur de documentaire, et pouvoir tourner vite. Raoul Coutard semble l'homme de la situation. Sa réputation d'homme de droite, le sujet du film, le lieu de tournage me font hésiter. Incité par Jacques, qui le connaît bien pour avoir tourné avec lui *La 317ᵉ Section* de Pierre Schœndœrffer, je finis par lui proposer le film. Coutard accepte sans hésiter. Cet ancien de la guerre d'Indochine, au caractère secret jusqu'à l'inaccessible, s'avère être un formidable compagnon de travail, dans cette proximité que créé le tournage et face aux contraintes qui unissent un metteur en scène à son chef opérateur. Une passion commune pour une création sans équivalent.

Christian Gaudin, le chef monteur de mes précédents films, refuse la proposition de Perrin, sans doute de peur de participer à un nouvel échec. Jean Bachelet, notre professeur à l'Idhec, nous avait dit qu'après avoir collaboré à *La Règle du jeu* de Jean Renoir, qui n'avait pas marché, il était demeuré long-temps sans travail. En revanche, après *Tarass Boulba* d'Alexis Granowsky, avec Harry Baur, qui fut un gros succès, il n'avait cessé de travailler. Françoise Bonnot l'a remplacé. Elle a reçu l'Oscar du meilleur montage.

Début mai 1968, la préparation du film commence. Je viens de recevoir ma naturalisation : me voilà citoyen français. J'en suis très fier. Une petite musique intérieure change ma façon de me sentir. Michèle est partie en reportage en Jordanie, chez les Palestiniens. Je fête l'événement avec mon ami Claude Pinoteau et Bee, sa compagne. Nous vidons deux bouteilles de champagne, alors qu'aucun de nous n'est un grand buveur.

Le lendemain, c'est le 13 mai, autrement dit le déclenche-ment de la grève générale. Les échauffourées commencées bien avant à la Cinémathèque française en faveur d'Henri Langlois semblaient déjà être le signe d'un malaise national plus ample et plus profond. Avec la grève, la préparation du film s'inter-rompt. Un large mouvement ouvrier conteste les bas salaires et les conditions de travail, alors que le mouvement étudiant et lycéen, vaste et puissant, rejette en bloc toute forme d'auto-rité, la société de consommation, l'université traditionnelle, le capitalisme... et, par-dessus tout, de Gaulle – que beaucoup regretteront quelques années plus tard. Le mot de révolution est dans toutes les bouches, même si la plupart des esprits n'en connaissent pas exactement la signification. Certains lui donnent un sens poétique : « Sous les pavés la plage », « Il est interdit d'interdire » ou encore « Soyez réaliste, demandez l'impossible ».

Ce dernier slogan m'évoque cette phrase du grand écrivain grec, Kazantzákis : « Aller là où il est impossible d'aller. »

Étudiant, elle m'avait fait beaucoup réfléchir par son acuité. Elle a trouvé son sens, pour moi, à Paris, à la lecture de cette autre phrase : « Je ne veux pas être le plus fort, ni le plus riche, ni le plus beau, ni le plus grand. Je veux être différent... » Je ne sais plus qui en est l'auteur, Prévert peut-être... Nous y étions en plein avec le mouvement étudiant qui ne cessait de s'amplifier.

À l'une des toutes premières manifestations, je suis place de l'Odéon, non loin de la rue Saint-Séverin où nous habitions avec Michèle qui, de son côté, est bloquée en Jordanie. Des étudiants affluent et occupent le boulevard Saint-Germain. Très vite, il règne une atmosphère de gaieté farouche, on sent dans chaque petit groupe une âpreté dans les propos, dans les gestes, des pitreries même. Leur véhémence, d'une phrase à l'autre, les métamorphosait. Je ne discerne pas les mots mais les visages, les gestes, qui témoignent et disent beaucoup de leur état d'esprit. D'une manière imprévue, des cars de police surgissent à toute vitesse des rues voisines, et d'innombrables CRS en sortent. Ils veulent disperser les étudiants, mais la résistance et la riposte sont instantanées, comme préparées d'avance. La violence des deux camps est inouïe.

Gilles Durieux, photographe de presse, me rejoint. « Je n'ai jamais vu ça », me dit-il, et il repart photographier la mêlée en première ligne. Depuis mon abri, je cherche à comprendre ce que Gilles voulait dire. Les deux parties s'affrontent avec haine. Comme si détruire l'autre était la solution aux problèmes. À moins qu'il ne s'agisse du plaisir que procure la violence ?

Parmi les innombrables événements et situations, plaisants ou déplaisants mais tous pétris de signification, que j'ai vécus pendant cette longue grève de mai, certains me paraissent plus symptomatiques que d'autres. Bernard Paul, qui tournait son premier film à Sète, me demande de lui obtenir une dérogation pour les trois jours de tournage restants. Le comité de grève des techniciens du cinéma de la CGT siégeait dans une petite pièce, au 82, Champs-Élysées. Ses membres répondaient aux différentes doléances d'une foule de demandeurs, dans une ambiance d'urgence survoltée. Cela me rappelait les gravures de la Révolution française, et quelques scènes du film d'Abel Gance, *Napoléon*. Toutes proportions gardées. Mme Mercanton, célèbre monteuse, après m'avoir écouté crier pour me faire entendre, me répond que les raisons de la grève consistent précisément à changer le système et à donner à Bernard les moyens de faire son film dans les meilleures conditions possible. Et elle conclut : pas de dérogation. Bernard a fini son film, un mois plus tard, avec moins de moyens.

Le 13 mai, je suis place Saint-Michel pour assister à la manifestation qui s'annonce importante. Sur le trottoir d'en face, perché sur un lampadaire, William Klein, aidé par Jeanine, sa femme, filme le gigantesque défilé d'une foule dense et décidée, avec ses pancartes et ses slogans scandés à tue-tête. Je réussis à traverser la chaussée pour les rejoindre. Bill me crie, enthousiaste, depuis son perchoir : « C'est la révolution ! » « Je ne crois pas, lui dis-je. C'est une magnifique démonstration populaire. » « C'est parce qu'il y a des gens comme toi qu'elle risque de ne pas avoir lieu », me lance-t-il avec son accent américain. Depuis sa hauteur, il avait une vision lyrique de cette foule immense qui s'étendait de la place du Châtelet jusqu'au haut du boulevard Saint-Michel, une véritable marée humaine en pleine ferveur. Moi, les pieds sur terre, j'étais entouré de visages graves, vrais, préoccupés ou enthousiastes. Cela oblige à une vision réaliste de l'action, beaucoup moins lyrique et exaltante que les images que Bill est en train de réaliser et que l'on verra plus tard. Plus d'un million de personnes manifestent ce jour-là.

Le Quartier latin s'embrase un peu plus chaque jour. À des rassemblements pacifiques succèdent des manifestations violentes, certaines avec des aspects ludiques mais également des destructions, comme des fêtes barbares. Une nuit, Annie Tresgot, camarade de l'Idhec, m'appelle, alarmée. Elle me demande d'apporter tout ce que j'ai comme médicaments et d'aller la rejoindre au croisement de la rue Gay-Lussac et de la rue Saint-Jacques. Je n'avais que des aspirines. Impossible d'atteindre la rue Gay-Lussac, le quartier étant encerclé par les CRS.

Le lendemain matin, une fois la rue évacuée, je découvre avec d'autres curieux un véritable champ de bataille. Des voitures brûlées, renversées tout le long de la rue, des pavés arrachés pour élever des barricades ici et là, dont une très grande à la hauteur du boulevard Saint-Michel. « Il faut tuer tous ces salauds », marmonne un homme en découvrant les voitures brûlées que je photographie.

Cet état d'esprit vindicatif se répandait vite, même si certains s'en offusquaient. Ce qu'on entendait, par contre, à vives et à plusieurs voix, c'étaient les dialogues dans les rues du Quartier latin, transformé en une vaste agora de philosophes. Des petits groupes de deux ou trois, parfois dix ou plus, dialoguent sans se connaître, sans toujours être d'accord, exprimant des idées généreuses tournées vers l'avenir. Chacun égraine les problèmes de notre société, ceux du monde aussi. Certains proposent des solutions admirables en déclarant que « l'utopie ne signifie pas l'irréalisable mais l'irréalisé ». Les amphithéâtres de la Sorbonne sont pleins, et les discours, enflammés, généreux ou niais, sur tout et par tous, se poursuivent tard dans la nuit.

Au théâtre de l'Odéon, occupé depuis les coulisses jusqu'au poulailler, on laisse la parole à qui veut la prendre. Il y a des oraisons, des harangues, des philippiques, des dithyrambes. Tous écoutent avec des degrés divers de respect ou d'insolence. Un petit homme, depuis un balcon, réclame la parole, à force de cris et gestes. Il finit par l'avoir dans un silence respectueux. D'une voix vibrante, il lance son cri du cœur : « De Gaulle est un ennemi de notre pays ! » « Ouais, ouais », accompagnés d'applaudissements de connivence, rien de nouveau. Il y avait de bien meilleures rhétoriques sur le sujet. On attend la suite : « De Gaulle a trahi et a abandonné l'Algérie ! » D'un coup, la salle se remplit de huées, sifflets et quolibets. À la place du tribun il n'y eut plus qu'un vide.

La vague de colère venant de Paris interrompt le Festival de Cannes. En retour, l'onde de choc de l'arrêt du festival mobilise, fait exceptionnel, le monde du cinéma à Paris. Une réunion des cinéastes est organisée à Nanterre. L'idée d'occuper un cinéma à Paris est judicieusement écartée. Dès la fin de matinée, la salle est archipleine. Elle le restera jusqu'au lendemain matin, sans interruption. Une série de projets pour la refonte du cinéma sont présentés, discutés, amendés ou simplement repoussés. Le sérieux fusionne avec le festif, s'affermissant par là même.

Nous, cinéastes, réfléchissons au cinéma, à son passé, à son futur, dans toutes ses dimensions. C'était un enchantement, une exaltation générale qui traversait cette réunion peu banale. Je suis assis à côté d'Alain Resnais, en général réservé, distant, peu enclin aux démonstrations collectives. Il reste là près de vingt-quatre heures, intéressé par tous et tout, amusé et même par moments loquace.

De cette réunion hors du commun, il émane des propositions extraordinaires, parfois loufoques, mais toutes inspirées par la sensibilité « mois de mai ». Un nouvel état d'esprit est né pour des changements profonds dans les relations des cinéastes, d'abord entre eux, puis avec les autorités civiles et avec le Festival de Cannes. Les cinéastes entendent participer à toutes les instances de décisions concernant la marche du cinéma, ce qui a été accepté par le ministre de la Culture André Malraux et ses successeurs.

Soudain, tout bascule. Une foule colossale remonte des Champs-Élysées jusqu'à l'Étoile. Les gaullistes réagissent. Surprise de l'autre camp. L'occasion est saisie au vol par le Parti communiste et les syndicats, qui perdaient du terrain, pour revenir à la logique de la naissance du mouvement, c'est-à-dire la négociation avec le pouvoir.

À la mi-juin, la grève terminée, la préparation du tournage de *Z* reprend à Paris et se poursuit à Alger : repérages des décors, choix des acteurs, des figurants – il en fallait des centaines ! – et des décors à adapter aux besoins du scénario.

L'équipe algérienne suit très bien, avec beaucoup d'allant malgré son peu d'expérience. Premier décor important à décider : la place où doit se dérouler la manifestation. Elle détermine le nombre de figurants, la quantité de lumière. C'est une scène de nuit, le temps de la traversée de la place par les acteurs pour arriver à la salle de la réunion, le surgissement du triporteur avec les assassins et plusieurs autres détails de mise en scène.

La place que je choisis laisse bouche bée le chef de la police. Le seul mot qu'il est en mesure de prononcer : « Impossible ! » Élancé, regard doux, licencié en mathématiques, il avait été nommé d'autorité à ce poste le lendemain de l'Indépendance, faute de vrais spécialistes.

La place est au centre d'Alger et plusieurs rues s'y croisent, il est impossible de la bloquer de 18 heures à 4 heures du matin, pendant les dix nuits nécessaires au tournage. « Cherchez une autre place. » Perrin : « Nous les avons toutes vues. » Moi : « La seule qui peut convenir. » Le lendemain matin, le chef de la police m'appelle très tôt : « Tu as ta place, mais moi je vais être maudit par la moitié de la ville ! »

Obtenir une figuration féminine est une autre difficulté. Finalement, les assistants ont écumé les délégations et missions étrangères, et nous avons réussi à avoir des figurantes bulgares, françaises, yougoslaves…

Un soir, le ministre Benyahia vient nous rendre visite sur le tournage de la scène de la manifestation. Arrêté par la police qui tenait les curieux éloignés, il décline sa fonction de ministre. Réponse du policier : « Et moi je suis Boumediene ! » Il n'a pas insisté et m'a raconté son aventure le lendemain.

Nos contre-manifestants devaient crier un slogan qui était celui de toutes les droites de l'époque : « Les pédés à Moscou ! » La chose arrive aux oreilles de l'ambassade soviétique. Je comprends que je dois modifier le slogan. Pour pouvoir le doubler correctement au montage, je leur fais dire : « Les pédés à Chatou ! » Cela a fait beaucoup rire les figurants des deux camps, créant une sorte d'intimité entre eux, une péripétie catastrophique pour la logique de l'histoire !

Un autre événement provoque une très forte émotion. Les armées du pacte de Varsovie – c'est-à-dire les Soviétiques –, tanks en tête, envahissent la Tchécoslovaquie, annihilant ce qu'on appelait « le Printemps de Prague ». Montand est furieux : « Ils recommencent ! » Je n'étais pas étonné, jugeant cette occupation comme la suite naturelle de la décadence du régime soviétique. Grosse surprise, le secrétaire général du Parti communiste français, Waldeck Rochet, désapprouve « l'intervention soviétique ». Quelque temps après, il est invité à Moscou. Il en est revenu avec une maladie « neurovégétative » qui l'a éloigné du parti et de la politique. Aragon lui aurait, paraît-il, conseillé de ne pas aller en URSS.

Le 31 août 1968, après le tournage, Michèle et moi nous nous marions au consulat français, dans la plus grande discrétion. Témoins des mariés : Jacques Perrin, Pat Schœndœrffer et Patrick, le fils de Michèle. Cet événement intime est photographié par le neveu de Pat, âgé de 16 ans. Trahis par le peu de lumière et le manque d'expérience, nous n'avons qu'une photo un peu floue. Patrick Chauvel est ensuite devenu un grand photographe, reporter de guerre et documentariste.

Le premier avion détourné par des Palestiniens, un avion de la compagnie israélienne EL AL, atterrit à l'aéroport d'Alger. C'est un séisme politique et médiatique mondial. Israël est mis en cause pour sa politique en Palestine. Charles Denner, profondément ému, veut quitter Alger, où il se sent menacé. Il ne reste qu'une scène à tourner avec lui, sa confrontation avec le juge, une scène essentielle du film.

Je vais voir Charles et découvre un homme hors de lui, triste, furieux, dans un pays où il ne peut plus rester et où désormais il peine à respirer. Je lui ai dit : « Jacques est d'accord, nous tournerons la scène à Paris, nous reconstruirons le bureau du juge en studio. » Charles est parti, soulagé.

La musique du film ne pouvait être que celle de Mikís Theodorákis. J'avais fait plusieurs essais en cours de montage, elle se mariait harmonieusement avec les images en leur apportant un souffle d'émotion. Mais Mikís était exilé par les colonels dans un village du Péloponnèse, Zatouna, et j'avais besoin de son accord. Coïncidence, mon plus jeune frère, Haralambos, le médecin, est né précisément à Zatouna, avant la mutation de notre père à Athènes.

Michèle est partie à Athènes avec un passeport « arrangé » par un ami trotskiste. Ce qu'elle faisait souvent pendant la dictature, pour aider à faire sortir de Grèce avec des documents « trafiqués » des opposants au régime recherchés par les colonels. Elle n'a pas pu arriver jusqu'à Mikís. La route pour Zatouna était interdite aux étrangers.

Deuxième tentative, cette fois de Jacques Perrin. Toujours sans succès. Et puis nous avons reçu sur un paquet de cigarettes l'accord de Mikís pour utiliser sa musique.

Je considère la musique d'un film comme la composante dynamique de sa dramaturgie. Elle agit comme un personnage qui entre en scène et dialogue avec les autres. Il arrive qu'on choisisse un « personnage bavard », un intrus sans filiation avec les personnages ou l'histoire elle-même. La musique de Mikís avait les deux filiations nécessaires. Il a fallu réenregistrer les morceaux choisis, les adapter à la longueur des scènes correspondantes. Bernard Gérard, compositeur et collaborateur de Michel Magne, qui avait fait la musique de mes deux films précédents, a accepté de faire cette adaptation délicate, précise à l'image près.

Noël 1968, soirée de réveillon chez Françoise Arnoul, avec des amis, aucun d'entre nous n'ayant une relation quelconque avec celui dont est célébrée ce soir-là la naissance pour la mille neuf cent soixante-huitième fois. Les discussions passionnées tournent autour du « mois de mai » et de ses suites politiques, toujours intenses. On parle aussi de l'occupation de la Tchécoslovaquie par les Russes – personne ne dit « les Soviétiques ». À la surprise générale, le pays continuait de vivre dans une grande liberté culturelle, de presse et de parole.

Claude Lanzmann saisit l'occasion pour parler avec passion et en détail d'un livre écrit par un rescapé des procès staliniens de Prague. Son enthousiasme concentre toutes les attentions. Je l'écoute avec une grande curiosité en me disant : un nouveau Kravtchenko, le parti va éructer. Comme si Claude avait deviné ma pensée, il ajoute : « Il n'y aura pas de procès Kravtchenko, le parti, cette fois, reconnaît le livre. » Dès le lendemain matin, nous allons avec Michèle acheter *L'Aveu* à l'aéroport, seule librairie ouverte. Un pavé de près de cinq cents pages, signé Artur London, que j'ai lu presque d'affilée avec quelques arrêts pour « respirer ». À certains chapitres, j'étouffais de fureur et de répulsion.

Pendant mon enfance, sous l'occupation allemande, j'entendais les mots : *communisme, Stalingrad, résistance, Staline.* Et face à eux, les mots ennemis : *allemand, Hitler.* Les premiers, ceux de l'adoration, les autres, ceux de la haine. Mon père nous répétait : « Stalingrad tient toujours. » Un jour il a crié : « Stalingrad a gagné, c'est la fin de Hitler. » C'était la fête, mais Hitler et les Allemands étaient toujours là. Staline, avec les Américains et les Anglais – on parlait très peu des Français – se battaient contre Hitler, et Staline était le chef des communistes. Grâce aux communistes, nous n'avions plus besoin du roi, que mon père n'aimait pas, sans toutefois le claironner. Nous allions avoir la démocratie. Pendant longtemps j'ai pensé qu'elle était une grande et belle dame qui allait prendre la place du roi... une magicienne. Elle allait tout changer, nous allions avoir un monde meilleur, riche, aimable, généreux. J'ai fini par comprendre que ce n'était pas une dame mais quelque chose de plus important et de plus vaste. Une démocratie communiste, disaient certains, et cela semblait être la conclusion. Et la confusion générale.

Les communistes avaient peint sur l'extension extérieure du mur de notre maison, créée pour faire de la place à la cheminée, un *sphyrodrepano* c'est-à-dire une faucille et un marteau aux belles couleurs. J'aimais bien. Un jour, l'oncle Lambros, le cousin de ma mère, officier dans l'aviation, résistant, était de passage. La vue du *sphyrodrepano* l'avait fâché, il avait exigé qu'on le fasse disparaître : « Si les Allemands passent ici, ils brûleront la maison. » Il a ensuite longuement parlé avec mon père, ma mère et deux autres personnes, en prononçant plusieurs fois le mot *sphyrodrepano*. C'est tout ce que je comprenais.

Après la Libération, les communistes, rendus furieux par les élections truquées qui avaient restauré la royauté et des accords non respectés, se sont insurgés. Ils ont voulu prendre le pouvoir par les armes. Alors a commencé la guerre civile, qui a duré près de trois ans (de 1946 à 1949), avec des tueries, des haines insensées, si terriblement humaines.

Du jour au lendemain, Staline, les communistes et leurs alliés sont devenus les ennemis numéro un du pays, à éradiquer à tout prix. Tous ceux qui avaient fait de la résistance contre les Allemands avec eux, même sans les suivre dans la guerre civile, sont également devenus suspects, et beaucoup ont été éliminés par les milices royalistes. Les autres, dont mon père, ont été emprisonnés ou envoyés en exil dans des îles. Des milliers de citoyens. Ces enchaînements tragiques conduisaient à la logique suivante : aimer ceux qui étaient détestés par ceux que je n'aime pas, pure dialectique binaire pour l'adolescent que j'étais.

L'oncle Lambros venait nous voir pendant l'exil de mon père. Toujours en tenue d'officier de l'aviation, afin que les voisins nous laissent en paix. Il donnait discrètement un peu d'argent à ma mère pour qu'elle fasse moins de ménages, ce qu'il considérait comme humiliant pour la famille. Un jour, vers la fin de la guerre civile, il est venu habillé en civil. À l'étonnement de ma mère, et au mien, il a répondu en plaisantant qu'il avait perdu ses galons et ses décorations au mont Grammos, tenu par les communistes. En fait, il avait réussi à bombarder et anéantir une unité de combattants communistes. À son chef qui le félicitait pour cette belle réussite, il avait répondu : « Ceux que j'ai tués étaient aussi des Grecs. » Il fut dégradé sur-le-champ et jeté hors de l'armée de l'air.

C'était encore une raison pour ne pas aimer ces Grecs-là, tout en me posant des questions sur les autres, c'est-à-dire les communistes. Pourquoi avaient-ils déclenché cette effroyable guerre civile, qui avait porté les passions jusqu'à leur paroxysme, où le frère tuait le frère et entraînait le pays dans un tel déchirement ? Je ne comprenais pas d'où viendrait « le monde meilleur » qu'ils promettaient.

Le livre d'Artur London, *L'Aveu*, est le récit de son aventure, précis, méticuleux. Un film tiré de ce livre serait une réponse définitive aux discussions, aux arguties et aux accusations qui avaient jalonné mes relations avec des proches et des connaissances pendant des années. Jorge connaissait l'histoire de London. Un de ses coaccusés, Joseph Frank, exécuté, était avec lui au camp de Buchenwald. Il était sûr de son innocence. Quant au livre, il pensait qu'il était fondamental, mais complexe, avec plusieurs facettes, ce qui rendait son adaptation cinématographique difficile.

Le film que je voyais était le procès d'un système politique qui, tout en proclamant ses valeurs humanistes, avait mis au point une méthode de torture pour faire avouer aux accusés ce qui convenait aux intérêts du Parti. Le film mettrait aussi en évidence la façon dont les accusés, renonçant à leur libre arbitre, allaient jusqu'à se sacrifier au nom de cette nouvelle religion qu'était le communisme. Jorge avait trouvé mon approche fertile pour adapter ce livre extrêmement dense.

Montand tournait à Hollywood *Mélinda*, un film de Vincente Minnelli, avec Barbra Streisand. Mon coup de fil le surprend : il me pose des questions sur le montage de *Z*, je lui parle de *L'Aveu*. Après m'avoir écouté, très intéressé, je l'ai senti sourire : « Je suis avec vous. »

Après la lecture de son livre, Artur London est devenu pour moi un personnage hors du commun : jeune militant juif communiste à Bratislava, combattant de la guerre d'Espagne, résistant en France contre les Allemands, vice-ministre à Prague à la Libération, accusé avec treize autres membres du pouvoir communiste pour trahison par les adorateurs de Staline. Tous furent exécutés, sauf deux. Dont lui. Il avait survécu, sans doute grâce au beau-frère de Lise, sa femme, qui était un dirigeant du Parti communiste français. Le récit de ses « aveux » de trahison, sous une torture longue et sophistiquée, à la fois physique et morale, décrite dans ses moindres détails, correspondait à l'esprit de liberté du Printemps de Prague. C'est-à-dire au début de l'évolution du pouvoir communiste qui, jusque-là, grâce à ses promesses et la terreur aidant, avait entraîné et tenu dans l'asservissement des peuples entiers.

Je sonne à une porte. Une jolie blonde aux yeux bleus et gais, d'une élégance sage, m'ouvre. Elle me sourit avec une certaine familiarité. Je connais ce visage ! Elle était l'assistante de Mme Cléris, notre professeur de montage à l'Idhec. La plus jeune d'entre nous, Françoise London ! Coïncidence incroyable.

Simone considérait ces coïncidences comme « transcendantes ». Françoise est la fille d'Artur et Lise London, et pendant mes deux années d'études, ni moi ni personne n'avions su la terrible aventure de sa famille et de son enfance.

Gérard, nom de résistance d'Artur London, me reçoit amicalement. Lise, sa femme, nous rejoint. Elle s'assoit à côté de lui, un peu en retrait. Je la connaissais déjà pour l'avoir souvent rencontrée dans le livre. Elle aussi était une victime du stalinisme. Notre entretien dure plus de deux heures. Je lui assure que l'esprit du livre sera respecté dans mes futurs choix de mise en scène. Je lui soumettrai le scénario, pour information. Et le premier montage du film. Gérard souhaitait que le film soit tourné à Prague. Moi aussi. Lise et Gérard m'ont prévenu : le film allait être un long parcours semé de conflits, de clashs et de ruptures.

Z est prêt. Jacques Perrin organise une projection pour Christian Ferry, un ami commun qui travaillait avec Charles Blühdorn, le patron de la Paramount. Au dîner qui suit la projection, Christian ne prend pas de gants : « Mon cher Costa, deux flops consécutifs – *Un homme de trop* et celui-ci –, tu auras du mal à t'en relever ! Quant à faire ensuite *L'Aveu* !... » Michèle a rigolé de sa réaction. Et en rit encore. Jacques et moi l'avions cru. Bien sûr.

Aux premières projections de presse, les journalistes sortaient sans un mot. Des gens de gauche voulaient voir le film. Michel Rocard, Roger Garaudy... Aragon a voulu me voir. Absent, je l'ai raté.

Première critique dans *L'Express*, qui titre sur toute une page : « Le premier grand film politique français ». Le distributeur nous appelle : « Ne parlez pas de politique ! » Nous n'en parlions pas. De très bonnes critiques, comme celle du

Monde, ont suivi. Et d'autres, nombreuses. Il y avait aussi ceux qui ne savaient pas comment aborder cet objet inattendu qu'était Z.

À défaut d'Internet, réseaux sociaux et autres, on pratique l'affichage sauvage : repérages dans la journée, expédition dans la nuit. Michèle, Perrin, sa sœur Eva, Hafid, un ami marocain, et moi, un seau de colle, des gros pinceaux, et nous collons pendant plusieurs nuits des centaines d'affichettes avec un Z. Intrigant. Cela fait parler. Une semaine avant la sortie du film, apparaît alors la grande affiche avec les noms des interprètes, et toujours le Z. Le mystère de l'affichette était levé.

Le jour de la sortie, nous guettons avec Perrin les entrées depuis un bistrot voisin de la salle des Champs-Élysées. Fin de la première semaine, pas très bonne. Aujourd'hui, on rétrograderait le film dans une plus petite salle. Hercule Mucchielli, le distributeur, restait calme. « Attendez, attendez », nous répétait-il avec son accent corse. J'ai su plus tard qu'il allait à la sortie des salles pour écouter les commentaires des spectateurs. Deuxième semaine, le film fait mieux que la première. Et la troisième, mieux encore. « Les spectateurs applaudissent en fin de séance et dans toutes les salles de France », nous dit Hercule, toujours avec son calme accent corse. Le film devient le phénomène de l'année de la production française.

Pour une frange de la critique, le succès était suspect, hérétique, comme s'il avait souillé le temple. Cela n'a pas empêché Z de poursuivre sa relation avec le public, en France et ailleurs dans le monde.

Comme président de la Cinémathèque française, d'abord à Chaillot, de 1982 à 1987, puis à Bercy depuis 2007, j'ai eu l'occasion de voir de près ce mépris, ce rejet des « hérétiques ». Un des exemples, caractéristique par la qualité de ses acteurs, s'est déroulé à Cannes sur le palier du quatrième étage de l'hôtel Carlton. Je vais prendre l'ascenseur quand un grand critique, historien, théoricien du cinéma arrive. Nous parlons de la Cinémathèque, lorsqu'un « hérétique » rendu célèbre par ses succès s'approche. Nous nous serrons la main. Pensant qu'ils ne se connaissent pas, je veux le présenter. Le critique me salue rapidement, tourne le dos et prend l'escalier. L'hérétique me sourit d'un air entendu et nous prenons l'ascenseur.

Le succès de *Z* me permet d'arriver chez Robert Dorfmann avec le livre de London. Dorfmann a son sourire généreux : j'abandonne *Le Fils* et nous partons pour faire *L'Aveu*. Je le sentais déterminé, mais sans enthousiasme. Il charge son ami Bertrand Javal de la coproduction exécutive du film. Bertrand et Alain Corneau, alors mon premier assistant, partent à Prague pour prendre contact avec la direction du cinéma tchécoslovaque, tandis que je travaille sur le scénario en attendant que Jorge finisse son propre livre.

Je suis dans un état d'apesanteur quand Michèle m'annonce qu'elle est enceinte. Patrick, son fils, avait pris une place importante dans ma vie affective. Notre relation était bonne, riche pour moi en découverte du monde des enfants et adolescents. Je n'avais qu'une part de la responsabilité paternelle et cela me convenait parfaitement. Ma vie, c'était Michèle, les films et Patrick.

Mais après avoir voyagé dans le ventre de sa mère dans les camps de réfugiés palestiniens en Jordanie, rencontré Abou Amar, Abou Iyad... et bien d'autres, puis être allé en Israël et dans les territoires occupés, atterri au Festival de Cannes, assisté à la sortie de *Z* en Italie, et enfin à la préparation de *L'Aveu*..., Alexandre s'est enfin libéré en venant au monde le 23 août 1969. Je connus alors la formidable exaltation d'être père, et la préoccupation pérenne qui en découle également. Cette exaltation et ces préoccupations ont continué avec la naissance d'Eléna-Julie l'année suivante, puis celle de Romain, mais lui arrivera beaucoup plus tard.

Des connaissances nous appellent de Montréal pour me remercier d'avoir choisi pour le général de *Z* un acteur sosie de leur ministre de l'Intérieur, très répressif. Même interpellation venue d'Argentine à propos d'un général tueur.

Le plaisir pour Perrin et moi, ce n'était pas de connaître les chiffres mais de passer le soir, avec Vassilikos et Semprún, devant des salles de cinéma pour voir affiché « complet ».

Le mouvement contre la dictature grecque avait son porte-drapeau : l'actrice Melina Mercouri, avec son compagnon Jules Dassin. Avec sa notoriété, son caractère ardent, passionné, infatigable, Melina expliquait au monde les outrances, la bêtise et la violence de la dictature des colonels. *Z* est venu s'ajouter à cet affrontement. Les mouvements contre la dictature grecque se servent alors du film comme référence dans les discours, les réunions et les luttes. Un rôle utile pour un film. Puis *Z* est choisi pour représenter la France en compétition au Festival de Cannes en 1969. Le cinéma tchécoslovaque sera représenté par *Chronique morave* de Vojtěch Jasný. Cela tombe bien : nous voulions signer notre accord de coproduction avec la Tchécoslovaquie pour *L'Aveu* pendant le Festival, et rendre le projet public. Ce qui a été fait, déclenchant les premiers grincements de certaines rédactions.

Au lendemain de Mai 68, un groupe de réalisateurs, parmi lesquels Jacques Doniol-Valcroze, Claude Berri, Robert Enrico, Robert Bresson et d'autres, décident de créer la Société des réalisateurs de films. La SRF. Ils m'ont proposé d'en être *membre fondateur*. J'ai accepté et signé Costa-Gavras. Le secrétariat de la SRF a demandé à Michèle quel était mon prénom.

Constantin. J'ai découvert dans les journaux ma nouvelle identité : Constantin Costa-Gavras. Assez drôle puisque Costa est le diminutif de Constantin. Dès *Compartiments tueurs* j'avais ajouté le trait d'union entre Costa et Gavras pour ne pas être confondu avec d'autres *Costas Gavras*.

Dès 1969, la SRF, dans l'esprit de Mai 68, obtient du festival une salle et la possibilité d'inviter quelques cinéastes pour qu'ils y montrent leurs films. Son président, Robert Enrico, et ses amis lancent un appel : « Vous avez fait un film, venez au Festival de Cannes, nous vous assurons une projection et deux nuits d'hôtel. » Une avalanche de films se déclenche. J'assiste à des réunions jubilatoires, des dizaines de films arrivent du monde entier, quelques metteurs en scène aussi. La salle de projection à Cannes, bondée, tourne vingt-quatre heures sur vingt-quatre. On demande une deuxième salle que la direction du festival, hérissée, finit par nous accorder, sur l'ordre du ministre de la Culture, André Malraux, que nous avions sollicité. Créée par la SRF, la Quinzaine des réalisateurs vient de naître et, avec elle, commence le rajeunissement du Festival de Cannes.

Sur la Croisette et les terrasses, à l'heure de l'apéritif, la rumeur attribue la Palme à *Z*. Don Rugoff, distributeur de films new-yorkais, l'achète pour un prix record, jamais atteint par un film français. Il veut en outre que je supervise les acteurs américains pour le doublage du film en anglais.

Pour le palmarès, *Z* obtient le Prix du jury à l'unanimité, ainsi que le prix d'interprétation pour Jean-Louis Trintignant. Le Grand Prix du jury récompense *Ådalen '31* – un film magnifique de Bo Widerberg, avec qui nous nous sommes retrouvés nominés aux Golden Globes et aux Oscars. La coexistence de ces deux prix a soulevé un débat, une polémique et deux questions. Lequel était le plus important ? Pourquoi deux Prix du jury alors qu'il n'en existait qu'un à l'époque, le Grand Prix ? Les délibérations du jury sont secrètes et doivent le rester. Mais, comme d'habitude, le lendemain le Palmarès était commenté dans ses moindres détails.

Ainsi *Z* proposé pour la Palme aurait été défendu mollement par Luchino Visconti, président du jury, et violemment attaqué par le juré étudiant suédois qui défendait avec la même véhémence *If*, le film de Lindsay Anderson, qui emporta la Palme. La délibération close, les versions varient : le jury était sur le point de quitter la salle, ou sur le point de quitter la table, lorsque quelqu'un s'est écrié : « *Z* avec juste le prix d'interprétation pour Trintignant, nous allons nous faire massacrer par le public ! » La faiblesse du président du jury et du Festival amena une nouvelle délibération entraînant la création du Prix du jury, qui n'existait pas. Cette absence de rigueur dans le choix des récompenses, qui faisait naguère les gorges chaudes des amateurs, a disparu avec l'arrivée de Gilles Jacob à la direction du Festival, redonnant à cette formidable institution une nouvelle dignité.

De Cannes, nous partons pour Rome assister à la première du film. À l'aéroport, le distributeur, un certrain Santa Quelque-chose, nous attend avec trois limousines. En chemin, nous apercevons sur de grands panneaux publicitaires quelques visages familiers.

C'est Michèle qui comprend la première qu'il s'agit de *Z*. Mais sans le Z. Je fais arrêter la voiture : les visages peints de Montand, Irène Papas et Perrin surmontent le titre *L'orgia del potere.* Les autres limousines s'arrêtent aussi. Tout le monde descend. Je suis hors de moi, je hurle : « Demi-tour, nous rentrons à Paris ! » M. Santa Quelque-chose se met à genoux, m'empêche d'entrer dans la voiture, me supplie : « *No é cambiata en el negativo, no é cambiato, se va cambiare…* » Montand, Jorge et Perrin découvrent à leur tour l'affiche. Perrin essaie de traduire l'italo-français de Santa... « Toute la presse de Rome nous attend ! » La circulation ralentit. Un embouteillage se forme. On reconnaît Montand, qu'on appelle « *Yvo ! Yvo !* ». On reconnaît Jacques Perrin. « *Che anche Perrine !* » Moi, j'ai envie de boxer Santa Quelque-chose, toujours à genoux et suppliant. Ça commence à klaxonner. Jorge s'amuse, Montand salue ses admirateurs qui hurlent de joie. Situation absurde, grotesque. Michèle me raisonne. Je repousse Santa et remonte dans la limousine. Tout le monde remonte. Arrivés à Rome, nous allons à l'hôtel, le Barberini, face au cinéma, pour nous changer, et de notre fenêtre je vois ce titre qui me rend fou. Encore plus quand ils ajoutent un *Z* devant : *Z. L'orgia del potere.*

Le soir, salle immense, superbe. Nous sommes au premier rang du balcon. On s'habillait encore à l'époque pour les premières. Irène Papas est en robe longue. Les lumières s'éteignent. Le générique commence et apparaît *L'orgia del potere.* Nous nous levons tous et quittons la salle. Le film connaîtra un gros succès en Italie. Pour les Italiens – et le Wikipedia national – *Z* s'appelle toujours *L'orgia del potere.*

CHAPITRE 9

Un monde meilleur ?

Fin juillet 1969, après plusieurs semaines de claustration avec Jorge, le scénario de *L'Aveu* est écrit. Gérard London approuve. Prudent, il ajoute attendre le film pour se prononcer définitivement. Lise, qui avait gardé quelques illusions de sa jeunesse communiste, voulait que le film se termine avec le XX⁰ Congrès du PC de l'URSS. Elle croyait encore à une résurrection possible. Une discussion dialectique entre Jorge et Gérard, grands connaisseurs du matérialisme dialectique, fera céder Lise sans la convaincre. J'avais déjà les images de la fin du film.

Voyage à New York pour superviser les essais des acteurs pour le doublage de *Z* en anglais. Don Rugoff, vrai professionnel et passionné de cinéma, met toute son énergie, les moyens aussi, au service du film. Il a prévu de sortir le film avant la fin de l'année 1969, afin de pouvoir concourir aux Oscars. Grand connaisseur de l'*underground* cinéma, il nous invite, Michèle et moi, à dîner chez lui avec Robert Downey Sr. J'avais vu son film, *Putney Swope*, bouillonnante satire des milieux publicitaires, une œuvre qui échappait à toutes les facilités et certitudes du cinéma américain. En entendant Rugoff me parler des Oscars, Downey me suggère : « Si tu as un Oscar, monte sur scène, ne le touche pas et dis : "Je n'ai pas fait le film pour gagner cette merde" et tu t'en vas. Tu auras toute la jeunesse américaine avec toi ! » Et il se retourne vers Rugoff : « Et toi tu auras toute la jeunesse américaine dans tes salles. » Autre époque. Autre jeunesse américaine. Autres cinéastes américains.

La date du voyage à Prague est fixée. Bertrand Javal, Jorge et moi allions y conclure définitivement les accords artistiques et de production. Aloïs Poldnak, le directeur général du cinéma tchécoslovaque, demande à me joindre au téléphone d'urgence. Dès ses premières paroles, à son ton affligé, avant même que l'interprète ne traduise, je sens qu'il y a un sérieux contretemps. La voix de l'interprète, plate et incolore, m'apprend que nous ne pouvons plus tourner le film à Prague, que les Russes, qui laissaient faire jusqu'ici, viennent de prendre les choses en main. J'entendais la voix de Poldnak, dramatique, urgente, accablée, puis celle, sans la moindre émotion, de l'interprète. Je comprenais avant la traduction : « Il faut faire le film à tout prix, il est nécessaire... Ici, c'est fini. Prévenez London, dites-lui qu'il faut faire le film... »

Nous apprendrons peu après que Alexander Dubćek, le Premier ministre tchèque, figure de proue du « Printemps de Prague », a été déposé et envoyé *manu militari* à Moscou. Une rumeur tenace veut que Dubćek ait été battu, rossé par les Russes comme un vulgaire voyou. « C'est sans doute vrai et un avertissement aux velléitaires, aux assoiffés de Printemps », dit London.

Après l'effondrement de l'URSS et du bloc autoproclamé socialiste, Alexander Dubćek, invité par Laurent Fabius, alors président de l'Assemblée nationale, vient à Paris. Au déjeuner donné en son honneur, Fabius me présente cet homme au visage doux qui me faisait penser à un « soldat Švejk » moderne. Il me sourit en me serrant la main pendant que l'interprète traduit : « C'est donc vous... » Il a longuement gardé ma main dans la sienne.

Bernard Evein, chef décorateur, pensait que l'architecture de Lille ou de Tourcoing pouvait correspondre à celle de Prague, de l'Europe centrale. Nous avions décidé que le film ne mentionnerait pas de pays en particulier, ces procès staliniens ayant déjà eu lieu dans presque tout le bloc soviétique. À Moscou, il y avait eu le procès dit des « blouses blanches ».

À Lille, nous trouvons un vieil et immense hospice en partie inutilisé. Il va nous servir principalement pour les cellules. Pour les décors extérieurs et intérieurs, Lille et Tourcoing se révèlent être la bonne solution. Le tribunal est construit en studio à Paris. Les documents filmés du procès que Poldnak nous avait envoyés étaient extrêmement complets : architecture, emplacements des différents officiants et accusés, installation sonore. Ils furent aussi très utiles pour l'écriture du scénario car de nombreuses interventions du juge et du procureur avaient été enregistrées.

Le choix des acteurs est plus laborieux que je ne le pensais. Certains me répondent, chose rare, que cela ne les intéresse pas, ou, plus poliment, qu'ils sont pris ailleurs. Pour trois d'entre eux, je faisais avec ce film une mauvaise action.

Simone a un double problème. L'entreprise elle-même la préoccupe par sa radicalité. Cela mis à part, elle est embarrassée par le personnage de Lise que je lui propose. Simone ne saisit pas comment Lise a pu écrire une lettre condamnant son mari, après avoir vécu si longtemps avec lui. C'est cette foi dans le Parti, plutôt qu'envers son mari, qu'elle ne conçoit pas. Lise nous explique qu'elle a écrit cette lettre au président de la République, et pas pour qu'elle soit rendue publique.

Cela ne suffit pas à convaincre Simone. Elle a dû beaucoup discuter avec Montand. Enfin, elle nous invite à déjeuner et nous annonce qu'elle ne va pas nous laisser seuls dans cette aventure. L'esprit de famille l'a emporté sur le scepticisme et la sensibilité de l'actrice. Je crois qu'elle avait compris, avec sa formidable intuition et sa connaissance du milieu parisien, que son absence du film serait au centre de toutes les hostilités et attaques contre nous trois, Semprún, Montand et moi.

Jacques Rispal, acteur génial, me dit que sa participation au film sera comme une libération de sa conscience, une auto-réhabilitation lui permettant d'être en paix avec lui-même. Ancien membre du Parti communiste, il en avait été exclu pour son action en faveur de l'indépendance de l'Algérie. Pour Michel Vitold, le personnage de Smola est un bon rôle. « Je prends », m'a-t-il dit, avec sa voix d'innombrables décibels.

Chris Marker suivait de près ces péripéties et la polémique qui couvait. « Je veux être avec vous dans cette aventure. Qu'est-ce que je peux faire ? » Je lui propose en plaisantant de jouer un « référent », nom que Gérard avait donné à ses tortionnaires en humiliations diverses, ou d'être le photographe de plateau. Chris a fait des photos comme on n'en a jamais fait pour un film. Et, avant l'heure, un *making of*, petit chef-d'œuvre sur le travail de l'équipe intitulé *Une journée de tournage*.

Le scénario posait un problème : il fallait tourner dans l'ordre chronologique de l'histoire, pour voir Montand passer d'un état physique normal à un affaiblissement graduel, proche de la mort. La construction du scénario ne le permettait pas, structuré en trois temps : arrestation, mise en condition, tortures morales et physiques jusqu'à l'effondrement. Nous avons alors introduit un arrêt du récit afin que le spectateur voie Gérard/Montand, vivant, en bon état physique, raconter son histoire à des amis, surpris, voire critiques à propos de ses convictions.

Cette rupture était nécessaire pour libérer le spectateur de la tension créée par le suspense lié au sort réservé au personnage. Ainsi libéré, il pourrait suivre le récit de Gérard avec un point de vue plus critique, plus politique. Puis retour à la chronologie : aveux extorqués, procès truqué, condamnation, libération, Printemps de Prague, dévastation de ce moment d'espoir.

Le tournage commence par la scène avec les amis, au début du film, et celle de la fin où Montand/London a récupéré. Ensuite, pendant huit semaines nous tournons dans l'ordre de l'histoire pour donner le temps à Montand de perdre entre dix et quinze kilos. Il en perdra un peu plus de douze. Au-delà, cela devenait dangereux. Pour accentuer son amaigrissement, pendant la scène où on l'asperge d'eau glacée, je lui ai demandé de tirer ses épaules en arrière, les côtes sont alors plus apparentes. L'effet est saisissant.

Sa perte de poids, le personnage qu'il incarne, lié à son passé, à sa propre vie familiale – son frère était un dirigeant du PCF – font passer à Montand des nuits peuplées de cauchemars, suivies de réveils de plomb. À l'hôtel, nous avions des suites communicantes, je l'entendais crier. J'allais le voir, il dormait avec frénésie. Il me parlait de ses cauchemars, cherchait comment les introduire dans son jeu. Cela s'est traduit par des petits gestes et des regards qui venaient de son enfer nocturne.

On a pu considérer ou présenter ces procès comme le résultat de la folie de Staline. Ils avaient en réalité un but politique très précis. Le système communiste ne donnait pas les résultats promis, « des lendemains qui chantent » et « un monde meilleur pour tous ». Il fallait donc expliquer, convaincre que ce désastre n'était pas inhérent au système mais à des sabotages fomentés par des ennemis étrangers, en l'occurrence les capitalistes, au premier rang desquels les Américains. Et leurs complices : des traîtres, des renégats qui avaient réussi à s'élever et à occuper des postes dans les plus hautes instances de l'État. Ils collaboraient avec l'ennemi, et suivant ses directives sabotaient la bonne marche du pays. Le motif de l'accusation ayant été décidé, les coupables étaient alors choisis dans le gouvernement, dans le parti même, voire à sa tête, et parmi eux de nombreux Juifs, « cosmopolites » par définition, disaient-ils.

Les forfaits et les crimes ainsi décrétés, il fallait ensuite les faire avouer aux inculpés. Soumis à une torture longue et très sophistiquée, tous finirent par avouer tout ce qu'on voulait. Très souvent, par pure allégeance au Parti qu'ils étaient persuadés d'aider. S'ensuivait un simulacre de procès, largement diffusé. Il en résultait des condamnations et l'exécution de la plupart d'entre eux. Ainsi, le pouvoir crédibilisait les accusations de sabotages et de trahisons, tout en éliminant des opposants possibles. Enfin, il donnait un exemple à méditer à ceux à qui le système ne convenait pas.

Nous sommes en plein tournage de *L'Aveu* à Lille quand *Z*, que Don Rugoff avait présenté au prix annuel des critiques new-yorkais, reçoit plusieurs nominations. Pour me permettre d'assister à la cérémonie à New York, il faut interrompre le tournage pendant deux jours. Une décision coûteuse pour la production. Une solution limitant l'arrêt à un jour est imaginée par Alain Corneau et Bertrand Javal : je devrai partir le vendredi matin avec le Concorde, et rentrer par le premier vol, samedi en fin d'après-midi, pour reprendre le tournage le dimanche matin. L'équipe aurait son jour de repos, plus un jour. La proposition est mise au vote secret de l'équipe. Le metteur en scène ayant un double statut – auteur et technicien –, je vote aussi. Suffrages exprimés : une voix OUI – la mienne – tous les autres NON.

Le choc. Je pensais qu'au moins une partie de l'équipe, les collaborateurs de mes autres films, aurait assez d'amitié pour apprécier cette distinction américaine. J'étais donc le patron, il n'y avait pas de cadeau à me faire. Il me vient vite à l'esprit ce vieux stéréotype de la solitude du metteur en scène. C'était le silence et le choc aussi du côté des NON. Un deuxième OUI et l'honneur était sauf. Montand – les acteurs ne votent pas – a murmuré son brocard marseillais : « Eh bê, pute borgne ! » Nous reprenons le travail comme si rien ne s'était passé. Javal décide alors que nous irons quand même à New York et que nous reprendrons le tournage le lundi. C'était son cadeau. Nous avons obtenu deux distinctions du New York Film Critic Award : meilleur film et meilleur metteur en scène.

Z entre donc en Amérique par la grande porte. Petite ombre à ce tableau idyllique, la critique de Vincent Canby du *New York Times*, qui reproche au film de célébrer un signe, « Z » : « Depuis le temps de la swastika, j'ai un regard méfiant sur les symboles, j'ai le même regard méfiant pour le signe de la paix ainsi que pour Z. » Je lui réponds avec une question. Que pense-t-il du symbole de la croix chrétienne ? A-t-il la même méfiance envers elle ? Sans le savoir, j'avais touché la conscience morale américaine. Ma question-réponse a été reprise un peu partout. Des années plus tard, nous nous sommes retrouvés dans une même limousine d'Universal Pictures. Nous avons échangé un sourire de double complicité. Il venait d'écrire une excellente critique de *Missing*.

Z est un très gros succès aux États-Unis, public et critique. Le *New York Times* publie une interview de deux pages, parfaitement menée grâce à mon interprète et amie, Marina Kaufman, qui était également interprète à l'ONU. Le film reçoit un grand nombre de récompenses : prix Edgar-Poe – déjà obtenu avec *Compartiment tueurs* –, Prix des exploitants, des protestants, des critiques et bien d'autres, jusqu'aux Oscars, dont je parlerai plus tard.

En Amérique, une personne quelle qu'elle soit peut passer de l'anonymat à la notoriété de manière quasi instantanée. Et nous n'étions pas encore à l'ère d'Internet. On échappe difficilement à la séduction infernale de l'Amérique. On peut même en devenir *addict*. L'addiction à l'Amérique est courante, ordinaire.

À New York, nous nous sommes installés à l'hôtel Algonquin que nous avions aussi adopté. Tout y était petit, sympathique et de bon goût. La seule très grande pièce, la salle à manger, avait été réduite par un rideau pour me permettre d'y donner des interviews. J'étais aidé par Marina Kaufman. Elle et son mari, Steve, venaient d'avoir des jumeaux ; nous, Alexandre, et douze mois plus tard Julie. Nous sommes très vite devenus amis et cette amitié dure encore. Nos enfants le sont aussi avec les leurs, et nos petits-enfants commencent à se fréquenter.

La standardiste demande à Michèle si elle peut me passer M. Budd Schulberg. Ce nom m'est familier, mais d'où est-ce que je le connais ? Michèle me dit : « C'est le scénariste ! » Bien sûr ! Le scénariste de *Sur les quais* d'Elia Kazan, avec Marlon Brando. Très ému, je l'entends dire des choses positives sur *Z*, avant de souhaiter me rencontrer pour me parler d'un projet. Je me retiens pour ne pas lui dire « Maintenant ? » Admiration… ou provincialisme ? Je finis par lui proposer de prendre un *breakfast* le lendemain, plus digne par la distance et plus convivial.

Grand et massif, chaleureux, Budd Schulberg est l'homme qui a écrit des scénarios pour, entre autres, Elia Kazan et Nicholas Ray… Avant même l'arrivée du café, Budd, qui me parle d'égal à égal, me remet un gros livre, *The Enemy within*, de Robert Kennedy. Il veut en écrire le scénario. « La famille Kennedy est d'accord si c'est vous qui le réalisez. » Dans son livre, Robert Kennedy raconte sa lutte contre le crime organisé, notamment contre Jimmy Hoffa, le chef mafieux du syndicat des routiers. Cet univers, très américain, est loin de mes centres d'intérêt. J'explique avec regret à Budd Schulberg que ce projet n'est pas pour moi.

À l'hôtel, comme à Paris, chez moi ou chez Lebovici, on me déposait régulièrement des scénarios ou des livres, avec des histoires d'assassinats, des magouilles politiques ou autres. J'étais désormais considéré comme le spécialiste.

Une fois le tournage et le montage de *L'Aveu* achevés, je pris la décision de ne pas mettre de musique. Les images, le jeu de Montand et des autres acteurs devaient rester purs, sans nécessité de dramatiser davantage. Ils se suffisaient à eux-mêmes. Vint alors le moment de concevoir le générique, vieux problème du cinéma. Qui signe le premier ? Qui le dernier ? Juste avant la première image, c'est toujours le nom du metteur en scène. Qui nommer juste avant ? Dans quel ordre ? De quelle grosseur ? Simone me confie que Jorge désire signer seul le scénario. Un peu surpris, je veux lui dire : « Mais pourquoi ? Comme pour *Z*, nous avons fait le scénario ensemble. » Mais Simone ajoute qu'elle pense que je dois accepter, que c'est aussi une part de la vie personnelle de Jorge. Je ne pouvais rien refuser à Simone.

C'est enfin la première projection du film pour le premier cercle des participants : Montand, Simone, Jorge, sa femme Colette, Michèle, Françoise la monteuse et moi. Certains découvrent le film. C'est d'eux que je guigne les réactions, leurs respirations. Montand avait vu les rushes au jour le jour pendant le tournage, mais les rushes sont une chose et, une fois assemblés, il arrive que l'on ait des surprises douloureuses. Peu à peu, je vois Montand se détendre, s'installer confortablement, en spectateur. Simone reste tendue, Jorge aussi. Colette guette Jorge. Elle veut commenter, il est agacé. Quant à Michèle, qui avait suivi le montage, elle me serre tantôt la main, tantôt le genou en signe d'approbation et cela apaise mon anxiété. Pour moi, c'est la plus longue des projections. Deux heures dix, le regard tantôt sur l'écran, tantôt sur ces quatre spectateurs. C'est un autre film que l'on découvre, en réalité on découvre le film avec les yeux des spectateurs, aussi peu nombreux soient-ils, ou aussi particuliers soient-ils, comme ici. La projection finie, Michou me serre fort la main. Montand est content, ému, il me serre dans ses bras. Simone aussi. Jorge me fait des tapotements dans le dos, à l'espagnole. Colette m'embrasse et exprime, de sa voix forte, ses compliments.

Le comité français de sélection pour les Oscars choisit *Ma nuit chez Maud* d'Éric Rohmer pour représenter la France. Déception à Paris, chez nous. Fureur à New York chez Rugoff. Mais bonheur à Alger de présenter *Z* pour l'Algérie aux Oscars !

Le comité des Oscars annonce cinq nominations pour *Z* : meilleur film, meilleur réalisateur, meilleur scénario, meilleur montage, meilleur film étranger. Rugoff veut que j'aille immédiatement à New York pour une série d'interviews. Avant de partir, je demande à Michèle de superviser le prémixage son de *L'Aveu*, pour montrer le film aux London dès mon retour.

Arrivé à l'aéroport, la limousine qui m'attend ne me conduit pas à l'Algonquin mais au Pierre, sur la Cinquième Avenue. « Mon importance et ma valeur » atteignent le « top des tops », comme dirait aujourd'hui Théo, le dernier de nos petits-fils. Dans le lobby, Rugoff fait les cent pas avant de me conduire personnellement dans ma suite. Je suis comme dans un film.

Parmi les nombreux messages qui m'attendent, celui de Robert Evans, directeur des productions de Paramount, qui souhaite me rencontrer au plus vite. Rendez-vous est pris pour un déjeuner le lendemain. Marina et Steve me précisent que Evans est très *hot*. En traversant Central Park pour me rendre au restaurant, je pensais à cette histoire du jeune cinéaste engagé à Hollywood que René Clair m'avait racontée. Il faudra que je l'écrive. En attendant, j'arrive au restaurant où m'attend Robert Evans, jeune, beau, brun, bronzé, effervescent, dents étincelantes, ongles manucurés. L'autre convive est Charles Blühdorn, plus âgé, souriant, séduisant et inconnu. Je suis accueilli comme une star, ou plutôt comme une curiosité. Après les congratulations autour de mes films, ils me parlent même de *Un homme de trop*, en anglais *Schock Troops*, Evans me dit sans préambule que la Paramount a un projet de film important qu'ils souhaitent me confier. Il pose la main sur un livre retourné pour en cacher le titre, tout en me parlant des thèmes et des personnages de l'histoire, et des acteurs possibles. Mon anglais étant encore hésitant je comprends la moitié de ce qu'ils me racontent, mais le mot mafia revient souvent, ainsi que le nom de James Cagney, que Blühdorn ajoute tout en m'observant. Il approuve Evans, sans diligence, ce qui accentue l'impression que c'est lui le patron.

Enfin Evans retourne le livre et je peux lire *The Godfather*. Ils me fixent, l'air de me faire une révélation. Cela ne me disait rien. Pour ne pas passer pour un rustique, je me montre impressionné. Blühdorn me remet le livre « à lire en prenant le temps ». La suite du déjeuner se passe de manière sympathique, en nous appelant Charles, Costa, Bob, comme si nous nous connaissions depuis de longues années.

Charles qui parle un peu le français – sa femme est française – me montre le gratte-ciel juste en face, en bordure du parc. J'ai lu les énormes lettres Gulf & Western. « C'est notre compagnie. Et Paramount nous appartient. Vous y serez toujours le bienvenu. » Il me donne son téléphone personnel et d'autres signes extérieurs de bienveillance.

« Tu as déjeuné avec Blühdorn, le président de Gulf & Western », sourit Steve Kaufman, faisant mine d'être ébloui. Steve était à l'époque l'assistant de Robert Morgenthau, le *district attorney* (procureur) de Manhattan. Je leur montre le livre. « *It's a big best-seller* », dit Steve. Sa femme Marina fait la moue. Notre amitié prenait racine, tissée d'affection, d'attachements forts où l'humour ne manquait jamais. Steve et Marina nous présentent alors au prestigieux Robert Morgenthau, élu à neuf reprises. Lors de nos rencontres – qui se poursuivent encore aujourd'hui –, j'ai pu lui poser des questions sur cette gigantesque métropole de la fusion humaine, multiculturelle, multiraciale, multiethnique, multisexuelle, bref multitout. Il me répondait avec respect et sagesse, avec cette acceptation de l'autre qui m'a permis de comprendre le mode de vie de cette immense diversité qu'est New York.

Je commençai la lecture du *Godfather* (*Le Parrain*) le soir même, puis entre les interviews, puis dans l'avion de retour, enfin à Paris, avec un dictionnaire à ma portée. L'histoire d'une famille de la mafia, avec ses haines, ses tueries, ses mafieux, dont l'un possédait un sexe surdimentionné, mais sans qu'il soit jamais question de trafic de drogue... Je ne voyais pas ce que j'irais faire dans cette galère. J'appelle Charles Blühdorn pour lui dire que ce n'est pas un film pour moi. J'insiste sur la nature italienne du sujet, loin de ce que je connais. Il n'était pas d'accord mais respecta ma décision. Il souhaitait trouver un film qui nous conviendrait à tous les deux. Et naturellement nous nous sommes revus. Francis Coppola, d'origine italienne, a su faire de ce livre médiocre un très grand film qui nous laisse nous extasier et nous émouvoir sur des mafieux.

À Paris, deuxième projection de *L'Aveu*. Les mêmes, sans Simone ni Colette, mais avec les London, Lise et Gérard. Toujours dans la petite salle des studios de Billancourt. Gérard est assis au premier rang, avec Lise. Je suis derrière lui, entre Michèle et Montand, Jorge à côté de lui. Notre préoccupation commune : la réaction de Gérard. Comment va-t-il recevoir ces images qui retracent la partie la plus dramatique de sa vie ? De sa réaction dépendait l'avenir du film.

Pendant toute la durée de la projection, il reste immobile, comme cloué à son siège. Quant à Lise, elle bouge, montre quelques humeurs indéfinissables ici et là, plus particulièrement quand il s'agit du Parti communiste français. Le film terminé, Gérard demeure sans bouger, parfaitement immobile, longtemps. Je me lève. Montand et Jorge aussi. Tous inquiets de l'immobilité de Gérard. Michèle nous fait signe de lui laisser le temps. Je me poste face à lui et Lise, prêt à recevoir l'orage. Lise garde les yeux baissés. Gérard pleure. Après un long moment, il se lève. Il nous embrasse, Jorge et moi, puis prend les deux mains de Montand dans les siennes, Montand étant trop grand pour qu'il puisse l'embrasser. Il les serre longuement. Je n'ai plus jamais eu de meilleure récompense que cette étreinte, que ce baiser un peu mouillé par ses larmes qui coulaient le long de sa joue.

La rumeur autour du film s'amplifie et se répand. Nous étions convenus de ne répondre à aucune demande d'interview, ni de faire la moindre déclaration avant la projection publique du film, refusant également de répondre aux invitations de festivals, s'il y en avait, pour éviter les prix de circonstance et de bonne conscience.

Je propose à la direction du Parti communiste français une projection privée, s'ils souhaitent voir le film. Ils le souhaitent. Montand aurait voulu être une petite souris pendant la projection. Le projectionniste du studio a été le seul « témoin » de la scène. De sa cabine, il pouvait les voir, pas les entendre. Ils étaient six ou sept. Il les a vus beaucoup réagir pendant la projection et partir furieux. Cela a beaucoup égayé Montand. Nous n'avons jamais su si son frère Julien était parmi eux.

Rugoff nous interdit d'aller à la cérémonie des Golden Globes. Il semblait pourtant que nous aurions le Best Foreign Film, mais y aller, pensait Rugoff, aurait envoyé un signe négatif pour les Oscars. Cela a beaucoup changé depuis.

Arrivés la veille de la cérémonie des Oscars à Los Angeles, nous descendons au Berveley Hills Hotel, un lieu mythique. Première vraie émotion : une invitation de George Cukor à un déjeuner en l'honneur des jeunes nominés aux Oscars pour rencontrer quelques-uns de leurs collègues vétérans de Hollywood. J'avais rencontré Cukor chez les Montand à Paris. Yves avait tourné avec lui *Le Milliardaire* avec Marilyn Monroe.

Une limousine vient me chercher – on ne se déplaçait alors qu'en limousine. Pour *Missing* je demanderai au service d'Universal une voiture plus petite. Je me sentais ridicule en sortant de ces limousines à la longueur interminable, pendant que le chauffeur courait autour pour m'ouvrir la portière.

J'arrive devant la superbe maison de Cukor située sur une colline de West Hollywood. Il m'accueille très affectueusement, me remercie d'avoir accepté de venir à ce déjeuner d'amis en me demandant de l'appeler George. Il y a là une douzaine d'invités et parmi eux les trois « jeunes nominés » : Veljko Bulajić, un réalisateur yougoslave, Paul Mazursky, un réalisateur américain, et moi... Nous nous saluons, un peu intimidés. Mazursky est le plus libéré. George me prend par le bras et me conduit jusqu'à un monsieur plus âgé. Assis, il nous tournait le dos tout en discutant avec Pierre Cottrell, producteur du film de Rohmer, *Ma nuit chez Maud*, représentant la France. « Je ne vous présente pas Pierre... », puis « John, je te présente... ». Le monsieur âgé s'est retourné, il portait un bandeau noir sur l'œil gauche. C'était John Ford.

« *Well...* », dit-il en entendant mon nom. Et il me tend la main et me dit des choses sur *Z* que je ne répéterai pas. Assis à côté de lui pendant le déjeuner il me demande comment on peut tourner « *hand held camera* », c'est-à-dire caméra à l'épaule. Je lui explique qu'une grande partie du film a été tournée avec un Caméflex. « Et le son ? » me lance-t-il avec sévérité. Je lui décris le *blimp* dans lequel nous enfermons le Caméflex, et les couvertures posées par-dessus pour s'assurer de l'insonorisation. Surpris, il éclate de rire.

Les présentations se sont poursuivies : Norman Jewison, George Stevens, King Vidor, Bo Widerberg (nous nous connaissions déjà), Mark Rydell, Mike Nichols, William Wyler, étonné de m'entendre parler de son *Detective Story*. King Vidor me demande si j'ai déjà tourné en 16 mm. Lui-même avait un projet qu'il voulait tourner en *hand held camera*. C'est devenu le sujet du déjeuner. Et son corollaire, le cinéma français. Ce qui me mettait un peu au centre de la discussion, grâce aussi aux nombreuses nominations, mais surtout grâce à la publication du budget de *Z* : moins de 1 million de dollars. Pour eux cela tenait du prodige.

Avec Michèle et les Montand, j'ai revu Cukor des mois plus tard. Il racontait le déjeuner dans ses moindres détails, en répétant que c'était inoubliable pour lui et ses vieux amis. Et pour moi donc !

Les soirées des Oscars, on les a vues et revues à la télévision, avec leur rhétorique, l'emphase qui les accompagne et finit par les banaliser. Je me demande si on leur rend ainsi justice. Car, en faire partie, se trouver dans cette salle provoque une émotion indescriptible, sans égale pendant le temps que dure la cérémonie. Sur notre rang, il y avait Jacques Perrin, Jorge et Colette, Michèle et moi, Ahmed Rachedi, Françoise Bonnot, la monteuse. Juste devant nous, John Wayne avec les siens, qui recevait un Oscar d'honneur pour l'ensemble de sa carrière. Tout ce qui nous indignait chez lui, ses croisades en faveur de la guerre du Vietnam, son film *Les Bérets verts* célébrant le massacre des Vietnamiens, tout était oublié ce soir-là pour ne penser qu'au meilleur, au plaisir que cet acteur, inventé par John Ford, ce héros du peuple américain, nous avait apporté.

Les récompenses de l'Academy Award, symbolisées par la fameuse statuette de style plutôt mussolinien, semblent personnifier désormais la culture américaine. Combien de fois, des hommes et des femmes pour lesquels j'ai considération et admiration au vu de ces statuettes ne m'ont pas demandé avec une certaine timidité émue : « Est-ce que je peux la toucher ? »

Malgré nos espoirs et les cinq nominations, nous n'en avons ce soir-là obtenu que deux : pour le montage et celle du meilleur film étranger pour l'Algérie.

La grande déception était pour Rugoff, qui m'expliquait que chaque Oscar correspondait à peu près à un million de dollars de plus au box-office. Celui du meilleur film, plusieurs millions. C'est *Macadam Cowboy*, de John Schlesinger, avec Dustin Hoffman et Jon Voight, qui a récolté ces « plusieurs millions ».

À la sortie, je vois un petit monsieur quitter son groupe et se diriger vers moi. « Je m'appelle Frank Capra et votre film *Z...* » Ma surprise – *Est-ce vraiment lui ? J'ai dû mal entendre !* – me fait perdre ce qu'il m'a dit, mais le plus important était que ce soit LUI. Perrin s'est approché. Capra a reconnu l'acteur. Je lui précise que c'est aussi le producteur. Il nous a encore parlé, puis salué et il est parti, avec des petits pas rapides, rejoindre ses amis. Nous nous regardons avec Jacques en silence, longuement. Jorge est mécontent que nous ne l'ayons pas appelé pour se joindre à nous, mais Jacques et moi nous nous demandions encore si nous n'avions pas halluciné.

En 1983, alors président de la Cinémathèque, j'ai appelé Frank Capra, qui se souvenait de notre brève rencontre, pour l'inviter à une rétrospective de toute son œuvre et rencontrer le public français. Il a accepté avec empressement et, si j'avais bien compris, avec grande joie. Quelque temps plus tard, son petit-fils m'appela pour me dire que Frank n'était pas en état de voyager. Il avait 87 ans. Il a ajouté qu'il était préférable que je garde en mémoire la dernière image que j'avais eue de lui. Une remarque que je ne cesse de méditer.

Toutes les cérémonies de remise de prix se terminent par un dîner de célébration, de consolation, de congratulations, parfois avec des rencontres les plus inattendues. Le *after Oscar dinner* se passait cette année-là dans la grande salle du Hilton de Beverly Hills. Après avoir traversé la monumentale cohue, j'aperçois à la table voisine Gregory Peck, que Jorge et moi avions rencontré à Paris. Il se lève, vient vers nous et nous fait les compliments et regrets qu'on fait dans ces cas aux non-vainqueurs du prix suprême. Puis il se penche vers moi et Jorge : « Je ne devrais pas vous le dire, mais vous êtes passé de très très près du meilleur film. » Les mots sont accompagnés d'un petit geste du pouce face à l'index, créant un petit espace avant de se toucher. Mots et geste de réconfort, je me suis dit. Il poursuit : « Venez Costa, quelqu'un veut vous connaître. »

À sa table, plusieurs visages connus me sourient. Je souris à la ronde et, soudain, je remarque, juste devant moi, un visage aux yeux archiconnus et aux couleurs uniques au cinéma : Elizabeth Taylor. J'ai eu le sentiment de la connaître depuis toujours. C'est à elle que Peck me présente d'abord, en lui disant quelque chose que je n'ai pas saisi. Elle me dit je ne sais plus quoi sur le film en tenant ma main, puis, en me fixant avec plus d'intensité, enfin, c'est ce que j'ai cru : « *With you, anything, anytime, anywhere...* » Et un grand sourire comme signature. J'ai senti le tapotement de Gregory Peck sur mon épaule, comme une approbation. En revenant à ma table, je me suis dit voilà comment les acteurs nous séduisent et se rendent inoubliables. Alors que ces promesses ne sont que des vanités poétiques nécessaires à la survie de notre petit monde, où l'argent tend à gérer toutes les relations, toutes les sensibilités.

Nous rentrons et montons euphoriques, béats même, les marches hollywoodiennes du Berverly Hills Hotel pour rejoindre nos suites. Soudain, j'ai un sentiment de fin du monde. Nous avons échappé à la réalité, durant quelque quarante-huit heures, mais l'exaltation d'un ample horizon où tout était possible se refermait maintenant sur le visage de Rachedi, qui me demandait comment aller à Las Vegas, sur Françoise Bonnot qui n'avait parlé que d'elle en recevant l'Oscar, sur les célébrités qui m'avaient embrassé, sur les regrets de statuettes non reçues. Je souris à tous et je me

demandais si... quand retentit la voix de Colette Semprún :
« Attention Costa, tu vas le déchirer. Il peut encore servir ! »
Je m'aperçus que je serrais mes poings au fond des poches de
mon smoking, Je les enfonçais alors jusqu'à le déchirer et je
distribuais des lambeaux à chacun et chacune. Énormes fous
rires ébahis. Retour à la simplicité de la réalité.

Il a fallu attendre la sortie de *L'Aveu* pour avoir la position officielle du Parti : « D'un livre communiste, ils ont
fait un film anticommuniste. » Gérard London leur répond
indirectement dans *Le Monde*, en défendant le film dans ses
moindres détails, aussi bien les images que les dialogues. Puis
la position du Parti évolua, beaucoup et souvent. Plus tard,
lorsque *L'Aveu* est passé à la télévision, le débat qui a suivi
– avec la présence du couple London, nous tous réunis devant
la télévision à la Roulotte chez les Montand – était ouvert
par Jean Kanapa, membre du bureau politique du Parti. Il
déclara d'entrée que ce film aurait dû être financé par le Parti
communiste français ! Montand a bondi, hurlé des gros mots,
inhabituels dans sa bouche. Simone a simplement dit : « Ils
changent, ils changent. » Chris Marker a conclu par un « ils
changeront encore ». Il ne s'était pas trompé. Quelque temps
après, Georges Marchais, secrétaire général du Parti, déclarait
à un journaliste : « *L'Aveu* est un film anticommuniste. »
   Contrairement aux habitudes de lancement d'un film,
nous avions décidé de ne faire qu'une seule projection pour
la presse et les invités. Le film sortait quelques jours plus
tard. Projection au grand Gaumont sur les Champs-Élysées.
Cinq cents places toutes occupées. Seule Michèle y assistait.
Je l'attendais dans la voiture, non loin du cinéma. Je pouvais
voir dans le rétroviseur la foule sortir du cinéma et se disperser sur les Champs-Élysées. « Alors ? » « C'est bon. C'était

très bien. » Puis, comme si elle venait de se souvenir d'une futilité : « Jean-Pierre Gorin m'a dit : "Ton mari, on devrait le pendre". » De la rhétorique gauchiste !

Gorin a eu son moment de gloire quand il devint le gourou politique de Jean-Luc Godard. Pendant le dîner avec les Montand et les Semprún, nous avons partagé nos impressions, commentaires, fureurs et enthousiasmes, chacun d'entre nous rapportant ce qu'il avait pu entendre à propos du film après la projection. Lorsqu'on en vint à parler de Gorin, Simone eut un mouvement de colère. Montand et surtout Jorge se sont mis à ironiser sur la création par Gorin et Godard du Groupe Dziga Vertov, pâle copie du collectif SLON de Chris Marker, qui portait à la fois une vision nouvelle du cinéma et de son rôle dans la société. « Alors que celui de Gorin est un puits sans fond de bêtise politique. » Jorge était en verve et il lui arrivait d'atteindre des niveaux inattendus d'humour, par la justesse de sa raillerie et de son talent de polémiste.

Nous avions beaucoup souri et même ri, et je pensais que nous en resterions là. C'était compter sans Simone qui, le lendemain, « convoquait » Gorin à la Roulotte. Quand il s'agissait de proches, d'injures et d'éthique, Simone allait jusqu'au bout. Gorin a commencé par nier, accusant celui qui avait rapporté ses mots d'avoir menti. « C'est Michèle et elle ne ment pas. » Il a fini par l'admettre, en ajoutant qu'il ne s'agissait que d'une plaisanterie. La réaction de Gorin fut le premier fait d'hostilité verbale. Il y en eut bien d'autres, suivis par des écrits, des démonstrations. Certaines connaissances ne nous saluaient plus ou préféraient changer de trottoir pour ne pas avoir à nous croiser. Nous avons à nouveau connu cet opprobre, plus tard, avec *Hanna K.* Enfin, là, le « nous » ce n'était que Michèle et moi. On pourrait penser que c'était plutôt stimulant, mais c'était triste.

Le neveu de Montand, Jean-Louis, m'a appelé le lendemain de la projection pour me dire qu'il avait vomi toute la nuit. Jeune, dynamique, intelligent, il avait vécu toute son enfance dans un environnement communiste. À la première projection publique à Lille, promise aux Lillois pour les remercier de leur hospitalité durant le tournage, la salle est archipleine. Nous sommes avec Montand. Silence absolu, jusqu'au moment où Montand/London est appelé à la barre du tribunal. Un « ah ! » plein d'espoir et d'envie de vérité a traversé la salle. Montand/London allait dire les quatre vérités sur ce procès bidon ! Le public s'attendait à voir sur l'écran un héros à l'américaine. Or le film s'inspirait d'une autre tradition cinématographique, celle de la catharsis, ou plus simplement du défoulement.

Quant à London, il a dit un soir à Vassilis Vassilikos : « Maintenant mes cauchemars ne sont plus en noir et blanc mais en couleurs. »

Mon grand étonnement sera le succès public du film. Succès qui amena une nouvelle campagne de dénigrement, sur le thème : « Un coup à gauche, un coup à droite, un bon filon commercial. »

Les félicitations et les applaudissements de certains, pour lesquels notre estime était à marée basse, furent nombreux. Il est vrai que nous apportions des « trombes d'eau aux moulins de l'adversaire qui lui donnaient des flots de satisfaction. » « Et alors, répondait Montand, nous n'allons pas fermer nos gueules pour faire plaisir à ceux qu'on n'aime pas ! » Il avait aussi cette expression que Michèle adorait : « Je préfère un communiste avec une Cadillac qu'un fasciste avec un tank. » La vérité est que « l'adversaire » savait tout ce que révélait le film, car il suffisait de lire les articles des journaux comme *Le Figaro* et *L'Aurore* à l'époque des procès staliniens. Mais « l'adversaire » n'était pas crédible, car tout en dénonçant ces iniquités, il en acceptait ou en perpétrait d'autres, par exemple la guerre en Indochine ou celle d'Algérie. Il colonisait en Afrique ou tirait sur les mineurs grévistes. Et même si l'adversaire ne faisait pas tout cela personnellement, il l'acceptait, et par là même le soutenait et l'encourageait. Montand avait raison. Il n'était pas, il n'est plus question de fermer nos gueules.

Charles Blühdorn, le patron de Paramount Pictures, a acheté sans l'avoir vu *L'Aveu* pour un prix supérieur à celui de *Z*. Il est venu me voir aux studios de Billancourt où nous faisions le mixage de la version internationale : il voulait être sûr que je supervise le sous-titrage en anglais, mais, par-dessus tout, que j'aille à Washington. Il planifiait en effet d'organiser une projection destinée aux sénateurs et aux *congressmen.*

J'avais accepté et lui ai dit, sans doute dans un moment de spontanéité dû à sa force de séduction, que le film allait être un peu difficile pour le public américain. C'est une chose à ne jamais dire à un acheteur de vos films. Blühdorn me happait avec la passion qu'il prodiguait, son perpétuel mouvement et son envie de faire un film avec moi. Il ne m'en voulait pas d'avoir refusé *Le Parrain.*

Des années plus tard, lors d'un déjeuner à Paris où nous discutions du *Napoléon* d'Abel Gance, dont la Cinémathèque et Coppola détiennent conjointement les droits, avec ses collaborateurs, Serge Toubiana, Jean-Christophe Mikhaïloff et Joël Daire, Coppola m'a confié les difficultés qu'il avait rencontrées avec Blühdorn, qui se mêlait de tout. Et il avait ajouté : « Heureusement que vous n'avez pas fait *Le Parrain*. Ça m'a permis de le faire et il vous aurait rendu la vie dure. » Je lui ai répondu que d'un livre médiocre et grâce à son talent, *Le Parrain* était devenu le chef-d'œuvre que personne d'autre n'aurait réussi.

L'Aveu aux USA n'a été vu que par un public très limité d'intellectuels et de spécialistes intéressés par les problèmes du communisme. Le grand public ne pouvait pas suivre, malgré les articles et critiques positifs et la pleine couverture du supplément du dimanche du *New York Times*. Les Américains comprenaient bien sûr que ce « monstre d'apocalypse », le communisme, soit capable des crimes les plus abominables. Cela leur avait même été inculqué sans la moindre nuance. Mais ils ne comprenaient pas qu'aucun des accusés ne se lève à un moment pour dénoncer ces injustices.

Je n'ai jamais su si Charles Blühdorn avait projeté le film pour les politiciens de Washington. Peut-être pas, de peur qu'eux non plus ne comprennent pas ou n'admettent pas que le héros du film, Montand/London, déclare vouloir rester communiste après tout ce qu'il avait enduré.

En juin 1990, j'ai été contacté par Petr Janyška, un proche de Václav Havel, lequel se présentait à l'élection présidentielle en Tchécoslovaquie. Havel souhaitait que *L'Aveu* soit projeté à Prague, avec notre présence à tous. Pour que le film, en quelque sorte, participe à l'élection. Nous y sommes tous allés. Décédé quatre ans auparavant, Gérard London n'a malheureusement pas pu voir la formidable réhabilitation de son livre, du film et de lui-même par sa propre patrie. L'accueil qui nous a été fait, ainsi qu'au film, était émouvant. Nous avions avec Simone, Montand et Semprún soutenu les engagements de Václav Havel, depuis l'interdiction de ses pièces par le régime. Ce soutien très actif s'était poursuivi avec la création de la « Charte 77 », pour la défense des droits des Tchèques, enfin pour les siens pendant les cinq ans de son emprisonnement. L'homme s'était montré exemplaire pendant toutes ces années.

J'ajoute néanmoins une interrogation à mon admiration pour Václav Havel, l'homme et son œuvre : comment est-il possible qu'un homme ayant de tels conceptions et jugements éthiques ait pu soutenir dès le premier jour George Bush et sa guerre en Iraq, et appelé les bombes de l'OTAN contre les Serbes en Bosnie des « bombes humanitaires » ? À moins, peut-être, de considérer comme une vérité universelle la dernière phrase du film de Billy Wilder *Certains l'aiment chaud :* « *Nobody is perfect.* »

Ce même mois de juin 1990, *L'Aveu*, et nous avec lui, avons été invités par Alexandre Yakovlev, conseiller de Mikhaïl Gorbatchev, pour présenter le film à Moscou. C'était un de ces événements que nous évoquions avec des railleries, pour mieux en signifier l'impossibilité due à la chape de plomb qui couvrait le système soviétique. Eh bien ! Nous nous trompions. Tout le monde se trompait. Les services secrets occidentaux, que l'on disait performants, sophistiqués, et qui étaient éminemment coûteux, n'ont rien vu venir. Les spécialistes, soviétologues, *communistologues, kremlinologues* et autres, qui abreuvaient les médias de leurs expertises n'avaient rien vu venir non plus. La pérennité du stalinisme semblait immortelle. Le fruit avait pourtant pourri de l'intérieur. Et il était tombé, et avait éclaté dans un bruit aussi attristant que les faux espoirs qu'il avait fait naître.

Nous voilà donc à Moscou, au Kremlin, dans la grande salle de réunion des représentants des peuples soviétiques, transformée en salle de projection, comme durant le Festival où, quelques années auparavant, ils avaient projeté *Un homme de trop*. Nous voilà, Montand, Jorge, moi, avec Chris Marker qui nous avait accompagnés. Ce dernier exultait, la circonstance le faisait jubiler sous cape. Nous voilà, dans cette salle archipleine, répondant après la projection de *L'Aveu* aux questions du meneur du débat et des spectateurs qui saisissaient les micros que des jeunes femmes parcourant les travées leur proposaient. J'ai oublié les questions, et plus encore nos réponses. Mais j'ai encore en tête les images de cette salle colossale, remplie d'un public qui n'a pas bougé jusqu'à la fin de la discussion. Et Chris Marker qui filmait, qui filmait surtout la salle.

Revenons en 1970. Michèle était enceinte. Je venais d'une famille de garçons. Le père, bien sûr, et trois « mâles », individus doués des pouvoirs de fécondation, comme c'est écrit dans le Larousse. J'ajouterai des comportements virils, phallocratiques, inconscients mais réels, alimentés par l'environnement. Cela rendait ma mère, unique femme, très seule.

Une fois encore, Michèle s'est montrée à la hauteur de mon rêve secret. Je lui avais demandé : « Je veux une fille, blonde et aux yeux bleus, comme ma mère ! » Une petite fille est née, *petit tube* comme tous les bébés, qui allait vite se métamorphoser en une belle petite fille blonde aux yeux bleus. Et au caractère de feu. Comme ma mère. Peut-être aussi parce qu'elle avait dû « s'accrocher » quand Michèle, enceinte de quatre ou cinq mois, la baladait en reportage à dos de chameau le long de la frontière jordano-saoudienne. Pendant toute la grossesse, Julie était *Fidélita*. Pour Fidel bien sûr. Et puis *Fidélita* est devenue *Éléna-Julie*, puis Julie. Mais elle n'a pas oublié *Fidélita*. Son premier film s'appelle *La Faute à Fidel*. Une transposition réussie de sa vie de petite fille avec des parents politisés et une maison très fréquentée par les réfugiés et les *barbudos*.

Aux événements familiaux et professionnels qui se sont succédé, croisés, superposés, pendant plus de deux ans, sont venus s'ajouter les débats publics où nous étions invités, Jorge et moi, autour de *Z* et de *L'Aveu*. C'était une période où les passions politiques étaient exacerbées, pour ne pas dire exaspérées. Les idéologies revisitées, découvertes par beaucoup, souvent très partiellement, cherchaient chacune des espaces nouveaux, certaines y jouant leur survie. Toutes se transformaient en religion, c'est-à-dire en vérité unique, rejetant toutes les autres et ne se remettant jamais en question.

Les Grecs anciens pensaient qu'une idéologie naît, grandit, vieillit, périclite. Peu nombreux étaient ceux qui acceptaient cette vérité. Nombreux sont ceux qui s'accrochaient aux derniers lambeaux de leurs croyances ou de leurs convictions, avec l'énergie de l'indigence.

CHAPITRE 10

En route pour le Chili

Dans ce labyrinthe d'idées « nouvelles », certaines étant déjà reçues ou rabâchées, nous avions fait Jorge et moi le tour de France, débattant avec les publics après la projection de *L'Aveu*, qui posait à tous des problèmes. Les réponses de Jorge, que je reprenais parfois, faisaient mouche, clouaient les becs, la plupart de nos contestataires ayant des cultures politiques bien étroites et figées. Ces débats ont fini par devenir pour nous un numéro bien réglé, un *show* où les questions se répétaient, les réponses se perfectionnant chaque jour.

Nous avons alors décidé de mettre un terme à ces débats, pour retourner chacun à l'essentiel, Jorge à l'écriture et moi à mon prochain sujet de film. Celui auquel je pensais allait demander des mois, des années… J'hésitais.

Michèle m'exhortait à prendre tout le temps nécessaire, et à ne pas me laisser séduire par les nombreux projets qui atterrissaient chez nous. Elle organisa notre vie dans cet esprit, dans cette économie des valeurs où prime le temps de la réflexion et des choix.

C'était la CIA, affirmait-on ici et là, qui avait organisé le coup d'État des colonels grecs. La CIA est un symbole et une réalité. Cette réalité est gouvernée par des hommes. Un de ces hommes a été chargé de cette opération. Cet homme a un physique, une psychologie, une vie sexuelle, une sensualité, des mœurs, bref une existence. Un nom, une image a surgi du fatras des figures du passé, de mon passé grec.

John Peurifoy, ambassadeur américain, avait organisé, après la guerre civile, l'installation d'une nouvelle génération politique, je dirais violemment américanophile. Il recevait les hommes politiques, la chemise portée hors du pantalon. C'était le début de cette mode américaine, qui outrait mon père, alors que nous, adolescents, l'aimions et n'avions qu'une envie, l'adopter. On disait avoir vu parfois un Colt 45 dépasser sous cette chemise. C'était un grand ami de la reine Frederika, ancienne des Jeunesses hitlériennes.

Après la Grèce, Peurifoy a été envoyé au Guatemala. Peu après son arrivée, le gouvernement démocratique de Jacobo Arbenz a été renversé par une junte militaire, dont le chef, Castillo Armas, pro-américain, fut nommé président. John Peurifoy a installé au Guatemala la plus brutale des dictatures démocratiques pro-américaines. Nommé ensuite en Thaïlande, il a été tué avec son fils de 9 ans, sa voiture ayant été renversée par un camion. Un camion de révolutionnaires, disait-on.

Ces grands commis des États-Unis, faiseurs de démocraties pro-américaines, étaient très présents dans les pays occidentaux de l'après-guerre. Il y avait là un film à faire.

Un coup de téléphone du cinéaste chilien Helvio Soto m'arrête dans ce travail de recherche. Soto, que je ne connaissais pas, m'apprend depuis Santiago qu'une violente campagne de presse, déclenchée par la droite, affirme que *L'Aveu* est interdit par le gouvernement d'Allende. Les démentis formels du gouvernement n'y changeaient rien et la campagne se poursuivait. Soto me demande de les aider. Je contacte la Warner à New York, puis à Los Angeles : personne n'est informé d'aucune interdiction, la sortie du film étant prévue pour l'hiver, or nous étions en février, et février, au Chili, c'est l'été. Helvio Soto me répond que seule ma venue au Chili pourra inverser la situation et rétablir la vérité. Diable ! Aller au Chili, à l'autre bout du monde, juste pour répéter à la presse ce que la Warner m'avait affirmé ?

« Tu vas au Chili pour Allende, pas pour la presse », objecte Michèle. Cela a un sens, une signification. Trois jours après, je débarque à l'aéroport de Santiago. Je demande au taxi de me conduire dans un bon hôtel central. Il me dépose à l'hôtel Carrera, place de la Moneda. De ma fenêtre je pouvais voir le palais présidentiel. C'est depuis ces mêmes fenêtres que, trois ans plus tard, sera filmé le bombardement du palais par les avions de Pinochet, des images qui ont fait le tour du monde.

J'ai appelé Helvio Soto : « Alors vous venez à Santiago ? » « Je suis à l'hôtel Carrera. » Il a poussé un cri insolite. « Il faut organiser une conférence de presse. Je ne peux pas rester longtemps. » Je l'ai senti affolé. « Ne bouge pas, j'arrive ! » Très brun, cheveux en arrière comme poussés par un vent qui le poursuivrait, les yeux grands ouverts de surprise, ou de nature, Helvio est entré, essoufflé, accompagné d'un grand « ours moustachu » aux yeux d'enfant rieur derrière des lunettes et au visage poupin, bon vivant. Incontestablement, il émanait de lui une sympathie toute naturelle. « Augusto Olivares, content de te voir *compañero* ! »

Tous deux formaient un curieux couple. Ils étaient des proches d'Allende. Augusto était directeur de la télévision nationale, conseiller et ami de toujours du *Présidente.* Ils m'ont briefé sur la campagne autour de *L'Aveu,* qui s'était considérablement amplifiée et aggravée en violence. Ils souhaitaient profiter de ma présence pour retourner la situation. J'étais là pour ça. Augusto pensait avoir une idée. Mais il fallait quitter l'hôtel avant que ma présence ne soit découverte par les journalistes : l'idée d'Augusto tournait autour de l'effet de surprise.

Je me suis donc installé chez Helvio, tandis qu'Augusto, qui avait affiné son idée, me proposait d'être l'invité surprise d'une émission très populaire du dimanche soir. Nous étions mercredi, je ne pourrais donc pas repartir avant lundi, au mieux. Augusto organiserait entre-temps une rencontre avec Allende.

C'était fin mars 1971, le début de l'automne en Amérique latine. Ce matin-là, la pergola encore couverte de fleurs de la résidence présidentielle Tomas Moro, sous laquelle nous attendions Augusto et moi, répandait un petit parfum indéfinissable. À peine dix minutes d'attente et j'ai vu le président Allende se précipiter vers moi, les bras tendus, en me demandant s'il pouvait m'appeler « *Companero* » ! Bien sûr qu'il le pouvait ! J'en étais flatté. Sa présence était très chaleureuse et provoquait un véritable émoi.

Le « camarade » français » ou le « *syndrofé* » grec m'ont toujours paru fictifs, ils ne m'ont jamais concerné. Le « *companero* » d'Allende avait une autre musique que celle de la routine politique. On nous a servi un petit déjeuner, je n'étais intéressé que par cet homme dont l'élection avait fait l'effet d'une bombe. Un marxiste dans le *jardin* qu'était l'Amérique latine avait provoqué une formidable poussée de haine chez les Américains du Nord, mais aussi ailleurs, par esprit moutonnier.

Plutôt petit, le président Allende portait des lunettes à grosse monture et une moustache de notable de province, mais sa voix avait une fermeté, une clarté dans les propos et une chaleur qui m'ont réjoui. Après m'avoir demandé des nouvelles de la France, de Michèle, de nos enfants, de mes projets, il m'a parlé de son idée de socialisme à la chilienne, démocratique et libre. Libre pour tous, pour l'opposition, quelle qu'elle soit, pour la presse, quoi qu'elle écrive, pour les artistes, pour les religions. Il a insisté sur les mots « libres », « liberté », comme pour me dire, entre autres, sa position sur *L'Aveu*. Puis il a enchaîné sur les attaques américaines et la violente campagne menée contre lui. Celle aussi des Européens et leurs mensonges sur sa politique. Il m'a proposé de rester, de voyager avec lui dans le pays pour voir ce qui se passe, ce qui se fait, de dire en France et au monde que la démocratie au Chili existe toujours, qu'elle est voulue par tous, à commencer par lui-même.

Pendant plus d'une heure j'ai à peine touché au café et au reste. Augusto, habitué des lieux, ne s'était pas privé. Il existait entre ces deux hommes une véritable intimité, bien au-delà de la politique. Tous deux allaient mourir dans le palais de la Moneda, bombardé par le général Pinochet, deux ans et demi plus tard, le 11 septembre 1973. Augusto, se sachant haï par la droite, et pour ne pas être pris vivant et subir leur vengeance qu'il savait sans pitié, a salué son ami Allende et les quelques fidèles présents, puis s'est retiré dans une pièce où il s'est suicidé d'une balle dans la tête.

Le président n'a pas voulu abandonner la responsabilité que son peuple lui avait confiée, ni être prisonnier des militaires putschistes, ni s'exiler, humilié, loin de son pays. Mon ami Lakhdar Brahimi, ministre à l'époque en Algérie, m'a confié que Boumédiène avait téléphoné à Allende pour lui proposer d'envoyer un avion afin de l'accueillir en Algérie. Il avait refusé, décidé à rester avec son peuple qui subissait l'humiliation, la répression, et pour beaucoup la mort. Le président Allende s'est suicidé dans son bureau présidentiel, bombardé par les militaires chiliens soutenus par Richard Nixon, Henry

Kissinger et leurs amis américains. En quittant le président pour rentrer dans ma « clandestinité », je demandai à Augusto « jusqu'où les Américains vous laisseront-ils aller ? ». Il m'a répondu avec humour : « Nous comptons aller jusqu'au bout de notre projet, seulement je ne sais pas encore quel bout ils nous préparent. Enfin, j'imagine un peu... », avait-il conclu avec un sourire très personnel.

Patricia, la femme d'Helvio, m'a convaincu de sortir de ma réclusion pour me montrer la ville. Lunettes noires et casquette imposées, nous descendons l'avenue principale de Santiago quand soudain une nuée de feuillets imprimés s'envolent des étages supérieurs et tournoient. J'en ramasse quelques-uns. « *Porque el Gobierno de Allende impide que se exhiba la pelicula* La Confesseion ? *A quien la teme ?* » (« Pourquoi le gouvernement empêche-t-il la projection de *L'Aveu* ? À qui cela profite-t-il ? »).

Patricia a éclaté de rire. « Ils en jettent tous les jours partout dans la ville ! » Cela ne pouvait pas mieux tomber, au propre comme au figuré. J'allais m'en servir pour l'émission. Je les gardais et je les ai toujours. Le dimanche, arrivé à la télévision le plus discrètement possible, je prends place à la dernière minute, la feuille volante devant moi ainsi que quelques articles incendiaires sur l'interdiction de *L'Aveu*.

À l'annonce de mon nom par le journaliste qui dirigeait l'émission, je vois deux cameramen quitter des yeux le viseur et me regarder, ébahis. Je pense que cet ébahissement a dû être général chez les téléspectateurs, les pour comme les contre, du fait de ce que je disais et montrais. Je n'ai pratiquement pas eu recours à l'interprète, à ma grande surprise l'espagnol me revenait sans le moindre effort.

Le nombre de réactions et de demandes de ceux qui n'avaient pas vu l'émission était tel qu'il y a eu une rediffusion, chose très rare à l'époque. Le déchaînement était général. Je venais d'être « starisé », pour le meilleur et pour le pire. Pendant l'émission, j'avais dit considérer Marx comme inspiré des Grecs anciens matérialistes, lorsqu'il avait décrit l'économie selon une méthode scientifique, et la condition de l'homme sous cette économie. Il n'était pas le fondateur d'une religion, « le marxisme », à la façon du « christianisme » ou du « bouddhisme », il proposait un raisonnement pour comprendre notre société. Puis, parlant de Sartre, j'ai dit que j'admirais sa conception qui consiste à s'engager dans une situation plutôt qu'à dire qu'il n'y a rien à faire et ne rien faire. Très vite, certains m'ont qualifié de marxiste-sartrien. Le lendemain de l'émission, deux policiers en civil se sont présentés. Chargés de « ma sécurité » et de mettre leur voiture à ma disposition, ils se sont installés devant la maison.

Les dirigeants du MIR (*Movimiento de Izguierdia Revolutionario*, Mouvement de la gauche révolutionnaire) souhaitaient me rencontrer. Augusto Olivares m'avait longuement tapoté le dos après l'émission et m'avait murmuré qu'Allende voulait me revoir avant mon départ. Alberto Jerez, dirigeant du petit parti chrétien MAPU (*Movimiento de Acción Popular Unitaria*, Mouvement d'action populaire unitaire), faisant partie de la coalition de l'Unité populaire d'Allende, sa femme, Mireya, flamboyante et célèbre actrice, sont venus pour faire ma connaissance. Alberto m'a proposé de me faire visiter une mine de charbon unique au monde et dont on venait de réformer les conditions de vie et de travail.

Les dirigeants du MIR sont arrivés tôt le matin. Ils étaient trois : Miguel Enriquez, le chef historique, son frère, et un troisième dont je ne me souviens plus du nom. Entrée en matière : *L'Aveu*. Leur position était celle de Victor Jara, compositeur et chanteur populaire que les Soto m'avaient présenté. Enthousiasme pour *Z*, méfiance quant à l'opportunité d'un film comme *L'Aveu*, « au service de l'adversaire plus qu'à celui de la révolution » puis... « cette déviation du socialisme ne profitant qu'au capitalisme ».

Victor Jara a été arrêté par les militaires putschistes et longuement torturé. Après lui avoir écrasé les doigts à coups de crosse, ils lui ont rendu sa guitare et demandé de chanter à la gloire du socialisme. Il a été exécuté d'une rafale de mitraillette. Avant de nous séparer de Victor, je rapportai le mot de Montand, le chanteur, « de ne plus fermer nos gueules ». Il avait répondu qu'en France on était en avance. « Peut-être trop en avance », s'est-il amusé en me saluant. Miguel Enriquez me demande des nouvelles de la gauche française. Son compagnon me parle de leurs combats et de la lutte armée.

Je leur dis mon scepticisme sur ce dernier point, ainsi que sur les exactions comme l'exécution du diplomate américain, quelques mois auparavant, par des révolutionnaires uruguayens. « C'était un policier, pas un diplomate ! » me corrigent-ils avec force. « Il enseignait à la police au Brésil et en Uruguay la répression et la torture ! »

Nous nous sommes séparés amicalement. Eux, les miristes, pas convaincus par moi, ni sur moi. Moi me posant des questions sur la voie qu'ils avaient choisie. Nous nous sommes salués « au revoir, à bientôt peut-être ». Ils ont insisté sur un salut clair, probe : « Continuez à faire des films. »

Pendant notre voyage vers le sud et la mine, Alberto Jerez m'a longuement expliqué que la démocratie était bien enracinée dans les consciences des Chiliens et qu'une dictature comme en Grèce n'était pas pensable au Chili...

La descente dans une mine est un événement qui ne s'oublie pas. On entre dans un ascenseur prévu pour cinquante mineurs et, dans un bruit métallique assourdissant et une vitesse qui donnait l'impression d'une chute libre, on se retrouve sept cent cinquante mètres plus bas. Arrêt brutal, ouverture de la grille. Devant nous, un tunnel noir sans fin.

Des grands yeux et des bouches souriantes aux dents blanches qui ovationnent Jerez, qui avait fait passer une loi en faveur des mineurs.

Un wagonnet motorisé nous conduit au front. Pendant le long parcours, petit à petit, je sens une étrange paix m'envahir. Une paix qui dialogue avec la mort, laquelle plane autour de nous. Je suis dans son univers. Cela m'intéresse, me fascine d'être là. Un kilomètre et trois cent soixante-dix mètres plus loin, le front est bien éclairé. Des halos laiteux dans un brouillard d'une poussière noire, fine, des bruits de pioches qui creusent, des marteaux piqueurs en pleine action, des dizaines d'hommes, certains couchés, d'autres à genoux, tous remuant du charbon. Ceux qui nous voient saluent Jerez en levant leurs pioches ou leurs pelles.

Sa loi permet aux mineurs qui ont travaillé vingt ans au fond de pouvoir travailler dehors avec les mêmes avantages. Avant, c'était trente ans. L'ingénieur du front nous invite dans son petit bureau où la poussière est plus rare. Sur son plan de travail, il nous montre le dédale de couloirs, de galeries, de goulets. Un réseau inextricable et sans fin. Soudain il demande : « Vous savez ce qu'il y a au-dessus de nous ? » Je le regarde, incertain. « Trois cent soixante-dix mètres de terre et quatre cents de mer. »

J'ai eu du mal à cacher ma panique, irrationnelle mais réelle. L'ingénieur connaissait l'effet que cette précision provoquait. C'était sa petite vengeance à l'encontre des *touristes* qui s'aventuraient dans cet enfer de charbon. Nous sommes remontés avec une cinquantaine de mineurs. Nous avons pris une douche, tout nus dans une grande salle. Pour nous deux, c'était la libération. Les autres retournaient le lendemain au front.

Il était temps que je rentre, je me sentais gagné, conquis par ces hommes, leurs luttes et la situation qu'ils vivaient, mais dont je ne maîtrisais rien. Je vivais une aventure qui n'avait pour moi qu'une réalité éphémère. L'escorte permanente de deux agents de sécurité avait du reste quelque chose d'embarrassant, malgré le fait que, pendant nos discussions, j'apprenais beaucoup sur la société chilienne et sur la profonde cassure qui séparait les deux camps. J'annonçais à Augusto et aux Soto mon intention de rentrer au plus vite. Mais auparavant, il fallait aller saluer le président Allende. Même lieu, mais beaucoup plus tôt le matin.

Cette fois, c'était lui qui nous attendait devant son petit déjeuner sous la pergola fleurie. Il s'est levé, souriant, il s'amusait en me rappelant l'émission et la surprise qu'elle avait créée chez certains *momios* (momies), un terme courant pour désigner les conservateurs de droite. Puis, sans préambule, il me demande si je connais le sud du Chili et, sans attendre ma réponse, m'invite à l'accompagner à Temuco, au pays des Mapuches, où il allait le lendemain initier la campagne sur des élections municipales.

Au soleil levant, j'arrivais à l'aéroport où s'était déjà formé un petit attroupement qui cachait, surprise, un avion à hélices d'un certain âge. L'avion présidentiel. Le président arrive. La petite foule s'aligne pour le saluer, et moi avec eux. Il me serre la main, et sans la quitter il se penche à mon oreille : « Tu partiras par la route, ces avions ne sont pas sûrs... Je veux que tu rentres en France pour raconter ce que nous faisons. » Il était d'une humeur malicieuse, intime je dirais. « À ce soir à Temuco. » Il est allé saluer les autres en retrouvant son sérieux présidentiel. Augusto m'a accompagné vers une grosse voiture, mes deux gardes semblant ravis de ne pas partir seuls jusqu'à Temuco.

Le Chili est le pays au monde le plus long et le plus fili-forme, coincé entre la colossale cordillère des Andes et l'océan Pacifique. C'est une succession de paysages d'une beauté sau-vage et de coins verdoyants, sereins, constellés de maisons multicolores, de jardins fleuris et de champs qu'on commençait à labourer. Mes compagnons me nommaient tout, me décri-vaient la spécificité de chaque découverte, de ce qui se cultive ou se produit, rivalisant en rhétorique. Puis nous parvenons à un domaine, puis un autre, avec des grands panneaux lisibles de loin : « *OCCUPADO* ».

Mes compagnons sont moins prolixes. « C'est pour la réforme agraire », me précisent-ils avec prudence. « Des jeunes du MIR pour accélérer la réforme », a précisé Juan, le plus jeune, mais aussi le plus chauve et le plus direct. « Tous les paysans n'aiment pas ça… » Un petit signe de Pedro, le plus âgé, et il élague son explication. « C'est la révolution, me sourit-il bien dans les yeux, vous savez pourquoi ça s'appelle Chili ? » « À cause de la forme géographique qui ressemble à un piment ? » « Absolument pas ! »

Et il m'énumère longuement les différentes versions his-toriques de l'origine du mot Chili. Je n'ai retenu que celle d'un oiseau magnifique, disparu pour laisser son nom au pays. Nous sommes arrivés à Temuco tard dans la nuit. J'ai vu le président Allende le matin, au petit déjeuner, dans une longue et grande salle pleine de monde. Son plafond bas la rendait plus pleine encore, étouffante même. On y reconnaissait sans effort ceux venus de la capitale et les notables locaux. Le pré-sident, entouré de nombreux Mapuches, Indiens de la région, m'a fait signe d'approcher. Il m'a présenté quatre d'entre eux, qui m'ont serré la main sans la moindre expression. C'étaient les chefs de ce peuple d'un demi-million d'Indiens.

Pendant le discours d'Allende, debout sur une estrade, j'ai marché dans la foule des Mapuches qui écoutaient tous, sans extérioriser leurs sentiments. Mais l'on sentait une attention avide, une dévotion à l'importance de ses promesses pour une nouvelle relation avec l'État, une nouvelle façon de considérer, de respecter leur réalité, leur identité, leurs besoins. Plutôt petits, les Mapuches, à la couleur de peau et aux coutumes bien différentes de celles des Blancs, ont toujours été exploités de manière légale. Le discours d'Allende a été suivi d'une immense ovation de tambours, d'applaudissements, de bruits de pieds, de cris, sans que les visages changent d'expression. Ils restaient graves, hiératiques.

Le lendemain matin, appelé par Augusto, je suivais l'essaim de personnalités qui, comme toujours, accompagne un président en déplacement. Ici, c'était spécial, nous étions en visite dans la banlieue populaire de Temuco et ses proches hameaux. Rues tantôt poussiéreuses, tantôt boueuses, toujours plongées dans une pauvreté qu'on pourrait appeler misère s'il n'y avait pas la dignité sans faille de chacun, de chacune. Les enfants regardaient, comme leurs parents, passer le cortège, puis gambadaient, partaient se cacher. Le président s'approchait, parlait avec les hommes et les femmes. D'autres enfants restaient à le regarder, immobiles, certains avec des yeux étonnés, des cernes visibles malgré leur peau sombre.

Allende avait décidé que chaque enfant de parents à faible revenu recevrait un demi-litre de lait par jour. Hauts cris des économistes : « C'est la ruine de l'économie. » À combien d'enfants a-t-il évité la malnutrition ?

Cette histoire de lait me ramenait à mon petit frère pendant l'Occupation. Il maigrissait. Ma mère, seule, mon père résistant étant loin, m'avait regardé avec ses yeux bleus comme jamais jusqu'alors et m'avait dit : « Il va nous mourir. » Les larmes me submergeaient. Je ne sais si c'était à cause du *nous* ou du mourir. J'avais 10 ans. Le petit frère, 5. J'étais l'homme de la maison. « Il lui faut du lait d'ânesse », avait ordonné le rebouteux du village, qui aidait aussi les juments à mettre bas. Il m'avait aussi arraché une dent et avec elle un morceau d'os. *Du lait d'ânesse ?* À ma demande saugrenue, on m'avait beaucoup ri au nez. J'avais fini par en trouver au village voisin. Mon petit frère Hakos a été sauvé. Devenu médecin, il m'a appris qu'Hippocrate prenait du lait d'ânesse en 430 avant J.-C.

Le président s'arrêtait ici et là. Il parlait avec les hommes, avec les femmes, il n'y avait que des Mapuches sur le seuil de leurs maisonnettes ou de leurs cabanes. Je ne pouvais pas entendre leurs échanges, juste voir qu'il ou elle lui répondait sans se montrer obséquieux, ne faisant preuve d'aucun dénuement moral. Pas de misère intérieure mais une misère matérielle. Celle dont avait longuement parlé Allende pendant son discours.

Quatre jeunes gens dont une jeune fille à l'assurance de militante avaient passé le cordon de sécurité présidentiel. Juan et Pedro voulaient les empêcher de m'approcher. Je suis donc allé vers eux. « Miristes », ils voulaient savoir si j'étais intéressé pour aller voir un latifundio occupé par des travailleurs mapuches. Je l'étais, et si j'ai bien compris, Pedro et Juan aussi. J'ai fait prévenir Augusto et nous avons quitté l'essaim présidentiel.

Après une demi-heure et précédés de la jeune militante sur sa moto, nous sommes arrivés devant un portail, comme ceux des westerns qui signalent l'entrée d'un domaine privé. Il était chapeauté d'un « Occupado par le peuple qui y travaille ».

Nous avons roulé près d'un kilomètre avant d'arriver devant une superbe gentilhommière. Trois jeunes miristes ainsi qu'un Mapuche avec sa femme et ses trois enfants nous attendaient. Les miristes ont justifié l'occupation du domaine de plusieurs centaines d'hectares par la fuite des propriétaires, des *momios*, exilés en Argentine ou en Europe. Ils préparaient un projet pour offrir leurs terres aux paysans qui les travaillaient.

Le luxe de la décoration, la somptuosité de l'ameublement, des tableaux, la délicatesse, le raffinement étaient partout, jusqu'aux poignées de porte et aux cordons des rideaux. Tout cela ne pouvait venir que de Londres ou de Paris. « De Paris, m'a précisé Mademoiselle MIR. Nous avons trouvé les factures d'avant et après guerre. » Les meubles étaient couverts de draps blancs. Les fenêtres fermées, tout était en ordre, comme si les propriétaires allaient revenir bientôt. Un des jeunes s'est plaint qu'aucun Mapuche ne voulait habiter là, jouir de ce luxe absurde. Le gardien restait avec sa famille dans son cagibi du sous-sol, hérité de son père, et ce depuis des générations… La miriste leur donnait raison. « Il faut tout garder en l'état, nous ferons un jour un musée de l'histoire de la réforme agraire depuis les Gracques jusqu'à Allende. »

Étonné – j'avais compris Grecs. En fait, il s'agissait des Gracques, alias Gracchus, deux hommes d'État romains qui avaient vécu vers 130-120 avant J.-C., avaient voulu distribuer des terres aux paysans et s'étaient fait assassiner par les sbires des propriétaires. J'apprenais que la lutte pour la distribution des terres n'était ni récente ni marxiste.

Le président Allende partait le lendemain pour le Sud poursuivre sa campagne électorale. Pendant le dîner offert par les autorités de Temuco, Augusto m'a demandé de continuer avec eux. Mais cela faisait plus de deux semaines que j'étais loin de ma famille et de mon travail. Le président Allende était intéressé par mon regard extérieur sur le pays. Il m'écoutait, posait des questions. Je lui parlais aussi de l'occupation du latifundio qui trahissait une certaine improvisation. Comme tout homme de pouvoir à l'évocation d'un sujet sensible, il m'a écouté sans que son visage exprime le moindre sentiment, il a juste eu un petit hochement de tête pour me signifier qu'il m'écoutait avec attention. Il m'a répondu que la réforme agraire mettrait de l'ordre, m'a remercié, m'a souhaité bon retour et m'a invité à revenir. Je n'imaginais pas alors qu'un an plus tard je tournerais au Chili *État de siège* et qu'il se montrerait d'une aide déterminante pour réaliser ce projet. Allende et son parti de l'Unité populaire gagnèrent les élections municipales avec 51 % des suffrages, quinze points de plus que pour l'élection présidentielle.

Sans l'annoncer à personne, sauf à Augusto, je fis une escale à Montevideo. La question du pourquoi et du comment de l'exécution du « diplomate » américain Dan Mitrione par les Tupamaros ne me quittait pas. Et les méthodes de Peurifoy m'apparaissaient bien démodées et obsolètes, d'après ce que j'avais appris, vu et découvert pendant mon séjour au Chili. Walter Achugar, recommandé et prévenu par Augusto, m'attendait à l'aéroport. Toutes mes précautions pour ne pas être reconnu, casquette et lunettes noires, ont été inutiles, pire, contre-productives : elles attiraient l'attention. Achugar s'est excusé, ne sachant pas grand-chose, disait-il, sur « Mitrione, les révolutionnaires, les Tupamaros et tout ça... ». Des années plus tard, il m'apprenait qu'il avait en fait été le « courrier international » des Tupamaros.

Walter m'a déposé chez les Jaunarena, Mario et sa femme Eugenia, un couple qu'avec le temps j'ai appris à admirer, après les avoir aimés. Mario travaillait comme interprète aux Nations unies. Il parlait cinq langues et pouvait retranscrire simultanément à la machine à écrire n'importe quel discours. Quant à Eugenia, d'origine russe, dire qu'elle avait l'âme, la passion russe, comme elle est décrite par les grands écrivains de son pays, serait un minimum. Passionnée et passionnante, elle mettait de l'ordre, de la justesse, de l'humour là où les hommes et les femmes qu'elle et Mario m'ont fait rencontrer, des Tupamaros pour ne pas les nommer, en rajoutaient en sérieux, en gravité, en irrémédiable. Tous savaient quelque chose sur le « pourquoi », ils restaient évasifs sur le « comment » de l'exécution de Mitrione. Après quelques jours passés à Montevideo et de nombreuses rencontres, je quittais l'Uruguay avec une grande quantité de notes, d'écrits, d'articles de presse et de livres.

Les retours à Paris après une longue absence étaient la source de doux moments sans pareils. L'exaltation, les cris des enfants, Alexandre et Julie, leur joie, et celle de Michèle, exprimée par un sourire persistant, me ramenaient à la paix. L'autre moment fort était mes retrouvailles avec Paris. La sérénité était alors complète.

À ce retour à la vie vient vite s'ajouter le cinéma, avec ses obsessions. Celle de l'ambassadeur Peurifoy me quittait un peu plus à chaque réveil : l'enquête reprise ne me révélait rien de nouveau, aucune vérité incontestable ne s'en dégageait. Le temps avait rendu les événements et les mémoires flous, pire, dépassés.

Sur ces cendres naissait l'intérêt pour Dan Mitrione, ce prétendu diplomate exécuté par les Tupamaros, et qui représentait la nouvelle forme d'intervention américaine. Les raisons de son exécution étaient, d'après les informations que j'avais pu glaner, contradictoires, et elles me paraissaient irrecevables, à supposer qu'une mise à mort puisse être admissible. Dan

Anthony Mitrione ne fut pas séquestré et exécuté pour ce qu'il était ni pour ce qu'il faisait : il enseignait la répression brutale et les techniques de torture. Mais pour la non-libération des prisonniers politiques que les Tupamaros exigeaient, donc un acte politico-juridique pour lequel Mitrione n'avait ni autorité ni responsabilité. Il était par conséquent innocent sur ce point. Sur quels critères alors avait été décidé ce passage à l'acte ? Par un mouvement politique qui aspirait et promettait une société différente, c'est-à-dire plus juste, plus humaine et plus démocratique ?

J'ai pu assez vite obtenir des informations sur Mitrione, ici en France, comme aux États-Unis. Toutes contradictoires, et d'autant plus passionnantes. Je découvrais que l'interventionnisme américain avait évolué, s'était adapté. Mitrione n'était pas un cas isolé de conseiller nord-américain. Il faisait partie d'une vaste organisation d'aide qui, comme une foule d'autres, participait à l'ancrage, à la consolidation, à l'emprise, de ce que l'on peut appeler la colonisation politique, culturelle, économique et sociale américaine.

Il s'agissait de fondations, d'agences de développement, liées à l'éducation, à l'agriculture, aux universités. Des assistances techniques pour les hôpitaux, la météorologie ou la pêche. Des directions de recherches, des experts en tout genre, des néo-chrétiens moralisateurs, spécialistes en idéologie officielle. Beaucoup de ces organismes effectuaient sans doute aussi un important travail social.

Après avoir lu cette masse de livres et de documents, avec à l'esprit la possibilité de dégager une histoire à raconter avec des images que je commençais à entrevoir, j'en parlais à Jorge Semprún. Il était en train d'écrire *L'Attentat* pour Yves Boisset, et n'était donc pas disponible avant cinq ou six mois. Je n'aime pas ces longues attentes, au cours desquelles la passion s'émousse, l'obsession s'estompe. J'ai pensé à Franco Solinas, le scénariste de *Salvatore Guiliano*, de *La Bataille d'Alger*, de *Queimada*. Je l'ai appelé, je l'ai senti circonspect, mais prêt à me rencontrer pour en parler.

Franco m'attendait à l'aéroport Fiumicino à Rome. Pas grand, sa façon de se tenir droit lui donnait une certaine raideur et de l'élégance. Il était distant avec chaleur et habillé avec une simplicité très raffinée. Il m'a accompagné jusqu'à une belle anglaise, une Rover couleur citron vert. Elle se distinguait nettement dans la foule des Fiat du parking. Nous sommes arrivés sans beaucoup nous parler au *Villaggio dei Pescatori*, village de pêcheurs, à la limite de la pauvreté. J'apprenais vite que le village était pris d'assaut par les cinéastes romains, à commencer par Solinas, Francesco Rosi, Gian Maria Volontè, Gillo Pontecorvo et quelques autres. Ils avaient construit illégalement des petites villas cossues en bord de mer. Celle de Solinas était parfaite, une grande baie au premier étage avec son bureau, et une immense table face à la mer.

Nous sommes entrés, Solinas s'est excusé et est monté se changer. Deux petits chiens, des Gorky, comme ceux de la reine d'Angleterre, me fixaient avec curiosité. Je suis sorti dans le jardin. Une superbe brune, aux jambes interminables, prenait le soleil sur une chaise longue, très longue. Elle portait un bikini réduit. Elle m'a fait « Halo » en levant un bras nonchalant « *Sono Ana Maria.* » « *Sono Costa.* » Nous en sommes restés là. Solinas est descendu, décontracté, et m'a proposé l'apéritif. « Vous savez sans doute que je suis communiste. » J'ai failli lui répondre à la Billy Wilder : « *Nobody is perfect.* » Je me suis retenu. Entre nous planait *L'Aveu*, donc pas de place pour l'humour. Je me trompais. Solinas avait de l'humour. Il était communiste italien.

1. Costa-Gavras, 1954.

2. La famille au complet, 1940.

3. Avec son frère Tolis au Sacré-Cœur, 1956.

4. À Versailles en 1957.

5. En famille à Athènes, 1958.

6. Sur le tournage de *Crésus*, 1960. *De g. à dr.* : Claude Pinoteau, Costa, Bernard Paul et Jean Giono.

7. Avec René Clair.

8. Avec Jacques Demy, sur le tournage de *La Baie des Anges*, 1962.

9. Avec Simone Signoret et Yves Montand, pour *L'Aveu*, 1969.

10. Sur le tournage d'*Un homme de trop*,
avec Michel Piccoli et Charles Vanel, 1967.

11. Sur le tournage d'*Un homme de trop*, avec Jean-Claude Brialy,
Bruno Cremer et Jacques Perrin, 1967.

12. Sur le tournage de *Z* à Alger, 1968.

13. Avec Irène Papas et Yves Montand à Athènes, pour la sortie de *Z* en Grèce, 1975.

14. Sur le tournage de *L'Aveu*, entre Artur London et Yves Montand.

15. Chez Artur et Lise London, avec son fils Romain (endormi) et Jorge Semprún, 1985.

16. À Prague, avec Montand et Semprún, pour la sortie de *L'Aveu*, 1990.

17. Chris Marker filmant la place Rouge
pour la sortie de *L'Aveu* à Moscou, 1990.

18. Photo de Jean Kanapa et Artur London, « commentée » par Chris Marker.

19. Entre Laurent Fabius et Alexander Dubček, 1990.

20. Avec Joseph Losey, Jeanne Moreau et Jean-Pierre Léaud,
lors de la remise des prix des Étoiles de cristal de 1969.

21. Visite de la Cinémathèque pour Henri Verneuil, Marie Laforêt,
Bernard Blier et Jean-Paul Belmondo, 1984.

Je lui retraçais les grandes lignes de mon circuit latino-américain, et mon itinéraire mental, de Peurifoy à Mitrione et aux Tupamaros. Quel film voulais-je faire ? Franco se méfiait des mouvements préconisant une lutte révolutionnaire armée, alors que les partis communistes préconisaient la révolution par la mobilisation pacifique des masses. Mon projet n'était ni l'un ni l'autre, plutôt une réflexion sur les deux. Nous avons poursuivi notre échange pendant le déjeuner chez les frères Mastino, un restaurant de poisson très couru, très cher. Ana Maria, dans une robe longue et transparente à douter de son existence, nous écoutait avec intérêt et intervenait avec des questions avisées.

Pour compléter notre réflexion sur le sujet du film qui semblait peu à peu le convaincre, Franco n'a pas fait sa sieste rituelle. En partant, il m'offre des *vongoles* – que j'avais aimés avec les spaghettis – pour Michèle, dont il avait apprécié les reportages sur le Vietnam et les Palestiniens.

Deux jours plus tard, Solinas m'appelait pour me proposer d'examiner les possibilités d'un scénario cohérent avec cette histoire aux multiples ramifications politiques, humaines, sociales. Après une semaine de conversations, ponctuées de désaccords et de quelques plaisanteries, nous avons abouti à un concept de scénario dans ses grandes lignes. L'étape suivante : vérifier sur place nos idées théoriques, notre conception du film et, pour cela, il fallait rencontrer les acteurs proches ou impliqués dans cette histoire.

Avant le départ, avant que Jacques Perrin, producteur du projet, ne signe des contrats, j'ai voulu que Franco voie *L'Aveu*, demeuré jusqu'alors un tabou entre nous. J'étais convaincu qu'il pensait, malgré la position du Parti communiste italien et comme les communistes pris individuellement, que toute critique de l'URSS était un geste ou une volonté anticommuniste. Je l'attendais avec une certaine anxiété à la sortie de la projection. Il est apparu silencieux, renfermé. Après un long moment, autour d'une bouteille de bordeaux qu'il aimait, il a dit que « cette époque du mouvement ouvrier au pouvoir est révolue. Un renouveau commence avec l'euro-communisme proposé par Berlinguer ». Nous n'en avons plus jamais reparlé.

Nous sommes partis pour l'Uruguay. À Montevideo, les Jaunarena, Mario et Eugenia, nous ont installés chez eux, dans leur bel appartement au dernier étage face à la mer. Avec un minimum de sorties *autorisées*. Nous avons reçu un grand nombre de femmes et d'hommes. Chacun d'eux nous précisant ne pas faire partie du mouvement Tupamaros, MLN… Leurs informations, leurs récits étaient d'une grande précision. Nous avons pu voir et avoir des photos, et même écouter les enregistrements des interrogatoires de Mitrione. Nous avons eu la brochure de l'Académie internationale de police à Washington, où Mitrione enseignait avant d'être envoyé au Brésil et en Uruguay : des policiers de haut rang de tous les pays latino-américains et d'ailleurs, comme la Grèce, y étaient envoyés pour faire des études pendant quelques semaines. On y enseignait, entre autres, les systèmes et les moyens de répression et un certain nombre de méthodes de torture, ou encore la création des escadrons de la mort. La brochure et les informations venaient d'un policier qui avait été à l'Académie pour se perfectionner, il faisait partie des Tupamaros MLN. Était-il parmi ceux que nous avons rencontrés ?

Nous avons eu aussi de longs entretiens avec un homme exceptionnel, directeur fondateur du journal *Marcha*, Carlos Quijano. Ses analyses de la situation particulière de Mitrione et du pays en général, voire des pays de la région, ainsi que les informations qu'il nous a données, et qu'il ne pouvait pas publier, confirmaient toutes les autres, directement ou indirectement.

Aujourd'hui, il suffit d'aller sur Google. Elles y sont toutes, jusqu'aux listes des tortures, les noms des chefs des escadrons de la mort et leurs victimes. Michèle a publié un nombre de documents – pas tous, pour protéger certaines personnes – réunis dans un livre qui a accompagné la sortie du film du même nom, *État de siège*, aux éditions Stock en France, ainsi que dans de nombreux pays où le film a été distribué.

Le cycle de nos recherches en Uruguay était arrivé à son terme. Nous étions à deux pas du Chili et j'ai décidé d'y retourner. Franco était intéressé. Je pensais que si nous aboutissions à un bon scénario, le seul pays où le film pourrait être tourné était précisément le Chili d'Allende. J'ai prévenu Augusto.

Franco a passé beaucoup de temps avec ses camarades du Parti communiste. Moi j'ai retrouvé mes amis. Augusto m'a emmené, comme avant, au marché central pour des petits déjeuners matinaux aux oursins de l'océan Pacifique, gros comme des oranges et fortement parfumés d'iode. Deux oursins et un verre de vin blanc chilien constituaient un parfait petit déjeuner très matinal.

Augusto pensait que mon projet était un film à faire, et à faire au Chili au plus vite. « Dépêche-toi », me répétait-il, sans commenter le *pourquoi* que j'imaginais, et lui sachant que je l'imaginais.

Le président Allende m'a reçu comme un vieil ami. Mon projet de film l'intéressait beaucoup. Je trouvais que sa détermination à transformer le pays était encore plus forte : il venait d'obtenir une grande victoire. La plus grande mine de cuivre au monde, à ciel ouvert, la *Chuquicamata*, avait été nationalisée après un vote unanime du Congrès chilien.

« Les *momios* n'ont pas osé voter contre ! » m'a-t-il confié, le visage réjoui et souriant.

Les amis et cinéastes organisèrent une fête pour notre départ. Des musiciens traditionnels accompagnaient un *Curanto*, autrement dit une ripaille, une bombance typiquement chilienne. Pour faire le *Curanto*, on creuse un profond trou dans le sol, et on y met une couche de pierres chauffées pendant plusieurs heures, sur lesquelles on dispose une couche de feuilles de Nazca, et sur les feuilles des morceaux de viande, puis encore des feuilles de Nazca, puis du poisson, des feuilles et des coquillages, d'autres feuilles et de la viande de cochon, et enfin du poulet. Sans oublier, sur chaque couche, des aromates sauvages et du piment. Sur les dernières feuilles, une épaisse couche de terre pour maintenir la chaleur. Deux heures plus tard, nous avons eu un festin dont je n'ai jamais oublié les saveurs et les parfums.

Durant l'agape, j'apprends qu'il y a un vol inaugural d'une ligne aérienne entre le Chili et Cuba. Quelle sera la réaction des Américains, eux qui bloquaient Cuba jusqu'à l'asphyxie ? Une décision qui tenait plus de la vengeance, de la punition aveugle, que d'un choix politique réfléchi et cohérent. Car, au bout du compte, le blocus a eu des résultats contraires à ceux qu'ils escomptaient.

Avec Franco, nous décidons de prendre ce vol historique pour aller voir notre ami commun, Alfredo Guevara, directeur et fondateur de l'Icaic, l'Institut du cinéma cubain. C'était mon premier voyage à Cuba. À l'aéroport de La Havane, il y avait une cohorte d'officiels pour saluer ce vol, véritable brèche dans le blocus. Alfredo était content et surpris. Il nous a fait visiter La Havane et l'Icaic. Le soir, à l'université, nous assistions à un discours de Fidel Castro. Trois heures vingt, au cours desquelles il exposa et commenta les problèmes de la planète, les luttes cubaines, les espoirs aussi.

Assis au premier rang je l'écoutais, je l'observais surtout, fasciné par cet homme qui, à l'âge de 33 ans, avait renversé avec ses compagnons un dictateur soutenu par Washington. Un séisme politique d'une magnitude incalculable pour le monde et, par-dessus tout, pour l'Amérique du Sud, où plus rien n'allait être comme avant.

Je regardais Alfredo, assis entre moi et Franco. À l'époque où il était un jeune étudiant, il avait créé dans cette même université un groupe d'opposants à la dictature. Il avait dit à ses camarades qu'il leur fallait un chef. La légende voulait qu'il leur ait présenté un étudiant en droit et en sciences sociales. Grand, beau, de caractère volcanique, orateur éloquent, il s'appelait Fidel Castro. Après quelques rencontres avec des réfugiés politiques brésiliens, victimes indirectes de Dan Mitrione, à son passage à Belo Horizonte, nous avons quitté Cuba et sommes rentrés *via* Prague. Le blocus américain, imposé à tout l'Occident et à ses compagnies aériennes, rendait le voyage à Cuba et à partir de Cuba surréaliste, extravagant.

Le rythme de travail de Solinas, lent, la difficulté du projet, la masse d'informations à assimiler ont nécessité sept mois de discussions, de vérifications, d'écriture, de réécriture, pour arriver au scénario que nous avons appelé *État de siège*. Les principaux points sur lesquels le scénario était bâti devaient privilégier la « lecture » politique de l'histoire tragique de Mitrione, plutôt qu'un « suspense spectaculaire » sur son éventuelle survie. Mitrione – Santore dans le film – après des semaines de séquestration est retrouvé mort, exécuté dès les premières images du film. Ainsi la question est posée :

« Qui est cet homme ? Pourquoi a-t-il été exécuté ? » et non « Va-t-il s'en sortir ou pas ? ».

Mitrione, les Tupamaros, chaque camp était porteur et messager des convictions idéologiques qui le faisait être et agir. Nous avons décidé de traiter les scènes de leurs confrontations sans objectivité, à laquelle je ne crois pas. Tout est subjectif, le nier c'est tricher. Nous les avons écrites dans un esprit d'équité, chacun d'eux exprimant son idéologie, sa vision du monde, celle de la société humaine à laquelle il rêve et qu'il souhaite créer, ou perpétuer. Les arguments de chacun, les convictions, les actions qui en découlaient devraient être exposés sans jugement critique ni idéologique de notre part, pour laisser aux spectateurs la liberté d'avoir leur propre avis.

Enfin, un commentaire nous avait vite paru nécessaire pour faire progresser le récit, en rendre plus claire la complexité liée à la multitude de personnages et d'actions parallèles. Le commentaire risquait cependant d'induire nos propres sentiments. Nous avons alors choisi la solution des communiqués issus des personnages de l'histoire, exprimant leurs sentiments, leurs volontés. Cela a été, je pense, le bon choix.

J'avais expliqué à Montand le projet, le personnage. Je l'avais aussi tenu au courant de la progression de l'écriture, il savait que je souhaitais qu'il interprète le rôle de Santore/ Mitrione, un personnage tout sauf positif. Je lui avais précisé que ce film allait être pour moi le dernier d'une trilogie et j'ambitionnais qu'il en fasse partie. Le scénario terminé, il l'a lu. Comme souvent, il m'a surpris en préparant en cachette sa métamorphose en Santore, haut fonctionnaire américain : coupe de cheveux, costume, manière de bouger… Le changement était impressionnant.

La préparation du film commençait à Paris. Jacques Perrin organisait la production, au Chili, seul pays dans cette

Amérique latine infestée de dictatures où le film pouvait se tourner. Ma relation avec le Chili reprenait, mes assistants, Pablo de la Barra et Emilio Pacull, commençaient à Santiago la pré-préparation en attendant ma venue.

CHAPITRE 11

Les lambeaux de nos rêves

Je reçus un appel de Georges Haupt, qui dirigeait la « Biblio-thèque socialiste » aux éditions Maspero. Il voulait me voir en insistant sur l'urgence et l'importance de ce qu'il avait à me dire. Notre rencontre au Café de Flore fut courte et précise. Il portait le message d'une « dame de Vienne » en Autriche. Elle avait une chose très importante à me remettre directe-ment, mais ne pouvait pas voyager. Elle arrivait de Moscou. Haupt a insisté sur le sérieux et l'esprit libre de cette femme, fille d'un ancien dirigeant du Parti communiste autrichien. Je devais l'appeler. Nous étions en pleine Série noire.

Au téléphone, après quelques mots sur mes films, elle en vient vite à l'essentiel. L'enveloppe qu'elle est chargée de me remettre en main propre est très importante. L'enveloppe provient d'un homme lui aussi « très, très important » dont elle me dira le nom à la remise de l'enveloppe. Tout cela avait l'air sérieux, assez mystérieux, important peut-être, intrigant incontestablement.

Je suis allé à Vienne. J'y ai rencontré une dame âgée qui m'a reçu en me remerciant avec insistance. Elle m'a remis une enveloppe, qui venait de Moscou, contenant un manuscrit en russe que son ami Alexandre Soljenitsyne lui avait confié pour me le remettre en main propre, avec l'espoir que j'en tire un film. « On parle beaucoup de votre *Aveu* à Moscou », avait-elle conclu. Je tombais des nues, comme on dit dans des situations extrêmes. J'ai commencé par lui dire que j'étais en train de préparer un nouveau film… « Il n'y a pas d'urgence. Quand vous annoncerez que vous faites le film, lui de son côté annoncera qu'il vous a envoyé son manuscrit et que vous avez tous les droits. » En nous quittant elle m'a demandé de ne jamais dire qu'elle était la « *go-between* ». Car elle voulait pouvoir retourner à Moscou.

La sortie et le succès de *Z* avaient déclenché l'envoi incessant de livres, manuscrits, synopsis, ayant pour sujets des assassinats ou des injustices politiques, la corruption ou diverses perversions, oppressions, forfaitures, ou la duplicité, les traîtrises, les enrichissements… Bref, tout ce qui a trait au pouvoir et à ses dérives. Parmi cette masse d'écrits reçus au fil des jours, un manuscrit, tout à fait inattendu, m'était parvenu de la part de Mouammar Kadhafi, le dictateur libyen. J'en parlerai plus tard. En attendant, l'enveloppe de Soljenitsyne me brûlait les doigts. Cela ne pouvait pas être une histoire banale.

Je me suis fait traduire le scénario oralement, tout en me posant la question : était-il vraiment de lui, ou était-ce une provocation, une manipulation ?

C'était l'épouvantable histoire, très résumée ici, d'un camp de prisonniers en Sibérie, où le pouvoir stalinien envoyait des condamnés ou de simples prisonniers de différentes ethnies ayant des relations conflictuelles ou rivales. Réunis et entassés dans ce lieu clos, soumis à la répression, les pulsions de haine se libéraient dans des rixes, des mêlées générales et sanglantes, sous le regard indifférent des gardes. J'ai mis cet enfer de côté, me promettant d'y penser après le tournage d'*État de siège*.

Deux ans plus tard, Soljenitsyne était autorisé à quitter l'URSS. Il transitait par Paris, provoquant une émotion générale dans tous les milieux et plus encore dans les médias. Je réfléchissais à la façon de l'approcher pour le remercier et lui dire l'impossibilité pour moi de faire ce film quand je l'ai vu à la télévision, je crois que c'était dans l'émission *Apostrophes* de Bernard Pivot. Au nom de l'anticommunisme, il célébrait les dictatures de Franco en Espagne et de Pinochet au Chili. Tout désir de le rencontrer s'est évanoui.

Je suis parti pour le Chili avec mon équipe. Christian de Chalonge, mon camarade de l'Idhec, avait accepté de faire partie de mes collaborateurs. Voir de près le processus politique chilien était aussi la raison de son accord. Chris Marker avait la même curiosité et je l'ai invité. À Santiago, il a rencontré de jeunes cinéastes chiliens en train d'éclore. Je ne l'ai plus revu pendant deux mois. Parmi ces cinéastes, il y avait Patricio Guzman, qui déclara, des années plus tard, avoir beaucoup appris avec Chris.

Je ne retrouvais pas le même pays que j'avais quitté un peu plus d'un an auparavant. L'enthousiasme « révolutionnaire » était toujours présent. Mais le blocus invisible américain avait provoqué une forte pénurie de biens et de devises. Une inquiétude diffuse se répandait insidieusement. La visite de Fidel Castro, excessivement prolongée, avait fanatisé encore davantage les conservateurs. Face à eux, le MIR se montrait plus présent qu'avant. Les plus radicaux proposaient désormais « d'armer le peuple ». En ce qui nous concernait, Augusto m'avait rassuré, mais pour le reste il était plutôt prudent.

Avant que ne débute le tournage, tout s'est déroulé dans une discrétion relative. Les techniciens et acteurs chiliens étaient contents de travailler avec nous. Les acteurs, Jacques Weber,

Jean-Luc Bideau, Renato Salvatori, ont vite établi des relations amicales avec leurs collègues chiliens, Marta Conteras, Mario Montilles, le peintre Nemecio Antúnes qui avait accepté de jouer le président de l'Uruguay... Parmi nos figurants, des étudiants, dont Juan Guzmán Tapia et sa femme française, Inès. Ironie de l'histoire, Juan Guzmán est par la suite devenu le juge qui a instruit le dossier Pinochet, avec dans sa ligne de mire Henry Kissinger, notamment à cause de la disparition de Charles Horman, le personnage principal de *Missing*.

Avec notre caravane en pleine ville, le tournage n'était pas des plus discrets. Le sujet du film et mes relations avec Allende et la gauche irritaient beaucoup la droite. Ils le faisaient savoir en agressant verbalement les membres de l'équipe, leur disant d'aller tourner à Moscou.

Le premier coup dur est venu des acteurs communistes, ou proches du parti. Après quelques jours de tournage, ils ne se sont plus présentés sur le tournage. La raison qui me parvenait d'une manière insistante était que je faisais un film contre le Chili et favorable à la CIA. Dans la dialectique du parti, Montand rendait sympathique Mitrione. Cela servirait donc la propagande anti-gauche de Nixon et Kissinger, et permettrait une répression plus féroce encore. Que le président Nixon ait sacrifié Mitrione pour des raisons d'État ne semblait traverser l'esprit de personne.

L'hostilité du Parti avait bien sûr d'autres raisons, et les évoquer ouvertement pouvait nuire au gouvernement Allende où siégeaient des ministres communistes. Je fus donc réduit au silence et dus faire le dos rond. Notre situation est devenue chaque jour plus inconfortable. J'ai demandé conseil à Augusto, en lui précisant que la production envisageait d'aller finir le film à Mexico... où, ayant fui le Chili d'Allende, nous serions accueillis à bras ouverts. Augusto m'a alors conseillé d'aller pour quelque temps poursuivre le tournage à Viña del Mar, une ville côtière peu peuplée à cette époque hivernale, et d'y attendre que la tension retombe. « J'y travaillerai », m'a-t-il précisé, me laissant perplexe.

Ce changement de cadre s'est avéré positif. Le calme nous a permis de bien travailler. On savourait même des moments cocasses, comme celui que provoqua l'acteur allemand O.E. Hasse. Je l'avais choisi pour le rôle du grand journaliste uruguayen, Carlos Quijano, devenu dans le scénario Carlos Lucas. Je l'avais repéré dans le film de Hitchcock *La Loi du silence* et dans *Le Caporal épinglé* de Jean Renoir. Nous avions beaucoup discuté par téléphone. Quand il est arrivé avec Michèle à Viña del Mar, nous l'avons reçu sur le tournage avec Christian, sans cérémonie. Je lui ai indiqué les mouvements qu'il aurait à faire pour que le chef opérateur, Pierre-William Glenn, puisse installer ses lumières et gagner du temps. Puis j'ai commencé à lui parler des sentiments de son personnage. Il m'a coupé sèchement : « Cela, je préfère que M. Costa-Gavras me l'explique lui-même », et il est parti se faire maquiller.

Toute l'équipe me fixait les yeux grands ouverts, prête à éclater de rire. Je pris soudain conscience que Christian et moi avions la même allure que les autres membres de l'équipe, habillés sans souci de paraître, mal rasés, l'air enfiévré. O.E. Hasse, lui, portait un costume trois-pièces munichois de bonne coupe. Devant cette situation grotesque, j'ai hésité entre un sentiment d'humiliation et une jubilation ironique. Christian a résolu la situation : « Arrêt déjeuner. »

Ça a ronchonné, il n'était que midi. En général, je me fais servir un déjeuner léger sur un plateau dans un coin du décor, cela me permet de ne pas me distraire avec les conversations de la cantine. Je venais de finir quand j'ai vu arriver O.E.

Hasse, maquillé, habillé pour le personnage de Carlos Lucas. Il m'a salué avec déférence : « Monsieur Costa-Gavras, maintenant que je sais quoi faire, dites-moi mes motivations, mes préoccupations. » Le tournage avec lui a été un vrai plaisir. Ponctuel, précis, c'est un merveilleux acteur, parlant un très bon français avec une voix profonde, à peine voilée, et des inflexions qui pouvaient impressionner ou inquiéter, mais à coup sûr en imposer.

Un soir, en rentrant du tournage, le concierge de l'hôtel annonce à la cantonade, ce qui détonnait, étant donné sa discrétion habituelle : « Monsieur Gavras, le président Allende vous attend, ainsi que M. Montand, pour dîner avec lui. »

En route pour Santiago, je pensais que je vivais dans deux mondes. Celui que je mettais en scène et en images. Et l'autre, réel, dans lequel je vivais actuellement au Chili. Les deux s'affrontaient, et la soumission ou l'élimination de l'autre était la seule solution acceptable pour chacun. Nous allions dîner avec Allende, qui avait le désir ardent de concilier ces deux mondes, qui éprouvaient l'un pour l'autre une haine fatale, en cherchant une solution qui existait bien ailleurs, mais ni dans son pays ni sur son continent.

De quoi allions-nous parler pendant ce dîner ? J'avais une certaine appréhension. Et Montand, avec son franc-parler, qu'allait-il dire de la situation politique qu'il observait de très près ? Il avait eu une conversation avec des jeunes, qui lui avaient dit à propos de « leur » révolution : « Ce n'est pas parce que les choses sont difficiles que nous n'osons pas, mais c'est parce que nous n'osons pas qu'elles sont difficiles. » Montand cherchait à comprendre si c'était de la rhétorique intellectuelle, ou les prémices d'une nouvelle étape politique. Il se montrait très critique à propos des occupations d'usines par le MIR, qu'on voyait ici et là. Allait-il en parler à Allende ?

Quand nous sommes arrivés à la résidence présidentielle, il faisait nuit. La sécurité était indolente ou prévenue. La confiance accordée à la police étant limitée, des jeunes militants du MIR assuraient une protection discrète mais réelle du président. Dans un grand salon, un feu était allumé dans une cheminée géante. Une petite foule entourait le président Allende qui est venu à notre rencontre avec un empressement amical. Il m'a salué à la manière latino-chilienne, et il a accueilli chaleureusement Montand. En nous accompagnant auprès des autres invités, il m'a dit en parlant fort, je pense pour être entendu, qu'il avait trouvé le temps de lire mon scénario qu'il avait sur sa table de chevet depuis quelque temps. Et qu'il était fier que ce film se fasse au Chili, qu'il espérait que j'avais toutes les facilités pour que le tournage se passe comme je le souhaitais. Assentiment général. Puis il a parlé à Montand de l'amour des Chiliens et de lui-même pour ses chansons.

Il nous a présentés à ses invités, parmi eux trois ministres. Deux d'entre eux, m'a murmuré Augusto, sont des communistes. Il s'est ensuivi un dîner bon enfant. Le président nous a raconté les qualités, les nombreuses vertus du peuple chilien, mais aussi ses quelques faiblesses. Cela a fait beaucoup rire. Montand à son tour nous a fait rire avec des histoires de théâtre et de chanteurs aphones. Pas de politique ce soir-là, à part la mise en ordre d'Allende concernant le film et nos relations avec les communistes. À la fin du dîner, il nous a raccompagnés jusqu'à notre voiture, de manière très amicale. C'est la dernière fois que j'ai vu le président Allende.

Quelques jours plus tard nous retournions tous à Santiago pour finir le tournage dans de meilleures conditions. Mais nous avions compté sans l'armée. Après nous avoir promis une centaine de fusils neutralisés pour une scène où les militaires investissaient un bidonville, le matin du tournage ils nous les ont refusés, sans explication. J'ai décidé de tourner la scène malgré tout, en la filmant de haut. Avec mes assistants, nous avons indiqué aux figurants soldats comment avancer en prétendant tenir leurs fusils en position de charge à la baïonnette. La scène est dans le film. Aucun spectateur n'a jamais remarqué l'absence de fusils entre les mains des figurants.

Le tournage terminé, j'avais rendez-vous avec Augusto, « pour nos derniers oursins ». Notre rencontre au marché central de poissons, plein de monde, de voix, de cris, d'odeurs, plus particulièrement celle de l'iode, était quelque peu mélancolique. Il n'y avait pas d'oursins ce matin-là. Nous avons accepté, avec notre verre de vin blanc Emiliana, un accompagnement auquel on a à peine touché.

« Nous ne sommes pas près de nous revoir », m'a-t-il dit avec un sourire chagrin. « Si, si, je reviendrai avec le film terminé pour le montrer comme promis au président. » Il hocha la tête. Après un silence : « Les Américains changent leur ambassadeur. Son successeur est Davis qui était au Guatemala » « C'est pas bon », ai-je dit, en le regrettant aussitôt. Il m'a souri et, comme il était aussi et avant tout un journaliste, il m'a demandé ce que voulait dire ce « c'est pas bon ». Davis avait été au Guatemala lors du énième coup d'État. C'était un spécialiste. Le Guatemala est depuis 1957 une « démocratie dictatoriale ».

Il aura fallu un an à ce diplomate de choc pour préparer, avec les militaires chiliens, le coup d'État sanglant du 11 septembre 1973. Je n'ai donc jamais pu montrer *État de siège* au président Allende, ni à mon ami Augusto. Pinochet était passé par là. Quelques jours avant le coup d'État, Augusto m'a appelé à Paris : « *Adiós compañero*, c'est la fin. Nous finirons avec le bandonéon dans les mains. » Il nous a demandé de nous occuper de son beau-fils, Emilio, qui était assistant sur le film. Emilio voulait faire l'Idhec. Augusto se sachant haï par les *momios*, et connaissant leur barbarie, n'a pas voulu se laisser prendre et mourir sous la torture, comme des milliers d'autres. Il s'est suicidé, quelques minutes avant le président Allende, dans le palais de la Moneda.

Enfin, je suis rentré avec Michèle et Alexandre. Depuis cet interminable voyage, Alexandre, qui avait à peine 2 ans, était persuadé que les passerelles menant aux avions s'appelaient des « chili ». Nous avons retrouvé Julie et Simone Toutain qui la gardait et qui était devenue une grand-mère pour nos enfants, nous avons retrouvé nos amis et leur complicité, Montand et sa curiosité anxieuse pour le film, son envie de visionner les rushes dont nous avions été sevrés durant le tournage. Nous avions vécu avec les informations du laboratoire : « Pas de problème technique. » Celle de l'assistante monteuse, qui trouvait tout « très, très bien ». Ce n'était pas forcément rassurant. Les rushes visionnés, Montand satisfait, je m'enfermais dans la salle de montage.

Jacques Doniol-Valcroze et Jacques Deray sont alors venus me voir aux studios de Billancourt. Sans préambule, ils m'ont proposé d'être président de la SRF, la Société des réalisateurs de films. Instinctivement j'ai refusé. Les propositions qui vous plongent dans l'inconnu me rappelaient un cuisant souvenir d'adolescence.

Le professeur de gymnastique, grand et filiforme, mais le ventre ballonné, toujours en costume gris clair trois pièces et cigarette en permanence à la bouche, m'avait dit : « Demain tu vas courir le trois cents mètres aux jeux nationaux des lycéens. Je t'ai vu en course, tu es le meilleur. » J'ai accepté avec plaisir et fierté, sans trop savoir de quoi il s'agissait vraiment, à part courir. J'ai passé la nuit à penser à la course. Je faisais deux fois le tour du stade. Je gagnais chaque fois. Il m'était souvent arrivé d'accomplir ce genre d'exploit imaginaire, impossible pour tous, sauf pour moi. Le lendemain, le stade d'Athènes, où ont eu lieu les premiers jeux Olympiques modernes, était en ébullition. La foule des lycéens hurlait à chaque épreuve, plus encore aux courses de vitesse. Sur la ligne de départ du trois cents mètres, je ne discernais que mon nom, scandé par mon lycée, sans discerner les neuf autres scandés tout aussi fort.

Un cri strident : *Partez !* Je fonce à toute allure, laissant les neuf autres derrière moi. Le stade se calme. J'entends mon nom, hurlé par mon lycée. À la sortie de la courbe, il n'y en a qu'une pour les trois cents mètres, je sens mon cœur battre terriblement fort dans ma poitrine et jusque dans ma tête. Mes jambes s'alourdissent rapidement, mon souffle devient très court. J'entends les pas des autres s'approcher rapidement. Mes jambes ne m'obéissent plus malgré ma volonté et mes efforts. Les pas des poursuivants se mêlent aux battements de mon cœur dans ma tête. Je suis asphyxié, mon visage est en feu. Les neuf autres lycéens me dépassent, mes jambes pèsent des tonnes. Elles se traînent. J'essaie de respirer, la bouche grande ouverte. La foule, les coureurs, tout s'estompe, devient flou.

J'ai fini sur les genoux, loin de l'arrivée que tous les autres ont franchie. « Qui t'a dit de partir si vite, imbécile ! » Ce furent les seuls mots du professeur, et je les ai reçus comme une gifle. J'ai cherché un regard indulgent parmi les lycéens qui me fixaient, comme un renégat, un scélérat.

Jacques Doniol-Valcroze m'a parlé de cette présidence avec sa douceur habituelle et cette capacité qu'il avait à convaincre sans se presser ni se hâter, direct et sans flatterie. « La SRF a besoin d'un président au nom connu, respecté par le pouvoir politique, par la profession dans son ensemble, par les cinéastes en particulier. » À mes doutes et à mon scepticisme sur ma capacité de tenir ce rôle, Doniol m'a assuré qu'ils seraient là pour m'aider. Il m'a appris le soutien de Robert Bresson, lui aussi membre fondateur de la SRF.

Jacques Deray avait insisté, lui, sur les mêmes points en les amplifiant, insinuant que leur démarche avait l'approbation des membres de la SRF. En dépit de mes résolutions de ne pas courir les aventures des autres, j'ai accepté, je les ai faites miennes, pris par mon amour-propre ou par quelque vanité, par la fierté aussi qu'on s'adresse à moi. De retour à la maison, je m'en voulais d'avoir accepté, Michèle pensait que j'avais bien fait. Aspiration et encouragement d'être à la hauteur.

J'ai donc présidé la première réunion du conseil d'administration, composé d'une dizaine de personnes que je connaissais à peine. Je ne connaissais guère mieux les usages de la fonction présidentielle. Mais pourquoi cette réunion se passait-elle dans le salon du metteur en scène Jean-Gabriel Albicocco ? J'étais choqué, vraiment. En sortant j'en ai parlé à Doniol, à Pierre Kast et à deux trois autres membres du conseil. Je ne trouvais pas digne, pour ce que nous représentions, de nous réunir dans une sorte de semi-clandestinité. Le plus jeune m'a répondu vertement : « Tu veux un salon au Ritz ou au Crillon ? » « Non, à la Cinémathèque, ou au CNC ! » « Au CNC, on va être récupéré par les politiques, le ministre de la Culture… » « Ce sont nos interlocuteurs, non ? C'est avec eux que nous discuterons et que nous aurons à négocier. » Deux réunions plus tard, nous étions dans les bureaux de la Cinémathèque française, rue de Vigny.

Henri Langlois que je rencontrais pour la première fois nous y a accueillis avec amitié et un plaisir manifeste. Il m'a parlé en grec. Nous nous sommes assis sur les marches, dans le musée de Chaillot, et il nous a raconté, à Doniol, Kast et moi, son enfance à Smyrne où il est né, la vie quotidienne avec les enfants des communautés grecque, arménienne, juive, française, sa nounou qui s'appelait *Pagona*, femelle du paon en grec... Il a parlé de la catastrophe de 1922, où les communautés ont explosé avec l'arrivée des révolutionnaires turcs. Après que Smyrne eut brûlé dans un immense incendie, provoqué pour effacer toute trace grecque, Henri Langlois et sa famille étaient rentrés en France. Après avoir accepté que la SRF se réunisse dans ses bureaux, il m'avait demandé à brûle-pourpoint : « Vous avez fait une entrée fracassante dans le cinéma, comment allez-vous continuer ? » Étant au montage d'*État de siège*, je n'avais pas pensé à un prochain film. Il fallait qu'une nouvelle passion naisse. Je le lui avais dit. Il avait hoché la tête. Approbateur ? Je l'espérais.

Les locaux de la Cinémathèque étaient trop exigus. Quelques semaines après, nous nous réunissions, et pour longtemps, au CNC, dans la salle du conseil. Lors de la première séance, une satisfaction intimidée se lisait sur tous les visages et dans tous les comportements. Pour les suivantes, nous étions comme chez nous, ce qui était en partie vrai. Nous nous sentions légitimes et à la hauteur des responsabilités que nous avions acceptées, pour la modernisation et les mutations du cinéma auxquelles nous aspirions tous.

J'avais demandé à Mikís Theodorákis, qui était alors réfugié à Paris, de composer la musique d'*État de siège*. Nos divergences politiques mises à l'écart – Mikís était alors proche du PC grec et de l'URSS –, nous avons travaillé en bonne harmonie. Je lui avais présenté des musiciens latino-américains et proposé une découverte que j'avais faite au Chili : la flûte basse des Andes, dont le son fait penser à un essoufflement, un halètement humain saisi dans un effort de survie. Mikís l'a aimé et intégré dans sa musique. Des années plus tard, j'ai découvert que Romain Gary parlait de cette flûte basse dans son roman *Clair de femme*, avec la même émotion que la mienne.

État de siège a reçu un très bon accueil public et critique et a reçu le prix Louis-Delluc 1973, et quelques autres prix à travers le monde. En Italie, cette fois mieux inspirés, ils l'ont appelé *L'Americano*.

Aux États-Unis, le film a suscité la controverse. Il avait été choisi pour la soirée d'inauguration, le 4 avril 1973, du Kennedy Center à Washington, laquelle serait suivie d'une rétrospective de différents metteurs en scène. Cela m'avait un peu surpris, étant donné l'histoire du film et l'occupant de la Maison-Blanche, Richard Nixon. Mais j'avais fini par admettre ce choix comme une de ces libertés typiquement américaines qui nous surprennent toujours en Europe. Je me trompais. Le directeur du centre, George Steven Jr., a soudain retiré *État de siège*, jugé trop « anti-américain ». Pour protester, douze metteurs en scène, parmi lesquels François Truffaut, Michael Anderson, Franco Zeffirelli, ont retiré leurs films de la rétrospective.

Franco Solinas m'a reparlé du livre dont deux jeunes aspirants producteurs lui avaient proposé de tirer un scénario. Il ne savait pas quoi en penser, ni quoi en faire, mais le sujet l'intéressait : *La Rafle du Vel d'Hiv*. Après l'avoir lu, j'ai eu le sentiment que le livre ne proposait qu'une reconstitution à la manière d'un documentaire historique. Il me paraissait évident qu'il était impossible de reconstituer cette tragédie sans trahir les souffrances, le souvenir de ces treize mille Juifs de tous âges arrêtés par sept mille policiers aux ordres du gouvernement de Vichy qui obéissait aux volontés de l'occupant nazi, quand il ne les devançait pas. En revanche, il était manifeste qu'un film pouvait, devait être fait sur ce désastre humain jamais abordé par le cinéma. Solinas était de mon avis. Nous avons décidé de passer du temps à considérer et à explorer les possibilités d'une idée de film, au-delà de toute reconstitution des faits historiques, mais en nous concentrant sur le sens et les raisons de l'organisation d'une telle tragédie.

Je prolongeais nos discussions avec des lectures de livres sur l'occupation allemande en France. J'ai ainsi découvert des situations et des personnages insoupçonnables. Un anthropologue et médecin suisse, Georges Montandon, antisémite et collabo, au service du Commissariat aux questions juives à Paris, délivrait, après examen « scientifique » et prépaiement conséquent, des certificats d'appartenance à la race aryenne ou à la « race juive », ou encore l'appartenance à 50 %, à 25 % ou moins, à l'une ou à l'autre. Nous avons inclu son « savoir-faire » au scénario qui se dessinait, avec l'idée, le concept de l'identité. Qui est juif ? Donc susceptible d'être persécuté. Qui n'est pas juif ? Par conséquent à protéger. Certains noms permettaient d'établir clairement telle ou telle identité, ou telle ou telle appartenance. En revanche, un nom comme, par exemple, Klein pouvait être, ainsi que tant d'autres, le nom d'un Juif français ou d'un chrétien français. Le « fil d'Ariane » de notre scénario se précisait, et nous nous sommes employés à son bon déroulement. Les difficultés et les pièges ne manquaient pas. Des données historiques sidérantes et abondantes nous déterminaient, nous persuadaient, avec leurs terribles vérités, d'aller jusqu'au bout de notre envie de film.

Montand étant un peu trop âgé pour le personnage, j'ai très vite pensé à Jean-Paul Belmondo pour ce *Monsieur Klein*, très français, qui allait être pris au piège de son nom. Jean-Paul, à qui j'avais raconté les grandes lignes de l'histoire, s'était montré enthousiaste. Le travail du scénario avançait bien, c'est-à-dire au rythme biologique de Solinas que, désormais, je connaissais. Après le café de 9 heures et un rapide parcours de deux ou trois journaux, nous discutions du « squelette » de l'histoire. Suivait l'apéritif, petit vin rouge et fromage sarde sec très salé, avant de déjeuner à la taverne de Mastino, ou se régaler de ce que Franco, lui-même très bon cuisinier, avait préparé. Le rituel se poursuivait pour lui par une bonne sieste. Pendant ce temps, je lisais et révisais mes notes, ou me promenais sur la plage avec Michèle et les enfants quand ils étaient là. Nous avions loué la villa voisine. Vers 15 heures-15 h 30, le travail reprenait... jusqu'à l'apéritif et les infos...

Nous étions à mi-chemin quand soudain, le 11 septembre 1973, nous apprenons par la radio le coup d'État de Pinochet. Je m'attendais à ce coup de force. La haine qu'éprouvaient les dirigeants démocrates occidentaux pour Allende, à commencer par les Américains, nous y préparait. Leur blocus économique avait asphyxié l'économie du Chili et exaspéré l'extrémisme révolutionnaire, réunissant ainsi tous les arguments pour « expliquer » le coup d'État... Les dirigeants démocrates ont toujours besoin d'une justification morale étayée par des motivations économiques. Ils l'ont eue. Le massacre pouvait commencer. Pinochet et les militaires chiliens ne s'en sont pas privés. Nous avons passé la journée avec Solinas et quelques amis, dont Gillo Pontecorvo, Elio Petri et Gian Maria Volontè, à écouter la radio et à nous indigner avec la violence de l'impuissance, en regardant les images du palais présidentiel de la Moneda bombardé, filmé depuis les fenêtres de l'hôtel Carrera.

La précision du bombardement était telle que, plus tard, on a dit qu'il avait été perpétré par des pilotes américains. Ce ne fut jamais prouvé mais, comme dit Charles Denner dans *Z*, « il faut toujours dire du mal des Américains, même quand on sait pas pourquoi, eux ils savent ». Pinochet a été très vite reconnu comme chef d'État par les Américains, et les autres dirigeants occidentaux ont suivi promptement. La danse macabre des tortures, des tueries et des disparitions allait pouvoir se poursuivre. Il y a eu des milliers de victimes. Apathiques, les dirigeants français, malgré un très fort mouvement populaire contre Pinochet, ne se distinguèrent pas des autres OTANistes.

Nous avions repris avec Solinas l'écriture des aventures de *Monsieur Klein* et de ses efforts pour prouver qu'il n'était pas juif. Je tenais Jean-Paul au courant de son devenir, et les efforts du personnage pour s'en sortir le passionnaient.

Puis tout a basculé. Le scénario définitif écrit, j'ai songé à remplacer par un contrat la lettre amicale qui me liait aux jeunes producteurs. Jean-Paul devait aussi entériner par un contrat son accord oral. Alors que jusqu'ici nos relations étaient d'une ingénuité et d'une franchise souriantes, la vision du film et de la production claire, le scénario parfaitement accepté, nos deux jeunes aspirants producteurs ont soudain exigé des conditions financières extravagantes. Nous étions stupéfaits. Peut-être avaient-ils peur d'être marginalisés par le poids que représentait notre association avec Belmondo et Gérard Lebovici, notre agent à tous les deux. Toutes les garanties leur ont pourtant été accordées, précisées dans des projets de contrats. Rien n'y fit.

« L'affaire » est passée aux avocats. Le leur, à force de prolonger indéfiniment les négociations, a fini par créer un tel malaise que Jean-Paul, furieux, m'a annoncé que, n'ayant jamais connu une situation aussi humiliante, il se retirait du projet. Je le suivis, le cœur lourd. C'était une question de dignité. Je ne voulais plus rien avoir à faire avec ces apprentis producteurs.

Un an plus tard, je croisais Alain Delon en face de l'Hôtel Lutetia. Très amical, il m'annonçait avoir aimé et acquis les droits du scénario de *Monsieur Klein*. Sans détours inutiles, sachant que j'en étais le coauteur, il m'a proposé de faire le film avec lui. Je lui ai expliqué que j'avais pensé, écrit et promis le film à Jean-Paul. J'avais même conçu pour lui certaines scènes. Je ne pouvais donc pas le tourner avec quelqu'un d'autre. « Je comprends », m'a-t-il dit. Il a fait le film avec Joseph Losey. C'est un beau film. Quant aux jeunes producteurs, Jean-Pierre Labrande et Robert Kuperberg, leurs noms n'apparaissent qu'au générique de fin.

Pendant les sept mois « vécus » avec l'Occupation allemande pour *Monsieur Klein*, j'avais cherché à comprendre et à m'imprégner des situations, de la psychologie des hommes et de leur conduite. Tous ces fantômes du passé, compagnons de cette passion qu'est l'écriture d'un film, n'avaient pas cessé de me hanter. Jacques Perrin, qui avait suivi mon affligeante aventure, me demanda : « Est-ce que l'Occupation t'intéresse toujours ? » Il venait d'acheter les droits d'adaptation d'un livre : *L'Affaire de la section spéciale*, d'Hervé Villeré. « Si tu veux, on fait le film », m'avait-il dit, avec son sourire en coin que je connaissais si bien. J'ai relu cette remarquable histoire vraie, décrite dans ses moindres détails, et qui m'avait marqué.

En août 1941, à la suite de l'exécution de deux de leurs camarades arrêtés lors d'une manifestation patriotique sur les grands boulevards, de jeunes militants communistes, agissant en électrons libres, semble-t-il, tuent en représailles un officier allemand au métro Barbès-Rochechouart. La réponse est immédiate. Les Allemands exigent que le gouvernement de Vichy riposte en exécutant six Français, pour l'exemple. En France, même sous Pétain, il faut, pour pouvoir exécuter quelqu'un, suivre un processus légal. Or, il n'y a pas de loi pour ce genre de délits, dits « terroristes ». Il faut en créer une afin que l'exécution des six puisse se faire, comme l'exige le commandement allemand, une semaine jour pour jour après l'assassinat de l'officier. Commence alors une course de vitesse durant laquelle se dévoile la nature humaine sous toutes ses formes. La pire comme la plus admirable.

Le projet de loi proposé par le jeune et nouveau ministre de l'Intérieur, Pierre Pucheu, doit être accepté par le garde des Sceaux et le gouvernement. Une fois accepté, il faut rédiger la loi, puis la ratifier. L'occupant doit à son tour l'accepter. Enfin il faut que la loi soit validée par la Haute Cour. Tout cela accompli, il faut encore constituer le tribunal d'exception : trouver un président et des juges qui accepteront de condamner à mort six justiciables. Il faut enfin désigner qui condamner.

Des magistrats sont chargés de procéder à cette désignation : six justiciables qui ne peuvent tomber sous le coup de cette loi… puisqu'elle n'existait pas ! À chacune des étapes à franchir, le tout en une semaine, il se trouve des hommes pour se soumettre, d'autres pour s'opposer, se révolter avec détermination, malgré les dangers. Tout était décrit dans ce livre avec une remarquable précision et distance. Un film était possible, avec un personnage central inusité dans la tradition cinématographique : une loi, inique et illicite.

« Nous ferons le film avec Jorge Semprún. » Jacques a encore souri… La production venait de commencer. La règle que nous avons décidé de suivre pour l'écriture du scénario était celle de l'auteur du livre, Hervé Villeré, c'est-à-dire inflexible, sans concession ni renoncement. Nous avons repris avec Jorge notre méthode de travail, nous isolant chez nos amis à la campagne et reprenant nos parties de baby-foot. Parallèlement à l'écriture, je commençais à penser aux acteurs qui devraient dépasser leur jeu traditionnel et incarner chacun les hommes de cette histoire, qui n'était pas de la fiction. Je voulais organiser mes choix d'acteurs autour de deux d'entre eux, ceux qui avaient le pouvoir : le ministre de la Justice, d'un âge avancé, fidèle à Pétain et accroché au passé, et le ministre de l'Intérieur, jeune, moderne, croyant en l'avenir de l'hitlérisme.

Jacques Perrin m'a suggéré Louis Seigner pour le rôle du ministre de la Justice. Mes assistants me l'ont fortement déconseillé : « Trop de films comiques, trop "Comédie- Française". » J'ai demandé à le rencontrer. Contre toute attente, c'était une découverte. « Vous me direz ce que je dois faire, à chaque instant. En général on me laisse faire… alors je fais », avait-il ajouté avec une pointe de regret qui m'avait paru sincère. Et si elle ne l'avait pas été, c'était admirablement joué.

Pour le rôle du ministre de l'Intérieur, j'ai demandé à Michael Lonsdale, étonnant acteur de vérité, de qualité humaine aussi. À la suite de ma rencontre avec Louis Seigner, je décidais de proposer les rôles à des acteurs qu'on évitait pour les films « sérieux ». J'ai commencé par Michel Galabru, qui a accepté, tout surpris. Claude Piéplu était ravi. Julien Bertheau, Yves Robert, Maurice Teynac, François Maistre, Hubert Gignoux. Tous des génies de la métamorphose et de l'incarnation. J'ai poursuivi avec Heinz Bennent, Henri Serre, Jacques Spiesser, Laurent Bertin. Et enfin, avec des acteurs avec qui j'avais déjà travaillé : Pierre Dux, Julien Guiomar, Jacques Rispal, Jean Bouise et, bien sûr, Jacques Perrin, mais aussi notre ami Éric Rouleau, journaliste au *Monde* et pas du tout acteur. Il n'y avait pas de rôle pour Montand. Il voulait en être. J'ai donc ajouté une scène où trois miliciens déjeunent au restaurant, face au palais de Justice : Yves Montand, son pianiste Bob Castella et moi-même.

Grâce à l'adhésion complète de tous, et à la bonne humeur qui y a régné, le tournage de *Section spéciale*, malgré les situations souvent poignantes ou abominables, fut un moment mémorable. La virtuosité, personnelle et collective, a donné au film une vérité rare que j'ai redécouverte en 2016, en supervisant la restauration du film.

Régulièrement, Jacques Perrin m'annonçait que le régime politique de tel ou tel pays avait changé : « Ils viennent d'acheter *Z*. »

Pendant le montage de *Section spéciale*, le gardien des studios de Billancourt m'appelle de sa loge pour m'annoncer que deux *messieurs* veulent me voir. « Ils parlent anglais. C'est des Anglais. » De toute évidence, pas des Anglais mais des Arabes qui parlaient un anglais parfait. Ils semblaient gênés par l'équipe de montage. Enfin, le plus jeune a demandé si nous pouvions parler en privé. Le bar du studio étant très peuplé, nous sommes allés dans la petite salle du fond. Le plus âgé tenait une enveloppe blanche en papier glacé.

Encore un scénario ? J'étais énervé par tout ce mystère destiné à valoriser leur proposition. Le plus âgé a posé l'enveloppe sur la table : « Nous venons de la part du président Kadhafi… » Il me fixait dans les yeux comme s'il avait peur que je me rue sur lui. Mon regard interrogateur l'a amené à préciser : « Kadhafi, président et guide de la Révolution libyenne. » J'ai pensé un instant à une blague de Montand, comme il lui arrivait souvent d'en faire. J'ai attendu la suite en hochant légèrement la tête avec un petit sourire. Pris comme un encouragement, l'homme s'est lancé dans une longue explication de ce projet dont la ligne générale avait été écrite par le guide de la Révolution. Il a poussé l'enveloppe de papier glacé devant moi, en précisant que je devais compléter le scénario comme je le souhaitais en en respectant l'esprit. Le film serait entièrement financé par eux. Mon prix serait le leur. Il s'est tu, sa mission à moitié accomplie. Tout était bien articulé, expliqué avec la solennité d'un diplomate plutôt que d'un producteur de cinéma ou d'un farceur.

Je retrouvais mon sérieux. Je cherchais une réponse cohérente. Je ne trouvais rien. C'était maintenant eux qui souriaient.

Le jeune a décacheté l'enveloppe et extrait un dossier dans un carton glacé avec une inscription en arabe en lettres dorées. Il l'a ouvert. Il contenait un autre dossier dans le même carton glacé qu'il a ouvert par la fin. Il abritait des pages écrites en français sous le titre *La Fuite en enfer*. Huit pages écrites serré et retenues par un petit ruban vert lui-même attaché au carton glacé. Tout s'est passé en silence avec des gestes cérémonieux. J'ai refermé le tout. « Je vous appellerai dans une semaine », m'a dit le plus âgé. Le texte était une vague réflexion sur la tyrannie, les difficultés du pouvoir. Périclès, Savonarole, Thatcher, Churchill y étaient dûment cités. Il y avait aussi quelques phrases poétiques, noyées dans une sorte de discours de mégalomane. Une semaine après, je donnais ma réponse : « Ce n'est pas un sujet pour moi. » L'histoire a bien fait rire Montand. Il regrettait de ne pas l'avoir organisée.

La sortie en salles de *Section spéciale* a été précédée d'un véritable tumulte médiatique : critiques, historiens, commentateurs politiques et juridiques, tous se sont jetés dans la bataille. Alors que pour *Z, L'Aveu, État de siège*, toutes histoires se passant hors de France, mon statut de citoyen français d'adoption n'avait jamais été évoqué, là, on n'a pas manqué ici et là de nous demander, à moi le Grec et à Jorge l'Espagnol, si nous étions en France pendant l'Occupation.

Certains ont alors découvert que Jorge avait été arrêté par les Allemands en France, pour des faits de résistance, et envoyé en camp de concentration. Quant à moi, j'étais enfant, en Grèce... La question qui restait en suspens, comme si elle avait été posée naïvement et par simple curiosité, était : « De quoi vous mêlez-vous ? »

Peut-être pouvait-on y voir un sens positif : « Vous faites bien de vous en mêler puisque personne d'autre ne le fait. » C'est d'ailleurs ce qu'a sous-entendu Thierry Frémaux, à Lyon, en octobre 2015, avant la projection de *Section spéciale* dans sa version restaurée, en disant : « Il fallait que ce soit un Grec d'origine pour faire un film sur cette histoire française », avant de qualifier mes films de « grand cinéma sauvage ». Je ne sais toujours pas comment prendre ce qualificatif. Mais je le prends sans hésiter.

À la sortie de *Section spéciale*, Robert Badinter a organisé une projection pour quelque trois cents magistrats, suivie d'un débat qu'il a introduit brillamment avec un texte portant sur « Éthique et Justice ». La salle l'a beaucoup applaudi et les deux ou trois critiques ou justifications de vieux magistrats ont été massivement repoussées par les plus jeunes. Pour ma part, j'ai retenu une autre prise de position, purement cinématographique celle-là, signée du critique Claude Benoit, dans la revue *Jeune Cinéma*. Je le cite : « Le cinéma de Costa-Gavras suscite d'étranges réactions. Certains dénoncent *L'Aveu* au nom de *Z*, d'autres chipotent *État de siège* après avoir loué *Z* et *L'Aveu*. Et il se trouve des gens pour critiquer *Section spéciale* après avoir porté aux nues *Z*, *L'Aveu* et *État de siège*. C'est à n'y rien comprendre car les quatre films se ressemblent trait pour trait. La vision politique de l'auteur est la même dans tous. »

Quelle que soit la valeur de cette réflexion sur mon film, elle n'a pas cessé de beaucoup m'intéresser, sinon de me consoler le long des années et des controverses. *Section spéciale*, sélectionné pour représenter la France au Festival de Cannes, a reçu le Prix de la mise en scène – puis quelques autres prix en Amérique et dans le reste du monde. Universal a acheté le film pour les USA où il m'a été demandé d'en superviser le sous-titrage. Michèle a saisi l'occasion pour que nous passions les deux mois d'été dans les environs de New York pour parfaire mon anglais.

Universal a envoyé deux limousines à l'aéroport Kennedy, pour notre nombreuse famille et nos bagages. Nos enfants, Patrick et sa copine Odile, Alexandre, Julie, deux nièces niçoises, Christiane et Sophie, et enfin Simone, la grand-mère adoptive. Les limousines nous ont emmenés dans le Connecticut, à Westport, une petite ville à l'époque, sous d'immenses arbres centenaires, avec des jardins fleuris, des oiseaux et des écureuils pas farouches qui ont fait la joie des enfants.

C'était un univers nouveau, enchanteur. La vie rêvée de l'*Upper class* américaine, disons bien au-dessus de la moyenne. Nous étions comme dans un film américain. Quand la nuit tombait, que les fleurs devenaient monochromes, que les arbres semblaient cacher des mystères inquiétants, prêts à nous surprendre, nous nous dépêchions alors de bien fermer portes et fenêtres, et nous attendions que le jour revienne.

Le matin, je prenais le train pour New York avec une foule de « *commuters* ». Michèle me conduisait à la gare et repartait. Une heure après, le train arrivait à Grand Central Station, 45ᵉ Rue, au centre de Manhattan où chacun se dépêchait vers son travail, et moi vers le sous-titrage. Je rentrais en fin d'après-midi avec les mêmes. À 17 heures, nous avions une leçon d'anglais, suivie par *Star Treck* à la télévision, un autre rituel familial, regardé avec passion par tous, plus encore par les enfants qui en saisissaient l'essentiel.

Je terminais le sous-titrage quand une journaliste rencontrée pendant la sortie de *Z* m'a appelé en précisant qu'elle travaillait maintenant pour Robert Redford. Il souhaitait me rencontrer.

Au restaurant de l'hôtel Algonquin, j'ai vu venir vers ma table un personnage étrange, comme on en voit souvent à New York. Il m'a souri et, pendant qu'il me tendait la main, j'ai pu deviner derrière son déguisement le visage de Robert Redford. En se débarrassant de son chapeau, de ses lunettes et de sa moustache touffue, il m'a dit qu'il aimait marcher dans la rue ainsi : « C'est retrouver ma liberté, mais après un moment je suis inquiet de ne plus être reconnu. » Il m'a raconté le jour où, sur le tournage de *The Way We Were* (*Nos plus belles années*), il est allé parler à Sydney Pollack qui s'est écarté furieux en engueulant ses assistants d'avoir laissé passer n'importe qui. Cette histoire l'amusait, moi davantage encore. C'était, je pense, sa manière de faire baisser la tension. Nous avons parlé du sous-titrage, de la famille, de Westport où Paul Newman avait une maison non loin de la nôtre. Nous en sommes venus à évoquer nos projets de films. Les miens, et une éventuelle collaboration. Mon projet était d'étudier la possibilité d'un film sur les multinationales.

Avec *État de siège* et mes voyages en Amérique latine, j'avais découvert le rôle de ces colosses économiques qu'étaient les multinationales dans nos sociétés, et leur pouvoir exorbitant, incontrôlable par les pouvoirs politiques. J'avais réuni de la documentation et comptais commencer à travailler dès la fin des vacances. Le sujet l'intéressait beaucoup. Il m'a raconté des anecdotes sur ITT et quelques autres multinationales. Il souhaitait, s'il y avait un personnage pour lui dans mon scénario, que je le tienne informé de l'avancement de l'écriture.

Michèle a modéré ma griserie, en me rappelant ce que je disais souvent à propos des grandes stars de cinéma, qui veulent que l'histoire du film se mette à leur service et non le contraire. De retour à Paris, je parlais à Jorge de mon projet sur les multinationales. Mais il écrivait son livre, *L'Autobiographie de Federico Sánchez*, et il en avait pour plusieurs mois. Je pensais que le sujet ne le passionnait pas.

Une Palestinienne a appelé Michèle en insistant pour nous voir. Abir Dejani Tuqan était jeune, charmante et cultivée. Avocate, elle vivait avec son mari entre Londres et le Koweit. Elle n'a pas tergiversé et s'est montrée fort directe, émouvante, presque autoritaire : « Quand ferez-vous un film sur nous ? Sur la Palestine et les Palestiniens ? »

Après *Z,* je m'étais habitué à ce genre d'interpellations. Mais cette fois, c'était la demande la plus inattendue, la plus difficile, la plus explosive. Les Palestiniens étaient mondialement considérés alors comme des *terroristes*, sans la moindre nuance. Nombreux étaient ceux qui voulaient la paix, quitter leurs camps, retrouver leurs maisons, sortir de la situation d'occupation. « C'est de ceux-là qu'il faut parler », avait insisté Abir. Je lui expliquais que je travaillais sur un projet qui allait me prendre au moins deux ans, impossible d'y penser, d'envisager autre chose. « Nous ne sommes pas pressés, notre histoire dure depuis si longtemps et elle va durer longtemps encore. » Elle souriait toujours quand elle parlait de la Palestine. En l'accompagnant à la sortie, elle m'a demandé si elle pouvait m'envoyer un livre, des brochures. « Bien sûr, je les lirai volontiers. » « Je vous promets, je ne vais pas vous submerger », avait-elle dit avant de partir, souriant encore.

Je retrouvais Solinas, qui se montrait d'emblée partant pour l'aventure sur les multinationales. « Vraiment pas facile, mais le sujet mérite qu'on l'étudie. » L'idée du cormoran pêcheur est née comme une métaphore. Dans certaines régions, les pêcheurs dressent un ou plusieurs cormorans qui pêchent pour leur compte. Ils mettent un anneau au cou de l'oiseau, ce qui l'empêche d'avaler les gros poissons qu'il rapporte au pêcheur, lequel le récompense d'un petit poisson qu'il peut avaler. Il repart à la pêche, encore et encore, en s'épuisant pour se nourrir. Une fois vieilli et totalement apprivoisé, il n'est plus rentable. Le pêcheur lui enlève l'anneau. Sa gorge ayant rétréci, le cormoran ne peut plus avaler les gros poissons et il ne sait plus pêcher les autres. L'histoire s'est développée autour de cette métaphore avec deux personnages principaux : le dirigeant âgé d'une multinationale, qui reçoit comme aide un jeune aux idées modernes de management et de rentabilité.

Nous étions à mi-chemin de l'écriture du scénario quand Robert Redford est venu à Paris. Le déjeuner organisé chez Lapérouse – assiégé par une armada de photographes – avec Michèle et Solinas, s'est déroulé dans une ambiance chaleureuse. Redford a beaucoup aimé la première partie de l'histoire que nous lui avons racontée. Il avait hâte de lire le scénario. Comblés, nous nous sommes remis au travail. L'avenir du projet se présentait mieux que bien.

Abir Dejani Tuqan a soudain débarqué par surprise au Villaggio dei Pescatori à Fregene pour me rencontrer ainsi que Gian Maria Volontè. Volontè était en tournage. J'étais avec Solinas. Pour Abir, c'était encore mieux : moi et le scénariste de *La Bataille d'Alger*. Elle nous a répété avec la même passion : « Faites un film sur la Palestine et les Palestiniens. »

Étudiant, je pensais comme beaucoup aller passer quelque temps dans un kibboutz qui, aux dires de ceux qui y avaient séjourné, n'avait rien de comparable aux kolkhozes vantés par les communistes. Les kibboutz avaient une dimension humaine. Personne ne parlait des Palestiniens. Si ce n'est cette phrase souvent entendue : « Les Palestiniens, qui sont-ils ? » On avait fini par se le demander.

Abir a passé un long moment avec nous et Michèle. Grazia, la nouvelle compagne de Solinas, belle, vraie blonde, était partie se baigner pendant que nous écoutions les récits d'Abir, émouvants et parfois révoltants sur la Palestine. Elle n'a jamais eu de mots de haine ou des anathèmes contre les Israéliens. Ayant bien compris que nous étions occupés, elle nous a quittés en nous répétant une fois de plus : « Je ne vois que vous pour faire un film sur nous. » Notre ami Éric Rouleau, grand spécialiste du Moyen-Orient, m'a précisé peu après que les Dejani et les Tuqan étaient deux grandes et vieilles familles palestiniennes.

Le scénario terminé que nous appelions désormais *Le Cormoran* a été traduit en anglais. Je l'ai envoyé à Redford, accompagné d'une lettre dans laquelle je lui précisais des détails de mise en scène et des idées pour le casting des autres personnages. En attendant sa réponse, j'ai accepté une invitation pour le moins prometteuse. Il s'agissait de participer à l'émission *Encuentro* de la première chaîne de télévision au Mexique. Le thème de cette rencontre : la liberté au cinéma, la violence, le sexe. Les invités par ordre alphabétique : Frank Capra, John Huston, Sergio Leone, Joseph Losey, Roman Polanski, Peter Weir et moi-même.

Nous nous sommes retrouvés à Mexico à six comme dans une cour d'école à la rentrée des classes, ne sachant pas vraiment quel était le jeu, l'enjeu et pour qui on était là. Mon hôtesse, car chacun avait son hôtesse et une interprète, m'avait montré au loin Peter Weir qu'on conduisait vers les ascenseurs. Je l'avais trouvé très grossi, et sa femme aussi. Il n'est pas venu à la conférence de presse le lendemain matin. Frank Capra non plus. Trop fatigué.

Ce jour-là, une foule de journalistes, de photographes et de curieux rendaient la salle étouffante. Première question : notre réaction à la déclaration de Tennessee Williams qui, lors du récent Festival de Cannes dont il avait présidé le jury et auquel je participais, aurait déclaré : « Les films politiques, ceux avec de la violence et du sexe, ne sont pas de l'art. » Cela déclencha une série de déclarations et d'épithètes pas très sympathiques pour Tennessee, la surenchère de chacun favorisant l'escalade. John Huston a conclu en qualifiant les déclarations de Tennessee de « cochonneries risibles ». Chacun de nous, avec sa fougue, son humour ou son impétuosité, a défendu ce qui devait l'être et vilipendé, condamné, accablé tout censeur, toute censure, conscients qu'au Mexique il y en avait quelques-unes. Cela avait fait naître des sourires chez beaucoup de journalistes que j'observais. Et des mines patibulaires chez quelques autres, où s'ajoutait un hochement de tête de gauche à droite comme pour tenir loin d'eux nos paroles et nos idées.

L'enregistrement de *Encuentro* a été pour nous tous une nouvelle occasion de nous exprimer et de surenchérir sur la liberté du cinéma, le sexe et la violence étant des composantes de la société que le cinéma ne pouvait occulter. Nous sommes revenus avec insistance sur les censures religieuses, politiques et économiques, d'autant que Rodolfo Echeverría, le frère du président du Mexique, était le patron du cinéma national. Plus de deux heures d'enregistrement. Restait le *mystère*

Peter Weir qui n'apparaissait toujours pas. Finalement, on nous a dit qu'il n'avait pas pu venir. Mon hôtesse a fini par me confier, sous le sceau du secret, qu'ils s'étaient trompés et que l'homme qu'elle m'avait montré en arrivant était un autre Peter Weir, un homonyme allemand, gros marchand de viande ou de bétail. Ils l'avaient envoyé avec sa femme, en catimini et en vitesse, à Acapulco, pour la semaine.

Suivit une invitation du président Luis Echeverría à déjeuner, chez lui à San Jeronimo. Immense propriété à la végétation luxuriante, aux oiseaux exotiques. « *Little private paradise* », a commenté Frank Capra, exagérant son admiration. Le président Echeverría nous a pris dans ses bras à la mexicaine. Il a été plus insistant avec moi pour montrer à tous, surtout aux photographes, qu'existait entre nous une vieille complicité. Il y avait une part de vérité. Plusieurs mois auparavant, on nous avait organisé un rendez-vous, de la manière la plus excentrique qu'il soit. Un journaliste mexicain, Manuel Ávila Camacho, m'interviewant à Paris, m'avait soudain demandé : « Pourquoi vos films sont-ils interdits au Mexique ? » « À vous de me le dire, c'est votre pays ! » « Si je vous obtiens un rendez-vous avec Echeverría, vous pourrez lui en parler. » « Qui est-ce ? » Il m'a dévisagé, pensant que je me moquais de lui. « Le président du Mexique. » « Vous plaisantez ? » Je l'avais pris pour un farfelu mégalomane. Pourtant, ses manières, son assurance, son comportement, son habillement même indiquaient le contraire, il avait une aisance rare, une classe inhabituelle pour un journaliste. « Si ça n'est pas une gasconnade mexicaine, j'irai. » Il avait souri, aimé que je le prenne pour d'Artagnan. Un samedi, deux semaines plus tard, il m'appelait. Il s'est annoncé comme le d'Artagnan mexicain. « Notre interview sort demain dimanche et vous avez rendez-vous mardi après-midi. » Et il me donnait le numéro de téléphone et le nom du directeur de cabinet du président, au cas où j'aurais voulu vérifier.

Heureux, Ávila Camacho nous attendait avec son chauffeur à l'aéroport. Entre-temps, j'avais appris que Manuel était l'arrière-petit-fils d'un ancien président du Mexique. Le palais présidentiel est une bâtisse néoclassique où cohabitent d'autres styles, sans complexe d'infériorité, et même avec bonheur par endroits. On m'a conduit dans une très vaste salle ronde autour de laquelle il y avait des niches, comme des petites chapelles dans les grandes cathédrales. Un dôme, aux verres translucides, diffusait la lumière, créant une ambiance laiteuse, inconfortable. On m'a installé dans ma niche. J'ai vu le président passer d'une niche à l'autre. Grand, svelte, avec une démarche légère et élastique, celle d'un fauve. Son regard derrière ses lunettes semblait scruter l'espace et chaque personne. Soudain, il était là, dans ma niche, et me tendait la main avec une cordialité scrutatrice. Salutations, bienveillance soulignée, admiration, il avait vu mes films. Il en a cité trois. On lui avait fait une note, sûrement. « Pourquoi mes compatriotes mexicains ne peuvent voir vos films ? » « On me dit qu'ils sont interdits, Monsieur le Président. » L'élasticité de fauve se raidit au mot interdit. Il se tourne vers son aide de camp. « Appelez-moi Rodolfo ! » « Il est à New York, Monsieur le Président. » « Trouvez-le ! » Il se retourne vers moi : « Attendez-moi, je reviens. » Et il est parti vers une autre niche.

L'homme qui au téléphone cherchait Rodolfo s'est énervé. « Va le chercher ! » a-t-il grondé au téléphone. Longue attente. Enfin, Rodolfo était à l'autre bout du fil alors que le président revenait. Sur un ton sévère, bien joué, il dit à Rodolfo : « J'ai devant moi Costa-Gavras, pourquoi les Mexicains ne voient pas ses films ? » Très long silence. « Tu es toujours là ? Je veux que les Mexicains voient ses films. Je te le passe. » D'une voix qu'on appelle blanche, je dirais plutôt qu'elle venait du fond de la gorge et de la stupéfaction, Rodolfo m'a salué. Rendez-vous fut pris et les films sortirent trois mois plus tard. Ávila Camacho triomphait.

Voilà ce qu'il en était de notre passé intime avec le président Echeverría, qui avait invité dans son hacienda pour un déjeuner d'autres artistes, cinéastes mexicains et latino-américains. Après les avoir tous salués chaleureusement et photographiquement, il a pris Luis Buñuel par le bras, puis moi, et nous a installés à la grande table, chacun à ses côtés, faisant le bonheur des photographes. Je ne cessais de penser qu'Echeverría avait été le ministre de l'Intérieur pendant les jeux Olympiques de 1968. Sa police et l'armée avaient tué quarante étudiants qui manifestaient. Trois cents, voire plus pour certains, avec les disparus jamais dénombrés.

J'étais, nous étions tous pris dans un piège très habilement conçu. Le président s'est levé pour son discours de bienvenue. Nous nous sommes regardés avec Capra : le discours était un copié/collé de nos déclarations lors de l'émission enregistrée la nuit précédente. Tonnerre d'applaudissement de la part des invités, serviteurs inclus. Nous étions célébrés dans toute la presse, le président Echeverría avec nous. Des amis mexicains m'ont dit que l'émission enregistrée n'a jamais été diffusée.

Retour à Paris et au *Cormoran*. La réponse de Redford a été rapide : il souhaitait une fin en forme de rédemption pour son personnage. Un geste ou une action de révolte, qui change ou faisait changer la situation sociale dramatique créée par la multinationale du film. Pour Redford, notre conclusion de « vérité vraie », sans proposition positive, revenait à nier la possibilité de résistance face aux colosses, ici une multinationale. Pour moi, conclure le film avec l'idée qu'un homme peut vaincre le géant économique qu'est une multinationale, c'était tranquilliser le spectateur en lui faisant plaisir. C'était trahir le réel. Qui avait raison ? Nous nous sommes séparés amicalement.

D'autres solutions de casting ont été envisagées et proposées aux financiers. William Holden aimait beaucoup le scénario, c'était l'histoire de son père. Alain Delon voulait faire un film en anglais. On évoqua aussi Robert Mitchum, qui voulait travailler avec moi. Il m'a proposé un rendez-vous matinal, mais pas avant midi. Il portait des lunettes noires qui cachaient ses yeux, témoins de nuits arrosées. Finalement, aucune compagnie, ni à Hollywood ni ailleurs, n'a voulu financer ce projet, les acteurs n'étaient pas *bankables*. Ou était-ce le scénario ? Le projet a donc été abandonné.

C'était l'ébranlement des fondations, la déstabilisation des certitudes, notamment cinématographiques. J'arrivais à un âge où le passé était plus long que le temps qui restait. Le vieillissement s'approchant, montrait-il déjà le nez de son cortège d'échecs et de ruptures ? La mort ne m'avait jamais préoccupé, ni avant ni aujourd'hui, la sachant inéluctable pour tout le monde. Convaincu que nous venons du néant pour retourner au néant, je ne m'occupais que de la vie. Être au mieux avec les autres en général. Au mieux possible avec ma famille, et avec moi-même, ce qui n'est pas le plus aisé.

Il me fallait repenser le cinéma que j'avais envie de faire et qui m'émouvait. Dilemme et crise ouverte. Heureusement, il y avait Michèle, les enfants qui grandissaient et demandaient qu'on s'occupe davantage d'eux. Il y avait aussi quelques amis. Comment leur parler d'une crise si personnelle, sans devenir assommant ? Michèle ne faiblissait pas : *Le Cormoran* était un bon scénario, peut-être en avance sur son temps. On dit toujours ça. Consolation anoblie. Nous étions en avance avec Solinas… Tellement en avance que nous avions fini par être seuls, perdus. La solitude au cinéma, c'est la disparition dans le brouillard de l'autosatisfaction.

CHAPITRE 12

Profaner le malheur

On m'avait souvent demandé quand je ferais un film d'amour. J'avais une réponse toute rodée : « Il y a de l'amour dans tous mes films. » « Non, un vrai film d'amour entre un homme et une femme ! » Et puis je me suis souvenu d'une phrase tirée d'un livre de Romain Gary et citée dans une émission de radio : « Profaner le malheur. » Le roman s'appelait *Clair de femme*. J'ai fini par trouver le livre. Je l'ai lu, j'ai été subjugué, envoûté. Dès les premières pages, Gary parle de l'amour de la mort – « smrt » en serbe, mot parfait pour dire la mort. C'était l'histoire d'une relation entre deux êtres cherchant chacun à *profaner* le malheur. J'ai passé la nuit à y penser. Il y avait là un beau rôle pour Montand. J'avais envie de retrouver le bien-être d'un tournage avec lui. Il y avait aussi un rôle de femme pour lequel Romy Schneider que j'admirais serait parfaite. C'était un peu Signoret jeune. Je réfléchissais encore vingt-quatre heures avant de décider de contacter directement Romain Gary, sans passer par les éditeurs, les agents ou autres assistants, tous protecteurs de l'écrivain et synonymes de perte de temps.

Je connaissais Romain Gary et nous nous croisions souvent à la brasserie Lipp, où il occupait toujours la première table à gauche en entrant dans la partie de la grande salle. Je

283

me suis pointé à l'heure du déjeuner. Il était là, seul comme d'habitude. Je l'ai salué en ajoutant : « Je suis venu vous voir. » Il m'a fait signe de m'asseoir, puis laconique : « Tu déjeunes ? » « Non, je suis juste venu pour vous poser une question. » Encore un que je n'arrivais pas à tutoyer. J'avais à peine fini d'exprimer mon intérêt et ma question sur les droits de *Clair de femme* qu'il m'a répondu, pas laconique du tout : « C'est un Suisse fou qui a acheté les droits. Il a des salles à Lausanne et veut produire des films. Je n'ai eu que des mauvaises expériences avec mes romans au cinéma ! » J'étais gêné, il a poursuivi : « Appelle-le. Je n'interviens en aucune manière. »

Il a tenu parole. Une fois *Clair de femme* terminé, je lui ai organisé une projection. Je n'y ai pas assisté. Je voulais éviter ses critiques acerbes contre les films adaptés de ses livres. Il m'a écrit pour me remercier d'avoir été fidèle à son livre. Le film l'avait ému, grâce aussi à Montand et Romy, et il finissait par un « bravo et merci ».

Je quittais la brasserie Lipp, épaté par Romain Gary indifférent au devenir de son livre. Je passais la nuit à penser à mon soudain attachement à cette histoire, à ses personnages et à leurs raisons. Je me suis souvenu de cette question-réponse que j'aimais : « Tu cherches quoi ? » « Je le saurai quand je l'aurai trouvé. » Le lendemain, j'ai appelé Georges-Alain Vuille à Lausanne. À l'annonce de mon nom, d'une voix sèche et furieuse, il m'a envoyé balader. Et que j'aille me faire voir chez les Grecs, puisque je prétendais être Costa-Gavras ! Je le coupais en lui donnant mon téléphone à Paris pour qu'il m'appelle. « Ouais, ouais », a-t-il aboyé en me raccrochant au nez. Une demi-heure plus tard, il me rappelait, très embarrassé : « Depuis que j'ai dit vouloir être producteur, on ne cesse pas ces plaisanteries ! »

La raison de mon appel l'a laissé aphone, puis sa voix a éclaté au point de me faire sursauter. « J'arrive ! Où êtes-vous ? » J'ai vu débouler un homme jeune, hors d'haleine, au visage poupin et empourpré, plutôt de petite taille, pas gros mais bien en chair, je dirais onctueux, les yeux pétillants de malice ou d'excitation. Il m'était impossible de lire son visage enfantin. « Cinq étages et pas d'ascenseur ! » a-t-il murmuré dans un souffle. « Non, quatre », ai-je corrigé. Il est entré sans y être invité. Très vite, il a retrouvé une débordante énergie, orale et physique.

« Vous voulez faire le film ? Nous commençons maintenant, ici... » Il a continué pendant un long moment. Le financement ? « Pas de problème ! » Ma liberté ? « Tout ce que vous voulez ! » Il s'était tu. Il avait promis le film à Capucine, un célèbre mannequin et actrice. « Très belle femme... grande classe... actrice exceptionnelle... » J'étais d'accord, sauf sur le mot « exceptionnelle ». Il en parlait comme un amoureux fou. Il a dû deviner ma pensée. « Elle est juste une amie », a-t-il précisé avec gravité. Il attendait ma réaction. J'ai vu notre relation buter contre sa promesse. « Je ne vois que Montand et Romy Schneider pour le couple. »

Il se lève d'un bond comme s'il allait partir. Puis il s'est mis à faire les cent pas dans le salon, silencieux, l'air buté ou malheureux, je ne sais. « C'est un très beau casting... », a-t-il fini par dire. « L'enfer sera pour moi. Je vais le dire à Capucine, vous la connaissez ? » « Non. » « Bien sûr. Je vais voir Lebovici en sortant d'ici. » Sa voix et son corps onctueux étaient triomphants. Il a rapidement descendu les étages. J'ai appelé Lebovici. Je voulais écrire le scénario seul pour mieux « vivre » la vie de chaque personnage, les suivre dans leurs désespoirs, leurs solitudes remplies de fantômes, leur amour naissant. Sans l'intervention, la réflexion et la présence d'un autre. C'était des solitaires que j'aimais découvrir, être avec chacun, avec leur effondrement psychologique et leur inépuisable envie de vivre. Elle, lui, et le dresseur de chiens.

Entouré de mes acteurs, j'ai vécu avec eux, scène après scène, reprenant les dialogues mystérieux et décalés de Romain Gary, comme ses personnages, les faisant miens. Ces dialogues sont le fondement pour la compréhension des personnages et de leur débauche de malheur. Avec la phrase : « Non, Michel, je sais bien que la foi soulève des montagnes, mais quelquefois ça ne donne rien d'autre que des montagnes à soulever », je me trouvais devant une abstraction ouvrant sur des significations hétéroclites et admirables. Les personnages s'exprimaient, se composaient avec une détresse secrète et mystérieuse. Sans pathos. Je les ai aimés, suivis, développés.

Le scénario terminé, Vuille et son entourage, qu'il écoutait beaucoup, ont trouvé les dialogues « non réalistes ». Il a insisté pour qu'un scénariste les « retravaille ». Je sentais qu'il y avait derrière son insistance l'idée que, étant donné mes origines, il n'était pas dans un français « parlé ». C'était déjà arrivé avec *Compartiment tueurs*, et finalement, nous avions jeté la version retravaillée. Il m'a proposé la coopération de Christopher Frank. Nous nous sommes rencontrés et je l'ai laissé travailler les dialogues. Vuille est arrivé un matin avec le script « retravaillé », furibond et, dans un geste théâtral, pour me faire plaisir évidemment, a jeté le scénario dans la corbeille. Les dialogues de Frank étaient bons, mais pour un film d'amour traditionnel. Ils banalisaient l'histoire d'amour de *Clair de femme*.

Romy montrait un enthousiasme teinté de méfiance : « Tu fais un film pour ton ami Montand ou pour moi ? » « Pour les deux, pour leur histoire. » « Comment je peux en être sûre ? » « Tu verras au tournage. » « Et avant ? » Commença alors une relation de séduction mutuelle. Pour moi, il s'agissait d'apprivoiser cette immense actrice, cette si forte personnalité, pour parvenir à une certaine complicité. Cela a duré, mais nous y sommes parvenus. Sa peur des dialogues, inhabituelle pour elle, est vite devenue une découverte et un plaisir. Elle aimait discuter le moindre détail, m'envoyait des notes écrites, et cela se terminait par des tête-à-tête à trois, avec Montand, pendant lesquelles les sentiments des personnages étaient « mis à plat », puis reconstruits. Autant d'improvisations structurées, émouvantes, et de liberté pour Romy.

La coproduction italienne nous a conduits à tourner quelques séquences de décors parisiens construits à Cinecittá, à Rome. Une situation baroque, mais habituelle. L'acteur italien Romolo Valli a accepté de tenir le rôle du dresseur de chiens. J'avais vu à la télévision italienne Roberto Benigni dans son numéro de critique des critiques du cinéma, dévastateur de drôlerie. Il a accepté le petit rôle que je lui proposais et il lui a donné une dimension *benignienne*.

Au montage, je découvrais, au fur et à mesure des séquences assemblées, que le film ressemblait à ce que je voulais, un film indéfinissable, non classable. Tant pis pour ce que cela pourrait nous coûter, à moi et à lui.

C'est à cette époque que j'ai reçu une visite, fortuite en apparence. Jean Seberg, que je n'avais pas vue depuis très longtemps, était venue avec son ami Ahmed Hasni déjeuner avec moi aux studios. Elle m'a parlé un peu d'eux, de leurs projets artistiques et politiques. Hasni voulait être acteur et metteur en scène. Puis, d'un coup, elle s'est intéressée au film. Elle m'a posé des questions et, avant que je ne lui réponde, elle m'a lancé sur le ton d'une raillerie gentille : « Je l'aurais bien jouée moi, Lydia… » Cela ne m'avait jamais traversé l'esprit. Jean était depuis trop longtemps exposée à des situations en dehors du cinéma pour que je puisse penser à elle pour le film. Je ne lui avais rien répondu. Elle a ri de son rire cristallin. Son ami restait silencieux. Nous sommes passés à autre chose, ses déboires avec le FBI. Elle en parlait comme d'une tragédie, mais aussi comme d'une victoire politique. Nous nous sommes séparés sans gaieté aucune, comme si elle et moi regrettions de nous être revus.

Une autre visiteuse, moins déconcertante, a ressurgi, comme une mauvaise conscience. Abir Dejani Tuqan, de passage à Paris, est venue nous saluer Michèle et moi. Naturellement, nous avons parlé de la Palestine. Elle allait à Rome saluer Solinas, et lui parler de la Palestine. Après le passage d'Abir, je restais comme emporté par un tourbillon de pensées, de sentiments contradictoires, de questionnements. Arafat, chef terroriste, était maintenant considéré par beaucoup comme le leader d'un peuple qu'on ne voyait pratiquement pas et dont Abir parlait avec passion.

Clair de femme est sorti en salles le 29 août, plébiscité par le public. Le 9 septembre, la police a trouvé Jean Seberg, disparue depuis le 30 août, morte, suicidée dans sa Renault 5 garée dans une rue de Paris. Ahmed Hasni a déclaré qu'ils étaient allés voir *Clair de femme* dans la soirée. « Jean n'a rien dit de particulier avant de s'endormir. À 6 heures du matin, j'ai constaté qu'elle n'était plus là. Elle avait emporté ses papiers, une couverture, ses barbituriques et une bouteille d'eau. J'ai constaté que sa voiture avait aussi disparu… » Pendant les dix jours qui suivirent sa disparition, Jean Seberg a reçu tout l'amour du monde. Les journaux, les revues, les magazines, la télé, les radios, des milliers de femmes et d'hommes l'ont admirée, adorée, pleurée. Si on avait parlé d'elle avec le centième de cet attachement, avec cette passion, pour elle *avant*, quand les mauvaises nouvelles et les rumeurs la traquaient et faisaient ricaner les médisants, alors peut-être la détresse n'aurait-elle pas pris toute la place.

Franco Solinas est parti à Beyrouth visiter les camps palestiniens. Je n'ai jamais su si c'était de sa propre initiative ou sur l'invitation d'Abir. Il en est revenu « secoué », mais convaincu qu'il n'y avait là que des sujets de documentaires sur la vie misérable des habitants et leur manque de projets d'avenir. Toutes ces discussions, ces lectures, cet environnement, l'atmosphère fanatisée autour du problème israélo-palestinien dans laquelle nous vivions, ont commencé à faire naître l'idée d'un film sur ce sujet par ailleurs tabou au cinéma. Mais un film sur quoi ? Sur qui ? Comment ne pas tomber dans les prises de position ordinaires, pour les uns contre les autres ?

Michèle, qui était allée en Jordanie, en Israël et en Territoires occupés, nous a proposé d'aller en Israël et en Palestine pour voir de près la situation. Notre ami Amnon Kapeliouk, Israélien sabra, journaliste à Jérusalem et à Paris au *Monde diplomatique*, avait aimé l'idée. Il nous a accueillis avec son habituelle chaleur, son humour, sa franchise, son exubérance et son culot sans limite. Polyglotte, il parlait l'hébreu, l'arabe, le français, l'anglais et le russe. C'était le meilleur guide possible. Olga, sa femme, professeur de linguistique à Paris et à Jérusalem, parlait pour sa part une vingtaine de langues. À mon étonnement admiratif, elle m'avait répondu : « Moi, c'est rien, mon professeur en parle cinquante ! »

Grâce à Amnon, nous avons pu rencontrer beaucoup de monde, des Israéliens comme des Palestiniens, et aller partout. Les séparations actuelles, murs, fils de fer barbelé, routes séparées pour les Israéliens et les Palestiniens, n'existaient pas encore. Amnon nous a conduits jusqu'à une maison qui avait été dynamitée. « Une sur les cinq mille », nous a-t-il précisé. Avec son aplomb imperturbable, il a frappé à la porte de la maison d'en face, a dit qui il était, qui nous étions, et demandé pourquoi la maison avait été dynamitée. Dix minutes plus tard, nous étions, Olga, Michèle, Solinas, Amnon et moi, assis autour d'une table avec du thé et des petits gâteaux très sucrés. Nous nous trouvions chez les parents du propriétaire de la maison dynamitée, ils les avaient recueillis, ils étaient une quinzaine à vivre là. Amnon a répété sa question : « Pourquoi l'armée israélienne avait-elle dynamité la maison ? » Olga traduisait : « Leur fils avait hébergé un ami recherché pour des actes terroristes… » Puis ils nous ont raconté les difficultés des deux familles à vivre ensemble. Le père avait perdu son travail, le fils avait été mis en prison, sans parler d'une foule de détails sur la vie quotidienne jonchée de peines et d'humiliations. Assise à côté de moi, j'ai vu Olga essuyer discrètement une larme. En sortant de la maison, elle m'a dit avoir été pour la première fois en contact de manière aussi proche avec des Palestiniens.

Amnon allait partout. Souvent reconnu, il était amicalement salué dans tous les lieux où nous sommes allés. Le maire palestinien de Jéricho, un de ses amis, avait vécu en Amérique. Il était revenu pour vivre avec son peuple. Après un accueil plus que chaleureux, il m'a parlé de mes films, des difficultés de ses administrés pour avoir suffisamment d'eau pour leurs cultures – Jéricho est le verger de la Cisjordanie – et d'autres tracasseries administratives. Pour finir, il m'a demandé si j'acceptais de rencontrer d'autres témoins. Amnon avait presque répondu à ma place.

Le jour suivant, Michèle, Amnon, Solinas et moi, nous recevons à l'hôtel King David cinq maires, dont celui de Jéricho, pendant plus de deux heures. Sans passion agressive, avec calme, mais aussi avec un désespoir qu'ils s'efforçaient de dissimuler, ils nous ont raconté, tantôt en anglais, tantôt en arabe, leurs problèmes, leurs tracasseries, leurs vexations petites ou grandes, les injustices, les humiliations, que l'administration militaire ou civile israélienne leur faisait subir. Une phrase m'est venue à l'esprit. Je ne me souviens plus de son auteur : « L'injustice combinée à l'humiliation est un alliage hautement explosif. »

Le pont Allenby, qui franchit le Jourdain, seule communication avec la Jordanie, était souvent cité comme un haut lieu de vexation pour les Palestiniens qui voulaient rendre visite à des parents, d'un côté ou de l'autre. J'ai demandé à Amnon s'il était possible de visiter ce pont frontière. Je pensais que la bureaucratie militaire prendrait au moins vingt-quatre heures avant de nous donner une réponse. En attendant, nous avons décidé de visiter Jérusalem, la Ville éternelle, essentielle, poétique, aux dires de presque tous. J'étais du nombre des « presque ». Jérusalem est une ville asphyxiée par les dogmes, les intérêts et les passions religieuses, le lieu au monde où règne la plus forte concentration de mépris et de haine, de rejets ancestraux, séculaires, pour l'Autre, et pour ce que l'Autre croit. Chacun se persuade de détenir la vérité absolue sur le vrai Dieu : le sien. Lequel promet en récompense le comble du bonheur, mais après la mort.

Une Jeep nous attendait dans la cour de l'état-major. À côté du chauffeur se tenait une jeune sous-lieutenante qui m'a rappelé Joan Fontaine, l'actrice préférée de mon adolescence. À son anglais, je comprenais qu'elle était d'origine américaine. Elle ne savait pas qui était Joan Fontaine, et n'était pas le moins du monde émue par ma comparaison. Charmante et loquace, elle nous a décrit le rôle pacificateur et social de l'armée, ainsi que sa composante citoyenne. Chemin faisant, elle nous a demandé si nous voulions visiter un kibboutz moderne.

Nous étions en Cisjordanie. Sur une colline, entourée d'un paysage d'une grande beauté, sec avec peu d'arbres, avec au loin des villages arabes, un lotissement aux maisons rectangulaires neuves entourait un vaste jardin fleuri à la pelouse peignée et aux jeunes arbustes. En bonne voie pour grandir, une double clôture de fil de fer barbelé ceinturait le kibboutz. À l'entrée, une automitrailleuse avec trois ou quatre soldats qui avaient l'air de s'ennuyer. Ils nous ont salués avec une nonchalance non réglementaire, que la sous-lieutenante n'a pas eu l'air de désapprouver.

La réception par quelques habitants, tous très jeunes, était joyeuse. Les enfants nous regardaient avec une curiosité souriante. Nous sommes restés le temps d'une visite rapide et d'un jus d'orange. La spécialité du kibboutz : la « taille de diamants ». Nous avons repris notre route jusqu'au pont Allenby : un pont banal, construit au début du siècle dernier par un général anglais qui lui a donné son nom. Dans la zone orientale, on aperçoit les gardes jordaniens. Du côté israélien, quatre grandes salles servent au contrôle des voyageurs sortants ou entrants. Une salle pour les hommes, une pour les femmes, entrants. Les deux autres pour les sortants et sortantes. Ce qui surprenait, c'était la méticulosité des fouilles. Grâce à l'aplomb d'Amnon, je suis allé dans la salle des hommes, Michèle dans celle des femmes. Les bagages, entièrement vidés sur des comptoirs, étaient examinés pièce par pièce, chaussure par chaussure. Les hommes, presque nus, suivaient la fouille de leurs affaires, silencieux, le regard ailleurs. Cela durait très longtemps.

Durant toute cette randonnée, la sous-lieutenante n'a jamais prononcé le mot « palestinien ». À une question de Michèle à propos d'un village que nous avions contourné, elle a répondu qu'il était habité par des autochtones. Amnon a souligné en riant : « C'est la règle. »

Avant de quitter Israël, Amnon nous a proposé de rencontrer Felicia Langer, une avocate israélienne qui défendait les justiciables palestiniens. Elle prolongeait cette activité, je dirais son militantisme, en défendant les droits des Palestiniens en général. Nous avons fait la connaissance d'une belle femme qui avait des positions sévèrement critiques à l'encontre des autorités israéliennes, de leur politique concernant les « territoires occupés » et les Palestiniens en général. Elle était la moins circonspecte, la mieux avertie, mis à part Amnon, de tous les Israéliens que nous avions rencontrés.

Je pense que si on ne les nomme pas, si on n'en parle pas, si on ne les photographie pas, ou si on ne les filme pas, les choses, les hommes, les drames, les situations n'existent pas. Mais pour faire un film, il faut une histoire et des personnages. Ce voyage nous avait apporté et révélé des situations, des impressions, des sentiments. Les nôtres, et ceux des personnes rencontrées. Les nôtres avaient été « bousculés », pris entre nos convictions, entre ce que nous avions vu, et les sentiments et les récits des autres.

Ce qui me frappait, c'était la patience pacifique de presque tous les Palestiniens face aux adversités. Cela me faisait penser à ma mère qui, inlassablement, répétait : « Ce malheur passera comme les autres. » Sa patience était le socle, le stylobate de notre logique familiale.

Il y avait chez les Palestiniens une ferme volonté de défendre leur identité, ainsi qu'une détermination à avoir un pays à eux. Cette fermeté était sans faille. Nous avions le sentiment qu'ils allaient lutter pour leur idéal, convaincus qu'ils ne gagneraient pas par la force.

Aucune idée de film ne se dégageait, en ce qui nous concernait. Un personnage comme Felicia Langer qui défendait les droits des Palestiniens, ou comme Abir, avec sa ténacité et sa passion, pouvaient devenir des personnages de scénario. Je ne sais plus comment les mots « insistance », « opiniâtreté », « ténacité » nous ont conduits au personnage de Bartleby, de la nouvelle du même nom, de Herman Melville : ce clerc de notaire qui refuse ce que l'on veut lui imposer par un « *I would prefer not to* » (« Je préférerais ne pas »).

L'idée d'un personnage qui, par sa présence même, met tous les autres mal à l'aise, comme le ferait une mauvaise conscience incarnée, qui décide de résister sans affrontement violent, cette idée me plaisait. C'était l'antipouvoir. Résister, supporter avec obstination pour obtenir ce qui est essentiel pour sa vie de personne libre, avant tout pour sa liberté, à savoir la patrie où l'on peut vivre, c'est-à-dire la maison-patrie. Si un tel personnage ne représente pas en Israël une majorité absolue, il est le symbole d'une demande universelle.

Nous avons esquissé une intrigue sur des données historiques. Notre personnage – notre Bartleby – se présentait et réclamait sa maison paternelle. Expulsé, il revenait encore et encore, pacifiquement, avec détermination et avec les preuves de propriété. Une jeune femme avocate, venue d'ailleurs, d'Amérique, « naïve » politiquement et à la recherche d'une nouvelle identité et d'un nouveau pays refuge, était alors commise d'office pour défendre notre personnage.

Nous avons fini le scénario avec Solinas en avril 1980.

Le 15 avril 1980, Jean-Paul Sartre meurt. L'émotion est considérable. Des milliers de personnes suivent le cortège autour du cimetière Montparnasse. Nous sommes avec Simone et Montand. Une vieille amitié les liait à Sartre, distendue avec le temps et les divergences d'opinion, peut-être aussi par l'échec du film *Les Sorcières de Salem*, adapté de la pièce d'Arthur Miller. Miller, que j'avais rencontré à New York, reprochait à Sartre d'avoir fait de sa pièce « une adaptation marxiste pour le cinéma ». J'ai failli lui dire mon désaccord... « C'était une adaptation sartrienne », mais il était très en colère et la cérémonie du prix qu'il venait de me remettre au nom de *Human Rights Watch* ne se prêtait pas à une controverse. Je connaissais bien le film, avant même de connaître les Montand. Je l'avais choisi pour ma dissertation de fin d'études à l'Idhec. M. Tessonneau, l'administrateur général, avait rejeté ma proposition en me demandant « de choisir un meilleur film » ! Sans doute la réputation « marxiste » poursuivait-elle ce film et nous étions en pleine guerre froide. Très mécontent, j'avais alors proposé le premier film que j'avais vu affiché, *Une Cadillac en or massif*, de Richard Quine, en espérant qu'il serait refusé. Accepté. Heureusement je n'ai pas eu à disserter sur cette comédie sans grand intérêt, ma promotion, la treizième, avait été désignée pour réaliser comme travail de fin d'études un documentaire sur les jeunes délinquants titré *Vous n'avez rien contre la jeunesse*...

Une forte émotion dominait la foule silencieuse qui suivait le cercueil. On n'entendait que les bruits feutrés des pas et la rumeur lointaine de Paris. Sur les trottoirs, les passants s'arrêtaient, les fenêtres étaient peuplées de visages graves. Je me sentais très ému et je me demandais pourquoi. Nous sentions partout le respect pour cet homme aimé ou haï, ce philosophe français exemplaire dans ses choix comme dans ses retournements. Toujours cohérent. C'était l'idole d'une jeunesse radicale, issue de Mai 68, qui l'attendait émue autour de sa tombe.

CHAPITRE 13

Hollywood

Je reçois de Stan Kamen, agent chez William Morris à Hollywood, avec qui j'avais une relation plus amicale que professionnelle, une grosse enveloppe : un livre, *L'Exécution de Charles Horman, an american sacrifice*, de Thomas Hauser, et le scénario qu'Ivan Moffat, scénariste, en avait tiré. Le tout accompagné d'un mot de Stan insistant sur les qualités du livre. Le scénario a été une déception, mais Stan ne se trompait pas en ce qui concernait le livre : l'histoire d'un jeune Américain, Charles Horman, journaliste cinéaste *free lance* au Chili et qui disparaît pendant le coup d'État de Pinochet. Le livre reprend quelques lettres de Charles à ses parents, vivant à New York, dans lesquelles il parle de personnes que j'avais connues, de certaines avec qui j'avais travaillé et me citait aussi à propos du tournage d'*État de siège*. Charles disparu, son père Ed, homme d'affaires conservateur, croyant et républicain, furieux de voir son fils mêlé à « ça » va, au Chili. Durant ses démarches, avec sa belle-fille, auprès des autorités américaines et chiliennes, le père découvre que son fils n'est pas le raté qu'il croyait, et que le président Nixon, pour lequel il avait voté, n'était pas aussi probe ni le démocrate qu'il imaginait.

Je décidais de poursuivre ce projet. J'avais vécu la disparition de Michèle au Vietnam, les angoisses, les coups de téléphone à l'ambassade et les réponses molles des diplomates. Ce film serait aussi tourné à la mémoire des Chiliens que j'avais connus et aimés, Salvador Allende et Augusto Olivares en tête. J'ai prévenu Stan Kamen. Peu après, il m'a rappelé pour me dire que les producteurs du projet, Edward et Mildred Lewis, m'attendaient à New York pour en parler.

Rendez-vous avait été pris au Russian Tea Room, un genre de brasserie Lipp, une adresse du *show-biz* new-yorkais décorée comme un œuf Fabergé. Eddy Lewis et Mildred, son épouse, partenaire dans la production, m'attendaient. Eddy et Milly avaient produit entre autres *Spartacus* de Kubrick, cinq films de Frankenheimer, *Le Dernier des Justes*, *Harold et Maude*, *La Chaîne*, etc. J'admirais les producteurs et je découvrais deux personnes parlant des films avec amour sans citer leurs « box-offices ». Quant aux films à produire, ils parlaient « qualité » avant de parler budget. Je leur ai expliqué que je n'étais intéressé que par la partie finale du livre, la recherche par le père du fils, et sa découverte d'une Amérique qu'il ignorait ou qu'il ne voulait pas voir. Eddy et Milly, d'accord avec ma proposition, m'ont demandé de passer à l'étape suivante, signer des contrats, rechercher un coscénariste. Je leur ai proposé, avant tout, d'écrire une continuité d'une trentaine de pages. Cela éviterait des malentendus ou des désaccords, d'incessantes réécritures jusqu'à l'épuisement, ce qui est monnaie courante à Hollywood. J'avais ajouté que je voulais faire le scénario final avec Jorge Semprún.

Surpris par l'idée d'un travail sans rémunération, ils ont accepté. Rentré à Paris, j'ai rédigé une cinquantaine de pages que Jorge a aimées. Traduites, je les ai envoyées à Stan pour Eddy et Milly Lewis. Je pensais que la réponse allait prendre des semaines : les producteurs font lire le texte à des conseillers, à des lecteurs, qui font des rapports de lecture. Trois jours plus tard Stan m'appelait, puis Eddy Lewis, l'ordre protocolaire était respecté : Stan allait s'occuper des contrats.

Ma demande de travailler avec Jorge avait été acceptée. Nous nous sommes enfermés, Jorge et moi, chez les Montand, à la campagne, pour décider du calendrier de travail. J'ai vite senti que Jorge était troublé par l'accélération du projet, et il m'a avoué qu'il ne pourrait pas abandonner l'écriture de son livre. Dommage. Le scénario a plus tard reçu l'Oscar, nous l'aurions eu ensemble.

Pour le moment, c'était un coup dur, l'abandon doublé de la solitude. Ce sont des situations qui ne surprennent pas à Hollywood. La réponse d'Eddy a été immédiate : « Venez ici avec votre famille, on vous loue une villa, vous continuerez le travail commencé et nous chercherons ensemble un autre scénariste. » J'y suis allé sans la famille et me suis installé dans un petit hôtel face à la mer, à Venice.

René Clair, qui avait fait quatre films à Hollywood, m'avait raconté : « Vous êtes jeune, la trentaine, talentueux, vous êtes engagé à Hollywood. Vous avez voiture, bureaux, assistante personnelle, villa avec piscine. Vous vous réveillez le premier matin, vous faites votre plongeon, vos brasses, puis vous vous installez dans une chaise longue, un grand verre de jus d'orange naturel vous attend pour vous désaltérer, après quoi vous vous laissez aller à un petit somme. Vous vous réveillez et vous avez 60 ans. »

La voiture m'attendait à l'hôtel, Eddy Lewis m'avait loué des bureaux à Santa Monica, à dix minutes de l'hôtel, ceux d'Universal étant à plus d'une heure et mon assistante personnelle bilingue, Keefe, était déjà là.

Le troisième jour de mon installation, un metteur en scène, croisé le jour de mon arrivée, est tombé dans mes bras en larmes. Il venait de lire sa lettre de licenciement sec. Son émotion, son récit saccadé ne m'avaient pas permis de comprendre la raison de son renvoi. À notre première rencontre autour de la machine à café, il s'était présenté et m'avait raconté, enthousiaste, qu'il avait commencé le tournage d'un film avec Clint Eastwood, une histoire avec un gros singe. Cet homme pleurait comme un enfant perdu. Situation embarrassante, inquiétante, je prenais conscience de cette autre réalité hollywoodienne. Le metteur en scène, on le paie et on le renvoie, ce qui est quasiment impossible en France. C'est la question qu'il me posait, entre deux gémissements. Ici il n'y avait pas que le jeune homme au bord de sa piscine avec son verre d'orangeade naturelle…

Ce qui m'a frappé, c'était la disparition totale du petit monde qui travaillait là. Les portes des bureaux restaient fermées, plus d'odeur de café parfumé à la cannelle. Je ne cessais de penser à ce collègue humilié dont je ne connaissais pas l'œuvre, et à ce que ce monde enchanté pouvait nous réserver. Mon statut d'invité me rassurait : en cas de conflit ou de désaccord, je serais rentré en France, où nous, cinéastes, n'avions pas de piscine, mais un système bien plus respectueux des personnes. Ici, on était pris dans des structures et des méthodes auxquelles il fallait obéir, sinon se soumettre, pour exister. À moins de ne faire que des gros succès commerciaux, auquel cas, les structures, les méthodes et ceux qui les gouvernent se soumettent à vous.

J'ai commencé le casting de scénaristes. Après un entretien avec un couple de scénaristes, alors que nous sortions du Side Walk Cafe à Venice, ils rencontrent un ami. Je les salue, et m'éloigne. Soudain, cet ami court et m'arrête en me demandant : « Vous êtes Costa-Gavras ? » À ma réponse, un grand sourire éclaire ses yeux bleus, élargit sa barbe blonde : « Je suis votre cousin germain, Jimmy Spheeris. »

300

Il était le fils du frère de ma mère. Ce frère Andreas était parti à 11 ans avec son père en Amérique. Ce dernier, ne supportant pas l'émigration, était rentré en laissant son fils avec des oncles déjà installés là-bas. Jimmy m'a ensuite présenté sa sœur, Penelope Spheeris, metteur en scène de *The Decline of Western Civilization*, et d'une dizaine d'autres films. Son autre sœur, Linda, ensemblière de films, ancienne championne de surf en Californie, a été l'ensemblière sur *Missing*. Leur père, Andreas, mon oncle, avait un cirque ambulant. En tournée dans l'État du Mississippi, un homme lui a un jour ordonné de renvoyer ses trois employés noirs. Il a refusé. L'homme a sorti son revolver et l'a descendu. Les enfants sont restés avec leur mère, Gypsie, et ils ont émigré en Californie. Gypsie tenait un bar sur Venice Boulevard à Santa Monica. Jimmy était chanteur. Il habitait au bord du Grand Canal de Venice, un gros corbeau parleur faisait le concierge. J'avais retrouvé un peu de famille. Nous nous sommes regardés avec curiosité, qu'il fallait transformer en... en quoi ? En amitié, en affection ? Il faut du temps pour cela.

Après avoir rencontré quelques scénaristes, j'ai arrêté mon choix sur Donald Stewart, un ancien journaliste, qui avait signé ou cosigné quatre scénarios, dont un seul avait été produit.

Dans certains pays d'Amérique latine, faire disparaître les adversaires ou les simples opposants était devenu un système de gouvernement. Pour les proches du disparu, convaincus qu'il est toujours vivant et en danger permanent, la disparition crée une douleur lancinante, une anxiété obsédante. Il leur est impossible d'accepter la mort sans l'avoir constatée. Imaginant le disparu risquant sa vie, et dans l'impossibilité de l'aider, l'angoisse devient quasi permanente. Pour ceux qui n'ont pas une parenté directe avec les disparus et qui auraient des velléités de luttes politiques ou de simple opposition, les disparitions créent un fort effet dissuasif. Dans les deux cas, cet effet est infaillible. J'ai pu le constater pendant mes rencontres avec des Chiliens. Il en allait de même avec les Chypriotes, qui ont vu leurs proches disparaître pendant l'invasion turque en 1974. Ils les croyaient toujours vivants, embastillés quelque part en Turquie.

Pendant mes recherches j'ai rencontré un officier d'aviation chilien qui, ne supportant plus les massacres, s'était réfugié en Belgique après avoir participé aux débuts du coup d'État de Pinochet : les « disparus » étaient rapidement exécutés, et enterrés dans des fosses communes clandestines. Il m'a confirmé que les soldats avaient, pendant les premiers temps du coup d'État, la permission de voler, de violer, de tabasser, de tuer ceux qui étaient désignés comme « allendistes ». Cette permissivité les mettait dans un tel état de surexcitation, qu'ils refusaient d'aller au lit, obligeant leurs supérieurs à mettre du bromure dans leur nourriture.

Charles Horman, le personnage de *Missing*, évoluait dans ce contexte. L'écriture du scénario progressait, la collaboration avec Donald Stewart était bonne et constructive. Il découvrait avec intérêt le travail consistant à approfondir la psychologie des personnages, plus que la recherche de situations d'action qui existaient à profusion dans notre histoire.

Eddy nous avait trouvé de nouveaux bureaux pour écrire chez Tony Bill, à trois minutes de mon hôtel. J'effectuais alors le même parcours que celui du premier plan séquence qu'Orson Welles avait tourné pour *La Soif du mal*.

Michèle, Alexandre et Julie sont venus passer les vacances d'été. Ma vie retrouvait ses repères. Nos amis les Livi, Jean-Louis, Tanya et leur fille, se sont joints à nous. Sur la plage, Tanya a couru, trébuché et s'est cassé la jambe. Nous avons foncé à l'hôpital le plus proche, qui était loin. Deux infirmiers zélés se sont activés autour de Tanya. Un troisième s'est approché de Jean-Louis. Court échange, petit signe, les deux infirmiers ont posé Tanya sur une chaise dans la salle d'attente. Les infirmiers ont disparu. Je n'ai pas compris ce qui se passait. Jean-Louis m'a demandé les clés de la voiture pour aller chercher sa carte de crédit. Nous étions en chemisette et en maillot de bain. Tanya est restée dans la salle d'attente, sa jambe cassée posée sur une chaise. Autour de nous, la vie continuait normalement.

C'était encore une autre Amérique. « Si tu n'as pas d'argent, tu essaies un autre hôpital, puis un troisième. Tu finiras par en trouver un qui t'acceptera peut-être ! » finit par m'expliquer Eddy Lewis.

Eddy est venu un jour au bureau avec Peter Guber et Jon Peters, qui faisaient partie de PolyGram à qui appartenait le projet de notre film, après avoir été abandonné par la Warner. Peter Guber, jeune et dynamique, avait produit ou participé comme coproducteur à *The Deep*, *Midnight Express*, avant de devenir avec Jon Peters les *Tycoon* de Hollywood, producteurs d'une impressionnante liste de gros succès. Jon Peters, qu'on dénigrait en répétant qu'après avoir été le coiffeur de Barbra Streisand, il en était devenu le compagnon et le producteur. Les dénigrements, les potins étaient ici le sport le plus populaire. Et je m'y abandonne aussi...

La rencontre a été amicale et « admirative », nous avons parlé du scénario en progrès, des dates éventuelles de tournage, quand Peter m'a demandé si j'avais pensé à un musicien pour le film : « Est-ce que quelqu'un comme John Lennon vous conviendrait ? » Je trouvais l'idée originale, intéressante. Peter m'a promis d'organiser un rendez-vous avec Lennon, qui était son grand ami, à l'occasion d'un voyage à New

York. Dans la foulée, Peter m'a demandé si j'avais pensé à un acteur pour le personnage du père. Presque sans hésiter, j'ai dit Jack Lemmon. Silence. J'ai vu dans leurs yeux, ceux d'Eddy aussi, une déception, un désenchantement. Eddy a arrêté la conversation : « Attendons le scénario pour en discuter. » Nous nous sommes séparés, avec les sourires généreux de tous. Mais je savais déjà qu'il y aurait désaccord et que je serais minoritaire.

L'écriture du scénario, plus précisément des dialogues, piétinait. J'en ai parlé à Eddy qui m'a fait lire deux livres que j'ai beaucoup aimés, *Nirvana Blues* et *Magic City*, de John Nichols. Il n'était pas scénariste et ne vivait pas à Los Angeles mais à Taos, New Mexico.

John Nichols était un grand blond, toujours habillé de façon négligée, qui parlait un bon français. Sa mère était française. Quant à son père américain, c'était un ex-grand ponte de la CIA. John aimait son père, malgré leurs divergences politiques, mais il préférait vivre loin de lui. Nous avons sympathisé, il aimait le scénario qu'entre-temps nous avions appelé *Missing*.

Les dialogues revus par John Nichols s'avéraient foisonnants, longs, intelligents. Il avait trouvé le ton juste pour les relations entre le beau-père et la belle-fille, vu leur différence d'âge, leurs idées et leur milieu d'origine. Nous les avons retravaillés, revus, élagués. Pour John, qui n'avait pas l'expérience des dialogues associés aux images, c'était un arrache-cœur.

Eddy et Milly ont beaucoup aimé le scénario final. Parallèlement j'ai reçu un rapport de lecture de Peter Guber et Jon Peters, sans doute de leurs assitants. Sur papier à en-tête de PolyGram, il contenait sept pages de critiques, sept pages de recettes pour faire un mélodrame larmoyant. Tout m'a paru hors sujet, hors de l'histoire vraie que nous convoitions. J'ai lu et relu, c'était l'avilissement du film programmé. J'étais effondré. J'aimais cette histoire, je croyais à son importance. J'attendais qu'Eddy m'en parle. Il avait disparu, soudain très occupé. Je pensais qu'il était soumis à plus fort que lui. J'avais vite appris que le producteur « indépendant » est aussi l'employé de la compagnie, en l'occurrence il s'agissait de PolyGram.

Enfin Eddy réapparut, souriant. Je lui ai montré les sept pages : « Tu as lu ça ? » Il a pris les pages, les a déchirées et jetées dans la corbeille à papier. « Il ne fallait pas les lire ! » Il a retrouvé son sourire pour m'annoncer qu'Universal avait racheté le film à PolyGram.

Peter Guber et John Peters gardaient des points, des pourcentages. Mais c'est Eddy qui dirigeait la production, avec Sean Daniel, « *executif head of production* » d'Universal. Au-dessus d'eux, il fallait encore compter avec Ned Tanen, responsable de la division film et, encore au-dessus, Sid Sheinberg. Le patron de tous étant le grand Lew Wasserman, « *last of the Hollywood Moguls* », et pas seulement d'après le *New York Times*.

Louis Malle, que j'avais vu quelquefois avec sa femme Candice Bergen, m'avait prévenu : « Tu verras, la bureaucratie dans les Majors est comme celle de l'Union soviétique. » Elle l'était au niveau des subordonnés, terriblement pinailleurs et formalistes. Moins au niveau supérieur, où tout pouvait parfois se décider rapidement.

J'avais émigré une fois. Il était impensable de recommencer. Nous ne voulions pas non plus, avec Michèle, vivre et élever nos enfants aux États-Unis. Faire un film américain, bien sûr, mais comme je l'avais fait par exemple au Chili avec *État de siège*. J'ai demandé à travailler avec mon équipe française – image et son –, et faire le montage et la post-production à Paris. Le laboratoire français aussi. Tout fut accepté. Même s'il fallait envoyer les rushes à Paris et non pas à Los Angeles, la porte à côté de Mexico où finalement nous tournerons le film.

Réunion plénière pour parler casting. Nous sommes huit, Eddy, Milly, moi, Sean Daniel, la *casting director*, Wally Nicita, son assistante, un autre *executif* et Terry Nelson, le directeur de production. Au nom de Jack Lemmon, le silence se fait opaque, les visages se ferment. Seule Milly a un léger sourire. Sean Daniel aussi, encore plus léger, avec un froncement de sourcils. Je commence à expliquer le pourquoi de mon choix, quand Ned Tanen entre en coup de vent en demandant si nous avons des noms. Sans attendre la réponse, il lance : « Moi j'en ai un, Gene Hackman. Il veut travailler avec Costa, mais il est *money hungry, the son of a bitch*. C'est un ami, je vais le travailler. » Et il est sorti comme il était entré. C'était de la pure mise en scène. Tous les regards restaient braqués sur moi, je me suis tu. « Nous réfléchirons », a conclu Eddy.

Plus tard, j'expliquais à Eddy pourquoi je ne voulais pas de Gene Hackman. Je proposais de donner mes raisons à Ned Tanen, ce que Milly approuvait. J'insistais : pour moi, je ne voyais pour le rôle du père que Jack Lemmon. En attendant d'autres propositions. Une autre était Ed Asner. Eddy avait organisé un dîner avec lui. Je n'aime pas ces rencontres trop longues, qui finissent dans la familiarité, ennemie de la lucidité. On perd la vision poétique du personnage, son mystère, et on risque de se noyer dans une sympathie et un sentimentalisme occasionnel.

Ed Asner, petit, ramassé, massif, sympathique, était une grosse star de la télévision dans une série policière qu'il jouait depuis longtemps. Il avait adoré le scénario, le rôle du père, travailler avec moi, etc. Je le regardais, il me plaisait mais je ne voyais que le flic, aucun mythe ni mystère. Je l'ai dit à Eddy à la sortie du restaurant. Il en a convenu sans hésiter.

L'autre proposition était un mythe. La mythification de l'histoire aurait été assurée : Paul Newman. Nous avons pris un petit déjeuner très tôt le matin, au bord de sa piscine. Ce fut un moment enchanteur, et nous avons établi une relation simple et directe, qui s'est poursuivie bien après. Rendez-vous avec Ned Tanen et Sean Daniel. Eddy leur a fait un compte rendu de nos rencontres. Impossible d'attendre un an Paul Newman. Nous étions tous décidés à avancer rapidement. La première impression et l'émotion de la rencontre passées, je le trouvais trop glamour pour jouer un bourgeois new-yorkais paumé dans la tourmente chilienne.

J'allais parler de Lemmon. Ned me devance : « Jack Lemmon est un comique, il y a de la comédie dans *Missing* ? Je croyais que c'était un drame. Ou je n'ai rien compris ! » Je lui rappelais les films comme *Save the Tiger*, *Le Syndrome chinois*, et j'ajoutais *La Garçonnière*, pas le film, mais le personnage que Jack Lemmon interprète. Il vit un drame, il le joue comme dans un drame. Le père dans *Missing* est un bourgeois new-yorkais. Il croit en Dieu et dans l'Amérique, il fait confiance à son pays, à ses autorités, surtout quand elles sont républicaines. Il n'aime pas son fils parce qu'il est tout le contraire de lui, encore moins sa belle-fille qui dit des gros mots, il n'a pas la force ni l'habileté de la reprendre. Il la subit comme il subit le discours tendancieux de l'ambassadeur… Alors que Hackman lui aurait sauté dessus !

J'ai parlé longuement. Ils m'ont écouté. Plus d'une fois, j'ai surpris Sean Daniel qui approuvait très discrètement. Ned était très attentif. Eddy, qui connaissait déjà mes arguments, observait Ned. Quand j'ai arrêté, Ned s'est levé brusquement, je m'attendais au pire, il a déclaré à la cantonade : « Eddy, je crois qu'il faut lui donner Jack. » « Je crois aussi », a répété Eddy. Puis Ned s'est adressé à moi et m'a demandé d'écrire un mot et de l'envoyer avec le scénario à Jack Lemmon.

Comme Droopy le chien, je suis resté placide. J'ai appelé Michèle, laissant enfin exploser ma joie et ma crainte d'un refus de Jack Lemmon. Michèle était sûre qu'il accepterait. J'ai envoyé le script avec un mot à son agent. Sa réponse ne parviendrait pas avant trois à quatre semaines. C'était la règle, en tenant compte des fêtes de Noël proches, de la lecture par les lecteurs professionnels et conseillers d'une star. Je décidais de rentrer à Paris pour passer les fêtes en famille. Je voulais aussi aller à Barcelone pour voir si nous pouvions y tourner le film. Eddy et Ned étaient d'accord avec cette idée. L'Amérique latine, avec tous ses régimes dictatoriaux, nous restait fermée. Sauf le Mexique, trop tropical, alors que le Chili est un pays méridional.

La veille de mon départ pour Paris, l'assistante de l'agent de Jack Lemmon a appelé mon assistante pour qu'elle appelle l'assistante de Jack Lemmon. Laquelle assistante a demandé à mon assistante de me dire d'appeler Jack Lemmon. Déjà ? Mon cœur s'est accéléré. Revenu à la normale, je l'ai appelé. Il était très chaleureux : « Quand pouvez-vous venir me parler de votre film ? » « Quand vous voulez, monsieur. » « Demain à cinq heures, ça vous va ? » « Demain, c'est parfait monsieur. » « Appelez-moi Jack. » « Oui… Jack, à demain. »

Merde ! J'ai oublié de lui demander son adresse. Carrousel d'assistantes. Le lendemain à 17 heures, j'étais devant le portail des Lemmon, non loin derrière le Beverly Hills Hotel. J'avais lu sa bio, parcouru sa filmographie, près de trente-cinq films. Il avait commencé quand moi j'arrivais à Paris. Le portail s'est ouvert sur un superbe jardin au fond duquel trônait une somptueuse maison. J'étais plus que jamais dans un film américain.

Jack m'attendait à l'entrée de la maison. Nous avons traversé un splendide vestibule, un fastueux salon, pour arriver dans un petit bar remarquable d'intimité et de simplicité. Il a choisi la vodka au jus d'orange naturel. Je l'ai suivi. Cela m'a rappelé Joseph Losey qui en prenait une large rasade chaque matin à son arrivée, avant d'aller à la salle de montage de *La Truite*.

J'ai tracé à Jack les grandes lignes du film. J'ai insisté, pour que ce soit bien clair, sur les scènes critiques pour le gouvernement américain, sur ses responsabilités dans la disparition puis l'assassinat de Charles Horman. J'observais sa réaction. Il avait l'air content, pas genre Droopy, plutôt jubilant discrètement. « Je n'aime pas Nixon », m'a-t-il avoué plus tard. Quand j'ai voulu lui parler du personnage du père, il m'a arrêté : « Vous me direz, je ferai. » Il commençait un film après les fêtes avec Billy Wilder, *Buddy Buddy*, et préférait ne pas mélanger les genres ni les personnages.

Les fêtes de fin d'année passées en famille étaient comme un retour aux fondamentaux. Michèle avait le ventre qui s'arrondissait, Romain préparait son arrivée. Alexandre et Julie me racontaient *rapido* leurs écoles et voulaient tout savoir sur le mythique Hollywood et les stars que j'avais rencontrées. J'ai insisté sans beaucoup de succès sur le fait qu'il s'agissait d'acteurs, comme en France, que je comptais faire un film comme en France. Le voyage à Barcelone qui a suivi nous a soudés encore un peu plus. L'idée qu'un film c'est du travail, en plus du travail artistique, devenait claire pour Alexandre et Julie.

En choisissant avec attention les lieux, il me semblait maintenant possible de faire le film à Barcelone. Les Américains étaient satisfaits. Le pays du tournage, problème numéro un du film, était résolu. Et puis, patatras, à Madrid, des militaires espagnols occupent le Parlement, tirent des coups de feu en l'air, les députés plongent sous leur banquette. Cela ressemblait à un coup d'État vite avorté. Jorge m'a vite assuré que ce n'était que du crétinisme militaire, que ça ne durerait pas et que je pouvais tourner le film à Barcelone. Mais les Américains, Ned Tanen en tête, étaient catégoriques. Exit Barcelone. Restait le Mexique. Deux brefs voyages, avec Eddy et Terry Nelson, m'ont finalement persuadé que le film pouvait se faire à Mexico City et à Acapulco.

Sissy Spacek avait accepté le rôle de la belle-fille : notre rencontre a été d'une grande douceur. Gracieuse, fragile, affable, elle a voulu tout savoir sur son personnage, ses rapports avec son beau-père, avec son mari, comme avec les autres personnages de l'histoire.

Pour le rôle de Charles Horman tous les jeunes rencontrés étaient sans mystère, sans fragilité, musclés, bronzés, phraseurs plutôt qu'acteurs, jeunes loups préparés pour les séries télé avec des mimiques expressives, humoristiques de préférence. Wally Nicita, la *casting director*, après de nombreuses rencontres sans résultat mais qui l'ont aidée à voir clairement ce que je cherchais, avait conclu qu'il fallait chercher à New York au théâtre, et non à Los Angeles où il n'y a pas de culture théâtrale.

À la troisième pièce de théâtre *off Broadway*, je l'ai vu. Très bon acteur, jeune, doté d'une forte présence physique, mystérieux mais aussi un peu désemparé, intimidé par notre rencontre, peu conscient de ses aptitudes : c'était John Shea.

Fin février, tout est prêt pour le tournage qui doit commencer le 2 avril à Mexico. Nous préparons notre départ.

Il s'est alors produit un événement pour moi déconcertant : Eddy est arrivé, rayonnant, aux bureaux avec une bouteille de champagne. « On va fêter ça, le film se fait, on a le *go ahead* ! » Pour moi, le film était sur les rails depuis l'acceptation de Jack Lemmon, avant Noël. Eh bien non ! Le *go ahead* pour le budget de 9 000 000 et quelques dollars venait d'être donné ce matin ! J'ai siroté mon champagne avec une pensée pour le metteur en scène américain que j'avais vu pleurer. À cet autre aussi, un grand Européen, célèbre, à qui on faisait réécrire son scénario pour la énième fois. Il était au bord de sa piscine depuis bientôt trois ans...

Nous sommes arrivés à Mexico dans les premiers jours du mois de mars. Il y avait là l'équipe française : Ricardo Aronovich à l'image, Philippe Brun au cadre, Pierre Gamet au son, Sylvette Baudrot, la scripte, Françoise Bonnot au montage ; l'équipe américaine : la direction de production, l'administration, la décoration ; et l'équipe mexicaine : décoration, assistants, machinistes, électriciens, administration...

Nous occupons une grande partie du Holiday In et du Studio cinématographique de Churubusco. Chacun me parle dans sa langue, les Français, les Américains, les Mexicains. En fin de journée, je ressens une langueur énigmatique, étrange. Je finis par comprendre que c'est le résultat de l'effort pour passer d'une langue à l'autre à longueur de journée.

Réunion de l'équipe, ordre du jour : « On ne parle qu'en anglais au metteur en scène. » Cela ne dure que deux ou trois jours. Nouvelle réunion. Même résultat. J'ai fini par comprendre la fragilité de ma demande. La langue est la racine de l'identité, du confort, du bien-être. Pour moi, c'est le français, mon grec souffrant d'exercice quotidien. Il resurgit à des moments de grande émotion, comme lors du tremblement de terre à Los Angeles que nous avons vécu chez les Landis.

Les autres langues, anglais, espagnol, italien, ne me sont pas de grand confort, si ce n'est celui de communiquer.

Dès les premiers jours de tournage avec Jack Lemmon, j'avais remarqué que ses yeux étaient embués, donnant l'impression dans les gros plans d'être sur le point de pleurer, ou d'avoir pleuré. L'effet provoqué entrait en contradiction avec le caractère du personnage et ses sentiments en général. Les efforts de la maquilleuse n'y changeaient rien. Inquiet, j'ai demandé à Jack de le voir après le tournage. Dès mon entrée dans sa chambre, il a pris les devants : « Tu veux me parler de mes yeux. » « Oui, Jack, ça me pose un vrai problème… » Il ne m'a pas laissé continuer. « J'arrangerai ça dès demain. » Il a tenu sa promesse. J'ai su qu'il avait cessé de boire, sauf le samedi soir.

Nous tournons la première scène entre Sissi et John. J'avais décidé de commencer par une scène de retrouvailles, de forte émotion, pour mieux les connaître, quitte à la retourner plus tard. Je les avais laissés sans tourner plusieurs jours, pour qu'ils fassent connaissance, se familiarisent, cherchent des repères mentaux, physiques, ceux du couple qui s'entend bien, au-delà de l'amour passion. À la troisième prise de vue, ils ont été parfaits. Sissi très émue est venue vers moi et m'a dit : « *Give me a hug !* » Son accent du Sud m'empêchait de comprendre le dernier mot. Je me suis retourné vers Elie, premier assistant : « Donne-lui ce qu'elle veut. » « Mais elle t'a dit "*Give me a hug*", embrasse-moi. » Vexée, Sissi était partie. J'ai couru après elle, je lui ai expliqué, elle a ri. Le « *hug* » a alors été bien plus chaleureux. Jack Lemmon a eu vent de l'épisode. Retrouvant sa nature de comique, Jack l'a développé jusqu'à en faire un sketch, qui a eu une vie bien après le tournage du film.

Pendant Pâques, Michèle, Alexandre et Julie sont venus passer les vacances avec moi. La grossesse de Michèle, radieuse, épanouie, montrait que Romain se déployait, s'épanouissait de son côté. J'aimais mettre mes mains sur son ventre, pour sentir les mouvements vigoureux de ce bébé dont nous savions déjà que cela serait un garçon. Au soulagement de Julie, qui resterait la seule fille ! Alexandre et Julie découvraient le « réel » reconstitué du coup d'État de Pinochet, ses tueries, ses tortures. Ils découvraient aussi la réalité d'un tournage, loin des simplifications que peuvent en faire les médias. Il s'agit d'un travail où on est à la fois dans l'action et dans la réflexion, où il faut s'appliquer avec volonté, avec passion, avec détermination, et y mettre tout son savoir-faire, son talent, petit ou grand, enfin être prêt à beaucoup donner. Je ne sais pas si cette découverte a été décisive pour leurs choix futurs. Julie à Mexico a fait ses premières armes dans le cinéma en assistant Sylvette Baudrot. Dans le livre sur le montage qu'a écrit plus tard Sylvette, il y a une belle photo de Julie avec ses cahiers de script sur ses genoux.

Lundi 11 mai 1981. Nous avons tourné toute la nuit du 10. L'opératrice de l'hôtel me réveille, intimidée : « M. Gabriel García Márquez insiste pour vous parler. » « Passez-le-moi. » C'est Gabo qui m'annonce en espagnol : « Nous avons gagné, merde ! » C'était le cri de ralliement des Chiliens à l'élection d'Allende. François Mitterrand venait d'être élu président de la République. Vu la conclusion funeste que connut l'aventure d'Allende, je ne suis pas sûr que le slogan chilien était opportun. Mais l'enthousiasme de Gabo était réel, émouvant. « Viens avec ton équipe française déjeuner à la maison, nous allons fêter ça ! » Une photo, pas très réussie, nous montre autour d'une table, dans le jardin de Gabo, témoignage d'un événement historique capital que nous avons vécu avec jubilation. L'éloignement géographique, la tension, la concentration, les aléas du tournage, font que l'importance du politique s'estompe, s'éloigne. Sans Gabo et Mercedes, sa femme, grands amis des Mitterrand, nous aurions vécu cette élection historique sans gloire.

Le jour de repos servait en général à récapituler les exigences de la semaine à venir, à en déceler également les pièges. Une euphorie intérieure m'avait accompagné, imprégnant mes décisions, mes réactions lors de ce lundi de repos singulier. Une fois au lit, le soir, je me demandais pourquoi cette euphorie me poursuivait. Était-elle la conséquence d'un raisonnement politique ou d'un certain fanatisme ? Certes, le raisonnement primait, mais le fanatisme n'était pas loin.

Le président de l'Université nationale autonome nous avait prêté son prestigieux bureau pour en faire celui d'un sénateur à Washington. En m'accueillant, il m'avait dit combien il aimait mes films, surtout *Z*, *L'Aveu*, *La Bataille d'Alger*. Il a fallu le corriger, tout en me sentant gêné pour l'humiliation que j'allais lui infliger : « *La Bataille d'Alger* est de Gillo Pontocervo. » « Bien sûr, bien sûr », m'a-t-il répondu, pas du tout humilié, même pas gêné. Il a changé de sujet : « Est-ce que vous connaissez les Nouveaux Philosophes français ? » J'esquivais la réponse par une question sur les raisons de sa question. Il les avait reçus, et autorisés à tenir une grande réunion avec les étudiants. Les Nouveaux Philosophes avaient commencé leur exposé sur les dangers du communisme, vite interrompus par certains étudiants qui criaient que leurs problèmes n'étaient pas l'URSS mais les États-Unis. À la tentative des Nouveaux Philosophes de défendre ces derniers, la contestation s'était généralisée, et la rencontre s'était achevée dans la confusion, à la limite de la bagarre, y compris entre Mexicains. Et le président de me répéter l'adage cent fois entendu ici : « Pauvre Mexique, si loin de Dieu et si proche des États-Unis. » Je m'étais rappelé les propos d'André Breton sur le Mexique, « terre d'élection du surréalisme ».

Dîner chez le ministre de la Pêche, au nom libanais. Nous y allons avec Michèle. Nous voilà accueillis dans une énorme villa sur les collines, avec jardin, piscine, court de tennis. L'ambiance est celle d'une secte de grand luxe. Je retrouve Luis Buñuel. Nous sommes les invités décoratifs. Nous parlons un moment. Puis il dit avoir une forte migraine et il part comme on s'enfuit. Nous sommes restés, par curiosité, à moins que cela n'ait été qu'une piètre justification. Quoi qu'il en soit, la maîtresse de maison, une belle brune spectaculaire d'une quarantaine d'années, s'est occupée de moi, presque exclusivement. Nous avons parlé du Mexique, j'ai évoqué avec elle les trois, quatre ou cinq millions, selon les sources, de Mexicains vivant à la périphérie de la ville dans une misère peu chrétienne. Elle a montré de la compassion, et a eu des mots qui consolent : « Tout est fait par le gouvernement pour changer leurs conditions. » Je plaisantais à moitié : « Et s'ils se mettaient tous à monter jusqu'ici ? » Elle a encore eu le mot juste, spirituel aussi : « *Impossible, no tienen coches.* » Impossible, ils n'ont pas de voitures. Ça l'a fait rire aux éclats, moi ça m'a fait sourire, surtout pour son éclat de rire.

J'ai revu Buñuel, un dimanche, chez Gabriel Figueroa, le grand chef opérateur mexicain qui avait photographié entre autres *Los Olvidados*. Je l'ai vu arriver avec Lucero, notre décoratrice mexicaine, la quarantaine, aux formes pleines, voluptueuses, et au caractère explosif. Elle tenait serré Don Luis, comme pour l'empêcher de la quitter. « *E jerondophila* », m'a-t-il dit très sérieusement. Pendant le déjeuner, je lui ai raconté avoir transformé en ambassade américaine l'immeuble où il avait tourné en partie *L'Ange exterminateur*. Malgré sa surdité, il avait bien entendu, comme chaque fois que ce qui était dit l'intéressait. « Ils ne méritaient pas mieux, ni lui ni elle », a-t-il persiflé, et comprenne qui pourra. Puis il ne dit plus un mot sur le cinéma.

Le reste du déjeuner a été consacré à un jeu de devinettes que Don Luis avait proposé. Je comprenais à peine de quoi il s'agissait, mais il faisait beaucoup rire les dames, plus particulièrement Lucero, toujours très gérontophile. À la fin du repas, il nous a proposé d'aller prendre le café chez lui : « Jeanne, mon épouse, parlera avec vous en français », m'a-t-il dit, comme s'il lui faisait un cadeau. Mme Buñuel, ancienne beauté athlétique, m'a reçu avec une joie franche et spontanée. Nous avons parlé du pays, un peu de mon film aussi, et pris le café tous ensemble. Un silence accueillant emplissait l'espace. Une fois ma timidité vaincue, j'ai dit à Don Luis qu'il devrait revenir en France faire des films : « Plusieurs producteurs sont prêts à vous financer. » Il m'a fait répéter. Était-ce parce qu'il n'avait pas bien entendu, ou pour chercher la réponse la plus pertinente ? Il m'a donné la réponse la plus simple, la plus cruelle : « Je ne ferai plus de films. C'est terminé. » Sa réponse m'avait projeté, transporté à son âge. C'est-à-dire, à l'âge que j'ai en écrivant ces lignes. Je n'avais pas su quoi lui dire, ça m'avait glacé. Ça me glace encore.

Arrivé sur les lieux de la première scène du film, à l'entrée de la ville, j'apprends qu'il est impossible de tourner. L'officier de sécurité qui nous est dévolu m'explique que nous sommes sur la route conduisant à l'hacienda du maire de Mexico, lequel marie sa fille. Il a invité cinq mille personnes. Je m'étonnais : « Ça doit être une hacienda immense ! » « Ils ne viendront pas tous. Mais tous enverront des cadeaux. » Le tout prononcé d'une voix parfaitement atone, alors que je le savais en général plus teigneux : « Tous ces cadeaux feront un supermarché de quincaillerie pour la mariée. » « Non, ils enverront des chèques… Mille dollars chacun, au minimum. » Même ton « minimum » de la « teigne ».

La visite à la morgue de Jack, le père, et de Sissi, l'épouse, à la recherche du corps de Charles, soulevait le problème du choc émotionnel que les personnages devaient éprouver, et plus encore celui que le spectateur devait ressentir en découvrant l'étendue de la tuerie.

« Il y avait des cadavres jusqu'au ciel », m'avait dit un réfugié chilien. Je pensais que Sissi, pendant la visite, pourrait lever les yeux au ciel, jusqu'au plafond de la morgue. Et que ce plafond serait une verrière sur laquelle on aurait posé autant de corps que ceux qui l'entoureraient sur le sol… J'en ai parlé aux décorateurs : « Ça n'existe pas, il faut la construire. » « Construisons-la, pour y mettre une quarantaine de figurants. » « Il faut construire solide, c'est très cher. » « Mettez des mannequins en bois. » « Trop lourds aussi. » « Mettez des poupées gonflables ! » « Elles sont interdites au Mexique. » « Faites-les venir de Los Angeles ! » La production en a fait venir quarante. Les costumières les ont habillées et placées sur la verrière. Sissi lève donc la tête : le résultat est comme je l'espérais, saisissant pour elle, et pour le spectateur.

Lors du démontage du décor, il manquait sept poupées. Des enlèvements amoureux, à l'évidence. La production a eu d'ailleurs les pires difficultés à convaincre les douaniers mexicains qu'il ne s'agissait pas de traite de Blanches !

Trois jours avant la fin du tournage, Eddy m'annonce l'arrivée imminente de Peter Guber, qui souhaitait déjeuner avec Jack Lemmon et moi pour parler du film. Peter est arrivé, débordant d'amitié, de compliments enrobés de félicitations. Il s'est fait photographier avec moi, avec Jack, puis avec Jack et moi. Puis il s'est excusé pour le déjeuner et a filé reprendre l'avion privé qui ne pouvait pas trop attendre. J'ai dit à Jack : « Nous avons économisé le déjeuner ! » « Mais pas le coût de l'avion privé ! »

J'ai achevé le tournage le 2 juillet. J'ai pris l'avion le soir même pour Paris où je suis arrivé le 3 dans l'après-midi. Vers 22 heures, Michèle perdait les eaux. Cela m'a mis dans un état d'euphorie mais aussi de panique, je ne contrôlais pas l'urgence de la situation. Alexandre, 12 ans, était mieux « préparé ». Il m'a demandé d'aller chercher la voiture, « sans m'énerver », pour conduire Michou à l'hôpital. C'était élémentaire. Michou conduite à « la salle de travail », nous nous sommes installés dans la salle d'attente. Pas longtemps. Soudain, la porte s'est entrouverte. « C'est pour bientôt », m'a lancé une tête aussitôt disparue. J'hésitais, troublé, je voulais, mais je ne tenais pas à voir « ça ».

Enfant, au village, on nous envoyait jouer loin de la maison ou passer la nuit ailleurs. Les femmes criaient souvent de douleur. Ça pouvait durer longtemps, des nuits entières. Mystères terrorisants, fascinants. J'ai senti la main d'Alexandre qui me poussait gentiment, son regard était ferme : « Va avec ta femme. »

Trois personnages s'affairaient autour de Michou, qui avait les jambes écartées, posées sur des étriers. La sage-femme était assise sur un tabouret, face à l'Origine du monde, qu'elle fixait avec concentration. Situation baroque, excentrique, pour qui n'a que des images de relations de sensualité, des promesses de festin sexuel.

Michou m'a souri et a pris ma main qu'elle a serrée fort, terriblement fort, puis elle m'a pris l'autre main. Elle souffrait sans le montrer. J'ai regardé, furieux, la sage-femme, comme si c'était sa faute. Elle venait de changer d'expression, elle était en attente, satisfaite. J'ai suivi son regard. J'ai vu l'Origine du monde s'ouvrir comme une fleur filmée au ralenti, une chose ronde apparaissait, devenue tête, sortant lentement et doucement. Quel prodige terrifiant. Un visage est apparu, les yeux fermés serrés comme dans un effort démesuré pour lui. Les mains de Michou écrasaient les miennes. Je l'ai vue faire le même effort dans la douleur et l'extase que le petit visage qui apparaissait, une libération commune.

La sage-femme avait saisi la tête dans le creux de ses mains, délicatement elle la tirait vers elle avec une infinie douceur. J'avais les yeux embués, j'ai vu flou, deux petites épaules qui se contractaient pour sortir, puis deux petits bras dodus. C'était inouï, miraculeux. Le reste est venu rapidement, comme un acte de bravoure pour s'émanciper. « C'est un garçon », a dit la sage-femme, rompant le silence de sa voix de fausset. On le savait déjà.

Les mains de Michou ont quitté les miennes, elle s'est un peu relevée pour voir le petit bonhomme que la sage-femme portait dans ses bras. Elle l'a posé sur le corps de sa mère. J'ai essuyé mes yeux et mes joues trempées, j'ai pu voir clairement ce petit mystère, incroyablement vivant, resté un moment immobile, épuisé par son fabuleux voyage, rassuré par l'accueil qu'on lui réservait. Je me sentais inutile, juste capable d'essuyer mes yeux et mon nez, qui ne semblaient pas obéir à la logique de leurs fonctions. Le bonheur, la sérénité de la mère avec, sur son ventre, l'enfant qu'elle a porté dans son corps. Un homme peut-il sentir ce bonheur, le comprendre simplement ?

319

C'est le bonheur d'être une femme, il n'appartient qu'à elles. Je me sentais exclu.

Je suis allé chercher Alexandre. Tendre, curieux, pas rassuré, il a pris dans ses bras ce frère qui, une heure auparavant, n'existait pas. Il n'avait pas saisi l'expression « la perte des eaux ». Il a demandé : « Les os sortent en premier… » Nous avons beaucoup ri. Michou, que le rire faisait souffrir, riait plus encore. Julie aussi a ri, malgré la perte de son statut de benjamine. Le petit homme, bientôt appelé Romain, entrait dans la famille et nous mettait en joie.

CHAPITRE 14

La Cinémathèque

Avec François Mitterrand à la présidence, les socialistes aux commandes étaient en effervescence, en fermentation, disaient certains, dans un sens péjoratif. Jack Lang, ministre de la Culture, consultait les cinéastes sur l'état du cinéma, son avenir, les changements à opérer. J'avais insisté sur la nécessité et l'urgence de sauver la Cinémathèque française, délaissée depuis son conflit avec le pouvoir politique en 1968.

Quatorze ans de déchéance. Une catastrophe culturelle. « Prenez la présidence, je vous donnerai tous les moyens nécessaires pour son sauvetage », m'avait dit Lang. J'ai refusé. J'avais été quelque temps membre du conseil d'administration, et il y régnait un esprit byzantin, l'essentiel se perdant dans des discussions inutiles et superflues.

Lors d'un voyage de retour de Rome, Michèle s'était trouvée dans le même avion que Jack Lang, qui accompagnait Mme Mitterrand. Jack est revenu sur son idée de présidence de la Cinémathèque, Mme Mitterrand a surenchéri, évoquant mes devoirs, mes obligations envers le cinéma français. Michèle était convaincue. J'ai fini par accepter de présider la Cinémathèque.

Dès la première réunion, j'eus droit à la première philippique contre ce « président parachuté par le ministre », de

321

la part de Jean-Michel Arnold, membre du conseil qui avait voté ma nomination. Georges Rivière, vice-président et vieux sage de la Cinémathèque, m'avait murmuré à l'oreille : « Ne répondez pas, ça lui passera. » Arnold est devenu, peu après, un de mes meilleurs défenseurs.

À la première assemblée générale, j'observais les caractères divers et multiples de ces hommes et de ces femmes. Condition *sine qua non* pour obtenir la manne financière de l'État, il fallait pour commencer modifier les statuts. Deux représentants de l'État et un contrôleur financier devant entrer au conseil d'administration. Cela permettrait de sauver et d'entreposer dans de bonnes conditions les trésors, films, affiches, maquettes, costumes, machines, manuscrits… Les trois cents membres ont voté. Jack Gajos, directeur de la FEMIS et qui suivait le dépouillement, est venu me chuchoter qu'il manquait une voix pour avoir la majorité. Catastrophe annoncée. L'abandon de l'État risquait d'être sans appel.

« Recomptez attentivement ! » Gajos, conscient de la gravité de la situation, a recompté. Nous avions deux voix de majorité. Je l'ai annoncé immédiatement, pour éviter d'autres comptages. La réception a été triomphale. Tous heureux d'avoir contribué au sauvetage de la Cinémathèque.

Deux changements fondamentaux m'avaient paru essentiels pour l'adaptation de la Cinémathèque à l'évolution du cinéma et de la cinéphilie, au numérique encore embryonnaire, dont la progression, comme me le disait Chris Maker, risquait d'être fulgurante. Le premier changement concernait la philosophie de la programmation, accompagnée d'une modernisation drastique de l'administration, qui était celle de l'après-guerre. Le deuxième changement était l'agrandissement de la Cinémathèque, avec deux salles plus grandes, équipées des nouvelles technologies et plus confortables. Nous avions aussi besoin de nouveaux espaces pour le musée Langlois, pour le personnel et pour les collections, très mal entreposées. Pour réussir, il fallait une nouvelle direction générale, libérée du culte de la personnalité, du dogmatisme esthétique, d'un byzantinisme résiduel et persistant.

L'agrandissement passait par une solution radicale. Je me demandais s'il ne fallait pas profiter des grands travaux du Louvre. Je me suis confié à Yvonne Baby, membre du conseil d'administration de la Cinémathèque et chef du service « Culture » du journal *Le Monde*. Elle avait interviewé Leoh Ming Pei, architecte des travaux, créateur de la pyramide du Louvre. Elle avait aimé l'idée d'une grande Cinémathèque et organisé un déjeuner avec lui et le maître d'œuvre du Grand Louvre : Émile Biasini.

D'entrée, M. Pei a parlé de mes films et de sa passion pour le cinéma. C'était pour moi une mise en confiance. Avec Yvonne Baby, nous lui avons résumé les raisons d'être de la Cinémathèque, son histoire, sa vocation à devenir un grand musée du cinéma, ce nouvel art qui avait contribué à rapprocher les hommes et à les émouvoir. Rapprocher la Cinémathèque française du musée du Louvre, grand ordinateur artistique, revenait à reconnaître son importance dans la culture.

M. Pei, homme frêle et délicat, aux petits yeux noirs tout ronds, n'avait pas cessé de m'observer sans ciller, quand j'annonçais les besoins en espaces et en installations, soit plusieurs milliers de mètres carrés. M. Biasini, dont l'opinion allait être déterminante, suivait mon exposé, il ne semblait pas être autrement surpris à l'annonce des mètres carrés nécessaires.

Quand nous avons eu fini notre duo, avec Yvonne Baby, les deux hommes se sont regardés avant que M. Pei n'exprime un réel enthousiasme pour notre proposition. M. Biasini consentait. Je n'en revenais pas. Yvonne Baby goûtait le moment avec discrétion. Restés seuls, elle a mieux exprimé son contentement en mettant un bémol. Il fallait maintenant convaincre pas tant Jack Lang que son entourage. Elle connaissait bien les méandres du pouvoir politique. J'allais les découvrir.

L'entourage du ministre m'a reçu avec une froideur équivalente en intensité aux salamalecs souriants lorsque j'avais accepté la présidence de la Cinémathèque. Je les libérais alors d'un gros souci. Je venais de leur en créer un autre, et de taille. Les mines fermées, hostiles, ils m'ont reproché dans ma démarche de les avoir contournés, eux et le ministre. Agacé, je leur ai demandé ce qui venait après. C'était pire. L'espace gagné sous l'esplanade du Louvre était destiné aux commerces et à la rentabilité. J'avais évoqué l'adhésion enthousiaste de M. Pei : « Ce n'est pas lui qui paye », m'avait souri un des trois, faisant sourire ses collègues avec son humour « grandes écoles ».

Jack Lang s'est rangé à cet impératif. Il voulait cependant qu'une solution soit trouvée pour la Cinémathèque. Il me l'a dit avec une grande sincérité, ce dont il était capable. Avec cette même sincérité, il m'a promis d'étudier ma demande de nous « donner » le palais de Tokyo, que l'École du Louvre libérerait précisément pour s'installer au Louvre. Je le tenais de M. Pei lui-même. L'architecte du palais de Tokyo m'avait fait visiter le bâtiment de fond en comble. C'était une très bonne solution pour la Cinémathèque. La meilleure. Construit en 1934 pour l'Exposition internationale de 1937, le palais de Tokyo était peu utilisé depuis de nombreuses années. Il possédait tout l'espace nécessaire pour accueillir ce *Vaisseau cathédrale du cinéma* que devait être la Cinémathèque.

Jack m'a conseillé d'écrire au président Mitterrand, cela dépendait beaucoup de lui. La lettre rédigée, je la portais à l'Élysée à notre ami Régis Debray, alors conseiller du président. Il l'a lue : « Un peu longue, il n'aime pas les longues lettres. » Il avait un ton calme et détaché, celui du connaisseur. Je l'ai vu dévisser son stylo. Il va faire des coupes, me suis-je dit. Il a ajouté un *r* à Mitterrand. Je venais de découvrir la faute. « Ce sont les gens de droite qui l'écrivent avec un seul *r*, il n'aime pas ça du tout ! » J'étais furieux. « C'est un bon projet », avait ajouté Régis, sans faire plus de cas sur la lettre manquante.

Universal avait confié à Michèle l'organisation et la gestion de la post-production à Paris. Le premier montage de *Missing* achevé, je devais le montrer aux responsables d'Universal. Ned Tanen a décidé que la projection se ferait à New York.

Le Concorde nous a déposés, Michèle, Françoise Bonnot, la monteuse et moi, avec le film, à 11 heures à l'aéroport Kennedy. La projection était prévue à 12 h 30 avec Edward et Millie Lewis, Ned Tanen, Sean Daniel, plus deux exécutifs londoniens et deux new-yorkais. À 12 heures, des limousines arrivent simultanément devant la salle de projection. Des salutations, des « *happy to see you* » et soudain, horreur, la copie du film n'est pas dans le coffre. On l'a oubliée sur le trottoir à l'aéroport. Heureusement, à l'époque, on ne détruisait pas encore les bagages abandonnés. Nous avons pris une heure de retard. À 15 heures, nous discutons devant une collation. Le film avec la musique de Vangelis ayant fait l'unanimité, l'échange a été court et a porté sur des détails. Nous avons pu prendre l'avion de 19 heures. Nous sommes arrivés à Paris à 7 heures du matin. Notre record pour Paris-New York-Paris.

Missing était sélectionné pour la compétition au Festival de Cannes. Commençait alors ma troisième aventure cannoise. Alexandre, qui avait fait son « premier » Cannes pour *Z* dans le ventre de sa mère, était notre invité spécial. Après avoir vu avec nous plusieurs films de la compétition, il nous a demandé : « Comment choisir parmi des films si différents ? »

Le matin du palmarès, Gilles Jacob m'appelle à Paris pour me demander de revenir à Cannes : « Vous êtes au Palmarès. » Je pouvais entendre en arrière-plan la voix fâchée de Robert Favre Le Bret, le président du festival : « Ah non, pas deux prix pour *Missing* ! » Gilles avait raccroché rapidement.

Missing a obtenu la Palme d'or, ex æquo avec *Yol* de Yilmaz Güney. Et le prix d'interprétation pour Jack Lemmon, qui était content comme un enfant. Je l'étais autant que lui, sinon plus. Güney et moi, un Turc et un Grec « palmés » la même année, la salle attendait je ne sais quelle singularité : nous nous sommes embrassés, sous les applaudissements.

Nous nous sommes revus quelques jours plus tard dans un petit restaurant près de la place de l'Étoile, de manière clandestine. Güney était accompagné de sa très belle femme, Fatoş. Et ils se cachaient. « Les services secrets turcs m'en veulent à mort », m'avait-il expliqué. Nous nous sommes rencontrés plus souvent, quand sa situation s'est améliorée et qu'il a pu s'installer officiellement à Paris. Il voulait qu'on fasse un film à quatre mains, sur les relations gréco-turques, et turco-grecques. Le temps nous a manqué. Yilmaz est mort en 1984. Son enterrement au Père-Lachaise à Paris était une émotion nouvelle pour moi : des milliers de Kurdes se pressaient dans les allées du cimetière, sur les tombes autour de celle de Yilmaz Güney, sur les arbres. Beaucoup pleuraient, tous scandaient du geste de la main des vivats d'amour et de fureur.

Flora Lewis, journaliste du *New York Times*, me propose une longue interview sur *Missing*. Universal appuie sa demande. Michèle me met en garde : quarante-cinq minutes, pas plus. Impressionné par les journalistes, en général, et par les journalistes américains en particulier, j'ai accepté. L'entrevue a duré plus de deux heures. Flora Lewis m'a harcelé de questions qu'elle répétait, les reprenant deux, trois fois. Comme si elle cherchait une réponse qui ne soit pas identique aux précédentes. Amie de l'ambassadeur Davis, ordonnateur du coup d'État au Chili, elle avait insisté d'entrée sur son honnêteté et ses sentiments démocratiques : Davis arrivait du Guatemala, où il avait été envoyé pour pacifier le pays, aider à le démocratiser. Il n'avait jamais soutenu Pinochet, et surtout pas les massacres perpétrés par les militaires chiliens, « exagérés d'ailleurs par la gauche internationale, les disparus étaient en réalité des fugitifs, cachés par les pays européens ». J'ai vu venir le mauvais coup, malgré son sourire et ses précautions amicales. Je l'avais connue chez les Montand, à la sortie de *L'Aveu*. Elle insistait déjà sur certains détails. Plusieurs, détournés de mes réponses, ont été cités, plus tard, dans la liste des accusations lors du procès intenté contre moi et Universal par l'ambassadeur Davis et le consul, portraiturés dans le film.

À la fin de cette interview « interrogatoire », j'ai appelé Eddy Lewis à Los Angeles pour lui dire que nous allions avoir un « mauvais *New York Times* ». « Nous avons un bon film, nous survivrons ! » m'a-t-il répondu avec sa sagesse habituelle. Vincent Canby du *New York Times* allait répondre indirectement à cette interview accusatrice par une très bonne critique.

Universal avait décidé que la première de *Missing* se ferait à Washington. Je pensais que c'était de la provocation pure. Je me trompais. Il s'agissait de placer le film, de l'installer à un très haut niveau, en affirmant le soutien total d'Universal.

La soirée de la première a eu lieu dans une grande salle archipleine. Nous étions, Michèle, les Lewis, Sean, Ned et moi, au fond de la salle, tous tendus, sauf Ned qui avait la mine de celui qui connaît la fin. Il s'en amusait par avance. Le film a été suivi dans un parfait silence. Trois ou quatre désapprobations ou protestations ont été étouffées dans une avalanche de *shshsh*... À la fin, une partie des spectateurs a applaudi, l'autre s'est levée pour sortir. Depuis l'entrée de la salle où avait lieu le cocktail, on pouvait voir ceux qui, d'un pas pressé, le visage fermé, le geste irrité, filaient vers la sortie.

On m'a présenté deux sénateurs, pendant que Jack Lemmon les identifiait pour moi avec les lèvres mais sans le son : « Démocrates. » Cela a fait beaucoup rire les intéressés, comme les invités qui nous entouraient.

Le lendemain matin, le State Department publiait une déclaration de près de cinq pages et décrivait les événements au Chili liés au cas de Charles Horman. Le State Department avait procédé à une investigation, comme moi, mais qui avait abouti à des conclusions contredisant les affirmations du film, caractérisées comme étant inventées, manipulatrices et anti-américaines.

Les critiques des journaux étaient bonnes, y compris celle du *Wall Street Journal.* La journaliste, rencontrée quelque temps après, m'avait raconté avoir été admonestée par le directeur du journal qui, entre-temps, avait vu le film.

Le succès de *Missing*, le vif débat qu'il a déclenché ont eu leur corollaire. L'ambassadeur Davis et le consul Brady ont porté plainte pour diffamation contre Universal et moi. Ils réclamaient chacun trente millions de dollars de dommages et intérêts, pour avoir été mis en cause, directement, dans l'exécution de Charles Horman.

L'instruction du procès a eu lieu à Washington. Universal avait choisi la compagnie d'avocats Williams & Connolly, la même qui, des années plus tard, traitera l'affaire Bill Clinton/ Monica Lewinsky. Avec les mêmes avocats, aussi : David E. Kendal et Nicole K. Seligman. Ils avaient préparé chaque question que les avocats de la partie adverse allaient me poser. J'étais dans un film hollywoodien, sans en connaître la fin, car toute insinuation ou tout dérapage ou insuffisance de ma part pouvait coûter très cher.

Mes réponses devaient être « oui », « non », « je ne me souviens pas », ou « répétez votre question ». Mais jamais : « je ne sais pas », « je ne vois pas », jamais de commentaire suivant la réponse, ce qui risquerait d'ouvrir une voie incontrôlable aux avocats de la partie adverse et conduire à un « *character assassination* », destruction de l'éthique de la personne, en l'occurrence moi. Après des répétitions dans les moindres détails avec mes avocats, nous avons affronté ceux des adversaires. Ce qui, pour la justice américaine, correspond au procès avant celui devant le juge. Deux jours d'affrontements, avec par moments des excès d'une violence à mon encontre disproportionnés à l'affaire, tactique pour m'exaspérer et contre-attaquer. Mais j'étais préparé à l'impassibilité.

Le compte rendu de cette confrontation, dite aussi « *audition* », a été transmis au juge qui a alors décidé qu'il n'y avait pas matière à procéder au procès. Il a « *dismissed the case* ». Sa décision était accompagnée de ses attendus du jugement, où il qualifiait le film de « docudrame ». Ce qui allait faire jurisprudence. D'après mes avocats : « *a precedent* ».

À Paris, le temps passait vite et je pensais que le projet pour la Cinémathèque s'en allait à vau-l'eau, quand l'architecte du palais de Tokyo m'a appelé et, après m'avoir demandé le secret absolu, m'a appris que le président Mitterrand avait visité, avec Jack Lang et deux autres personnes, le palais « ce matin très tôt ». Mais rien d'officiel. Le pouvoir politique ne s'empresse pas. Le silence est le même qu'à Hollywood – « pas de nouvelles, mauvaises nouvelles », et pas le courage de vous l'annoncer.

Jack Lang m'a enfin appelé : « Tu as ton palais de Tokyo. Il faudra l'appeler la Maison du cinéma. » Ma joie a été bousculée par cette appellation que je n'aimais pas du tout. J'avais presque oublié de le remercier : « Nous verrons pour le nom, Jack, je te remercie. » « Tu recevras ma lettre », a-t-il dit sèchement avant de raccrocher.

La lettre officielle enfin reçue avait enflammé le conseil : la perspective d'une nouvelle Cinémathèque se dessinait concrètement. Ce grand projet, qui suscita les sentiments exaltés du conseil d'administration, a permis l'accélération du changement de la direction que je souhaitais depuis longtemps. J'ai procédé à un casting pour trouver un nouveau directeur général. Après plusieurs rencontres, j'ai vu entrer dans mon bureau un homme jeune, élégant et discret. Avec lui, les rapports étaient simples, pas de compliments sur mon « œuvre », par exemple, comme n'avaient pas manqué de le faire tous les autres candidats. Je lui ai parlé du nouveau projet. Il savait déjà. Il m'a fait part des difficultés, des sinuosités d'un processus long et complexe, semé d'embûches, mais réalisable. C'était le seul qui parlait vrai.

Une semaine après sa prise de fonction, Bernard Latarjet avait radicalement changé l'état d'esprit du personnel. Le dirigeant était aussi un animateur inspiré, de grande culture, doublé d'un homme de qualité. Il a pris immédiatement en main le projet du palais de Tokyo. Des péripéties qui l'accompagnèrent ainsi que de son aboutissement insensé, je parlerai le moment venu.

Missing faisait son tour du monde. Comme les enfants une fois grandis qui vous échappent pour vivre leur vie.

De mon côté, j'étais déjà passé à autre chose, *Hanna K.* Je rencontrais Jill Clayburgh, pour lui proposer le rôle de Hanna. Nous l'avions vue avec Michèle au théâtre à New Heaven dans *Streamers*, la pièce écrite par son mari David Rabe. Son interprétation nous avait émus, la légèreté grave de son personnage nous avait beaucoup étonnés. Je lui résumais le caractère de Hanna K. : pas une femme tout à fait émancipée, ni une intellectuelle, malgré des études de droit pour devenir avocate. Énergique mais fragile, elle vit simplement une situation de notre temps. Elle décide par passion, plus que par raisonnement, de s'adapter au réel. Juive américaine, elle quitte son mari français qui l'adore mais la traite comme sa poupée et immigre en Israël, à la recherche d'une nouvelle vie, d'une nouvelle identité. Au-delà de l'épicentre du triangle masculin, politique et de bien-être dans lequel elle se voit enfermée.

Jill Clayburgh a lu le scénario et accepté l'aventure de ce film particulier, comme je le lui avais souligné. Michèle, qui le produisait, l'avait prévenue, autour d'un thé et d'un mont-blanc chez Angelina à Paris, des difficultés, des rejets possibles, des dos tournés. Le film risquait d'exacerber les passions. Après réflexion, elle lui avait répondu : « Je suis une actrice. Si Costa me proposait de faire Eva Braun je le ferais sans hésiter. Cela ne voudrait pas dire que je suis une nazie. » C'est sans doute Jill à New York qui ensuite a le plus souffert des coups de téléphone injurieux et des dos tournés. Sans parler des difficultés pour sa carrière que l'on pouvait mettre sur le compte de la quarantaine.

Hachette, qui devait coproduire avec Gaumont, nous a laissés tomber. Gaumont est resté coproducteur et distributeur. Eddy Lewis et Sean Daniel aimaient le projet et sont intervenus auprès de Ned Tanen, qui a accepté un « *pick up deal* » – accord de préachat d'un film. Le producteur reçoit l'argent quand il remet le film fini, mais le contrat peut être escompté.

Jean Yanne, avec qui j'avais envie de travailler depuis long-temps, a accepté de jouer le mari français abandonné qui ne perd pas espoir de reconquérir sa femme par amour, mais aussi grâce au confort qu'il lui assurerait et à son humour qui l'avait toujours séduite.

Gabriel Byrne, jeune et excellent acteur de théâtre anglais, a aimé le rôle du juge israélien, amant de Hanna. Tous les autres rôles ont été confiés à des acteurs israéliens qui ont accepté de faire partie de la distribution, des comédiens que je découvrais, et qui me découvraient aussi, non sans curio-sité. Et, bien sûr, notre ami Amnon Kapeliouk qui faisait ses débuts d'acteur, mais aussi de « coréalisateur empressé » jusqu'à ce que je lui explique qu'un seul réalisateur suffisait !

Le problème sérieux était celui du personnage du Palesti-nien. Nous avons cherché à Paris, à Londres. C'est le metteur en scène israélien Moshé Mizrahi qui nous a signalé une pièce à voir à Tel-Aviv. Avec Mohammad Bakri, un acteur arabo-israélien. Grand, mince, élancé, visage biblique ou coranique, yeux gris-bleu, très bon acteur. Il était incontestablement le personnage allégorique de Selim. Choix que certains critiques m'ont reproché : « un si bel Arabe aux yeux bleus ».

Mon équipe de tournage, Ricardo Aronovich (image), Pierre Guffroy (décors), Pierre Gamet (son), Édith Vespe-rini (costumes), était complétée par l'équipe israélienne et palestinienne. Avec des sourires narquois, mes machinistes et électriciens israéliens ont vu arriver, petite et frêle, Claire Denis, ma première assistante. Elle les a vite astreints, sans jamais élever la voix, à une discipline féminine plus efficace que la militaire, et infiniment plus créative.

Le tournage s'est déroulé en Israël et en Palestine, où l'occupation était moins visible à l'époque. Nous avons aussi tourné certaines scènes en Italie, comme celle du dynamitage de la maison palestinienne. Le lieu de sa construction s'était révélé difficile à trouver en Israël comme en Palestine. Scène très sensible. Finalement, nous avons pu tourner au camp abandonné de Jéricho, bâti en 1948 pour plusieurs milliers de réfugiés palestiniens, qui avaient fui la guerre et l'avancée israélienne en abandonnant leurs maisons. En 1967, devant la nouvelle avancée israélienne, ils avaient fui.

Plusieurs oppositions au tournage du film ont été indirectes : annulation de décors la veille des prises de vues... Mohammad Bakri, notre acteur principal, arrêté un petit matin : un régisseur de l'hôtel avait *trouvé* du haschich sur le balcon de sa chambre. S'il restait emprisonné, c'était l'arrêt du film. Michèle, Gérard Crosnier et Cherupe, directeurs de production, ont aussitôt fait changer le plan de travail par Claire pour tourner en priorité toutes les scènes sans Mohammad. Parallèlement, Michèle contactait John Shea à Los Angeles. Elle se savait « écoutée ». « Notre acteur principal est malade. À l'hôpital. S'il n'est pas rétabli dans les quatre, cinq jours, il faut que tu reprennes son rôle. » « Pour Costa, tout ce que tu veux. Je pars en vacances avec ma femme mais on s'appelle tous les soirs et, s'il le faut, je sauterai dans le premier avion. » Mohammad Bakri a été libéré au moment où John allait sauter dans le premier avion.

Un matin, vers cinq heures, ce n'est pas le réveille-matin qui a sonné, mais Jean Yanne : « Tu viens d'avoir l'Oscar pour le scénario de *Missing* », m'a-t-il annoncé avec un enthousiasme teinté d'ironie. Il n'avait pas beaucoup de respect pour les prix, comme pour quelques autres honneurs de notre monde du spectacle et de la politique. Il venait de voir ça à la télévision. « Ah bon ! » « C'est tout ce que ça te fait ? » Il était sarcastique. « Je tourne dans une heure, Jean, alors le reste… » Il avait ri et m'avait souhaité un bon tournage, promettant d'être là pour la scène finale du film. Le matin, toute l'équipe était déjà au courant. Mon prestige a fait un bond.

Après l'Italie et le tournage terminé, de retour à Paris, je découvrais que les sondages, dans le cas d'une élection qui se déroulerait dans un avenir proche, donnaient Montand favori pour la présidence de la République. Une partie de la droite était convaincue que Mitterrand, avec sa politique économique et ses ministres communistes, qui avaient provoqué l'hostilité de beaucoup de pays, en premier lieu de l'Amérique reaganienne et de celle des investisseurs, ne tiendrait pas. Le septennat n'irait pas jusqu'à sa fin, en tout cas il fallait se préparer pour le suivant. Ils se sont cruellement trompés.

Le succès populaire de l'acteur Ronald Reagan aux États-Unis avait fait naître chez certains l'idée d'une solution française, mais à l'américaine. Les fortes prises de position de Montand contre le Parti communiste et ses critiques du Parti socialiste avaient encouragé des personnalités de droite à l'approcher. Il s'en était amusé et, j'ai cru comprendre, en tirait fierté, alors que Simone faisait la tête de ma mère, même couleur des yeux, quand elle apprenait mes crétineries.

J'ai alors dit : faisons un film, *Montand Président.* Nous avions le début, on imaginerait la suite. Je lui proposais de lire une scène électorale avec les répliques du film de Giono, *Crésus.* Montand candidat : « Et je vous ferai construire un pont. » Un électeur : « Un pont sur quoi ? » Montand candidat : « Un pont. Là ou il n'y a rien il y aura un pont. »

L'idée amusait un peu Simone. Michèle, pas du tout. Elle plaisait à Jorge Semprún comme dérivatif : il se méfiait de ces engagements politiques dont il connaissait mieux que quiconque les aspects imprévisibles ou destructeurs. Il en savait aussi plus que moi sur ceux qui avaient proposé à Montand de constituer une équipe de quatre ou cinq jeunes. Et des moyens financiers aussi dont disposait cette cellule de réflexion, d'études et de projets.

J'avais peu de temps à y consacrer mais nous nous sommes mis à réfléchir avec Jorge et Montand, que l'idée bien sûr passionnait. C'était un moyen de sortir du piège qu'instinctivement il ressentait : mais je crois que l'autre « hypothèse » l'obnubilait. Il y pensait sûrement beaucoup. Qui ne le serait pas ? Fils d'immigré italien, sorti des quartiers pauvres de Marseille, il avait fait très peu d'études et commencé comme garçon coiffeur. Puis Ivo Livi s'était transfiguré, il était devenu Yves Montand, chanteur célèbre qui avait conquis Paris, la France, les femmes dont tous les hommes rêvaient, même s'il n'était attaché qu'à une seule. Acteur de cinéma, il avait travaillé avec quelques metteurs en scène parmi les plus grands. Invité par les maîtres du Kremlin, il avait parlé d'égal à égal avec eux, avant d'être invité à la Maison-Blanche par Kennedy, et après avoir connu un grand succès à Broadway. Et comme conclusion de vie, on lui propose la présidence de la France. Diable ! Pourquoi pas ?

C'est Simone qui a tout arrêté, avec discrétion, avec cet esprit féminin qui voit clair et peut aller jusqu'à la violence, quand il le faut et quand il s'est libéré de l'emprise masculine. Un jour, elle m'appelle au montage : « Passe me voir après 6 heures, j'aurai des choses à te raconter. » Je suis arrivé à la Roulotte en avance : « Tu sais qui sort d'ici ? Tu as failli la croiser, Mme... » Suivait le nom d'une grande dame du monde politique, ancienne conseillère du président Pompidou. Avec sa coiffure, toujours la même et toujours parfaite, chaque fois que nous la voyions à la télévision, tout en l'écoutant avec intérêt, elle éveillait chez Montand et moi le désir de l'ébouriffer dans des conditions irracontables ici. Je suis resté pantois mais très intéressé. Simone a poursuivi : « Je lui ai intimé d'arrêter leur petit jeu avec Montand, sans quoi j'irai tout raconter à la presse... » Puis elle m'a relaté leur conversation, sans nier le fait qu'elle s'était trouvée face à une personne intelligente, perspicace et compréhensive.

« Et tu vas nous intimer la même chose pour le projet de film ? » « Mais non, faites-le votre film ! Cela dit, je pense qu'aucun de vous trois n'y croit vraiment. » Elle avait raison, malgré les quelques pages que Jorge avait écrites. Le projet s'est essoufflé, comme une plaisanterie sous une apparence paradoxale, insolente, mais sans vrai ressort dramatique. Le temps passait. La notoriété de Montand ne faiblissait pas, les sondages en sa faveur restaient élevés et, malgré ses démentis, il paraissait toujours comme une alternative à l'élection présidentielle qui s'approchait.

Le samedi soir du 12 décembre 1987, sur TF1, Montand fait une grande émission, genre *One Man Show*, conçue et présentée par deux grands journalistes politiques. Comme d'habitude, Montand parle chant, cinéma. Très vite, les journalistes l'orientent vers l'actualité politique. Comme d'habitude, Montand dit tout ce qu'il pense de la situation du pays, des problèmes humains, sociaux, des dirigeants, bref de ce qui l'intéresse et le touche vraiment. Comme toujours, il est brillant, sincère, populaire.

Le lundi matin, *France Soir* titre sur toute une page : « Les leçons de Montand à 9 000 francs la minute. » Tous les médias reprennent l'info à longueur de journée. C'est un tir groupé, pour une exécution exemplaire par son machiavélisme.

Montand était effondré, triste, accablé de chagrin, humilié d'avoir été si bassement, si injustement traité. Le plus dur pour lui était qu'aucun des journalistes de l'émission n'était allé à son secours pour dire simplement qu'un artiste comme Montand est payé, très cher payé, pour faire une émission sur une chaîne privée, TF1, toute une soirée de samedi. Je crois qu'il a porté en lui cette offense pour le reste de sa vie.

J'ai aussi connu des insinuations périlleuses à la sortie de *Hanna K.* Invités à la Mostra de Venise, Michèle et moi, mais sans Franco Solinas, mort quelques mois auparavant, *Hanna K.* fut reçu froidement, quand ce n'était pas par une franche hostilité. « Alors, vous n'admettez pas que ce peuple, qui a tant souffert et tant subi de massacres, ait le droit de revenir chez lui, après cinq mille ans de fuite et de pogroms ?... » Ce journaliste allemand avait tout faux, sur les millénaires comme sur ce que le film disait. Ou encore : « Vous n'avez mis que de la musique arabe dans votre film, interrompue par les sirènes de la police israélienne, ou par les marteaux piqueurs des constructions : quelle est la signification de ce choix ? » Le seul prix que *Hanna K.* a obtenu est le Grand Prix de la Sacem, attribué à la musique de Gabriel Yared.

Ce genre de commentaires belliqueux s'est reproduit lors de la sortie du film, pas tant de la part du public que de celle de critiques ou de commentateurs, qui me semblaient « guidés » plus par un code ou une idéologie facile, dominante, que par le strict contenu du film.

Le film avait aussi « chagriné » certains Palestiniens qui espéraient voir une ferme condamnation d'Israël. Et des Israéliens qui n'y trouvaient pas l'habituelle célébration de leur démocratie, ni le consentement à la politique suivie, la seule possible selon eux. Le film fut soutenu par des personnalités intègres, connaisseurs de la situation. Éric Rouleau, dans *Le Monde*, Amnon Kapeliouk, dans *Le Monde diplomatique*. Ou encore Edward Saïd, qui en fit une analyse parfaite dans le *Village Voice* à New York, seul à avoir trouvé d'où venait l'idée du film, à savoir le *Bartleby* de Herman Melville. Gaumont a distribué le film en France et l'a défendu, en dépit des menaces répétées signalant par téléphone avoir posé « une bombe dans la salle ». On arrêtait la projection, on évacuait la salle, on la fouillait avant de relancer la projection. Daniel Toscan du Plantier trouvait le film « post-moderne », et ne s'étonnait pas de ce qui lui arrivait.

Le destin de *Hanna K.* a créé en moi une période de « calme », de désespoir peut-être. Les propositions de scénarios ou de livres à adapter ont continué d'arriver. Sauf de l'Amérique où elles s'étaient raréfiées. Les jours, les semaines et les nuits qui suivent un échec, quelles que soient ses raisons, sont des espaces de vie floutés. On est seul. De brefs déferlements de brouillard glacé viennent vous cerner, vous étouffer, sans que les personnes les plus proches et les plus attentives s'en aperçoivent. On n'aime personne dans ces moments, et encore moins soi-même. Curieusement, le regard reste lucide, on est aux aguets pour survivre, ou pour bien observer les autres, leur loyauté ou leur hypocrisie à votre égard.

L'ambiance du tournage du film de Mehdi Charef, *Le Thé au harem d'Archimède*, que Michèle produisait, et l'excitation autour de la caméra m'ont bientôt fait retrouver le goût de cette inégalable aventure qu'est la genèse d'un film : la création d'un monde visible, audible, sensible, à partir de rien. Le moral récupéré, j'ai commencé à y penser.

Pendant la recherche des décors, dans la banlieue proche de Paris, Mehdi m'a aidé à voir l'invisible, l'inadmissible. L'humilité de la vie ici, les limites de l'optimisme, la pénurie de l'espoir, une jeunesse en friche et à l'abandon, à trente minutes en voiture de chez nous, le Ve arrondissement, où on ne manquait de rien. L'espoir ici, c'est d'en avoir plus. Plus de tout, et pour certains, la vie n'est vouée qu'à cela.

Parlant de cette passion pour la possession de quantité de biens, des amis m'avaient signalé le livre de Francis Ryck, *Conseil de famille*, l'histoire de deux hommes lancés dans une course éperdue de biens, en grande quantité, à tout et à n'importe quel prix. La boulimie pour la richesse, pour l'abondance, le luxe, saisit toute la famille, jusqu'à ce que les enfants se rebiffent. Il me semblait qu'un film était possible, et je me suis mis à y penser. C'était le début de la sortie de mon brouillard.

Mehdi Charef avait terminé son film. Les premières projections destinées aux critiques, aux proches et aux amis, étaient très positives. Le spectateur découvrait un monde soupçonné mais pas vraiment connu, ainsi qu'un metteur en scène de talent. Seuls mécontents jusqu'à l'affliction, certains hommes du pouvoir socialiste. Ils estimaient que nous avions produit un film dangereux, pour avoir montré la réalité de la banlieue sans ménagement. Jack Lang et Régis Debray en faisaient partie. Nous avions fait une mauvaise action.

Premier grand film sur la banlieue, *Le Thé au Harem d'Archimède* reçut le prix Jean-Vigo, un très bel accueil public, et fut nommé aux César. Le soir de la cérémonie, nous sommes arrivés au palais des Congrès avec les jeunes acteurs dont certains, comme Mehdi Charef, portaient leurs origines sur leurs visages. À l'entrée du palais, les malabars de la sécurité, sans le moindre avertissement et sans examiner les invitations, se sont précipités sur tous ceux dont les visages n'étaient « pas de souche », les ont bousculés hors du groupe avec des « pas toi, pas toi ! », Mehdi inclus. Michèle a réagi, les a repoussés en les insultant violemment. Scandale ! Arrêt de l'agression. Les malabars, intimidés par la fureur d'une dame grande, française, belle, chic et en tenue de soirée, se sont figés. Des responsables « César » sont arrivés. L'ordre *césarien* s'est rétabli. Parmi les malabars, je remarquais que deux d'entre eux n'avaient pas non plus le faciès typiquement français. Nous sommes entrés avec la dignité et le respect qu'impose cette grande fête du cinéma. Mehdi a eu le César du premier film. Pour nous tous, une explosion de joie.

À la sortie, avant de passer devant de nouveaux malabars, Mehdi m'a remis son César : « Prends-le, ils vont croire que je l'ai volé. » Humour d'un homme et d'une communauté qui doit beaucoup rire et souvent.

CHAPITRE 15

Sortie du brouillard

Le livre *Conseil de famille*, derrière son apparente frivolité, développait des thèmes qui m'intéressaient : la relation père et fils, mari et femme, chaque fois deux mondes différents, opposés, qui s'entendent souvent autour de la quantité de biens matériels, contre la qualité de la vie qui peut parfois faire naître un besoin de libération.

En vacances en Grèce, j'ai commencé l'écriture du scénario, sans être sûr d'aller jusqu'au bout. Le ton que j'avais adopté était celui d'une famille où le père était à la recherche d'une respectabilité bourgeoise, tout en vivant dans l'illégalité totale, et dans l'avidité de richesses qu'il fallait acquérir à tout prix. Le personnage de la mère, en rupture avec son milieu d'origine, la grande bourgeoisie, me fascinait. À Fanny Ardant, à qui j'avais parlé du personnage, je l'avais décrit comme un oiseau exotique posé sur le dos de deux crocodiles, son mari et son associé, descendant une rivière en se doutant bien de la chute d'eau qui allait les emporter. Mais les oiseaux savent voler. Fanny avait aimé ce personnage, dont le chant passait par le violoncelle. J'avais demandé à Johnny Hallyday de jouer l'un des deux crocodiles – le mari. Accepté. Coluche, pour l'autre crocodile. Pas libre. Guy Marchand l'a remplacé.

Et Rémi Martin dans le rôle du fils. Peu de temps après, Coluche s'est libéré.

Mais trop tard.

Les oiseaux exotiques ne s'intéressent pas aux richesses, ils ont tout et depuis toujours. Les crocodiles, boostés par leurs réussites illégales et faciles, voyaient de plus en plus grand, et de plus en plus loin que leurs marigots. Les enfants de la famille, une fois grands, commencent à penser à la qualité de la vie et veulent se libérer de la tutelle du père, de son ami, qui reste amoureux sans espoir de leur mère. Puis vient le temps de la révolte. La rupture. Bref le film, je m'y suis mis.

Simone Signoret avait accepté sa maladie. Elle se faisait soigner, mais le mal se développait rapidement. Elle en parlait avec détachement, faisant preuve d'un moral sans faiblesse ni pathos. Je pensais qu'il y avait là aussi de la performance d'actrice, pour épargner les proches, et surtout Montand. La préparation du tournage de *Conseil de famille* s'accélérait. J'appelais tantôt Simone, tantôt Montand pour avoir des nouvelles. Je le sentais inquiet, ému. Simone, elle, parlait de tout, sauf d'elle-même. Je venais de commencer le tournage. Soudain, l'état de Simone s'est aggravé. Elle a été hospitalisée dans une clinique à Boulogne. Montand, avec qui nous avons dîné, Michèle, Jorge et moi, était désespéré, anxieux aussi à l'idée que la presse s'empare du scoop et que la clinique soit assiégée. J'ai appelé la clinique, on ne passait pas les communications, mais Simone avait dit qu'elle voulait me voir.

Un docteur silencieux m'a accompagné à une chambre, au rez-de-chaussée, aux stores fermés. Je l'ai vue tout de suite dans un grand lit. Elle était comme une enfant perdue dans l'immensité de ce lit entouré d'instruments médicaux. La lumière était tamisée jusqu'aux limites, comme pour protéger Simone de cette clarté devenue ennemie, après l'avoir tant fréquentée et aimée. Elle m'a tendu sa main tout affinée, fragile. Elle a souri, toujours avec ce sourire qui lui faisait des yeux chinois. Elle m'a parlé immédiatement de moi, du film, de Johnny qu'elle aimait bien, de Fanny pour laquelle elle avait une affection particulière. Simone m'a parlé de Fanny à l'enterrement de François Truffaut où je l'avais accompagnée. C'était au cimetière Montmartre. La famille Truffaut, derrière le cercueil, et Fanny loin derrière, à côté de Gérard Lebovici, droite, digne. « Celle à qui il manquera le plus », m'a répété Simone avec les mêmes mots qu'alors. Puis elle m'a parlé de Chris Marker : « Dis à Michèle de s'en occuper. Montand risque d'être maladroit avec sa générosité. » Puis encore : « Fais un film avec Jorge et Montand, mais pas le président », a-t-elle dit en souriant. Soudain je l'ai sentie faiblir, fatiguée. Elle m'a serré la main, l'a lâchée, j'ai entendu un très faible souffle de voix – « On ne se perd pas de vue. » Notre salut de toujours. Je l'ai répété, murmuré, comme elle. Puis le silence. Je me suis levé. À la porte, je me suis retourné. Je l'ai vue seule dans son lit – vaisseau sur un lac aux eaux sombres aux dimensions infinies.

Les scènes finales de *Conseil de famille* se déroulaient sur la Côte d'Azur. Johnny et Guy rivalisaient pour faire rire Fanny, dont le rire éclatant nous remplissait d'optimisme. Le 30 septembre, Michèle m'a pris par le bras, m'a éloigné de la caméra, son air grave était éloquent. « Simone est morte », m'a-t-elle dit d'une voix douce et émue. Le surlendemain, nous avons arrêté le tournage. Je suis allé à Paris, directement au cimetière du Père-Lachaise. Je suis resté dans la foule, immense, silencieuse, pour éviter les micros brandis sous le nez. J'ai vu Montand de loin, imposant, solennel, le visage fermé, tragique. Au moment de la descente du cercueil dans la tombe, une dame à côté de moi m'a serré la main, ses yeux en larmes m'ont souri. Sans un mot. Plus rien ne serait comme avant.

J'ai évité le rituel de la fleur posée dans la tombe avec le bref moment de recueillement qui suit, qu'une foule de photographes s'échinaient à immortaliser. À Nice, Michèle m'attendait à l'aéroport. Elle m'a longuement serré dans ses bras. La vie allait reprendre.

Pour la sortie de *Conseil de famille*, nous avons fait avec Johnny un « tour de France » pour présenter le film. À chaque rencontre avec la presse, je voyais arriver une foule de fans, plus d'hommes que de femmes, admiratifs, troublés, impressionnés de le voir de si près, comme des enfants malgré leurs grands bras souvent tatoués et leurs vêtements de cuir. J'ai vite compris que Johnny acteur ne les intéressait pas du tout. C'est le chanteur qu'ils idolâtraient.

La Cinémathèque bénéficiant de la politique des grands travaux mitterrandiens, nous avons vu notre projet d'installation au palais de Tokyo avancer en bonne marche, sous la surveillance de Bernard Latarjet. J'avais annoncé que je quitterais la présidence après la célébration du 50ᵉ anniversaire de la création de la Cinémathèque (en 1936), convaincu qu'elle entrait dans une nouvelle ère. C'est alors qu'est née une petite controverse qui allait grandir, et aboutir à un parfait renversement de la situation.

Dans un groupe de défense du patrimoine artistique, une réflexion en fait naître une autre, qui fait s'affirmer la première, et avec elle, les « ego » qui grandissent rapidement, entraînant des adhésions, des consentements fermes et définitifs. La cohérence se trouve alors minée, le dogmatique apparaît et il divise, installant des inimitiés. Des jalousies jusque-là occultées se ravivent, ainsi que les différences idéologiques. Cela aboutit à des haines souriantes, à des arguments mortifères.

Le débat s'est ouvert et clos, figé sur la seule question du musée Langlois dont le déplacement, pour certains, était un sacrilège, un blasphème pour son créateur. Cela signifiait que la Cinémathèque était divisée en deux : une partie au palais de Tokyo, l'autre à Chaillot, choix irrationnel et économiquement catastrophique. J'ai défendu avec fermeté la solution du lieu unique et l'installation du musée Langlois, à l'identique, dans un nouvel ensemble attribué à la Cinémathèque au palais de Tokyo.

Mais le culte de la personnalité, associé au culte du « lieu », le Conseil a décidé pour deux lieux différents. Je quittais donc la présidence, après une triste célébration du 50ᵉ anniversaire. Bernard Latarjet m'a suivi. Finalement, l'État, devant l'intransigeance du conseil d'administration de la Cinémathèque, décida d'abandonner l'installation au palais de Tokyo, alors que les deux salles de projection étaient construites et prêtes à recevoir des spectateurs. Pour moi les regrets persistent, malgré l'installation de la Cinémathèque à Bercy.

Pendant ces épisodes peu glorieux qui ont fait les délices de la polémique, la volupté de la controverse et les honneurs des médias, le producteur américain Irwin Winkler m'a contacté par l'intermédiaire de Bertrand Tavernier. Lors de notre rencontre dans un restaurant du XVIᵉ arrondissement – Winkler est un fin gourmet –, avec sa familiarité américaine il est allé droit au but : « Bertrand m'a dit que vous vouliez faire un film sur l'extrême droite… » C'était vrai. J'étais à la recherche d'une idée, d'une histoire ou d'un livre sur l'extrême droite, dont l'idéologie commençait à imprégner les démocraties, notamment en France. Winkler m'a dit qu'il avait un projet sur l'extrême droite américaine, qu'il considérait bien plus violente et agissante que celle qui existait en France et en Europe.

Il m'a invité à aller à Los Angeles pour en parler avec Joe Eszterhas. Joe est né en Hongrie, son père avait fui l'Europe en 1945, il avait grandi à New York et à Cleveland. Il connaissait parfaitement l'Amérique et ses extrémistes, qu'il avait connus de près. Joe Eszterhas, à la silhouette massive, richement barbu, chevelu, avait un regard pénétrant et une belle voix d'homme sûr de ses idées. Fort de son expérience d'ancien journaliste à *Rolling Stone*, il était devenu le scénariste, entre autres, du film *Basic Instinct* de Paul Verhoeven qui l'avait propulsé au Panthéon des scénaristes du box-office.

Quand j'ai rencontré Joe, il n'avait pas d'idée précise pour un scénario, mais un livre, *The Tarner Diaries*, considéré par les extrémistes de droite américaine comme leur *Mein Kampf*. Il s'était vendu à quelque 500 000 exemplaires. Je l'ai lu et nous avons commencé à en discuter pendant qu'une assistante nous rapportait toutes sortes de documentations sur un monde ignoré par la majorité des Américains, qui le considéraient comme un misérable folklore campagnard. Néanmoins une cinquantaine d'organisations fascistes et néo-nazis proliféraient à travers le pays. Leur projet, agir, chacun de son côté, dans le but de sauver l'Amérique des Noirs, des Juifs, des Jaunes, de l'envahissement par les Latinos, et du pouvoir fédéral qu'ils considéraient comme soumis à l'ONU et aux banques, et qu'il fallait détruire. Ils planifiaient l'empoisonnement des réservoirs d'eau des villes en y mettant de grosses quantités d'arsenic, sans distinction pour les victimes. Quelques années après la sortie du film, en 1988, un de ces groupes faisait sauter un bâtiment fédéral à Oklahoma City, 168 morts et 680 blessés.

Les échanges avec Joe durèrent toute la journée. Il se dégageait une ligne assez hollywoodienne, mais efficace et fertile. Invité par les Winkler – Winkler avait entre autres produit la série des Rocky avec Stallone –, je découvrais la vie intime des grands de Hollywood. Les dîners chez Irwin et Margot, sa femme, étaient de grands moments de raffinement culinaire. Les invités ? De grands noms du cinéma avec un passé, un présent, ou les deux à la fois.

Le dimanche, les Winkler m'invitaient dans leur maison de Malibu, un coin hyper protégé où les « grands » du cinéma et de la musique ont leurs maisons, face à la mer, vue imprenable, tranquillité de l'âme, loin de la fureur de la ville, de la foule, et avec le soleil assuré. On voyait se promener sur la plage des légendes comme Barbra Streisand, Mel Gibson, Mike Nichols, Chick Corea, Blake Edwards, Julie Andrews, Jon Voight... Certains faisaient un petit signe amical aux Winkler, d'autres s'approchaient pour échanger des amabilités. On me présentait, j'étais le nouveau, suscitais la curiosité. Mais, dès la deuxième rencontre, on est banalisé.

Les discussions avec Joe avaient abouti à une ligne de scénario satisfaisante. Nous avons alors décidé un voyage de reconnaissance dans cette Amérique profonde où allait se dérouler notre histoire : Nebraska, Dakota, Montana. Des autoroutes sur des centaines de kilomètres de ligne droite. On n'y croise que très peu de voitures, parfois une moissonneuse-batteuse colossale, gigantesque. En nous arrêtant dans de petites villes et des bourgs, nous avons rencontré des gens simples et accueillants. Que ce soit au temple évangéliste où le prédicateur est cordial et curieux, ou encore aux bars des bourgades, vides à 16 h 55, et pleins à craquer à 17 h 10, remplis d'hommes, jamais de femmes, venus boire un verre après le travail, dans un vacarme assourdissant, mélange de rires et d'éclats de voix, dont je ne comprenais pas le moindre mot. Joe me traduisait. Nos têtes attiraient la curiosité, on nous interrogeait, directement, sans préambule, sur ce que nous faisions, qui nous étions, et la raison pour laquelle nous étions là. Dès que nous prononcions ces mots magiques – *Film, Hollywood, Columbia* –, nous étions aussitôt au centre du cercle, assaillis de questions : quand, avec qui, quoi, pourquoi ici ? Le film sera-t-il contre nous ? Joe s'en sortait admirablement. Puis la curiosité s'estompait, le cercle se défaisait, et nous n'étions plus entourés que de trois ou quatre curieux, plus ou moins cultivés, et c'est alors que nous posions nos questions.

À Browlee, Nebraska, un petit groupe dont les membres rivalisaient du désir de nous informer et de nous dire la « vérité », nous explique que ce sont les banques qui poussent les *farmers* à la violence. Elles les avaient encouragés, en leur prêtant de l'argent, à s'équiper de grosses machines qui facilitent leur travail. Mais aujourd'hui, le prix des céréales ayant baissé du fait des banques elles-mêmes, les *farmers* se trouvaient dans l'impossibilité de payer leurs dettes. Conséquence : on confisquait des terres et des machines par dizaines. Ils se retrouvaient ouvriers travaillant dans leurs propres champs. Alors, comme beaucoup d'autres, garagistes, plombiers, commerçants, ruinés eux aussi, ils créaient des milices, avec l'aide de Dieu et souvent de leurs pasteurs, pour sauver l'Amérique.

À Crawford, le 4 juillet, nous avons vu célébrer la Fête nationale, dans une ambiance bon enfant et patriotique, suivie de barbecues géants et du verre de l'amitié offert par la patronne du motel où nous étions descendus. La cinquantaine, ancienne beauté fascinée par le cinéma, elle nous a proposé de mettre dans le film l'histoire de Charly, le seul Noir du hameau voisin qui vivait chichement et qui, un jour, a disparu avec son pick-up, sa femme et ses deux enfants. Tout le monde a pensé qu'il était parti ailleurs, en Californie. Quelques années plus tard, on les a retrouvés, y compris le pick-up, au fond du puits d'une mine abandonnée. L'opulente patronne savait « qui avait fait le coup mais ne le dirait jamais ».

Au Montana, Joe m'a emmené dans un supermarché où j'ai pu m'acheter, en montrant mon passeport, une petite mitraillette, copie du Uzi israélien, pour trois cents dollars. On ne pouvait pas tirer en rafale, mais l'employé m'a indiqué quelle pièce enlever pour la reconvertir en authentique arme de guerre. Quant aux munitions, je devais déposer l'arme dans ma voiture et revenir les acheter, séparément. Je n'en ai pas acheté et la mitraillette a servi pour le film.

Nous voulions visiter une grande ferme. Le shérif local nous a recommandé la plus importante de son district. Sur une colline, d'où on pouvait découvrir une vaste plaine, une grande maison sans aucune sophistication, entourée de hangars abritant toutes sortes de machines agricoles. Sans précipitation, à la Gary Cooper, nous avons vu arriver vers nous un homme, la soixantaine, grand, le visage buriné, le regard interrogateur, l'allure énergique. Ses bottes pointues à talons étaient vieillies à la tâche, pas par un accessoiriste.

Flynn, s'est-il annoncé, avant de nous présenter ses fils, qui sont sortis d'un peu partout, suivis de ses petits-enfants, timides et curieux. Il nous a expliqué qu'il faisait du blé d'hiver, du blé d'été, de l'orge, en nous montrant la plaine d'un geste immense, comme on montre son petit jardin. Il nous a présenté ses machines, et ses fils nous ont expliqué leurs fonctions. Le tour terminé, Flynn nous a invités à dîner.

Il était 18 heures. Les femmes avaient dressé une grande table et servi des hamburgers pour tous. C'est alors que Flynn m'a demandé d'où venait mon « *funny* » accent. Je lui ai répondu qu'il venait de Paris. « Paris où ? » « Paris France. » Il m'a regardé sans comprendre. « Paris France Europe », est intervenu Joe. « Ah Europe ! » a dit Flynn, comprenant enfin, et il m'a tendu la main.

La dernière étape de notre périple nous amenait dans les bureaux du FBI à Chicago, où Columbia et Winkler avaient organisé un rendez-vous. Un accueil poli mais glacial : « Ils ont vu mes films », ai-je murmuré à Joe. Je lui ai raconté la projection de *Z* que John Lindsay, alors maire de New York, avait organisée pour les officiers supérieurs de la police. J'avais vu arriver une vingtaine d'officiers, certains en tenue, accueillis par Lindsay et moi. Je n'avais pas voulu assister au cocktail prévu à la fin de la projection. Deux ans plus tard, nous étions, Montand, Jorge et moi, attablés chez Lipp, quand nous avons vu entrer Lindsay avec des amis. Il est venu nous saluer et nous a raconté avec beaucoup d'humour la fin de la soirée *Z*, la tête des officiers de police et le cocktail dans le silence, qui n'avait duré que le temps d'un verre bu à la hâte, sans commentaires. Lindsay en riait encore.

Avec sa verve et sa faconde, Joe a vite dégelé les humeurs des hommes du FBI. Le lendemain, nous avons eu accès à des documents écrits, à des photos et à des films réalisés par des agents infiltrés dans les milieux extrémistes, le KKK, les suprématistes en train de s'exercer, souvent avec leurs très jeunes enfants, à tirer sur des cibles : des Noirs, des Juifs, ou encore des sénateurs. Nous avons pu comprendre l'étendue de ces organisations, leurs moyens de communication et leur capacité criminelle. Mais aussi leur manque d'éducation, de culture, avec son corollaire, la peur de l'autre, de la différence, et le fantasme fou de « sauver l'Amérique ». Toutes ces informations nous ont beaucoup aidés à concevoir les personnages, et à reconstituer certaines scènes.

Pour le rôle de l'agente du FBI infiltrée chez les extrémistes, je voulais Debra Winger, mais elle était enceinte. Nous craignions qu'elle ne puisse pas retrouver sa silhouette, en juillet, pour les scènes de moisson. L'autre choix était Michelle Pfeiffer, que mon ami John Landis m'avait chaleureusement recommandée. Elle s'apprêtait à tourner *Les Sorcières d'Eastwick* de George Miller. Nous nous sommes rencontrés, avec Miller, pour voir si nous pouvions organiser nos dates de tournage respectives, afin que Michelle puisse faire les deux films.

Très surpris, j'ai entendu Miller me parler en grec. « Je m'appelle en réalité Yorgos Miliotis, je suis un fils d'immigré. » Son père était parti dans les années d'après-guerre. Après la libération, le gouvernement Grec allait jusqu'à payer les billets de bateau de jeunes grecs dont il ne savait que faire et qui, réduits au chômage, pouvaient virer communistes. L'Australie était prête à les accueillir. Autre avantage, elle était très éloignée. Dans ma famille, on y avait aussi songé pour moi. Ma mère avait coupé net les allusions de mon père qui me voyait perdu, si je ne quittais pas la Grèce. Avec Miller, nous avons constaté que les dates de nos films coïncidaient, Michelle Pfeiffer n'était donc pas libre pour mon film.

Debra Winger m'avait promis de tout faire après son accouchement pour vite retrouver sa silhouette. Elle a tout fait sans y parvenir vraiment. Mais, après tout, ne pas se montrer comme une *pin-up* collait bien avec son personnage de policière. Winkler, grand ami de Robert De Niro, lui avait proposé le rôle masculin. Je le trouvais un peu trop urbain à mon goût. Mais comment refuser De Niro ? Il a finalement trouvé le personnage trop négatif. Regrets réciproques. Tom Berenger était pour moi une meilleure solution. Acteur sans la moindre connaissance ou idée politique, ayant un physique « Amérique profonde », celle des cow-boys de cinéma, il convenait parfaitement pour le personnage et pour la sympathie qu'il devait susciter.

Pendant la préparation du tournage de ce qui allait devenir *La Main droite du diable* (*Betrayed*), Michèle m'a rejoint. Un événement occupait toutes les discussions à Los Angeles : la vente aux enchères des biens de Rock Hudson, immense star du cinéma des années cinquante, soixante et soixante-dix, qui venait de mourir du sida après avoir fait son *coming-out*. Il était venu à Paris pour se faire soigner, et fuir l'énorme scandale provoqué en Amérique et tapage et barouf dans les médias mondiaux. En France, il suscitait une grande sympathie. Pour rentrer chez lui, à Los Angeles, toutes les compagnies d'aviation refusèrent de le prendre à bord. Pour le faire rapatrier, il a fallu que son attachée de presse et amie, Yanou Collart, fasse affréter un avion privé. Cette peur irrationnelle du sida s'est poursuivie lors de la vente de sa superbe villa, située sur une colline de Beverly Hills, d'où l'on pouvait voir tout Los Angeles jusqu'à la mer. Mise aux enchères, personne n'a surenchéri, on pensait qu'elle était pestiférée, ou « sidaférée ». À moins que ce ne soit la répulsion d'habiter dans la maison d'un homosexuel.

Nos amis Deborah et John Landis l'ont achetée, et en ont fait une des plus belles demeures de Beverly Hills, couplée d'une *guest house* devenue un second « home » pour nous.

Invitation à dîner de Barbra Streisand. Nous sommes reçus comme de vieux amis. Il y a deux autres couples et l'acteur Eli Wallach, grand ami de Barbra. La discussion tourne rapidement sur Rock Hudson, sa villa, le sida. Les femmes des deux couples pensaient qu'on peut attraper le virus au cinéma, dans l'avion, partout. Barbra trouve ces peurs insensées, alors qu'Eli Wallach les tourne en dérision et nous fait beaucoup rire. Les *brunchs* du week-end autour d'une piscine sont des moments de rencontres sympathiques, parfois amicales, d'une société riche et insouciante, dissimulant comme elle le peut les tourments permanents d'une vie professionnelle et spectaculaire exclusivement axée sur la réussite financière, y compris à coups d'anxiolytiques, et toujours autour de ces belles piscines, beaucoup de célébrités au chômage.

Le tournage de *Betrayed* s'est fait dans l'Alberta, au Canada, où le dollar était moins cher et la moisson plus tardive. Patrizia von Brandenstein, la chef décoratrice, avait trouvé une belle ferme, entourée de champs de blé à perte de vue, comme je le voulais. Il manquait l'étable. Nous avons envisagé de la construire, à la place qui me convenait pour la mise en scène. Lors de nos repérages, nous en avions vus une, ancienne, typique, vraiment parfaite. Je voulais que Patrizia s'en inspire. Elle m'a surpris en me disant qu'il était impossible d'en faire une aussi belle, mais que j'aurais ce que je voulais. Haute d'au moins cinq mètres, longue de vingt-cinq et large de dix, j'ai vu mon étable arriver en convoi exceptionnel, sur un immense plateau. Patrizia l'a fait poser près de la maison, à l'emplacement que je voulais, créant l'impression qu'elle était là depuis toujours. Je prenais vraiment conscience que j'étais effectivement dans une « production américaine ».

Nos voisins de tournage étaient des Huttérites, une secte biblique d'origine allemande, fondée en 1533. Ses adeptes avaient fui la répression en immigrant en Amérique en 1874. Ils ont accepté que je visite leur colonie, gentils, mais quelque peu méfiants, tant on se moque d'eux le plus souvent. Dans leur maison, il n'y avait pas la moindre décoration, « pour se libérer des désirs égoïstes des hommes », m'a expliqué le chef de la colonie. « Pas de propriété, nous mettons tout en commun. » Leur principe de vie : la résignation. « Dans le sens du renoncement », m'a-t-il précisé, avec son accent allemand. Ils vivaient entre eux, presque isolés. La colonie devait compter environ deux cents personnes. On y sentait une grande douceur. Ils se ressemblaient tous, tels des frères et sœurs. Les jeunes hommes nous regardaient, moi et mes assistants, avec curiosité mais sans hostilité. Les jeunes femmes lançaient des regards qui semblaient être des appels, sinon des promesses. Les religions, les dogmes, les fidèles n'étant jamais ce qu'ils paraissent, certains célibataires de l'équipe allaient « à la chasse » la nuit tombée dans les environs de la colonie. Il semble qu'ils ne rentraient jamais bredouilles. La rumeur courait aussi que les rencontres se faisaient avec l'accord tacite du ou des chefs, pour restreindre la consanguinité qui sévissait dans leur colonie.

La première crise avec Debra Winger m'a pris de court. On m'avait prévenu de son caractère éruptif. Un matin où, comme d'habitude, je passais au maquillage saluer les acteurs, elle a bondi de son siège, s'est mise face à moi et, ses deux index pointés vers ses yeux, m'a demandé avec fureur : « Quelle couleur ? » « Gris-vert, dominant vert. » « Eh bien, ils sont marron à l'écran ! » Debra ne visionnait pas les rushes, elle y envoyait sa petite cour, la maquilleuse, la coiffeuse et son

habilleur. « Ce sont des scènes de nuit, avec peu de lumière... »
Elle m'a tourné le dos en lançant, impérative : « Il faut qu'ils
soient verts ! » J'ai commencé la scène par un gros plan sur
elle, en disant à Patrick Blossier, le chef opérateur : « Je veux
une lumière "face" forte. » « Ça va être dégueulasse ! » Je lui ai
brièvement expliqué les raisons. Lorsque Debra a vu s'allumer
la « face » forte sur la caméra, elle a crié : « C'est quoi ça ? »
s'en prenant à Blossier. Puis à moi : « Je ne peux pas jouer
une scène de nuit avec ça sur ma gueule... »

J'ai pris Debra à part. « Que veux-tu ? Bien jouer, ou avoir
les yeux verts. Il faut choisir. » Elle m'a jeté un regard furibond. Puis elle m'a souri avant de partir reprendre sa place
pour le tournage. Blossier avait coupé la « face ». Il n'y a plus
eu « d'éruption » de la part de Debra, mais des discussions.
Elle se vantait même auprès de ses amis de faire un film « à
la française ».

Avec Tom Berenger, parfait dans son personnage à double
vie, le travail était plus serein. Nous avons poursuivi le tournage à Chicago, mégalopole riche d'une immigration faite
de dizaines de nationalités. Des fortunes colossales y avaient
été édifiées dans l'industrie de la viande, au début du siècle
dernier. L'histoire de la ville est pleine d'héroïsme, de courage
individuel, de création, de cupidité, de frénésie meurtrière
aussi. La mairie faisait des efforts considérables pour attirer des
productions hollywoodiennes. Un an plus tard, nous étions
de retour à Chicago pour tourner *Music Box*, toujours avec
mes proches collaborateurs français.

Le premier montage de *Betrayed* terminé, Irwin et Margo
Winkler sont venus à Paris avec Joe. Après la projection et
leurs réactions favorables, dîner chez L'Ami Louis, un restaurant que tout Hollywood adore au point d'y réserver une

table depuis Los Angeles, des semaines à l'avance, et dès qu'un voyage à Paris se profile. Le champagne servi, *Betrayed* célébré, Joe m'a tendu un script en me rappelant les discussions que nous avions eues à propos des criminels de guerre réfugiés aux USA après la chute de Hitler. « J'espère que tu aimeras, et toi aussi », a-t-il ajouté en regardant Michèle en train de feuilleter le script. « Moi, je suis partant », m'a dit très sérieusement Winkler. C'était *Music Box*.

J'ai lu. Pendant la brève recherche que j'ai faite, je suis tombé sur le livre *Quiet Neighbors*, de Allan A. Ryan Jr., ancien procureur au Département de la justice à Washington, qui écrit que, outre le célèbre Ivan Demjanjuk, tortionnaire du camp de Treblinka, quelque dix mille criminels de guerre nazis se sont réfugiés aux USA au lendemain de la guerre. Et il conclut : « Comment les criminels de guerre ont-ils pu entrer aux États-Unis ? C'est simple, nous les y avons invités. » J'ai appelé Joe pour lui dire mon intérêt pour *Music Box*, et les changements que je considérais indispensables.

Après avoir eu son accord, j'ai appelé Winkler qui m'a aussitôt demandé s'il pouvait en parler à John Ptak, devenu mon agent à Los Angeles depuis la mort de Stan Kamen. Tout allait vite, ça me donnait le vertige. Nous préparions déjà un nouveau film, *Music Box,* alors même que *Betrayed* allait sortir aux USA et en France, où nous avions décidé de garder le titre américain. Présent à la discussion à propos du titre, Romain nous dit : « *Betrayed* ? On prononcera *bite-rayée* ! » Inquiétude du distributeur. Nous avons fini par prendre le titre de la chanson de fin, *La Main droite du diable* (*Devils Right Hand*), écrite et interprétée par Waylon Jennings.

La première projection publique de *Betrayed* eut lieu au Twenty Century Center à Los Angeles : la très grande salle était bondée. Au milieu du film, quand on découvre la réalité du personnage de Tom Berenger, un spectateur au milieu de la salle se leva en hurlant : « Ça n'est pas mon pays, vous êtes des menteurs, c'est de la merde… » Il sortit, suivi par deux autres spectateurs, toujours en criant. Debra, assise juste devant moi, s'effondra en larmes. Tom resta calme, placide, de même que Winkler à côté de Joe, tous les deux sans réaction, peut-être même satisfaits. Nous savions que le film allait susciter des réactions extrêmes. Cela n'a pas manqué. Ses défenseurs étaient moins bruyants, comme toujours, mais plus convaincants.

CHAPITRE 16

La boîte à musique et le mur

Le scénario de *Music Box* commençait avec des images d'archives sur la déportation de Juifs et sur des exécutions sommaires en Europe centrale. Je ne voulais pas mettre en parallèle ces images réelles, accablantes, et celles que j'allais créer. D'autres changements ont suivi, et il y eut jusqu'à sept « drafts » du scénario, tandis que je commençais le casting.

Jessica Lange s'était imposée dans mon esprit, dès le début, pour une raison inexplicable et quasiment incontrôlable. Joe trouvait l'idée très bonne. Jessica a aimé le script et son personnage auquel elle a donné une dimension poétique. Pour le rôle de son père, je voulais un acteur que j'avais vu dans *Colonel Redl* de István Szabó. Il jouait un prince héritier. Je me rappelais deux scènes prodigieuses. Une petite dame extraordinaire de 77 ans, Margot Capelier, notre première *casting director* en France qui connaissait tous les acteurs européens, m'a dit sans hésiter son nom : l'Allemand Armin Mueller-Stahl. Je l'ai appelé. Surpris, il m'a dit préférer venir à Paris pour faire connaissance et discuter du personnage. Rendez-vous était pris au Relais Plazza. Nous l'avons vu arriver avec Michèle : la cinquantaine, svelte, la démarche sans hésitation, autoritaire, le visage ouvert et sympathique, le regard bleu de mer, infini, la poignée de main énergique. Il était l'homme que je voulais.

Les photos et les films d'Armin envoyés aux Américains les ont enthousiasmés. Mais le *State Department* à Washington lui a refusé son visa : il avait vécu en Allemagne de l'Est, il était donc communiste. Le fait d'avoir quitté l'Est pour vivre à l'Ouest ne comptait pas. C'était un désastre. Il fallait trouver un autre acteur. Un matin, Keefe, mon assistante, tout émue, m'annonce que Kirk Douglas est au téléphone. Ému à mon tour, je prends le combiné, très intimidé. Il me salue aussi gentiment que fermement, et poursuit : « J'ai lu le scénario, je suis à votre disposition, si vous le souhaitez. » J'ai respiré profondément, je l'ai remercié, puis j'ai encore respiré avant de lui dire que j'avais déjà promis le rôle à un acteur. « Je sais, je sais... mais au cas où... » Il connaissait notre problème. Hollywood est un village, où tout se sait très vite. Et il m'a salué. Je suis resté très inquiet. Pour moi il fallait que le personnage du père soit inconnu du public pour être crédible.

Je fais part de mon désespoir à Winkler, qui m'assure qu'il agissait du côté « politique ». Je reçois un coup de fil de mon agent : « Walter Matthau veut prendre un petit déjeuner avec toi. Il attend ton appel. » Petit déjeuner chez lui, un signe d'estime. Ou un signe de séduction ? C'était une adorable villa toute fleurie, non loin du Shangri-La, l'hôtel où je descendais à Santa Monica. Mme Matthau m'a accueilli chaleureusement. Il y avait des fleurs partout, les rideaux, les fauteuils, les vases. Walter Matthau, grand, un peu voûté, est venu vers moi lentement, comme pour me contempler, avant de me donner l'accolade.

Le petit déjeuner est servi dans des assiettes, théière, tasses et même des serviettes aux fleurs multicolores. Après avoir évoqué mes films et parlé de Jack Lemmon, son complice dans tant de films de Billy Wilder, qui lui avait « beaucoup, beaucoup parlé de moi », Walter en est venu à évoquer le scénario de *Music Box* qu'il avait lu. Dans cette ville, les scénarios passent d'un agent à l'autre qui les envoient à leurs clients pour les rôles importants. Si ça les intéresse, commence alors un jeu de séduction avec le metteur en scène, ou le producteur, ou les deux à la fois. Ça peut aussi déclencher une attaque frontale.

Walter me parle du scénario, du personnage du père, de ses propres origines juives russo-lituaniennes. Je ne sais plus par quelle ruse il réussit à me faire rire avec son envie de jouer, lui juif, ce rôle d'un exterminateur de Juifs, tout en étant sûr d'être tout à fait convaincant. Sarcastique et toujours drôle, il me parle de cette Amérique démocratique et chrétienne qui a accueilli tous ces criminels de guerre comme autant de victimes fuyant le communisme. Il me faisait rire, lui sans rire, ou très peu, par politesse, pour ne pas me laisser seul. Je l'ai quitté, très touché, affecté. Il m'avait eu, même si je pensais qu'il ne pouvait pas être la bonne solution.

Parmi les solutions le nom de Marlon Brando avait été évoqué. En d'autres temps, il aurait été le seul capable par sa singularité et son immense talent à être crédible dans ce rôle. Je me demandais si ce Brando existait toujours. J'avais fait sa connaissance, il y avait longtemps, lors d'un de ses voyages à Paris. Il avait voulu me rencontrer en insistant pour que la rencontre ait lieu chez nous. Par la fenêtre je l'avais vu arriver à l'angle de la rue Saint-Jacques et de la rue Saint-Séverin. J'étais frappé par son embonpoint et la blancheur de sa peau. Il a monté les quatre étages sans ascenseur en s'efforçant de ne pas montrer son essoufflement. Je pensais qu'il allait me parler de son projet sur les Indiens, je m'étais préparé à le

refuser. Il l'a à peine évoqué. Il s'est planté devant la cheminée et le grand miroir brisé, avec une photo de Michèle
scotché dessus. Il s'est tourné vers elle : « Tu étais où ? Tu
avais quoi dans la main ? Et Costa était où ? » Il avait tout
compris ! Nous avons ensuite parlé cinéma et d'un possible
film à faire ensemble.

À Los Angeles, le rendez-vous était fixé pour le déjeuner,
chez lui. À Mulholland Drive, sa villa était contiguë à celle
de Jack Nicholson. En sortant de la voiture, je l'ai vu venir
vers moi. Il avait beaucoup changé. Lorsqu'il m'a embrassé,
j'ai senti son corps massif dans mon effort à toucher sa joue
avec la mienne. Il y avait un couple d'amis et une jeune
femme. Brando a beaucoup plaisanté, rivalisant de drôlerie
avec son ami à propos des personnalités du cinéma, tout en
commentant les bons plats qui nous étaient servis, accompagnés de deux grands verres de liquide diététique épais réservés à
Brando. Le déjeuner terminé, les amis sont partis. Nous avons
très longuement parlé de *Music Box*, je lui racontais l'histoire,
il ne lisait pas. J'insistais sur l'activité physique importante du
personnage, qui cultive sa vitalité et son énergie. Nous avons
passé l'après-midi à en parler, sautant d'un sujet à l'autre.
De son admiration aussi pour Gillo Pontecorvo et son film
Queimada, qu'il avait aimé faire, en dépit de son partenaire,
un acteur noir non professionnel qui jouait le rôle du chef
des esclaves et ne parlait pas un mot d'anglais. Brando nous
racontait qu'on attachait une ficelle au pied de « l'acteur »
qu'on tirait quand il devait lui donner la réplique... Ça marchait une fois sur dix. Ou encore, après sa première paye, il
était parti en disant qu'il avait assez d'argent. L'équipe avait
mis une semaine avant de le retrouver et le convaincre de
revenir sur le tournage.

Je ressentais une sorte de tristesse qui accompagnait ses rêveries et ses histoires de tournages. Nous savions tous les deux, sans le dire, que le personnage de mon film n'était pas pour lui. Ferait-il encore des films ? Il était resté près de dix ans sans tourner… Il m'a accompagné jusqu'à ma voiture, en marchant lentement. Puis il m'a pris le bras avec force en me souriant. Nous nous sommes séparés sans un mot. J'ai quitté cet immense acteur, adulé et unique dans l'histoire du cinéma, enfermé désormais dans une prison de chair.

Les démarches de Winkler auprès de son sénateur et celles du patron de Columbia auprès du Département d'État ont fini par arracher le visa nécessaire à Armin. Immense soulagement.

J'avais aussi besoin de connaître le fonctionnement d'un tribunal et de sentir l'ambiance d'un procès fédéral. Je voulais pouvoir suivre le déroulement d'un procès en voyant les officiants, avocats et accusés, de face, comme les voit le président du tribunal et non pas depuis la salle. La production a eu l'accord du juge fédéral James Zagel.

Les juges fédéraux ne sont pas élus mais nommés par le président des États-Unis, une décision qui doit ensuite être confirmée par le Sénat. Chaque juge a sa Chambre, des bureaux, il est indépendant et inamovible, n'a de compte à rendre qu'à ses collègues, eux-mêmes juges fédéraux. Le juge Zagel m'a placé à côté de son greffier, juste devant lui, face à la salle. J'ai pu alors voir, pendant trois jours, de près et de face, les avocats et leur appréhension, leur habileté, leur peur, pour certains d'entre eux, face au juge. J'ai vu aussi la tête, les mentons tremblants, les visages transpirants de deux condamnés à dix et douze ans de prison ferme. Des plongées en apnée.

Le troisième jour, lors d'une pause-café, j'ai osé demander au juge Zagel : « Ça vous amuserait de jouer le juge dans mon film ? Rien de particulier à faire si ce n'est ce que vous faites tous les jours. » Avant de m'accepter dans son tribunal, il avait lu le scénario et son analyse avait été très détaillée et favorable. Néanmoins, il devait consulter le comité des juges fédéraux.

Jeannine Oppewall, *art director*, a plus tard reconstitué, juste à côté du plateau de tournage, le bureau du juge Zagel et de ses assistants, pour qu'ils puissent continuer à travailler sur leurs dossiers durant les pauses. J'aimais bien Jeannine, que des amis m'avaient recommandée, Patrizia von Brandenstein qui avait fait *Betrayed* n'étant pas libre. À la production, on prenait Jeannine pour une hurluberlue, car elle portait toujours un petit oiseau dans ses cheveux. Chaque jour, un oiseau différent. Cela exaspérait Hal Polaire, le directeur de production. Deux ans plus tard, je retrouvais Jeannine, mais sans ses oiseaux, qu'elle avait sacrifiés.

Jessica imaginait son personnage en brune. Aux cours des essais avec des perruques brunes, j'étais catastrophé. Cela la durcissait, mais elle trouvait que ça allait bien avec le personnage. Peut-être, mais pas avec la sympathie que le personnage devait susciter pour assurer la crédibilité de la scène finale. Jessica insistait, nous risquions le conflit. J'ai fait venir de New York un coiffeur français qu'elle connaissait. Nous sommes finalement tombés d'accord sur une couleur ambre foncée, qui illuminait son visage.

Surgit alors un conflit avec Eszterhas à propos de la confrontation entre la fille et son père – Jessica et Armin –, quand elle revient de Budapest convaincue qu'il est un criminel et légitimement accusé. Longue scène dialoguée de trois pages, alors que l'émotion devait empêcher les mots de sortir de la gorge de Jessica, comme dans le désespoir d'un amour trahi où l'on ne prononce que des bribes de phrases et des cris incompréhensibles… surtout des cris pour « dire » ses sentiments. Joe avait fini par accepter de réduire le texte, mais il y avait encore trop de blabla. Il lui arrivait d'être intransigeant et cela bloquait alors tout échange. J'ai insisté. Mécontent, il m'a jeté : « Fais ce que tu veux », et il a raccroché. J'ai réduit le texte à une demi-page de dialogue, que nous avons tourné en un long plan-séquence. Armin a eu un geste vif en découvrant le micro dissimulé sur Jessica. Au montage j'ai dû couper la scène en deux plans.

Mon ingénieur du son était Pierre Gamet, formidable technicien, musicien et homme d'une grande douceur. Quand je lui ai dit que j'allais faire un film avec Jessica Lange, son visage s'est épanoui et avec lui son cœur : « Je fais le film à l'œil ! »

Mais Jessica, avec lui comme avec le reste de l'équipe, avait installé une distance infranchissable. Pierre devait placer un petit micro sous son corsage, ou bien passer un fil, le connecter à l'émetteur, également caché sous ses vêtements ou sur son corps. C'était un contact intime et délicat, quasi quotidien. Avec Debra Winger, c'était l'occasion de plaisanteries qui faisaient rire l'équipe. Avec Jessica, c'était d'une froideur intégrale, et pour Pierre, un supplice. Mais c'était sa façon à elle de se protéger, de rester concentrée sur son rôle, en évitant les familiarités, les automatismes parfois impertinents de l'équipe du film.

Pendant les scènes du procès, je demandais à Armin d'avoir une attitude digne et hiératique, celle d'une victime concentrée, bougeant à peine, ce que les spectateurs ne manqueraient pas de remarquer, tandis que les avocats et le procureur eux s'agitaient dans une sorte de ballet incessant. Le premier jour s'est très bien passé. Le lendemain, j'ai vu Armin essuyer ses lunettes, sortir un stylo et prendre fébrilement des notes... J'ai fait arrêter la caméra. Nerveux, renfrogné, Armin m'explique avec une fermeté inhabituelle qu'il ne peut pas rester sans rien faire. Tous les autres autour de lui sont en mouvement, et ça lui est insupportable. Je lui ai demandé si c'était l'accusé Laszlo qui avait ce problème ou Armin l'acteur ? « C'est Laszlo », me répond-il d'un ton cassant. Moi : « C'est Laszlo vu par l'acteur ou vu par le metteur en scène ? » Homme formidable, l'acteur Armin avait aussi l'intelligence de son talent. Lui : « Pourquoi Laszlo reste-t-il figé, c'est une posture de victime qu'il choisit ? » Moi : « Non, c'est parce qu'il se sait coupable. Il est terrorisé à l'idée que la vérité sorte, et que l'image qu'a de lui son petit-fils, seul être au monde qu'il aime, soit souillée, détruite, et qu'il soit séparé de lui. Seul son beau et terrible regard bleu, passant de l'un à l'autre de ses accusateurs, cherche à deviner par qui le coup fatal pourrait advenir, pour se défendre. » Armin m'a écouté et il a hoché la tête sans un mot. Notre relation durant le reste du tournage a été discrètement affectueuse et parfaite sur un plan professionnel.

Music Box a été sélectionné au Festival de Berlin en 1989, l'année où le pouvoir communiste en l'Allemagne de l'Est vacillait sur ses jambes d'argile. Le lendemain de la projection officielle, Moritz de Halden, directeur du festival, nous prévient que le film sera présenté le soir même dans la grande salle officielle de Berlin Est. C'était incroyable mais vrai. Nous avons préparé nos passeports et nos invitations pour franchir le fameux *Checkpoint Charlie*, passage obligé pour les Occidentaux entre les deux Berlin, et gardé par des policiers suspicieux, prêts à tirer. Ce soir-là, ils nous ont laissés passer, sans arrêter nos voitures, souriant timidement et faisant des petits gestes détendus. J'ose dire cordiaux.

Quelque chose était en train de changer. Une fois arrivés à l'Est, les quelque mille spectateurs, à la vue d'Armin, se sont levés dans un seul mouvement. Les applaudissements enthousiastes étaient accompagnés d'acclamations dont je ne comprenais pas le sens, mais on le devinait facilement. C'était la première fois qu'un film du festival passait le Mur, pour être projeté devant un public sevré de liberté, et sans accès à l'Ouest, depuis vingt-huit ans. Armin était en larmes.

Une semaine plus tard, Moritz de Halden nous demande de revenir à Berlin : « Le film sera au palmarès. » Sans autre précision. Nous y sommes donc retournés, avec Romain et Thomas, un de ses amis. La ville était en pleine ébullition. Le Mur était submergé par la foule, surtout des jeunes, et nombreux étaient ceux qui, avec des marteaux, en arrachaient des morceaux. Ils grimpaient dessus, comme pour profaner cette construction barbare et faire un bras d'honneur à ses concepteurs, à tous ceux qui séparent les êtres humains avec des murs en béton et des dogmes, pour mieux les contrôler. Pour crier, du sommet, que les murs ne sont pas éternels. Seuls ceux qui les font tomber et leurs idées sont éternels.

Je suis monté sur le mur, encouragé et aidé par une foule de mains qui se tendaient vers moi. Des bras m'ont soulevé du sol et aidé à monter sur des épaules. Me voilà sur l'inimaginable, en train de marcher sur l'interdit, le tabou qui a coûté la vie à presque tous ceux qui ont voulu le franchir. J'ai eu un moment de griserie et de félicité. Debout sur ce mur abhorré durant tant d'années, j'ai pu contempler ses sinuosités qui séparaient la ville comme une plaie et une punition. Ce reptile de béton armé de cent cinquante kilomètres de long est tombé plus vite qu'il n'avait été érigé, soufflé par l'absurdité et l'ineptie qu'il représentait.

Je songeais à mes amis Montand, Jorge et à quelques proches, qui pensaient, tout comme moi, que le système soviétique était bien verrouillé et qu'il allait nous survivre pendant longtemps. Il m'était pourtant arrivé de dire, lors de réunions avec le public, qu'aucun empire, aucune religion, aucun dogme ou idéologie, n'avait pu s'imposer pour toujours. Et me voilà avec un des symboles du communisme sous les pieds, assistant à son agonie.

De Berlin nous sommes rentrés avec l'Ours d'or et Jessica Lange fut nominée aux Oscars pour son interprétation. Quelque temps plus tard, Joe Eszterhas m'envoyait son autobiographie. Il y révélait que, pour le personnage du père dans *Music Box*, il s'était inspiré de la vie de son propre père, criminel de guerre.

CHAPITRE 17

Les pétitionnaires

Mars 1990. Le dictateur Pinochet est écarté de la présidence du Chili. Patricio Aylwin est élu président. La démocratie se pointe à l'horizon, surveillée par l'armée, toujours fidèle à Pinochet. Malgré cet épouvantail, le nouveau président, pressé par le peuple chilien et l'opinion mondiale, autorise les funérailles officielles du président Allende, enterré dans un emplacement qui avait été toutes ces années tenu secret, afin d'éviter qu'il ne devienne un lieu de pèlerinage. Pour la célébration de cet événement, hautement humain et politique, une délégation française se rendit au Chili, conduite par le Premier ministre Michel Rocard qui m'adressa une invitation pour en faire partie.

Mardi 3 septembre 1990, à 12 heures, nous nous sommes retrouvés à l'aéroport de Roissy dans un salon VIP. Il y avait là, entre autres, Laurent Fabius, Olivier Duhamel, Serge July, Odile Marchand, Marisol Touraine… en attendant l'arrivée du Premier ministre et de Danièle Mitterrand.

Rien de comparable avec l'apparat du voyage officiel à Prague en décembre 1988, auquel François Mitterrand nous avait conviés, Montand et moi. Montand avait refusé : « Je ne veux pas faire de la figuration. » J'y suis allé, par curiosité, et pour vivre cette migration officielle si souvent vue à la télévision. Le cérémonial était grandiose, plus de cent personnes attendaient le président, dans un grand espace couvert, fleuri et décoré de tapis rouges. Nous sommes alignés, le président nous passe en revue, plutôt souriant, mystérieux, insondable. Il a serré quelques mains, au premier rang. Les connaisseurs y étaient. Heureux ceux qui en ont profité, les autres sont restés frustrés, amoindris, se sentant comme des invités de seconde catégorie, mais contents d'être du voyage.

Sans s'arrêter, le président se dirige vers l'avion. Des militaires et des gendarmes au garde-à-vous nous regardent passer. Un tapis rouge d'au moins cent mètres de long est déroulé jusqu'à la passerelle. Le président est seul en tête, et nous le suivons en ligne par deux, mais pas à pas. C'était plutôt bon enfant, surtout aux derniers rangs. Chacun avait son dossier avec le programme du séjour, son numéro de siège. Les journalistes étaient à l'arrière de l'avion. J'étais bien placé, près d'un hublot. Sans voisin. Soulagement.

Montand avait raison, ce n'était que de la figuration. On est « paumé » si on ne réussit pas à percer le premier ou le deuxième cercle. Il y a d'abord le noyau politique, cinq, six personnes, près du président entouré de gardes du corps. Le premier cercle se situe juste devant ces balèzes. Les places y sont chères, disputées, avec une grande politesse et un travail de coudes à vous défoncer les côtes. Grâce à Jack Lang, qui faisait partie du noyau politique et qui tenait à présenter aux officiels tchécoslovaques la curiosité que je représentais, j'étais très bien loti. J'ai pu faire des photos du président dans des lieux où les photographes professionnels étaient tenus à distance. Je captais le regard du président sur moi en train de le photographier. Je ne suis pas convaincu qu'il ait été tout à fait consentant. Je me suis souvent demandé ce qu'il en pensait. Il s'adressait toujours à moi avec calme, à la fois chaleureux et froid.

À deux reprises durant ses deux mandats, des personnes de son entourage m'ont proposé de faire un documentaire sur lui. J'esquivais en prétextant le manque de temps. En fait je ne voulais pas me trouver dans la situation d'avoir à faire une hagiographie, malgré l'admiration que je pouvais avoir pour ce grand président. Mais les grandeurs s'affaiblissent, passent, et les films restent. Je crois qu'il m'en a toujours voulu.

À Prague, « un dîner privé » réunit sept ou huit personnes, dont Jack Lang, Roland Dumas et Jérôme Clément. Le président avait choisi un restaurant de spécialités tchèques. J'ai retenu de cette soirée les histoires désopilantes que racontait Roland Dumas sur des diplomates africains. J'observais le président qui s'amusait sans rire. Pendant que Dumas poussait plus loin pour encourager nos rires, le président se tourne alors vers Jérôme Clément : « Qu'est-ce que vous m'avez emmerdé avec votre autogestion. » Sourire de Jérôme et de nous tous, surpris par le propos et le changement radical de sujet. Le président a enchaîné en décrivant certaines réunions électorales, ce qui déclencha des fous rires. Le président racontait avec flegme et une distance ironique.

D'un président à l'autre, cela me fait penser à un déjeuner organisé par la radio RMC pour Jacques Chirac, alors maire de Paris, et auquel j'assistais avec Léon Schwartzenberg, le cancérologue et ami. Chirac nous racontait comment il refilait la responsabilité des clochards de Paris au gouvernement socialiste. Il restait impassible, alors que nous tous riions aux larmes. Dans un moment de répit, je lui ai dit : « Monsieur le Maire, si vous étiez comme ça à la télévision, vous auriez toute la jeunesse pour vous. » Son visage s'est métamorphosé.

Il m'a souri : « Les Français n'aimeraient pas du tout ça. »
J'ai voulu lui demander « ça quoi ? ». Je n'avais pas osé, étant
donné la distance qu'il avait prise. Je le regrette encore.

Mais j'en reviens à Mitterrand. La première fois que je l'ai
rencontré, c'était en 1974, lors de sa candidature à la présidence de la République. Régis Debray m'avait demandé de
l'accompagner à la première prestation télévisuelle du candidat
Mitterrand. À la réunion qui précédait, Régis, Jean-Pierre
Chevènement, Lionel Jospin et trois ou quatre autres, dont
Jacques Attali je crois, lui proposaient des thèmes, des idées,
des sujets. Mitterrand, calme et tranquille, écoutait ces sug-
gestions, comme s'il s'en imprégnait tout en pensant à autre
chose. Une fois placé devant la caméra, Régis me murmure
à l'oreille : « Dis-lui quelque chose, devant la caméra, il est
raide. » Je me suis rapproché, ne sachant pas vraiment comment parler à cet homme qui vous fixait d'un œil scrutateur, comme si vous étiez en faute. Il s'est adressé à moi :
« Qu'est-ce que vous avez à me dire ? » Ça m'a détendu et
donné confiance : « Devant la caméra, vous, les hommes politiques, avez tendance à parler comme à un meeting face à une
foule. » « Nous parlons à une foule en effet. » « Non, vous
parlez à la personne qui est devant sa télévision, c'est une
relation intime, un tête-à-tête. » Il m'a écouté en me fixant,
puis il a regardé la caméra. Ça m'a donné une idée : « Vous
vous adressez au cameraman, il vous fixe, seul, comme le
spectateur devant son téléviseur. » Je crois qu'il avait hoché
la tête en regardant à nouveau la caméra. Je n'étais plus là.
Je me suis retiré.

Pendant son discours au Parlement tchécoslovaque, que je
suivais depuis le banc des invités, le président Mitterrand a
proposé d'organiser une confédération européenne, en insis-

tant sur le fait que la Russie de Gorbatchev faisait partie de l'Europe. Son discours fut accueilli froidement. Le pays, avec Václav Havel à la présidence, venait de sortir de son histoire communiste et se tournait vers l'Occident, plus résolument vers les États-Unis.

Mais revenons à notre départ pour Santiago du Chili. Après l'arrivée de Michel Rocard, suivi de Danièle Mitterrand, et les salutations amicales, nous avons enfin embarqué. Dix heures plus tard nous arrivons à Recife, au Brésil. Durant l'escale, le maire – l'*alcade* – nous attend et salue Danièle Mitterrand en franco-brésilien. Puis, surprise, il parle de moi et de mes films, en me cherchant du regard. Tous les invités, amusés et quasi hilares, me montraient du doigt. L'ambassadeur de France, venu saluer le Premier ministre, était blême. Je ne savais plus où me mettre, au sens propre comme au figuré. Le maire a salué ensuite avec emphase Michel Rocard, qui lui a répondu d'une façon très amicale, teintée d'une imperceptible ironie, très rocardienne.

Arrivés à Santiago du Chili à 1 h 30 du matin, nous sommes allés tout droit à notre hôtel. À 8 heures, des amis sont venus et, après plus de dix-huit ans, nous nous sommes retrouvés avec un fort sentiment de plaisir, et de chagrin. Nous avons évoqué ceux qui manquaient, très nombreux. Et leurs années de souffrances, sans insister. Ce jour-là, c'était le retour du président Allende, la fête, et un bras d'honneur à Pinochet. Ils se félicitaient que « la France » soit venue. À 10 heures, départ pour la cathédrale. J'étais surpris qu'un président socialiste ait une cérémonie religieuse, célébrée par un épiscopat chilien ayant manqué de courage pendant la dictature. Mais nous sommes en Amérique latine. En Grèce aussi, tout le monde se rend à l'église pour les cérémonies. C'est un acte social, pour beaucoup, plutôt qu'un engagement religieux.

Rassemblés autour de Danièle Mitterrand et de Michel Rocard, nous avons marché jusqu'au cimetière. Des moments inoubliables, inouïs. Des milliers de personnes, imposantes de dignité, s'étaient massées le long de l'avenue, aux balcons, aux fenêtres. Même ceux perchés sur les toits, dans les arbres, par grappes, restaient solennels. Première grande sortie populaire depuis des années. Partout planait un sentiment libérateur, non de chagrin, l'événement étant depuis longtemps désiré, mais plutôt un sentiment de conquête démocratique fragile, mais sûre, grâce à cette immense foule, à sa détermination. Des haut-parleurs diffusaient des chants populaires, fréquemment interrompus par l'annonce de la délégation française et par les noms des personnalités présentes. Cela déclenchait des cris et des vivats enthousiastes, des tonnerres d'applaudissements. Cela nous émouvait et nous rendait fiers d'être de la fête.

La foule compacte, sur la place devant le cimetière, s'est tue à la vue du cercueil posé sur un véhicule militaire. On n'entendait plus que les roues sur l'asphalte. Il est venu s'arrêter devant la tribune des officiels. Je regardais les visages dans la foule, presque tous avaient les larmes aux yeux, mais tous étaient rassérénés. Michel Rocard a commencé son discours : « Nous sommes ici réunis en ce matin d'un retour de cendres comme l'Histoire en aura peu connu... » La suite était tout aussi digne. La famille a accompagné le cercueil dans la crypte. J'ai entendu autour de moi les premiers sanglots. Un instant mythique de l'histoire du pays venait de se conclure. Un autre futur commençait.

Le reste de la journée était programmé et chronométré, avec des rencontres officielles ou privées, et une grande réception, au palais présidentiel de la Moneda. Celui que Pinochet avait fait bombarder, et où le président Allende avait trouvé la mort, ainsi que mon ami Augusto Olivares. Des images qui ne me quitteront jamais.

Aucune trace ni aucun signe de ce passé, « comme l'Histoire en aura peu connu... ». Tout était parfait, bien ciré, bien décoré, fleuri, accueillant. J'ai revu Mme Allende, et Isabelle leur fille. Elles avaient porté et souhaité cette cérémonie. Le bonheur rayonnait sur leurs visages et dans leurs yeux.

À Paris, la tranquillité retrouvée, j'ai repris la lecture d'un livre qui avait commencé à faire germer en moi une idée qui me poursuivait : notre arrogance, à nous Occidentaux et, plus particulièrement, à nous les Français, à l'égard du monde ex-communiste. Nous savions, ou croyions savoir, nous intellectuels ou pas, ce qui ferait le bonheur de tous ces peuples aux idéaux trahis, et ce que devrait être leur futur. *La Petite Apocalypse*, livre écrit par Tadeusz Konwicki, un écrivain polonais, me permettrait, en l'adaptant, de faire un film un peu ironique sur nous-mêmes, sur l'Histoire, sur les états d'âme d'une gauche en plein désarroi. Le film pouvait finir, comme dans la vie, sur un grand malentendu, une équivoque existentielle.

Il me fallait un complice pour écrire le scénario, mais Jorge venait d'être nommé ministre de la Culture en Espagne. J'avais rencontré Jean-Claude Grumberg au théâtre de l'Odéon, où on jouait sa pièce *En r'venant d'l'expo*. Je lui avais exprimé mon souhait de travailler un jour avec lui. Avec son ton persifleur, il m'avait répondu : « Pourquoi pas aujourd'hui ? Prenez ma pièce, faites-en un film ! » Mais cela appartenait à l'Histoire, or c'était le présent qui me préoccupait. Je suis allé le trouver avec *La Petite Apocalypse*. Le livre lui a plu : son enfance, proche des Jeunesses communistes, lui avait laissé des souvenirs. Notre méthode de travail consistait, pour commencer, à beaucoup discuter face à face ou lors de promenades dans le jardin du Luxembourg, et je prenais des notes.

C'est à ce moment-là que Béatrice Soulé, qui travaillait alors pour Amnesty International, m'a contacté pour participer à une pétition d'un genre nouveau. J'ai accepté. *Pétitionneur actif*, et de longue date, j'avais toujours pensé qu'il fallait s'engager davantage que se contenter de signer un texte.

Quelques années auparavant, Claude Mauriac m'avait proposé de signer une pétition demandant « la garantie de la loi » pour onze jeunes gens condamnés, dont six à mort par garrottage, par la justice franquiste en Espagne. « Je la signe, mais faisons quelque chose de plus, de différent. » « Différent, mais comment ? » Sans trop réfléchir, j'ai répondu : « Allons la porter en Espagne, au lieu de la donner à la presse ici à Paris. » Claude Mauriac est resté un moment silencieux : « Nous ? Il y aura dix mille signataires. » « Choisissons quelques personnalités connues. » Je me sentais embarqué dans une aventure compliquée, en même temps elle me plaisait, elle me sollicitait. « Je demanderai à Montand… » « Ah ! Si Montand accepte, cela change tout. »

Montand a accepté. C'était parti. Simone l'a proposée à Michel Foucault, qui a accepté. Idem pour Régis Debray. De son côté Claude Mauriac contactait Jean Lacouture et le prêtre André Laudouze. Et puis, André Malraux, Pierre Mendès France, Louis Aragon, Jean-Paul Sartre, François Jacob… Jamais pétition n'avait réuni autant de personnalités aussi importantes et aussi différentes. Nous allions en être les messagers. NOUS QUI ?

Le lendemain, nous prenions l'avion pour Madrid : Montand, Claude Mauriac, Régis Debray, Michel Foucault, André Laudouze, Jean Lacouture et moi. Deux journalistes, l'un français, l'autre suédois, nous attendaient à l'aéroport de Barajas : aucun problème, les douaniers ont même salué Montand. Des taxis nous ont conduits à l'hôtel Torre de Madrid, dans le centre-ville, où une suite avait été réservée. La direction devait penser qu'il s'agissait d'un film et nous a donné le bar au quinzième étage pour la conférence de presse.

Au début, il y avait beaucoup de journalistes. J'en ai vu certains s'éclipser en voyant notre groupe trop hétéroclite pour ne parler que de cinéma. Après une introduction, Montand a lu la pétition. Trois journalistes sont partis, ou plutôt se sont enfuis. À peine Régis Debray commençait-il la traduction en espagnol, que trois policiers se précipitaient dans le bar. Ils ont arraché les papiers des mains de Régis, de Montand et des journalistes, en hurlant de nous taire. Puis sept autres sont arrivés, nous ont mis à l'écart, et tandis que les policiers passaient les menottes aux journalistes, une escouade de militaires faisait irruption dans le bar, transformé en cabine des Marx Brothers. Il y eut un moment de bousculade, de confusion, Michel Foucault refusant de se laisser toucher.

Les journalistes violemment entraînés dehors, nous avons été conduits fermement mais sans violence vers la sortie de l'hôtel. Quelques passants regardaient ébahis Montand, encadré par des militaires, poussé dans l'un des trois fourgons cellulaires qui nous attendaient. Ils ont démarré comme dans un film de gangsters, avec des hurlements de sirènes qui stoppaient la circulation et nous avons traversé la ville à une vitesse impressionnante.

À l'aéroport, ils nous ont fouillés sans conviction avant de nous conduire vers l'avion d'Air France dont ils avaient retardé le départ… Entourés par cette nouvelle escouade de militaires et de policiers, nous sommes arrivés à la passerelle de l'avion. J'ai alors entendu un policier murmurer en espagnol à l'oreille d'André Laudouze : « Fils de pute, curé de merde », et d'autres qualificatifs que celui-ci ne comprenant pas écoutait d'un air béat. J'ai fanfaronné en espagnol que c'était lui le flic et Franco qui étaient de la « *mierda* ». Une fois installés dans l'avion, nous avons vu entrer trois policiers, l'un d'eux m'a désigné et ils ont voulu me faire sortir. Montand s'est interposé. Foucault aussi. Le commandant de bord a dit avec fermeté : « L'avion est un territoire français, sortez ! » Jorge Semprún l'avait prévu, le régime de Franco était trop faible pour céder : ils ont finalement exécuté les Basques.

Franco mourait trois mois plus tard. Le roi Juan Carlos était intronisé, une démocratie à l'occidentale venait d'être instaurée.

Le projet de pétition que me proposait Amnesty International était différent, bien plus en prise avec la réalité médiatique. Béatrice Soulé, qui le pilotait, cherchait à réunir trente metteurs en scène qui réaliseraient chacun un film de trois minutes sur un cas précis dans le monde où les droits de l'homme étaient bafoués. Chaque réalisateur devait s'associer et collaborer pour l'écriture avec une personnalité issue de la société civile, en dehors du cinéma. L'ensemble ferait un long-métrage de quatre-vingt-dix minutes, qui pourrait passer dans les salles de cinéma, ou être diffusé par segments sur des chaînes de télévision. J'ai accepté.

Avaient aussi donné leur accord Jacques Perrin, Bertrand Tavernier, Patrice Chéreau, Jane Birkin, Alain Resnais, Alain Corneau, Claire Denis, Raymond Depardon, Jacques Doillon, etc. Je n'ai pas voulu choisir de « cas précis » et j'ai sollicité Béatrice. Elle m'a proposé l'histoire de Kim Song-Man, un Coréen condamné à mort, puis à perpétuité, pour avoir violemment manifesté contre la présence des troupes améri-caines dans son pays.

Robert Badinter a accepté d'écrire sur Kim Song-Man. Lors de notre rencontre, dans son bureau au Conseil consti-tutionnel, nous avons évoqué des noms d'acteurs qui pour-raient dire son texte. L'idée d'un chœur, à la manière d'une tragédie grecque, me plaisait bien. Le texte de Badinter était émouvant, et résumait en trois pages le long dossier de la condamnation de Kim Song-Man. Je m'intéressais alors au rap et aux graffitis, aux tagueurs, vilipendés et persécutés. C'était pour moi un chœur contemporain, populaire et hors système : MC Solar, rappeur poète, et son groupe incarnaient pour moi un chœur contemporain, populaire et hors système. Je lui ai montré le texte de Badinter : « Facile à rapper en y ajoutant des virgules. » Je n'ai pas prévenu leur auteur. Craignant sa réaction ou tout simplement par habitude du metteur en scène de se croire tout permis ? Défaut congénital.

Quand j'ai fait part de mon idée, Béatrice a souri et le représentant d'Amnesty était sidéré : « Rapper le texte de Robert Badinter ! » Le rap et les graffitis étaient considérés encore à l'époque comme l'expression d'un néo-vandalisme, des arts de voyous. J'y ai ajouté un petit groupe plus radical encore, plus « voyou » que MC Solar : les Saï Saï. J'ai enfin demandé à un graphiste de dessiner, pendant le rap, sur un grand panneau le nom en multicolore de Kim Song-Man et tout ce qu'il voulait d'autre. L'antinomie Badinter/MC Solar a finalement eu une issue très satisfaisante et originale.

Robert Badinter m'a appelé pour me dire avoir vu le film et que ses deux fils l'avaient beaucoup aimé. Quelque temps après, la mère de Kim Song-Man a écrit à Amnesty Inter-national pour nous remercier : son fils allait être libéré. Ce film, signé par trente metteurs en scène et trente scénaristes, s'appelle *Contre l'oubli*.

Stan Kamen m'appelle de Los Angeles. Mel Gibson veut me rencontrer. Il veut faire le film de « l'affaire Polk ». George Polk, jeune journaliste américain, neveu d'un ancien président des États-Unis, James K. Polk, correspondant de CBS, était allé en Grèce couvrir la guerre civile (1946-1949). Pendant le voyage, il courtise une hôtesse de l'air, Réa. Arrivés à Athènes, il la demande en mariage. L'hymen célébré, George décide d'aller interviewer dans le maquis Marcos, chef des rebelles communistes, ce qui n'a jamais été fait auparavant. Il part pour Thessalonique à la recherche d'un contact et disparaît. Peu après, on le retrouve assassiné. On accuse les communistes. La police trouve, sinon les vrais coupables, des « complices » qui avouent tout ce qu'on veut. Des journalistes américains, dont le célèbre Edward R. Murrow (George Clooney a réalisé en 2005 un film sur sa vie) doutent de l'intérêt de Marcos d'assassiner un journaliste. Ce serait plutôt ceux à qui le crime profite. L'affaire Polk commençait.

Mel Gibson venait de lire le tout dernier livre, *The Polk Conspiracy*, de Kati Marton, apportant des preuves irréfutables sur l'assassinat commandité par les services secrets anglais et américains et exécuté par les Grecs. Le personnage de Polk avait passionné Gibson, et la Warner Bros., pour laquelle il avait tourné *L'Arme fatale* 1, 2 et 3, énormes succès, était à ses pieds. J'étais invité à aller à Los Angeles pour rencontrer Gibson. Je connaissais l'affaire Polk, qui avait secoué la Grèce de mon enfance. C'était l'occasion de faire un film sur la guerre civile grecque avec un sujet riche en possibilités. J'étais étonné que Mel Gibson s'intéresse à ce personnage attachant, séduisant, mais qui disparaissait très vite.

Avant de le rencontrer, j'ai voulu connaître l'auteure, Kati Marton, qui vivait à New York. Dès mon arrivée, j'étais pris en main par deux jeunes femmes de la Warner, Diana et Delisa. Déjeuner avec Kati Marton, la quarantaine, études françaises, journaliste, née de parents hongrois, survivants de l'Holocauste, mariée avec le très célèbre présentateur du journal d'ABC, Peter Jennings. Belle, grande classe et très séduisante, Kati Marton avait un regard de « bébé tueur ». Elle m'a assuré de la véracité de chaque révélation de son livre. Il n'y avait pas à hésiter, faire un film sur la guerre civile grecque, où le fanatisme et la bêtise idéologique étaient arrivés à un point tel que le frère pouvait tuer le frère au nom d'un monde meilleur, m'intéressait.

Les *Warner Girls* m'avaient organisé des rendez-vous avec des scénaristes qui avaient lu le livre et étaient très « *anxious* » de m'en parler. La machine Warner était lancée. Le premier sur leur liste : Alain Marc Smith. Il parlait bien de l'affaire et du livre. Il pensait avoir des solutions pour que Mel Gibson, comme Polk, « en ressorte très satisfait ».

Le second, Steve Tessich, comptait collaborer avec le fils de Sam Cohen, célèbre agent. Tous deux n'ont pas cessé de me parler de *Z*, et du fait que Polk ferait encore mieux au box-office. Ça faisait un peu vendeurs de voitures. J'ai arrêté ces rencontres pour aller à Los Angeles, accompagné de mes *Warner Girls*, qui voyageaient en classe éco et moi en première. Gênant. C'est la règle, m'avaient-elles expliqué.

La rencontre avec Mel Gibson a été joyeuse, enthousiaste, lui un peu enfantin. Il avait un grand faible pour les metteurs en scène d'origine grecque, comme George Miller avec qui il avait tourné *Mad Max.* Il m'a longuement parlé de Polk, de sa jeunesse d'aristocrate américain désirant être un Américain « utile ». Il comprenait aussi que son âge était un peu avancé

pour incarner la période de jeunesse de Polk, mais qu'on s'en
« sortirait ».

À la fin d'une matinée de discussion, je lui parlais des difficultés que j'entrevoyais. Après son assassinat, le personnage
diminuait en importance et en présence, jusqu'à disparaître.
Le parallèle avec *Z*, que Mel avait fait très discrètement, ne
tenait pas. Pour *Z*, le personnage de Montand représentait une
idée. On avait voulu tuer cette idée en l'éliminant. Ce n'était
pas le cas de Polk. L'enquête l'emporterait sur le personnage.
Il n'y avait pas pensé, je l'ai senti tiédir. Il pensait qu'Alain
Marc Smith avait quelques bonnes idées et m'a proposé de
le faire venir pour en parler. J'acceptais, tout en sachant que
nous allions parler d'un projet sans avenir.

CHAPITRE 18

Montand

Le lendemain matin tôt, Michèle m'appelle de Paris : Yves Montand est mort. J'ai un violent sursaut, quelle est cette plaisanterie ?! L'imparable assumé, je me suis trouvé dans un épais brouillard d'incompréhension. Juste avant mon départ, profitant d'une liberté de tournage du film de Jean-Jacques Beineix, *IP5, l'île aux pachydermes*, Montand était venu à Paris pour son dîner d'anniversaire pour ses 70 ans. Carole, sa femme, avait organisé une surprise. Arrivés au restaurant Ledoyen, accompagnés de leur fils Valentin, de Catherine Allégret, la fille de Simone, de ses enfants et de Maurice, son compagnon, Montand était mécontent qu'on les conduise dans un salon privé au premier étage.

La porte du salon ouverte, il s'est trouvé face à une ving-taine d'amis. Très ému, il avait caché son émotion, comme souvent, en blaguant et en embrassant chacun d'entre nous. Il y avait Lydia, sa sœur, son neveu Jean-Louis Livi et sa femme, les Semprún, Alain Corneau et Nadine Trintignant, Claude Berri et Sylvie sa compagne, les Dauphin, les Raymond Levy, les Bob Castella, Michèle, qui s'était faite très belle, et moi. Montand clama devant Michèle son admiration, toujours bon enfant et un peu exagérée, la faisant sourire, signe d'une vieille complicité fondée sur le fait qu'elle lui disait toujours ce qu'elle pensait.

Montand eut un mot pour chacun et chacune. Nous étions tous, d'une manière ou d'une autre, liés à lui, soit professionnellement, soit sentimentalement, et majoritairement les deux à la fois. Catherine, très loquace, m'avait soufflé son âge – 45 ans. Diable, je la connaissais depuis trente ans. J'ai embrassé ses enfants, sa fille, jolie, légèrement effacée. Son fils, Benjamin, 21 ans, « dans les affaires après des études économiques », a-t-elle martelé. « Pour le moment, il fait des livraisons de repas pour une société, et veut avoir sa Porsche à 25 ans. » Benjamin approuvait pendant que sa mère affichait son désaccord. Montand était entouré de Carole et de Catherine, avec qui il avait une grande complicité. Je pense qu'elle était pour lui la continuité de Simone, il l'avait adoptée et en avait fait, à côté de Carole et de Valentin, son héritière. À ce dîner d'anniversaire, notre amitié pour Montand se perpétuait, se déployait en affection partagée entre nous tous.

Impossible qu'il soit mort ! « Qu'est-ce qui est arrivé ? » demandai-je furieux. « On ne sait pas encore. Pendant le tournage du film de Jean-Jacques Beineix, il a eu un malaise et, arrivé à l'hôpital, on n'a pas réussi à le réanimer. » En fin de journée, j'apprenais que c'était son cœur, épuisé, qui avait lâché.

Certains ont voulu accuser Jean-Jacques de l'avoir poussé à aller encore plus loin, au cours d'une scène de baignade. De lui-même, Montand allait toujours au plus loin, pour perfectionner le personnage qu'il incarnait, plus spécialement quand il s'agissait d'efforts physiques. Beineix n'y était pour rien. Pendant une répétition de Montand à l'Olympia, en vue de son prochain spectacle, il avait invité quelques amis, parmi lesquels Jorge, Jean-Louis Livi, Georges Kiejman, Michèle et

22. Mariage à Alger avec Michèle Ray, 1968.

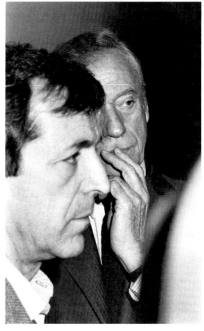

23. Arrivée à Rome pour le lancement de Z, 1969. Avec Jacques Perrin et Yves Montand.

24. Avec Yves Montand.

25. Toute l'équipe de *Z* à Cannes, 1969.

26. À Mexico, avec Gabriel García Márquez.

27. Cérémonie à la mémoire de Salvador Allende en 1990.

28. Salvador Allende en 1971. (Photos Costa-Gavras)

29. Sur le tournage d'*État de siège*, avec Yves Montand, 1972.

30. Avec Sissy Spacek et Jack Lemmon, pendant le tournage de *Missing*, 1981.

31. À Mexico, entre Luis Buñuel et Gabriel Figueroa, 1981.

32. À Cuba, avec Ettore Scola, 1998.

33. Avec Yves Montand, à La Colombe d'Or, 1982.

34. Avec Jorge Semprún devant le scénario de *L'Aveu*.

35. Avec Nelson Mandela, 1991.

36. Avec Jessica Lange au Festival de Deauville, 2003.

37. Avec Dustin Hoffman, John Travolta et les producteurs de *Mad City*, 1997.

38. Avec Michèle à New York, 1967.

39. Avec Jean-Claude Grumberg, au Jardin du Luxembourg, 1991.

moi. Bob Castella était au piano. Après quelques chansons, je l'ai vu aller près de Bob, le faire rejouer et prendre du temps avant de revenir au micro. À la fin, après les commentaires sur la musique et la technique avec ses collaborateurs, je lui avais dit discrètement : « Tu t'essouffles… » Il m'avait coupé : « C'est rien, il faut que je reprenne l'exercice. » « Tu ne fumes pas en cachette ? » Je plaisantais. Je lui rappelais sa petite boîte de cigarettes automatique, qu'il avait réglée pour qu'elle ne s'ouvre que toutes les heures, en délivrant une cigarette. Cinq à dix minutes avant, il commençait à la tripoter pour qu'elle s'ouvre, mais rien à faire, il fallait attendre l'heure. Il avait ri, non, il ne fumait plus du tout.

Son souffle court me rappelait celui de Franco Solinas. Michèle l'avait forcé à se rendre à l'Hôpital américain, où le médecin lui avait conseillé, ou plutôt ordonné d'arrêter de fumer s'il voulait être encore là l'année suivante. Vaine injonction. Onze mois plus tard, Solinas mourait, les poumons bloqués par la nicotine. Rien à voir avec Montand. Mais ce n'était pas une consolation. Le temps s'était aussi arrêté pour Montand. Sa rage de vie, son amour de la poésie, de la musique, ses passions, ses succès, s'étalaient dans les médias français et du monde entier.

Carole Amiel, sa compagne et la mère de son fils Benjamin, filtrait sévèrement les visites. À notre arrivée, il y avait une petite foule silencieuse devant l'immeuble. Là-haut, il n'y avait que Jorge venu d'Espagne, les Livi, Kiejman et les Périer. Nous nous sommes embrassés en silence. Carole m'a pris à part : « Tu veux le voir ? » J'ai fait un non de tout mon corps. Les morts m'ont toujours fait une terrible frayeur. Mais j'ai dit oui avec les yeux. Elle m'a conduit à la porte de la chambre à coucher, l'a ouverte, je suis entré. La pénombre donnait à tout une couleur sépia. J'ai vu d'abord son visage serein, puis je l'ai vu couché sur le lit, en costume, boutonné, cravate, chemise blanche impeccable, comme il aimait. Comme les immigrés aiment l'être, pour être bien vus et respectés. Montand était un Parisien que Marseille n'avait jamais quitté, et l'Italie n'était jamais loin. Seul, il entamait l'effroyable aventure du corps après la vie.

Comme celui de ma mère, le cercueil de mon père reposait sur des tréteaux au milieu du salon. Les proches, les amis, les voisins, assis sur des chaises placées le long des murs, entouraient le mort. Ils avaient embrassé ou caressé la tête, touché les mains du père croisées sur sa poitrine, avant d'aller s'asseoir pour participer aux récits, fidèles ou améliorés, que chacun faisait pour rappeler les qualités du défunt, ses défauts, son courage, ses bonnes actions, ses dons ou actes comiques qui déclenchaient des rires sans retenue ni honte. Quand cela ne faisait pas venir des sanglots, des pleurs qui interrompaient les récits, alors une femme, connue pour sa belle voix, commençait à chanter un *lamento* où elle associait le disparu. Le chant était repris par tous. Cette veillée funèbre pouvait durer un jour et une nuit. Dans les autres pièces de la maison, l'ambiance changeait beaucoup. Tout était prévu pour se nourrir – surtout en gâteaux – et on pouvait aussi y dormir un moment.

Je regardais Montand dans sa solitude, dans son inquiétante immobilité, sans, pour une fois, avoir peur du mort. Malgré la tristesse, l'affliction, ou peut-être grâce à elles ou à cause d'elles, en ce moment ultime, face à lui, où rien ne peut être révisé, j'ai pensé à la première sérieuse mésentente entre nous.

C'était à propos de l'émission de télévision *Vive la crise*. Sa présence lui assurait une popularité que ce hit-parade audiovisuel ne méritait pas. Le texte qu'on lui avait écrit, plus particulièrement la conclusion, où Montand s'adressait aux vingt millions de téléspectateurs en leur disant que c'était à eux de mettre fin à la crise en se mobilisant, car il n'y a pas de sauveur ni de surhomme, seuls eux pouvaient accomplir ce sauvetage, me semblait être un raisonnement inacceptable et tendancieux. Certains éléments de l'analyse économique dans l'émission étaient recevables. Mais évoquer Bernard Tapie ou Philippe de Villiers comme « modèles », ou vanter l'action d'entreprises financières pour vaincre le chômage, alors que la société traversait une crise aussi grave, marquée par une exploitation des classes populaires d'une violence rare, était inacceptable. Il s'agissait d'une évangélisation de type néo-capitaliste, une pédagogie de la soumission à laquelle Montand n'aurait pas dû participer.

Je ne l'avais pas appelé après l'émission. Quand nous nous sommes revus, il m'a presque agressé : « Tu n'as pas aimé l'émission ? » « Pas vraiment. » « Il fallait me le dire. » « Ce n'était pas facile, voilà c'est fait. » « Et Michèle ? » « Encore moins que moi. » Nous en sommes restés là et nous avons repris nos relations comme avant.

À la sortie du film *Alien*, que j'avais vu en Amérique, je lui avais dit d'aller le voir absolument. « Il paraît qu'il fait peur. » « Très peur, en effet. » « Allons le voir ensemble, tu me préviendras quand on va avoir peur. » Nous sommes allés voir le film au Normandie. Je le prévenais avant chaque apparition du monstre extraplanétaire. Il était terrorisé comme un enfant. Je me faisais engueuler par les voisins qui, eux, ne voulaient pas savoir.

À New York, j'avais invité Montand à voir la comédie musicale *Chorus Line* à Broadway. Il en était sorti époustouflé et ravi. « Allons les féliciter », m'avait-il dit. Je connaissais le metteur en scène, Michael Bennett, l'un des créateurs. Il n'était pas là exceptionnellement et il était impossible de réunir les trente danseurs. Montand était frustré. Il leur a écrit une belle lettre qu'il avait rédigée en anglais au téléphone avec Simone, qui était à Paris. Il l'a envoyée avec une bouteille de champagne pour chacun d'entre eux.

Je restais à le regarder, alors que les images défilaient dans mon esprit, comme un film en accéléré. Il m'avait dit rêver souvent qu'il volait. Il m'avait décrit l'immense plaisir que c'était et que je ne connaissais pas. Quand il tournait à Rome *Le Grand Escogriffe* de Claude Pinoteau, il m'avait donné rendez-vous un dimanche dans le jardin de la Villa Borghèse, où les familles de la bourgeoisie romaine avaient l'habitude de se promener après la messe. Il était en costume cravate, impeccable. Il a mis une casquette, des lunettes et m'a fait signe de m'éloigner. À l'approche d'une famille bourgeoise et nombreuse, il a couru vers une poubelle municipale, y a plongé les mains pour y fouiller avec excitation. Il en a sorti une pomme, qu'il avait déjà dans la main, l'a frottée sur son beau costume et s'est mis à la manger avec un appétit sauvage. La famille – le père, la mère, les grands-parents – était effarée, les enfants riaient. Ils se sont écartés du chemin pour ne pas avoir à le croiser, en se dépêchant, mais sans cesser de le regarder. Montand était penché sur sa pomme, il pouffait de rire. Je riais aussi en m'approchant. « Tu as fait ça pour moi ? » « Non je le fais aussi quand je suis seul. » « Mais, comme tu étais penché, tu n'as pas pu voir leurs réactions. » « Pas la peine, je les ai imaginées. » Ravi, il m'avait souri.

Nous ne nous sourirons plus. Je l'ai laissé à sa solitude. Je pensais à la mienne, différente bien sûr. Au cimetière, il y avait une immense foule émue, silencieuse. Une montagne de fleurs, des femmes qui pleuraient sans bruit. Montand avait rejoint Simone dans la tombe. Des photographes photographiaient. Carole demeurait à côté de Valentin. Et nous, avec la nostalgie qui ne serait plus ce qu'elle était. Dans ce moment de silence, les appareils des photographes crépitaient sans relâche, indifférents.

Mais arrêtez-les !

Nous avons repris nos échanges avec Jean-Claude Grumberg pour l'adaptation de *La Petite Apocalypse*. Nous sommes allés à Varsovie où Tadeusz Konwicki nous fixait derrière ses grosses lunettes comme des ennemis à affronter. Après lui avoir exposé notre projet, nous avons découvert un homme aimable et drôle, qui nous a retenus pour déjeuner. Nous avons bien mangé et beaucoup bu, pendant qu'il nous décrivait la situation en Pologne. Ancien communiste, il avait fini par critiquer violemment le système. Le changement post-communiste le surprenait. Il nous a raconté une histoire concernant Picasso, qui avait visité Varsovie pendant la reconstruction de la ville détruite par les nazis. Il a proposé de peindre sur deux murs des motifs polonais. On lui avait donné tout ce qu'il voulait. Une fois partis, les locataires ont trouvé que Picasso avait peint des horreurs et ils ont tout fait recouvrir. Et Tadeusz commentait : « En Pologne, on n'arrête pas de peindre des couches de badigeonnage qui se superposent les unes sur les autres. Après celles du catholicisme, celles du communisme, et maintenant celles du néo-catholicisme, alors qu'on voit déjà se pointer le néo-capitalisme catholique. »

Lew Rywin, ami et coproducteur possible, nous avait parlé avant notre départ de l'antisémitisme renaissant, même s'il n'y avait plus que cinq mille Juifs aujourd'hui en Pologne.

Tadeusz avait oublié cette couche d'antisémitisme qui résiste à toutes les autres. Rentrés à Paris, nous avons repris avec une ardeur renouvelée notre travail et nos idées pour adapter cette histoire polonaise et la rendre française.

Il semblait qu'un mauvais ou un bon génie s'employait à m'éloigner de ce projet : Serge Silberman, producteur de Buñuel, Kurosawa, Beineix, me contacte pour monter *Nostromo* de Joseph Conrad. Silberman avait développé ce projet avec David Lean, qui était tombé malade. Lean avait malgré tout décidé de faire le film. Les assurances également, à la condition qu'il y ait un *standing director*, c'est-à-dire un autre metteur en scène présent pendant le tournage, à même de remplacer Lean en cas de défaillance, voire éventuellement pour le remplacer définitivement. David Lean m'avait désigné. Serge était enthousiaste.

J'appelais Lean. Je le connaissais assez bien. Nous avions polémiqué, lors d'un duplex télévisuel, lui à Londres et moi à New York, sur le thème du *film politique*. J'argumentais qu'il avait fait de beaux films sur des vraies histoires politiques, mais qu'il les avait faussées, déviées, pour satisfaire les spectateurs plutôt que respecter l'Histoire. Il s'était défendu avec force. À la fin de l'émission, il avait souhaité me rencontrer. Nous nous sommes vus à Londres. Plus tard, je lui avais fait visiter la Cinémathèque française. Pour *Nostromo*, il me parlait de ses difficultés pour adapter un tel livre. Il restait optimiste, malgré la grande complexité du roman, ses changements de rythme, le nombre de personnages. J'ai fini par lui poser la question cruciale : si la maladie l'empêchait de tourner, un, deux ou trois jours, les assurances exigeraient que le *standing director* le remplace sur-le-champ. « Qu'ils aillent au diable, on m'attendra. Vous me remplacerez quand je le déciderai. »

Les assurances ont refusé net. J'ai prévenu Lean et Silberman de mon retrait. David Lean est mort un an après.

La Petite Apocalypse avait pris racine en moi. L'idée de la protestation, jusqu'à l'autosacrifice, était une *métaphore créatrice* dans la période que nous vivions.

Pierre Arditi pour le rôle de Jacques et André Dussollier pour celui d'Henri ont accepté ces rôles d'intellectuels français de gauche accueillant un Polonais réfugié, écrivain, ancien communiste, ancien suicidaire, et toujours aussi désespéré. Le seul Polonais, tel que je l'imaginais pour le rôle de Stan, était un Tchèque, Jiří Menzel, acteur et metteur en scène, représentant de la *Nova Ulma* du cinéma tchèque des années soixante.

Stan étant suicidaire, Jacques et Henri avaient conclu que son suicide devait être utilisé, d'une part, pour faire vivre son œuvre littéraire, d'autre part, comme une protestation, un « appel pour changer les choses ». Le meilleur endroit pour ce sacrifice était la place Saint-Pierre, au Vatican, et le feu comme *modus operandi* pour donner au geste un sens mythique qui pouvait avoir un retentissement mondial. Jacques et Henri sont convaincus que Stan comprendra l'enjeu, vu son état dépressif et ses engagements passés. Jacques et Henri jugent le moment historique selon les codes d'une gauche en voie d'extinction. Mais Stan n'est plus celui qu'ils pensent et ses désirs ont changé.

Nous voulions, avec Jean-Claude, faire un film sur la défaite de nos idéaux. Sur l'idée que, nous, la gauche, nous avions perdu. Cela ne voulait et ne veut pas dire que ceux qui avaient gagné ont raison. Nous avons détourné le livre de Konwicki, pour parler de l'air du temps. Un film sur l'air vicié d'alors, et qui n'a pas cessé de l'être.

La France est sans doute le seul pays au monde où une idée, aussi inattendue et aussi éloignée du cinéma et de sa logique économique, peut intéresser des auteurs, se transformer en film et, pourquoi pas, trouver un public. Par exemple, le film *Contre l'oubli*, initié par Amnesty International, ou *À propos de Nice*. Je ne sais plus comment est née l'idée d'un film sur Nice, réunissant plusieurs metteurs en scène qui reprendraient le titre et pourquoi pas l'inspiration d'*À propos de Nice*, le documentaire réalisé par Jean Vigo en 1930. Cette œuvre, très personnelle, était portée par un regard critique virulent sur une ville au travers des différences sociales extrêmes. Chaque réalisateur était libre de s'exprimer sur un sujet qu'il choisirait et contrôlerait entièrement. Le producteur improvisé, Georges-Marc Benamou, avait réussi à convaincre des artistes aussi divers qu'Abbas Kiarostami, Claire Denis, Raoúl Ruiz, Catherine Breillat, Raymond Depardon, Parviz Kimiavi, Pavel Lounguine de filmer Nice aujourd'hui...

Je connais bien Nice, Michèle y est née et y a grandi. Le Parti communiste y était puissant après la guerre. C'est le cas aujourd'hui du Front national.

J'ai suivi ce que Jean Vigo appelait « un point de vue documenté » : filmer en plans très rapprochés les personnes assises sur l'estrade pendant un discours de Jean-Marie Le Pen, héros de nombreux Niçois, mais sans jamais le montrer ni faire entendre son discours. Un film muet de quelques minutes. Juste des images, des visages de la « cour » de Le Pen, dont certains étaient connus. Ce qui m'intéressait c'était le seul point de vue de la caméra, portée par mon cameraman. Ma présence était inutile, elle risquait de compromettre le tournage. J'ai appelé le film *Kankobals*, nom d'un animal mythique qui, d'après mon beau-père Jean Ray, était bête et méchant, avec une tête devant et une derrière. À ses petits-enfants qui lui demandaient comment il faisait caca, il répondait : « Il ne le fait pas, c'est pour ça qu'il est bête et méchant. » *Kankobals* n'a pas pu être projeté dans le silence que je voulais. Le manque de son faisait penser à un défaut technique. J'ai ajouté une musique de piano.

En cette année 1995, le cinéma avait cent ans. Un siècle, cela veut dire qu'il est jeune. Nous avions décidé que Michel Piccoli serait le président des festivités. Qu'est-ce qu'un siècle pour un art quand le théâtre en a vingt-cinq, Homère, vingt-neuf, les peintures de Lascaux, deux cents. La musique les dépasse sans doute tous. Le cinéma a encore beaucoup à faire, beaucoup à inventer, beaucoup de passions à éveiller.

Pour rendre hommage à ses inventeurs, les frères Lumière, Philippe Poulet a eu l'idée de rappeler la naissance de cet événement autour de la caméra qui, en animant les images fixes, a changé notre façon de voir, de percevoir, de comprendre les autres, le monde et nous-mêmes. Grâce à Anne Andreu et Sarah Moon, le film produit par Fabienne Servan-Schreiber a réuni quarante metteurs en scène du monde entier pour réaliser chacun un petit film d'une minute, à la manière des frères Lumière, en utilisant une caméra d'origine. Et toute liberté pour choisir son sujet. Le mien consistait à réunir, avec l'assistance de ma fille Julie, un grand nombre d'adolescents attirés par un nouveau son : celui de la caméra qu'on faisait tourner à la manivelle. L'un après l'autre ils s'approchaient, pour regarder cet objet inconnu et mystérieux, jusqu'à remplir le cadre et que le son de la manivelle s'interrompe faute de pellicule. La caméra des Lumière n'avait qu'une minute d'autonomie. Lors de leur première projection publique, en décembre 1895, composée de douze petits films d'une minute du *Cinématographe*, au Salon indien du Grand Café, à Paris, les frères Lumière n'avaient rassemblé que trente-trois spectateurs, tous saisis et abasourdis par ce qu'ils voyaient à l'écran. Lors de la deuxième projection, ils étaient plus d'une centaine. Depuis, nous sommes des milliards. Et ça continue.

Je termine ce chapitre quand j'apprends la mort d'André Glucksmann. En 1990 Montand, qui aimait bien Glucksmann, avait accepté d'aller à La Rochelle pour baptiser un navire du nom de *Déesse de la démocratie* qui avait comme ambition de ranimer la flamme des événements de la place de Tienanmen de juin 1989. Montand nous avait demandé à Jorge et moi de l'accompagner. Jorge a refusé, avec un mouvement du bras comme pour jeter avec dépit quelque chose derrière lui. Trop tard pour faire marche arrière, Montand avait promis. Nous sommes partis avec André Glucksmann et Jean-Paul Goude. À La Rochelle, nous avons trouvé Maxime Le Forestier, l'écologiste Antoine Waechter, un Tibétain porteur d'un message du Dalaï-Lama, une Tchèque avec un message de Václav Havel, Ana Blandiana, la plus grande poétesse roumaine, Jean-François Bizot, Mme Wang, riche représentante des Chinois de la diaspora. Et des producteurs de vins pétillants avec la bouteille destinée à baptiser la *Déesse* et de nombreuses autres pour boire à sa santé.

Il y avait une grande foule sur le quai où a accosté la *Déesse de la démocratie* (79 mètres de long), avec à sa proue, fraîchement ajoutée et rivée, une statue de la Liberté en bois de trois mètres, flamme comprise. C'était une imitation, de toute évidence, vite sculptée, de celle de New York, la Liberté éclairant le monde.

Cette *Déesse de la démocratie* allait être équipée d'une station de radio, qui lui permettrait, au large des côtes chinoises, de fonctionner comme le premier média indépendant diffusant des informations destinées au milliard de Chinois qui, selon les organisateurs, « crèvent du manque d'infos… ». Ils avaient invité les grands médias de la planète – ABC, NBC, BBC, TF1, etc. – pour qu'ils suivent l'opération. En attendant, ils étaient à La Rochelle. Le magazine *Actuel* parrainait l'opération.

La *Déesse de la démocratie*, qui allait émettre sur quatre fréquences simultanément, était attendue dans toute l'Asie, pour être « le premier pas vers une nouvelle Longue Marche vers la démocratie ». Une carte montrait son parcours jusqu'à la mer de Chine et les régions que les ondes couvriraient : toute la Chine, la Mongolie et une petite partie de l'Union soviétique.

Après le baptême réussi par Montand, suivi d'une conférence de presse et de la dégustation des vins pétillants, nous sommes rentrés à Paris dans un petit Cessna, avec Montand, Glucksmann et Goude. Nous étions collés les uns aux autres, ce qui me donnait l'impression pénible de me trouver à l'intérieur d'un cercueil collectif plutôt que d'un moyen de transport.

Le 25 mai, *Libération* titrait sur toute une page : « La *Déesse de la démocratie* en cale sèche. » Et André Glucksmann racontait que l'aventure de cette déesse immortelle n'avait pas survécu aux convoitises politiques des méchants et lâches Taïwanais et Tokyoïtes, qui étouffèrent cette radio, jamais allumée.

CHAPITRE 19

Deux stars

Mad City m'a intéressé dès les premières pages. En général, j'arrêtais de lire tous ces scénarios insipides qui m'arrivaient de Los Angeles à la dixième page. Écrite par un journaliste, Tom Matthews, c'était l'histoire d'un reportage « dramatisé », un *docu-drama* comme ils les appellent : un fait divers ayant le potentiel d'être dramatisé avec des épisodes courts, fréquents, créant un suspense qui allait en s'accentuant, indépendamment du talent du journaliste qui le couvre, lequel ne dépasse pas la ligne jaune, mais la déplace. Le projet était attrayant et concernait les médias, ce troisième pouvoir en train de devenir le deuxième, sinon le premier, par leur multiplication mais aussi par le narcissisme et l'exhibitionnisme de nos concitoyens. Ce qui oblige les médias à une virulente concurrence, à une hyper-dramatisation, à une exagération de la gravité des faits divers, en même temps qu'un abaissement, voulu ou obligé, de la qualité des informations.

D'une pitoyable prise d'otage d'une douzaine d'enfants par un paumé dans un musée d'une petite ville américaine, le journaliste Max Brackett transforme un fait divers en un *show* national et international et devient l'intermédiaire entre le preneur d'otage, Sam Baily, et la police. Il dramatise et perpétue le drame jusqu'au dénouement qu'il n'arrive plus à maîtriser. Un personnage cynique et arriviste, à la manière de Charles « Chuck » Tatum interprété par Kirk Douglas dans le film *Le Gouffre aux chimères* de Billy Wilder.

À Arnold Kopelson, le producteur, je précisais que le projet m'intéressait à condition de faire du journaliste une victime de l'évolution des médias. Pour sa survie professionnelle, il doit organiser le fait divers, le dramatiser, le « sentimentaliser ». Bref, en faire un spectacle-vérité. Kopelson a accepté, ce n'était pas vraiment son problème. Il était de ces producteurs qui « montent des affaires ». L'accord d'un metteur en scène *hot* lui garantissant, en principe, l'accord d'acteurs importants. Cela rendait alors le projet *bankable* par la Major avec qui il avait signé un contrat. La Warner, en l'occurrence.

Sa première question fut pour le casting : « Quel acteur vois-tu pour Max, le journaliste, et qui pour Sam, le gardien de musée preneur d'otages ? » « Travolta pour Max. Pour Sam, un jeune acteur, Jude Law. »

Le visage de Kopelson s'est dilaté. Travolta ? Le rêve de tout producteur. Jude Law ? Il ne le connaissait pas. Mais pourquoi pas. La machine Warner s'est mise en marche. Travolta a voulu lire le script immédiatement, un autre film attendait sa réponse. Je le lui ai donné, en précisant les changements à venir. Il m'a posé des questions sur Sam, le gardien du musée, un personnage paumé et émouvant. En attendant qu'il lise, j'ai poursuivi le casting. Pour le rédacteur en chef de Max, je tenais à Alan Alda, que je n'avais pas réussi à avoir pour *Missing*. « Il est en Afrique du Sud, me dit son agent, Appelez-le, il sait que vous pensez à lui. » Je l'ai appelé : « Qu'est-ce que vous faites en Afrique ? » « *I'm shooting elephants.* » Ça m'a refroidi. Par politesse, je n'ai pas raccroché. « Pourquoi diable tuer des éléphants ? » Il a éclaté de rire : « Je ne les tue pas, je les photographie. »

Travolta voulait organiser une lecture du scénario avec quelqu'un qui lirait le rôle de Sam. Je n'aime pas ces lectures à froid, sans explication préalable précise, détaillée : le scénario est juste le corps du film mais pas son âme. J'ai néanmoins demandé à Jude Law s'il voulait venir lire Sam, c'était une prise de contact. Il a accepté et John l'a reçu très gentiment. Nous nous sommes installés dans son immense living-room avec vue sur un jardin où des jardiniers latinos soignaient des parterres de fleurs à perte de vue. Pendant la lecture, je donnais des indications sur les personnages, les situations auxquelles ils étaient confrontés ou emmêlés. Tous deux suivaient en s'adaptant. J'ai vite remarqué que John suivait avec attention ce que je disais à Jude. À la fin de la lecture, j'étais sûr d'avoir mes deux acteurs.

Au moment de nous séparer, John m'a demandé de rester pour déjeuner avec lui. Dans la salle à manger, d'un luxe éclatant, cristallin, il est resté debout l'air concentré, il s'est mis à faire des petits va-et-vient, en perdant son allure sportive. Je l'ai vu se transformer, un peu courbé, l'œil avait perdu son assurance, les gestes sont devenus gauches. Soudain, John s'est arrêté devant moi : « Ce que tu disais à propos de Sam m'intéresse. Je voudrais jouer Sam. » J'avais déjà presque compris. Ça ne me déplaisait pas. C'était l'aventure. « C'est une vraie composition, John. C'est loin de tout ce que j'ai vu et que je connais de toi. » Et pour illustrer : « Tu vois la scène où tu pointes le fusil, il faut oublier tous les fusils, tous les pistolets et la façon avec laquelle tu as pointé jusqu'ici. » « C'est bien ce que je veux », m'a-t-il répondu, en me fixant avec son regard bleu terriblement innocent et buté. « Essayons ! » Il a souri. Nous avons déjeuné sans en reparler.

J'ai appelé Kopelson pour lui annoncer la nouvelle. Un long silence me répondait. Je l'imaginais à l'autre bout du fil, bouche ouverte. « C'est la catastrophe », a-t-il fini par dire. « Et toi, tu en penses quoi ? » « C'est une aventure, elle me convient. » « J'arrive pour qu'on en parle. » Aussitôt raccroché, j'avais l'agent de Travolta au téléphone : « John est ravi de faire ce film avec vous, etc., etc. » Un long panégyrique. Suit le coup de fil de Lorenzo, président de la production chez Warner, joyeux : « Alors, John est content ? » « Il me semble. » « Il faut trouver un Max à sa hauteur. » « Il vaut mieux un inconnu pour ne pas trop charger la barque. » « Il faut, il faut… » Et il raccrocha.

Appel de John Ptak, mon agent : « Dis donc, c'est la révolution. Travolta s'en remet entièrement à toi. » Le sentant prudent, je lui demande : « Qu'en penses-tu ? » « Je pense qu'ils lui demanderont de baisser son cachet. » Il élude, comme souvent. « Ce n'est pas ce que je te demande » « Ça change son image, c'est bon et pas bon. »

Diana, vice-présidente de la production et en charge du projet, m'appelle, enthousiaste. Elle a dû attendre de recueillir l'opinion de tous avant de se décider. « Quelle bonne idée, on te trouvera le meilleur Max de la ville. Je passe déjeuner avec toi. »

De nouveau, l'agent de Travolta me promet au téléphone une liste d'acteurs pour Max, les *tops* de la ville. La journée n'est pas finie que Ptak me rappelle pour me dire que c'est le sujet du jour et qu'il me prépare lui aussi une liste de Max potentiels. Des Max de son écurie, bien entendu. Je ne réponds plus au téléphone. J'appelle Michèle qui ne semble pas emballée.

En rentrant à l'hôtel, je me demande si Jude Law ne ferait pas un bon Max. Trop jeune pour être une victime. Il faut avoir dépassé les 40 ans, avoir eu des succès et des échecs, être sur le déclin. Je lui envoie un mot pour le remercier et m'excuser du faux espoir. Le lendemain la secrétaire m'annonce Dustin Hoffman au téléphone. « Il est si gentil », ajoute-t-elle, tout émoustillée.

« Alors, tu n'as plus ton Max », me lance-t-il bille en tête. « Non Dustin, je n'ai plus mon Max. À propos, comment vas-tu ? » « Je vais bien et tu as ton Max, je suis là. » « Voyons-nous pour en parler. » « Si c'est pour me dire non, tu me le dis tout de suite au téléphone. » « Je ne te dis pas non, je te dis parlons-en. »

Je raccrochais en même temps que Kopelson entrait dans mon bureau, tout excité pour parler de Travolta. Je l'ai coupé, l'ai fait asseoir confortablement. J'aimais bien son côté ours gourmand vivant dans un désert culturel tout en le sachant. « Arnold, Dustin Hoffman veut faire Max, il vient de m'appeler. » Arnold est resté interdit, accablé je dirais. « Que dit Lorenzo ? » « Tu es le premier à qui j'en parle. »

Un vent de tempête a commencé à souffler à l'étage de la direction Warner, où la nouvelle s'est répandue comme un feu de brousse. Réunion. Il a fallu que je raconte le revirement de Travolta, puis le coup de fil de Dustin, plus d'une fois. Lorenzo a appelé sur-le-champ l'agent de Dustin. Confirmation joyeuse, Dustin veut jouer Max. Il régnait dans ce bureau fastueux, aux murs couverts de diplômes, de nominations aux Oscars encadrées, de nombreuses statuettes, une sorte d'inquiétude qui cohabitait avec une jubilation qui n'osait pas se montrer.

Le problème budgétaire a vite pris le dessus sur l'artistique, à peine discuté d'ailleurs. Le fait d'avoir *deux stars* faisait oublier même le scénario et les modifications à faire. Je suivais leur logomachie en pensant que, pour une histoire aussi simple, c'était peut-être trop. Mais, comme eux, je n'aurais jamais refusé un tel casting. J'ai haussé un peu le ton, si bien qu'ils ont fait attention à moi : « J'appelle Travolta, je lui propose un déjeuner avec Dustin et moi pour faire connaissance. Nous verrons bien s'il y a une suite. »

Le rendez-vous est fixé dans un restaurant italien fréquenté par des gens du cinéma, et par ceux qui veulent voir des gens du cinéma. On nous a placés dans un coin prétendument discret, mais qui est en réalité au vu de tous. Nous sommes restés plus de trois heures. Après les premiers moments d'une cordialité figée, Dustin a brisé la glace en parodiant un ragot qui circulait sur John. Qui a éclaté d'un rire spontané, enfantin, quasi involontaire. S'est ensuivi un feu d'artifice fascinant, par l'effort de chacun d'eux à vouloir séduire l'autre. À peine le temps de parler du film et des personnages, la discussion repartait aussitôt sur des histoires, des calembours professionnels qui me faisaient aussi beaucoup rire. Toutes et tous y passaient... la direction de la Warner, les autres stars, des metteurs en scène...

Nous nous sommes séparés comme les meilleurs amis du moment, comme cela arrive souvent ici. Et nous le sommes restés jusqu'à la fin du tournage du film. Lorenzo a voulu que j'assiste aux joutes téléphoniques avec les agents des deux acteurs. Voulait-il me montrer, en cas de désaccord, que tout avait été tenté, ou bien que j'admire son habileté de duelliste ? Ce fut un bel échange, à coups de millions de dollars. Avec des mots de voyous des rues, ou de mafieux. Pour finir en *gentlemen* de parfaite éducation. Lorenzo avait gagné la bataille des chiffres, même si le nombre de millions était impressionnant.

Le tournage s'est déroulé à San Jose, une petite ville californienne, ainsi qu'au studio de Culver City, un studio magique, où avait été tourné en partie *Autant en emporte le vent*. L'harmonie a été parfaite entre ces prodigieux acteurs, fascinés par mon équipe française, et étonnés que je reste à côté de la caméra, au lieu de les regarder dans le cadre, derrière le combo : « Un metteur en scène qui me regarde ! » s'était exclamé John, le premier jour. Michèle avait aussi gagné la bataille pour que les effets spéciaux soient confiés à l'équipe de Christian Guillon, à Paris. Contre toute logique, si ce n'est celle des libertés de tournage de Travolta, nous avons en effet tourné les scènes à l'intérieur du musée avant l'extérieur, alors même que des éléments de l'extérieur devaient être vus sur tous les écrans de télévision à l'intérieur du musée.

John écoutait, toujours très concentré, mes indications de mise en scène. Dustin, lui, chaque matin, me posait des questions à propos de tout. Les lundis, le nombre de questions et de notes s'était considérablement multiplié. Un jour, à l'heure des questions, Dustin me présente une pétition : « Cela fera plaisir à John si tu signes. C'est sur la persécution de la Scientologie en Allemagne. Mon avocat m'a dit de la signer. Il est juif », me précise-t-il. Mon âme de pétitionnaire ayant été choquée par le mot « persécution », conjugué au mot allemand, je signe sans vraiment lire. Arrivé sur le plateau, John me fait un grand sourire. Sans plus.

Un lundi matin, Julian, mon assistant, me prévient qu'à 13 heures, nous devons libérer l'équipe pour qu'elle puisse aller voter : Bill Clinton briguait un deuxième mandat. Les Américains ne votent pas le dimanche, jour du Seigneur. À 13 heures Julian m'informe que seuls trois membres de l'équipe s'absenteraient.

Je prends à part Eric, l'électricien, le seul Noir de l'équipe, qui devait son entrée au syndicat au réalisateur Hal Ashby qui l'avait imposé : « Eric, pourquoi n'allez-vous pas tous voter ? Pour ne pas perdre une demi-journée de salaire ? » « Aussi. Mais on vote aux élections du syndicat qui s'occupe de nous. Washington, on n'en a rien à foutre, ça ne changera en rien notre vie. » Eric avait été aussi le premier à me demander s'il pouvait me serrer la main le matin, comme le faisait l'équipe française. Très vite, il avait été imité par toute l'équipe américaine, timidement enchantée par ce geste qu'ils ne pratiquaient pas.

De retour à Paris, Michèle me montre *Le Figaro* qui publie la pétition que j'avais signée entre autres avec Dustin Hoffman. Le texte est scandaleux. En résumé : « Les Allemands persécutent la Scientologie, comme ils ont persécuté les Juifs dans les années trente. » Je me suis senti humilié, mortifié. Furieux contre moi-même. J'ai immédiatement fait en sorte de retirer ma signature, en expliquant les circonstances qui m'avaient conduit à la donner. J'ajoutais que la comparaison avec l'extermination des Juifs était tendancieuse et intolérable. Envoyé à l'AFP, mon texte a été repris dans la presse.

De nouveau à Los Angeles pour présenter au studio le premier montage du film, et faire la post-synchronisation, j'en parlais à John Travolta. Aimable, intéressé, il m'a écouté, tête baissée, lui expliquer en quoi il était malhonnête de comparer les déboires de la Scientologie avec la justice allemande avec ce qui s'était passé dans les camps d'extermination. Le silence qui a succédé nous isolait et nous unissait en quelque sorte. Je l'ai rompu en lui posant des questions sur la Scientologie. Ça l'a attisé, il s'est ouvert, vif, sérieux, aimable, comme un enfant qui vous révèle une vérité ignorée : « On y apprend à aimer les autres, à aider celui qui en a besoin, à soigner celui qui souffre... » Grâce à la Scientologie il avait appris à guérir des blessés. Sur ce, il s'est arrêté à regret, comme pour ne pas révéler et trahir un secret. Il m'a promis de m'apporter des publications pour que je comprenne mieux. Je n'y ai rien trouvé d'original, rien que la liste des morales religieuses de toujours. Elles étaient rédigées avec un luxe d'adjectifs fleuris et de promesses de bonheur pour séduire des enfants adultes. Nous n'avons plus jamais parlé Scientologie avec John.

Kopelson, Lorenzo, Diana, et trois autres personnes dont j'ai oublié les noms, ont réagi positivement à la projection du premier montage. Dustin a été très analytique, précis, inquiet. John a voulu voir le film tout seul. Il m'a longuement appelé pour me dire combien il était touché par son personnage, jusqu'à oublier que c'était lui qui l'avait fait pleurer. Il a fini par me remercier avec beaucoup de gratitude.

Le film a été froidement accueilli par le public. Un échec peut toujours s'analyser, même si cela ne sert plus à rien, pas même comme une expérience utile pour les films suivants. L'analyste, les analystes ont estimé que, pour son public habituel, John Travolta était inacceptable en *loser*. Et que Dustin Hoffman, en journaliste manipulateur, quelles que fussent ses raisons, passait mal lui aussi auprès de son public. Et qu'en fin de compte, il n'y avait pas le moindre *happy end*.

Joe Eszterhas m'envoie son nouveau script, qui était comme toujours très attendu : *Les Vaches sacrées* raconte l'histoire d'un candidat à la présidence des États-Unis, en y mêlant de nombreuses réflexions narquoises sur la politique. Lors d'un voyage électoral dans l'Amérique agricole et profonde, une nuit sans sommeil, le candidat se promène et rêvasse, quand il passe près d'une étable. Soudain, une pulsion incontrôlable l'entraîne dans une relation intime avec une belle génisse. Photographié par des espions au service de son adversaire, on menace de publier la photo s'il ne se retire pas de la course à la présidence. Il refuse, la photo est rendue publique. Stupéfaction ! Il gagne l'élection, avec un score inhabituellement élevé. L'analyse du résultat révèle que le monde agricole, qui en général s'abstient, a voté massivement pour lui. À la lecture, j'ai cru à une plaisanterie.

Le livre *The Ax* (*Le Couperet*), de Donald Westlake, me plaisait beaucoup. Cette aventure tragi-comique d'un chômeur américain était, me semble-t-il, adaptable en France. Le pire du monde libéral américain nous rattrapait. Les droits du livre étaient déjà pris. En option chez Paramount, un producteur et un réalisateur y étaient « *attached* », selon le jargon local. « Une Major ne financera jamais ce film, et difficile qu'un acteur américain accepte ce rôle négatif. Attendons que l'option se termine ! » m'a dit Michèle, sûre d'elle.

Je considérais alors avec un certain intérêt un script, *Last Dance*, que Touchstone Pictures, une filiale de Disney Pictures, m'avait fait parvenir. Il s'agissait d'une jeune femme de 18/19 ans qui avait commis un double meurtre sous l'emprise de la cocaïne. Condamnée à mort, elle allait être exécutée, douze ans plus tard. Selon la loi, ce n'était que justice. Mais selon la psychologie et l'éthique, ils allaient exécuter une personne qui avait radicalement changé.

Touchstone avait été créée en 1984 par Ron Miller, président de Disney, pour faire des films « adultes ». Ses jeunes dirigeants m'ont accueilli en pleine euphorie. Nous sommes vite tombés d'accord sur le type de film à faire, la stratégie à suivre et les changements à opérer dans le script. Nous avions prévu de tourner dans de vraies prisons, avec une équipe légère et très mobile, un casting jeune et sans stars. Pour la meurtrière, il nous fallait une actrice qui puisse jouer les deux âges, avec un changement radical.

Michèle m'a alors rejoint avec Romain chez John et Deborah Landis.

L'anxiété permanente à Hollywood est d'avoir devant soi un projet de film. Sans projet précis ou « signé », on vit dans la frustration, la désolation cachée, sans jamais l'avouer. Comme cette ville est envoûtante et pleine de possibilités, on s'y incrusterait en risquant de finir par accepter de faire n'importe quoi avec n'importe qui. Il faut donc rester vigilant, non seulement pour des raisons économiques, mais surtout pour des raisons morales et de dignité.

Au retour d'un repérage dans des prisons, où j'avais pu entrer jusque dans les sections des condamnés à mort et rencontrer deux d'entre eux, les jeunes producteurs m'attendaient, visages épanouis, pour m'annoncer que Sharon Stone était partante pour jouer le rôle de la jeune femme. Malgré son talent, c'était en tout cas pour moi la pire solution pour le personnage du film. Mais aucun de mes arguments ne les a émus. Pour une Major, refuser une star de la dimension de Sharon Stone était un *casus belli*, non seulement avec la star, mais aussi avec l'agence qui la représentait et contrôlait une liste importante d'acteurs. J'ai prévenu que je ne ferais pas le film avec un casting imposé.

Avant de rentrer à Paris, Michèle a proposé de visiter avec Romain le Grand Canyon. Une semaine dans des paysages d'une immensité et d'une beauté indescriptibles. Une sorte de catharsis avant le retour à Paris. Un an plus tard, *Last Dance* sortait en salles. Ce fut un échec total.

Le XXe siècle vivait ses dernières années, qui traînaient en longueur. Bavard sur ses horreurs, ses progrès vertigineux et époustouflants, ses espoirs déçus et ceux exaucés, on nous promettait un XXIe siècle exaltant, avec une monnaie unique pour les Européens. La mondialisation, porteuse de multiples bonheurs à venir, annoncés par des économistes savants et leurs banques modernes, temples d'une nouvelle croyance qui nous conduirait à la félicité, c'est-à-dire à la réussite par l'argent.

Je refusais de dresser le bilan de mes quarante-cinq années passées en France, dont quarante-deux dans le cinéma, mais pas d'interroger mon parcours : mon approche critique de certaines situations traitées dans mes films était-elle trop conformiste ? « Vous dénoncez... », me répétait-on, comme un compliment ou comme un reproche déguisé. Je montre ce qui me déplaît, ce qui me choque, ce qui m'émeut, positivement ou négativement. Je le fais avec conviction, mais aussi avec la séduction que j'ai découverte en apprenant le cinéma. Avec les colères et les haines que j'ai pu avoir, avec mes passions aussi, enfin, avec des sentiments indicibles, mais qui transparaissent dans les images que je réalise. Mon seul retour à la paix, c'est ma famille. Nos vies parallèles convergent, dans le privé comme dans le travail. Michèle est l'architecte de ces rapports de convergence et d'harmonie sentimentale. Rien ne se faisant sans application, ni imagination.

Parallèlement, Michèle continuait à produire, dans le temps que lui laissaient ses voyages avec moi et notre vie de famille. Elle venait de finir le film de Tony Gatlif, *Mondo*, d'après la nouvelle de Le Clézio, et après *Latcho Drom*, film magnifique sur le peuple gitan, plusieurs fois primé. Alexandre, qui travaillait sur ces productions, préparait un court-métrage, *Tueurs de petits poissons*. Quant à Julie, elle avait abandonné le droit pour faire de l'assistanat à la mise en scène, tout en préparant son premier documentaire. Romain et son ami Kim Chapiron, 15 et 16 ans, créaient *Kourtrajmé* avec un groupe de copains, pour réaliser de petits films de persiflage. Je continuais de mon côté de recevoir quelques scénarios de Hollywood, presque toujours sans grand intérêt.

Je pensais à un film sur Dom Helder Camara, « l'évêque rouge » brésilien, qui venait de mourir. Je l'avais rencontré à Paris, lors d'une réunion internationale organisée par le président Mitterrand. L'épiscopat latino-américain avait décidé en 1968 que l'Église devait se mettre au service des pauvres. C'était la Théologie de la libération. À son arrivée, le pape Jean-Paul II a cassé ce mouvement qu'il considérait comme un « succédané pervers du marxisme ». Dom Helder Camara disait : « Quand je donne de la nourriture aux pauvres, on m'appelle un saint. Quand je demande pourquoi ils sont pauvres, on m'appelle un communiste. » Il m'avait dit : « Quand vous viendrez au Brésil, venez à Recife. Je vous présenterai mon pays. » Ce projet ne s'est malheureusement jamais concrétisé.

Je proposais à Universal d'adapter le roman de Robert Merle, *La mort est mon métier*. Le succès du FN aux élections municipales, son implantation ici et là dans le pays, son idéologie extrémiste et raciste, son nationalisme délirant, me faisait penser à la description par Robert Merle du début du nazisme allemand dans les années vingt, à travers la biographie romancée d'un jeune Allemand, Rudolf Höss, qui deviendra plus tard le commandant du camp d'extermination d'Auschwitz. Basé sur des documents historiques, le livre permet de comprendre la montée de l'hitlérisme, l'univers concentrationnaire et la personnalité des bourreaux. Jugé trop « dur » pour un large public, le projet fut refusé par Universal, « avec regrets ».

Au moment où j'écris ces lignes, en mars 2016, le Front national gagne des élections en France. L'Union européenne est en plein enlisement, sinon au bord de l'éclatement, et on assiste à une formidable montée du racisme, du communautarisme et des nationalismes. Les raisons sont à la fois intérieures et extérieures à l'Union, les unes confortant les autres. Le manque de démocratie interne, la vision et la conduite binaires des dirigeants, l'absence de projet social, culturel, éthique, le défaut d'imaginaire commun, tout cela accentue notre impression d'échec. Est venu s'ajouter le terrorisme djihadiste, contre lequel la préparation commune était notoirement insuffisante. Vient se joindre à tout cela la vague, les vagues d'immigration, qui a mis au jour l'absence totale de réaction concertée de la part de l'Union face à ce drame humain. C'est le chacun pour soi. Chez les politiques, c'est plutôt le chacun pour son électorat qui l'emporte sans scrupules, et sans embarras humanitaire.

CHAPITRE 20

Urbi et orbi

Revenons à la fin du XXe siècle et au début du XXIe où, malgré la prédiction d'Albert Camus : « Tout le malheur de l'homme vient de l'espérance », l'élan et l'espoir nous habitaient.

J'avais grandi avec Claude Berri dans le petit monde du cinéma français. Le petit acteur était devenu metteur en scène de films importants et un des plus grands, sinon le plus grand producteur du pays. Quand il avait reçu à 25 ans l'Oscar pour son court-métrage *Le Poulet*, n'ayant alors pas les moyens d'aller chercher la statuette à Los Angeles, il avait demandé à Simone Signoret de lui prêter la sienne, pour la photo. Il la tenait de telle sorte que le nom de Simone restait caché. La photo fit la une de *France-Soir*, puis le tour du monde.

Et Claude Berri me disait souvent : « Quand faisons-nous un film ensemble ? » Je lui ai donc proposé *La mort est mon métier* de Robert Merle. Il a été direct, comme à son habitude : « Il n'y en a pas un à qui s'accrocher dans cette histoire. Il n'y a que des monstres. Personne n'ira voir le film. Puisque cette époque t'intéresse, adaptons plutôt *Le Vicaire*. » « Les droits ne sont pas libres, j'y avais pensé. »

Le vicaire de Dieu, ou du Christ, c'est le pape. C'est aussi le nom d'une pièce de Rolf Hochhuth, un auteur de théâtre alle-

411

mand. Basée sur des documents historiques, la pièce révèle que le pape Pie XII était resté silencieux devant l'extermination des Juifs par les nazis, tout en connaissant l'ampleur du génocide. Montée pour la première fois à Paris, après Berlin, en 1963, la pièce et les acteurs avaient été attaqués avec une extrême violence, physique et verbale, par les intégristes catholiques, devant et à l'intérieur même du théâtre Athénée où la pièce se jouait dans une mise en scène de Peter Brook. L'adaptation était de Jorge Semprún. J'avais assisté à deux représentations, et vu Michel Piccoli pratiquer la boxe contre des intégristes montés sur scène pour interrompre une des représentations. Celles-ci s'étaient poursuivies sous la protection de la police. De Gaulle, alors président, avait refusé de censurer la pièce et qualifié les protestations intégristes de « ragots de caissières ».

L'intégrisme, religieux ou politique, m'a toujours étonné par son refus aveugle, souvent violent, d'accepter les transformations de la société, et sa facilité à s'y soumettre, l'Histoire ayant fait son œuvre, quelque temps plus tard. Je pense ici à la séparation de l'Église et de l'État, à l'Algérie qu'on voulait française, aux droits des homosexuels, au divorce, au mariage pour tous ou au droit à l'avortement… pour ne citer que ces exemples récents, parmi des dizaines d'autres, petits ou grands.

Une rumeur persistait : le producteur italien Carlo Ponti aurait acquis les droits de la pièce de Rolf Hochhuth, des années auparavant, pour empêcher qu'un film puisse se faire. En échange, le Vatican avait annulé son mariage pour lui permettre d'épouser Sophia Loren. Vrai ou faux, cela n'avait aucune importance. Claude savait que les droits venaient d'être libérés. Je lui demandais quelques jours de réflexion. J'avais aussi d'autres sujets « en réflexion » : l'adaptation de *No Other Life*, un livre de Brian Moore, sur lequel j'avais entrepris un premier travail de scénario, et celle de *Greek Fire*, un livre sur l'histoire de Maria Callas et Onassis. Quatre jours plus tard, je donnais mon accord à Claude Berri, qui demandait à Michèle de s'occuper du film et tout d'abord de rencontrer Hochhuth pour négocier les droits. Rolf Hochhuth était un homme difficile, acariâtre, attaqué et haï par les catholiques à cause du *Vicaire*. Et par les Anglais pour son livre *Soldiers*, où il s'en prenait à Winston Churchill. Tout cela l'avait rendu méfiant.

Il nous a reçus, Michèle, Jean-Claude Grumberg et moi, sans élan manifeste. Comme il ne parlait que l'allemand, Ursula, sa troisième femme, a fait l'interprète. La sécheresse de la rencontre a évolué, grâce aux deux femmes qui se sont vite entendues, pendant que nous, les hommes, nous nous observions en silence, avec des sourires figés, en attendant la traduction. Une autorité peu rassurante émanait de Hochhuth. Il a parlé le premier de mes films, admiratif et sans fioritures. J'ai parlé du *Vicaire*, longuement. Jean-Claude a parlé du « théâtre au cinéma ». Quelques heures plus tard, nous nous quittions en bonne entente, avec son accord pour faire le film selon notre optique. Mais le contrat a été long à finaliser, car il ne cédait en réalité sur rien, et il fallut toute la diplomatie de Michèle pour parvenir à obtenir sa signature.

Pendant le tournage du film, un article, dans je ne sais plus quel journal, avait rendu Rolf furieux. Bien qu'il ait aimé le scénario, il m'a accusé dans une interview d'avoir trahi son œuvre. Je n'ai pas réagi. Lorsque je lui ai montré *Amen*, le titre finalement choisi du film tiré du *Vicaire*, il était enthousiaste et a déclaré que, grâce à l'image, le film était plus fort que son œuvre. Et nous sommes redevenus amis.

J'avais évoqué avec lui ma volonté de « dé-théâtraliser » sa pièce dans sa version cinéma. L'idée était de réduire le rôle du pape, primordial dans la pièce, mais entièrement inventé. Il me semblait impensable que le pape débatte avec un jeune prêtre, à propos de l'Église et des crimes commis en son nom, encouragés ou tolérés par elle. Même si l'on remonte aux Croisades, à l'Inquisition, à la conquête sanglante de l'Amérique latine par les Espagnols, et jusqu'à l'Holocauste, le pape reste un symbole : nous ne connaissons ni ses sentiments ni ses pensées, si ce n'est à travers ses paroles, ses déclarations, ou ce qu'on écrit sur lui. Pour moi, l'important dans la pièce de Hochhuth, face au silence du pape, et d'une grande partie de la chrétienté, était ceux qui résistaient et protestaient, au risque de leur vie. En l'occurrence, dans *Le Vicaire*, l'officier allemand Kurt Gerstein et le jeune jésuite Riccardo Fontana.

Gerstein est un personnage historique, protestant fervent, qui vivait dans un milieu complexe, inquiétant et majoritairement favorable à Hitler. Lorsqu'il découvre l'utilisation du Zyclon B dans les chambres à gaz, il en informe immédiatement tous ceux qui peuvent agir. Riccardo, lui, est un personnage de fiction, mais inspiré par plusieurs ecclésiastiques qui ont dénoncé la déportation des Juifs, et surtout par le jésuite italien Piro Skavezzi qui, après avoir vu les camps d'extermination, en avait personnellement informé le pape Pie XII.

Nous avons commencé à écrire l'adaptation avec Jean-Claude Grumberg et notre principal souci était de vérifier chaque événement se rapportant au Vatican, au pape et à toute parole prononcée par lui ou par les personnalités vaticanes. Nous nous sommes contraints au même principe pour les nazis, tout en nous autorisant quelques libertés, lesquelles, de toute manière, ne se situeraient que bien en deçà de la vérité. Le temps dévolu à l'adaptation, plus d'une année, nous avait échappé. Nous avons lu, étudié, consulté des centaines de documents écrits ou photographiques. Nous devions résoudre une énigme et il n'était pas question de la résoudre de l'extérieur, mais bien de l'intérieur. Nous avons vu un film surprenant, *Pastor Angelicus*, célébrant en 1942 l'anniversaire de Pie XII. Il montrait ses nombreuses actions pastorales, ainsi qu'une fastueuse cérémonie, avec des images éblouissantes filmées à la cathédrale Saint-Paul. L'ambassadeur anglais auprès du Vatican, Osborne, commentait pour son gouvernement cette cérémonie en la qualifiant « d'entreprise de publicité hollywoodienne pour le pape en pleine période de guerre ». Le film fut présenté en 1945, à la Libération. On y avait rajouté des images de GI américains et du général de Gaulle. Le passé du pape était détourné, comme effacé.

Le scénario terminé a été approuvé avec quelques regrets par Claude Berri, qui avait voulu un film sur le pape, alors qu'on allait très peu le voir. Le casting « américain » a été envisagé, puis vite abandonné pour adopter la solution d'acteurs européens. Français, allemands, roumains, italiens… Seule langue commune pour tous, l'anglais. Mais où tourner « ce » Vatican ? Le reconstituer en studio, en France ou même à Prague, n'était pas financièrement envisageable. La Roumanie, où Bertrand Tavernier venait de tourner *Capitaine Conan*, était programmée pour un premier repérage.

Ce premier voyage fut retardé, Anne, notre belle-fille, venant d'accoucher. Alexandre devenait père. Grands-parents, nous l'étions déjà trois fois, avec Basile, Benoît et Pablo, les trois enfants de Patrick. Une nouvelle personne entrait dans la famille, une fille, c'était beau comme un ensoleillement permanent. Ils l'ont appelée Maud, sans *e*. Trois kilos six cents, le visage chiffonné par la traversée, les yeux brillaient déjà. Elle est arrivée avec une bonne fortune : le voyage en Roumanie qui a suivi s'est avéré décisif.

À Bucarest, la pharaonique Maison du Peuple pouvait nous servir de Vatican. Deuxième plus grand édifice dans le monde, après le Pentagone, édifié par Ceausescu sur l'emplacement de la vieille ville insalubre qu'il avait ordonné de raser pour y faire bâtir la Maison du Peuple, et les maisons des dignitaires du régime.

Notre hôte, Kiki, pour Constantin, producteur et probable futur collaborateur, nous avait organisé une visite privée du colosse. Une grande fille un peu sèche, très bavarde, ne pouvant pas nous montrer les 400 000 mètres carrés formidablement luxueux de cette Maison du Peuple inaccessible au peuple, qui par ailleurs était fier de l'avoir, nous a ouvert des portes fermées aux visiteurs, sans cesser de prendre Michèle par la taille. Elle nous a montré le saint des saints, les bureaux du couple Ceausescu. Sur les portes en acajou des toilettes, pour elle et pour lui, adjacentes à leurs bureaux respectifs, étaient incrustés leurs portraits, façonnés par un artiste talentueux.

Dans ce studio idéal, j'ai pu reconstituer toutes les scènes se déroulant au Vatican, et quelques autres. Le troisième jour après notre arrivée, Adrian Sârbu nous invite à déjeuner. « Qui est-ce ? » « C'est quelqu'un de très important, qui a participé à la Révolution contre Ceausescu. Propriétaire d'une chaîne de télé, il vient de reprendre à l'État les studios de cinéma immenses construits à l'époque des Soviétiques. » Kiki s'est éclipsé de lui-même. Une OPA parfaite de la part de Sârbu.

Adrian Sârbu, bel homme poli et cosmopolite, se disant mon « admirateur », avait un regard d'adolescent ou de tueur, selon le sujet discuté. Sa proposition, aider à la production du film en nous ouvrant et nous facilitant « tout ce que M. Costa-Gavras souhaite ». Il m'a montré du doigt et fixé avec son regard d'adolescent. Puis s'est retourné vers Michèle, sans la montrer du doigt : « Tout est négociable ! » Même regard que pour moi. Adrian a tenu parole. Son bras droit, Andrei Boncea, à peine 30 ans, a accompagné Michèle pendant tout le tournage, écartant chaque obstacle.

Visite de courtoisie à l'ambassade de France : une belle bâtisse entourée de la misère ambiante que nous avions vue un peu partout. Quelques jeunes désœuvrés attendaient. Un militaire français leur montrait vers où se diriger.

À 17 ans, avec Vassili, un ami, nous étions allés à l'ambassade de France à Athènes où nous avions demandé à voir un officier. On nous avait renvoyés vers une adresse où un officier en uniforme bleu marine nous avait reçus, dans un bureau au rez-de-chaussée, sinistre et vide, avec juste une table et trois ou quatre chaises. Le militaire nous a fait nous asseoir et *via* son interprète nous a demandé notre âge. Nous avons menti : 20 ans. « Pour être engagé dans la Légion étrangère, il faut avoir 21 ans et vous devez vous présenter dans un bureau de recrutement en France, pas ici… » Fini le rêve de fuir la misère, le manque d'espoir, de vivre les aventures exaltantes de Gary Cooper ou de Burt Lancaster.

L'ambassadeur de France à Bucarest m'a reçu en me rendant un hommage appuyé. Parfois les ambassadeurs sont un peu gênés : ils se demandent si je suis français ou grec. Il m'a aussi expliqué que les jeunes qui restaient devant l'ambassade voulaient acquérir des visas pour aller travailler en France.

Mathieu Kassovitz a accepté sans hésiter le rôle du jeune jésuite, que je voulais délicat et fragile, mais animé d'une volonté sans faille. Claude Berri n'y croyait pas. « Il fait juif ! » « Heureusement que c'est toi qui le dis ! » lui a répondu

Michèle en riant. Une fois transformé en jésuite, avec sa raie sur le côté et son côté sage, Mathieu a demandé à Michèle de le photographier et d'envoyer la photo à sa grand-mère juive qui avait fui la Pologne en 1956 avec Peter, son père.

À Munich, chez Sabine Schroth, *casting director*, j'ai découvert les acteurs allemands. Dans son appartement bureau, une pièce était dédiée aux actrices, une autre aux acteurs, et une dernière aux jeunes et aux enfants. Dans chaque pièce, des bibliothèques remplies de centaines de VHS, des fauteuils confortables et une grande télévision. Notre *brainstorming* avec Sabine et Michèle dura une semaine. J'ai découvert à cette occasion Ulrich Tukur, formidable acteur et homme affable, excellent musicien, ce qui explique sans doute le reste. Ulrich Mühe, que j'ai immédiatement aimé, ne parlait pas anglais : « Si j'ai le rôle, je parlerai anglais. » Il m'avait fait penser à Forest Whitaker qui, ayant lu le scénario de *No Other Life*, m'avait contacté, amoureux du personnage principal d'Aristide, l'ancien président d'Haïti, et qui voulait absolument interpréter ce personnage. « Mais il est petit, fluet, vous faites près de deux mètres et au moins cent kilos ! » « Si j'ai le rôle, je serai comme vous le souhaitez », m'avait-il assuré, en bon acteur convaincant.

J'ai dit oui à Mühe. Grand acteur. Il a parlé et joué en anglais. Parfaitement. Quelques années plus tard, il interprétait dans *La Vie des autres* le capitaine de la Stasi, Wiesler. Il fut nommé aux Oscars pour ce rôle, la mort l'a emporté avant la cérémonie.

D'autres acteurs allemands tenaient absolument à participer au film, quelle que soit l'importance du personnage à interpréter : Sebastian Koch, Friedrich von Thun, Hanns Zischler, ou Antje Schmidt pour jouer la femme de Gerstein.

En Roumanie, j'ai convaincu Marcel Iureş de jouer le pape, ce qu'il a fait de façon admirable. Ion Caramitru, Horaţiu Mălăele, ainsi qu'une quinzaine d'autres ont enrichi le film de leurs talents.

Pour le tournage, nous sommes partis avec mes principaux collaborateurs, tous les autres étaient roumains. Nous n'avons pas non plus loué les costumes ou les tableaux et sculptures en Italie ou à Londres : trop onéreux. Édith Vesperini, notre créatrice de costumes, a monté sur place un atelier de fabrication. Pour transformer la Maison du Peuple en Vatican, Ari Hantke, le chef décorateur allemand, a obtenu l'aide inestimable et joyeuse d'étudiants des Beaux-Arts de Bucarest. Elles et ils ont copié des tableaux de grands maîtres, sculpté des statues célèbres en polyester, avec une perfection et dans un temps record. Tout cela a créé un climat de confiance, de respect mutuel, et une ambiance de tournage tonique. Un incident a provoqué les gorges chaudes de l'équipe et fait une malheureuse : pendant une scène, Mühe boit un verre de vin blanc. Après la troisième prise, il est venu vers moi un peu pompette et m'a demandé si je tenais à ce qu'il boive vraiment du vin. « Mais non ! » L'accessoiriste, une jeune débutante, s'est effondrée en larmes quand je lui ai expliqué que l'on sert du thé ou autre chose, mais jamais du vin. Pour la consoler j'ai dû déployer une grande énergie, Mühe aussi, mais sa démarche indécise et sa langue pâteuse déclenchaient des fous rires difficiles à cacher.

Sylvette Baudrot, ma scripte attitrée et amie, étant indisponible, sans doute déjà prise par un de ses « clients » comme elle nous appelle – Polanski, Resnais et moi entre autres –, je décidais de travailler avec une jeune Roumaine de 22 ans, Andra Barbuica. Andra, comme tous les assistants ou stagiaires

419

mise en scène, de production ou des décors, sont devenus par la suite des piliers du cinéma roumain. Andra est aussi devenue la scripte fidèle de Tony Gatlif.

J'avais le souvenir de la chute de Ceausescu, dans Bucarest croulant sous la neige.

À l'époque, notre fils Alexandre avait été bloqué par la neige avec un convoi humanitaire. Pour nous, cet hiver-là, aux pauses déjeuner, nous étions souvent en bras de chemise et il n'a neigé qu'une seule nuit : à cinq heures du matin, après la « Fête de la montagne ».

C'était une idée d'Ari Hantke. En Allemagne, quand les équipes sont loin de chez elles, la tradition veut que la rituelle fête de fin de tournage se déroule non pas à la fin, quand tout le monde n'a qu'une envie, rentrer chez soi, mais à mi-parcours. Pour nous, c'était donc après six semaines de tournage intense. Nous devions être plus de deux cents ! Ce fut une nuit enfiévrée et endiablée, dans la grande salle aux énormes colonnes de l'hôtel Hilton, avec tous les acteurs, les techniciens, les stagiaires, balayeuses y compris. Tukur, à l'accordéon, et Mühe, en très grand forme ! À six heures du matin, Bucarest était recouverte de blanc. Mais cette couche blanche devait malheureusement fondre dès le lendemain soir. Michèle s'est alors transformée, avec l'aide d'une petite équipe, en *reine du molleton* synthétique qui arrivait par camions de toute la Roumanie, pour recouvrir des centaines de mètres carrés ! Et pour les immenses étendues traversées par les trains, il y eut des effets spéciaux numériques en post-production.

À l'écriture du scénario avec Jean-Claude, nous n'avions trouvé que des dialogues et des chiffres, pour dire la multitude des déportés. Les paroles sont volatiles, je cherchais des images. Une idée, une image m'est venue à force d'en être obsédé : des trains aux wagons à bestiaux vides qui passent, portes ouvertes, des trains aux wagons à bestiaux, portes fermées, allant dans le sens opposé… Non prévu au programme, Éric Guichard, Michèle et quelques techniciens de l'équipe roumaine se sont démenés avec ardeur pour réaliser ces plans en deuxième équipe.

Pour la déportation des Juifs romains – fait historique et importante séquence du film –, je tenais à reconstituer les arrestations dans le vieux quartier juif de Rome, pas très loin du Vatican, sur les lieux mêmes où cela s'était déroulé. Les témoignages étaient précis. Les ruelles et la place n'ont pratiquement pas changé.

Pour authentifier la Maison du Peuple, un passage de Ricardo/Kassovitz en voiture a pu être « volé », un dimanche matin tôt sur la place devant le Vatican. Le vrai. Ensuite, Riccardo sort de la voiture et monte les marches de « notre » Vatican, marches construites en plein vent à l'extérieur du studio à Bucarest. Magie du cinéma et des effects spéciaux qui ne doivent pas paraître.

Pour la musique, j'avais souvent et très bien travaillé avec Philippe Sarde. Pour ce film, je voulais une dynamique différente. Les sonorités, les thèmes d'un spectacle de ballet composé par Armand Amar, m'avaient impressionné. Grand connaisseur des musiques traditionnelles, Michèle l'avait connu quand elle produisait *Latcho Drom*, mais il n'avait encore jamais conçu une musique de film, forme de composition devant respecter un agencement technique tout particulier.

Armand est un de ces hommes qu'on aime aimer. Cela arrive rarement dans la vie adulte, souvent durcie par les désillusions. Il est bon vivant, rieur, doux, connaisseur de toutes les musiques, au point d'avoir inventé son propre univers musical. Timide, malgré son multiculturalisme, il a accepté l'aventure que je lui proposais avec beaucoup de précautions, « connaissant tes exigences », m'avait-il dit. « Mais c'est le propre d'une aventure », avais-je objecté.

Je considère la musique de mes films comme un « personnage », intervenant au même titre que les principaux acteurs. Elle établit un dialogue avec les autres personnages, avec les situations qu'elle accompagne jusqu'à la contradiction. Jusqu'à l'agression, s'il le faut. Un exemple dans *Amen* est le passage des trains, vides ou pleins. Pendant ces séquences, la musique qui les accompagne doit agresser. Dans *L'Aveu* il n'y avait pas de musique. Les personnages édifiaient l'histoire sans en avoir besoin.

Armand était très ému par la signification des images, par l'agression physique et morale qu'elles exhibaient. Ses premiers essais étaient sentimentaux, dominés par l'émotion. Je les ai refusés. Il a dû percevoir mon inquiétude, réelle, et m'a dit : « J'arrête, tu dois trouver quelqu'un d'autre. » Instinctivement, j'ai répondu : « Pas question, tu as commencé, tu iras jusqu'au bout... » Vite libéré de la compassion, il a retrouvé son univers musical et composé la musique « personnage » du film que j'attendais. Depuis, nous poursuivons notre aventure musicale, doublée d'une véritable amitié.

Je n'aimais pas le titre *Le Vicaire*, qui donnait l'impression d'un film sur des curés. D'autres titres ont été envisagés, *L'Espion de Dieu*, *Eye Witness*, trop unidimensionnels. Les projets d'affiche *Le Vicaire* avec les portraits de l'officier allemand, du prêtre, ou ceux de Ricardo/Kassovitz baisant la main du pape, étaient d'une banalité navrante.

Effondrée, Michèle décide d'appeler Olivero Toscani – qu'elle avait déjà fait venir à Rome sur le tournage pour faire des photos – et lui demande, je devrais dire lui « ordonne », de venir voir le film à Paris. Il y avait une projection organisée entre autres pour Harvey Weinstein. La petite salle de projection privée de Pathé rue François-Ier ne recevant pas les appels de mobile, Weinstein a commencé pendant la projection à sortir et rentrer. À la quatrième fois, Michèle lui a interdit de revenir, sous les regards outrés de sa cour. À la fin de la projection, Olivero l'a félicitée d'avoir osé et nous a soufflé : « J'ai votre titre : *Amen*, prononcé par le jeune jésuite dans le film. »

Michèle était enthousiaste. Moi sceptique. Claude Berri franchement opposé. « Je t'ai confié un enfant, *Le Vicaire*, et tu me rends un étranger, *Amen* ! » criait-il à Michèle. Jérôme Seydoux laissait supposer, avec un sourire indéfinissable, qu'il était pour *Amen*. Michèle a demandé à Olivero de faire l'affiche. Est donc arrivé par fax ce qui est devenu l'affiche du film, parfaite allégorie de son contenu : la filiation, la coalition de l'Église chrétienne avec le mouvement nazi, la croix du Christ associée à celle de Hitler barrée par le titre *Amen*.

L'affiche était le produit d'une synthèse de ce que dit le film mais sans le dévoiler, comme le faisaient les affiches de *Z*, de *L'Aveu*, ou encore de *Section spéciale*. Petits miracles qui ne se produisent que rarement. J'étais malgré tout inquiet : au scandale que risquait de provoquer le film, on ajoutait le scandale de sa représentation.

L'affiche a commencé par être refusée par certains annonceurs, tout en déclenchant des passions favorables qui, par nature, ne s'expriment qu'en privé. Quant aux passions hostiles, elles ont été rendues publiques dans une pétition émanant probablement de l'archevêché, signée par un important groupe de personnalités. Pour certains des signataires, j'ai un grand respect, pour d'autres beaucoup moins. « Sans prendre parti à l'égard du film », les pétitionnaires affirmaient « comprendre la très forte émotion ressentie dans le monde catholique... leur attachement à la liberté d'expression », mais considéraient « comme malsain cet amalgame de l'emblème nazi et le symbole d'une religion ».

Tout en respectant leur liberté d'expression, j'ai rappelé que, sous le nazisme, les bannières portant la croix gammée ont cohabité, dans les églises et les temples allemands, avec les symboles du christianisme : les ecclésiastiques acceptaient la collaboration ou la soumission, dans leur très grande majorité, en Allemagne comme ailleurs.

Aucune pétition ou protestation de cette importance, de ce sérieux, n'est du reste apparue pour « comprendre » la forte émotion du monde musulman lors de la publication des caricatures de leur Prophète. Seule la liberté d'expression du caricaturiste a été défendue et célébrée, par nous tous et partout.

Pour *Amen*, les bottes de chasse étaient mises. Le Front national, à travers un membre de son bureau politique, a intenté un procès pour interdire l'affiche. Dans la foulée, il déclarait « les accusations contre Pie XII fausses et vigoureusement contestables ». Ils justifiaient le silence de Pie XII « sans lequel les persécutions contre les Juifs auraient redoublé dans toute l'Europe ». Ils reprenaient ce que Pie XII avait dit au représentant du président Roosevelt.

Le référé a été gagné, après la plaidoirie émouvante et époustouflante de Georges Kiejman. Toutes les accusations ont été rejetées par le président du tribunal. Des historiens, inconditionnels de Pie XII, accusaient le film de ne pas avoir mentionné les trois cent mille Juifs – les plus fervents allaient jusqu'au chiffre de cinq cent mille – que le pape aurait sauvés. Ce qu'aucun autre historien n'avait remarqué. D'autres nous dénonçaient pour avoir omis ou tronqué l'homélie du pape à l'occasion de Noël 1942, pendant laquelle, disaient-ils, Pie XII avait condamné les crimes contre les Juifs par les nazis. Alors que les chambres à gaz fonctionnaient à plein rendement, Pie XII disait dans cette homélie : « Des centaines de milliers de personnes, qui sans aucune faute de leur part, parfois seulement en raison de leur nationalité ou de leur race, sont destinées à mourir ou à disparaître peu à peu... » En effet, des milliers d'innocents de toute nationalité mouraient en Europe, victimes de la guerre. Quant aux mots « nationalité » et « race », ils ne peuvent être des substituts du mot juif, qui désigne une religion. Le mot « race » pourrait être attribué aux Slaves et aux Gitans, également exterminés par les nazis.

Dans cette même homélie, Pie XII « condamne, aujourd'hui comme toujours, les différents systèmes socialistes marxistes athées », dans le but « de protéger les hommes et leur sauvegarder la vie éternelle ». En cette année 1942, les hommes et les femmes qui croient au socialisme ou au marxisme luttent partout en Europe contre les nazis. Et l'Union soviétique, système socialiste et marxiste par excellence, bloque l'avancée des armées allemandes à Stalingrad, annonçant le début de la fin de l'entreprise nazie. Cinq cent mille soldats allemands y seront neutralisés, tués ou emprisonnés.

Amen a été sélectionné au Festival de Berlin. Pendant la conférence de presse qui a suivi la projection, la foule de journalistes nous fixait avec une curiosité nouvelle, sans un mot, comme s'ils avaient affaire à des apostats ou des profanateurs. Quand les questions ont commencé, elles étaient éloignées des vrais thèmes du film. Sans doute pour ne pas blasphémer, elles ne concernaient que des faits et situations mineurs. À la question de savoir pourquoi j'avais insisté sur le bruissement des robes des cardinaux traversant les couloirs du Vatican, et après ma réponse sur la poésie de cette sonorité, Michèle a interrompu la conférence, « honteuse en tant qu'ancienne journaliste qu'aucun d'entre vous ne pose des vraies questions au petit-fils de Gerstein ou à M. Hochhuth, présents sur ce panel ». Nous nous sommes tous levés et avons quitté la salle.

Un jour, Romain m'appelle : « Allume la télé ! » Le ton est saisissant, irrésistible. Michèle à son tour : « Descends, vite ! » Même urgence qui m'oblige à me précipiter, suivi par Yannick Kergoat, chef monteur de *Amen*. Sur l'écran, l'une des deux tours du World Trade Center à New York crache une colossale fumée noire. Je me suis dit : « Ils font un film, les trucages sont réussis ! » Aussitôt me vient à l'esprit Dino De Laurentiis, qui m'avait appelé une nuit pour me proposer de mettre en scène le remake de *King Kong* : « Ça se passe au World Trade Center et King Kong saute d'une tour à l'autre… » Dino me faisait des propositions *ex abrupto*, celle-ci étant la troisième depuis notre rencontre lors d'un dîner à Los Angeles, avec sa femme Silvana Mangano. L'extraordinaire Mangano. Assise à côté de moi, je regardais son admirable profil qui m'avait toujours émerveillé par sa perfection, le nez inégalable, la bouche incroyablement bien dessinée, d'une sensualité racée, sublime. Un air chagrin dominait son regard. Loquace, Dino parlait production, box-office, avec une vivacité que son accent italien rendait agréable à suivre en s'amusant. Silvana Mangano le suivait avec ici et là des petits sourires un peu tristes…

À la télévision, un avion fonçait et rentrait dans la deuxième tour, alors que le présentateur poussait un cri d'horreur.

Pas de trucage ! Deux avions venaient de percuter les deux tours. Une immense boule de feu, instantanément suivie d'un gros nuage de fumée que le vent poussait vers l'autre tour. Accablés, les présentateurs de CNN cherchaient à la fois à comprendre, à informer, en répétant ce que nous venions de voir. L'émotion brutale l'emportait sur eux comme sur nous, spectateurs incrédules. Les deux panaches de fumée s'élevaient pour être aussitôt rabattus par le vent et poussés vers le nord-ouest. Le rideau de fumée masquait le haut des deux tours que je connaissais bien : notre ami Philippe Petit, le funambule, avait tendu un filin d'un toit à l'autre et avait fait la traversée, à la stupéfaction des New-Yorkais. Il nous avait raconté son exploit, l'installation clandestine, de nuit, et nous avait montré le documentaire où l'on voyait cet exploit.

« *My God* », a murmuré une présentatrice, et nous avons vu ce qu'elle voyait, le haut d'une des tours de 110 étages commençant à s'affaisser lentement sur elle-même, puis très vite l'effondrement s'accélérait jusqu'au sol, dégageant d'immenses nuages de poussière dans toutes les directions. Michèle, Yannick et moi étions sans voix devant ce drame unique, un extraordinaire *spectacle* terrifiant. Mais le « spectacle » n'était pas fini. La deuxième tour, à peine visible à travers le cyclone des poussières et des fumées, commençait à s'effondrer sur elle-même, comme la première, jusqu'au sol. Les deux édifices, d'une architecture élémentaire mais parfaitement pure, n'existaient plus. Les milliers d'hommes et de femmes qui y travaillaient disparaissaient avec eux.

Les communications téléphoniques avec New York étaient impossibles. Coupées ou saturées. Il nous a fallu deux jours pour avoir des nouvelles de nos amis Kaufman et de bien d'autres. Nous avons repris nos vies et notre travail, à Paris

427

et partout dans le monde, toutes les conversations, les inquié-
tudes et les questionnements tournaient autour de ce saisissant
« spectacle » que nous avions vécu, et où plus de trois mille
personnes avaient péri.

CHAPITRE 21

Exceptions culturelles

John Ptak, mon agent, nous informe que les droits de *The Ax* (*Le Couperet*) sont enfin libres. Michèle sourit. Parallèlement le gouvernement grec me propose de reprendre un spectacle de musique, danse et poésie, que j'avais conçu et dirigé à l'opéra Athènes. *Le Mégaron.* Il fallait l'adapter pour le Metropolitan Opera de New York, à l'occasion de la présentation du programme des jeux Olympiques qui allaient se tenir à Athènes en 2004.

J'avais accepté à la condition que l'on me donne les moyens de réaliser un vieux rêve : faire un film court pour montrer les trois violations majeures subies par le Parthénon au cours de ses deux mille cinq cents ans d'existence. Ce monument transcendant serait en parfait état de conservation, sans les outrages, non pas du temps, mais des hommes.

Nous sommes allés rencontrer Donald Westlake et sa femme à Londres où on lui rendait un hommage. Westlake, lassé de Hollywood, a accepté mon projet d'adapter son histoire en France. Michèle a conclu avec lui un accord fondé sur une confiance réciproque. *Le Couperet* assuré, j'ai entrepris la mise en scène du spectacle pour le Metropolitan Opera et la réalisation du film sur le Parthénon.

Voulu par Périclès en 447 avant J.-C., le Parthénon a été conçu, édifié par les architectes Phidias, Ictinos et Callicratès, et consacré à la déesse Athéna. Près de mille ans plus tard, le Parthénon subissait le premier assaut des prêtres chrétiens. Ils ont fracassé, brisé les statues, les visages, les seins, les sexes... de ceux considérés comme des idoles. Ils l'ont transformé en église de la Sainte-Vierge, un enchaînement logique puisque Athinéa était la seule déesse vierge.

La deuxième offense, en 1687, a été turque et vénitienne. Les premiers ont transformé le Parthénon en mosquée et en entrepôt de poudre à canon. Les seconds l'ont bombardé, la poudre qu'il abritait a explosé, détruisant une partie des colonnes, ce qui entraîna l'effondrement de la toiture.

La troisième dégradation date du XIXe siècle. Lord Elgin, ambassadeur britannique à Constantinople, venu à Athènes avec une armada d'ouvriers, s'est livré au pire vandalisme dans un but uniquement marchand. Il a fait arracher du Parthénon, de la manière la plus brutale et destructrice, 156 dalles de la frise, des bas-reliefs, 12 statues, 15 métopes et une Cariatide de l'Érechthéion. Deux cents caisses sont parties pour Londres qu'Elgin a vendues au gouvernement britannique. Aujourd'hui pièces majeures du British Museum, on les appelle, sans pudeur aucune, « *Elgin Marbles* ». Ce petit film a apaisé ma colère, sans la faire disparaître.

Spectacle d'une soirée unique sur l'immense scène du Metropolitan, il a été accueilli chaleureusement. Le film de douze minutes sur le Parthénon, programmé en deuxième partie, a connu un sort curieux. Après les répétitions, le projectionniste a rembobiné le film dans le mauvais sens. Les spectateurs ont alors vu les images inversées, les dates et les titres se déroulant de droite à gauche. Le projectionniste était, paraît-il, d'origine britannique. Était-ce une blague ?

La destinée singulière de ce petit film s'est poursuivie, puisqu'il est aujourd'hui encore projeté en boucle au musée de l'Acropole à Athènes. Mais la partie consacrée au « vandalisme chrétien » avait été coupée par le directeur du musée, sur injonction du clergé grec et avec l'accord du ministre de la Culture d'alors, M. Samaras. Il a fallu un scandale national pour que la scène soit réintégrée.

L'année 2003 a été une année foisonnante et riche en événements me concernant, directement ou non. J'entre alors dans mes 70 ans, sans que cela me fasse d'effet particulier. Une nouvelle petite personne vient d'arriver dans la famille. Alexandre et Anne l'appellent Nina. Sa sœur Maud, 3 ans, l'a regardée pleine de suspicion. Vite rassurée, elle a décidé de devenir sa protectrice.

Cette année-là, les États-Unis déclenchent l'opération *Iraqui Freedom :* des bombardements massifs sur Bagdad et ailleurs dans le pays. Un événement planétaire dont on subit aujourd'hui encore et pour longtemps les conséquences. Le spectre d'une guerre mondiale d'un type nouveau a surgi, mais le président George W. Bush ne tient aucunement compte des mouvements populaires et politiques hostiles à cette guerre, ni du formidable discours de mise en garde de la France, prononcé par Dominique de Villepin, ministre des Affaires étrangères, ovationné par la quasi-totalité des membres de l'ONU.

Bush mettait en œuvre son idée fixe, « éliminer Saddam Hussein qui possédait ou allait posséder l'arme atomique ». En fait, il s'agissait de restaurer l'hégémonie américaine que la mondialisation était en train de saper. Le monde allait être contrôlé non plus par les États mais par les marchés et les banques, en pleine folie spéculative. Ce changement de régime échappait aux conservateurs d'outre-Atlantique, imbus de leur puissance militaire. Des patriotes américains, furieux contre la France, et hostiles à cette guerre, ont débaptisé les *French Fries* (frites à la française) en *Freedom Fries* (frites de la liberté).

À l'époque, certains intellectuels français « se réjouissent de cette intervention et de voir le peuple irakien fêter leurs libérateurs, la France mise hors-jeu s'est ridiculisée ». Et d'ironiser sur « l'hystérie, l'intoxication collective (contre la guerre) qui avaient frappé l'Hexagone ».

Quatre semaines plus tard, Bush annonçait la fin de cette opération « Liberté irakienne ».

Quinze ans après, la guerre continue. Elle s'est développée, tentaculaire, et ses retombées contaminent toute cette partie du monde, jusque chez nous. Nous savons aujourd'hui, les Américains également, que la bombe atomique irakienne n'était qu'un mensonge d'État. Les frites ont d'ailleurs retrouvé leur nom de *French Fries*.

Pendant qu'ailleurs on fait la guerre, on tue ou on se fait tuer, le cinéma, comme la vie, continue. Nous poursuivons l'écriture du scénario du *Couperet* avec Jean-Claude. L'adaptation de cette histoire très américaine en France se fait sans trop de difficultés. Les « cols blancs » français subissent, une fois au chômage, les mêmes humiliations, et vivent la même détresse que leurs collègues américains.

Le Festival de Valladolid en Espagne me consacre une rétrospective, accompagnée d'un livre sur la naissance, la réalisation et l'accueil, bref la vie de chacun de mes films. Esteve Riambau, critique, auteur de monographies sur Orson Welles, Marco Ferreri, Francis Coppola, Alain Resnais et quelques autres, est chargée de l'écrire. Nous passons de longues heures à faire des retours en arrière. J'ai découvert à cette occasion que mon âge ne se comptait plus en années mais en films.

Probablement incités par cette rétrospective de Valladolid, des éditeurs me sollicitent pour écrire un livre de mémoires : mais il est encore trop tôt pour « m'enfermer » déjà dans un livre. Un jour, plus tard, peut-être...

Bertrand Delanoë, maire de Paris, souhaite créer un festival de cinéma, et il veut me rencontrer. Je suis un peu sur mes gardes. Paris est la ville la plus riche au monde en salles de cinéma, en films venus du monde entier. Pour répondre à mon scepticisme, Régine Hatchondo, sa collaboratrice, réunit un petit groupe pour un *brainstorming*. Daniel Toscan du Plantier propose l'idée d'un « Festival de Paris éclaté » se tenant dans une salle de cinéma de chaque arrondissement et présentant le programme ou une partie de celui-ci. Cela veut dire un festival populaire, ouvert à tous. L'idée plaît, surtout au maire, qui me demande de le présider. Venant de lui, j'accepte parce que je l'admire et lui fais confiance, mais aussi parce que cela me flatte. Est-ce tout ? Non, ça va plus loin. Qu'est-ce qui explique que j'accepte ces postes prestigieux : membre du conseil d'administration de France Télévisions, conseiller de l'ARP (Société civile des auteurs-réalisateurs-producteurs), président d'honneur de la Fondation Gan pour le cinéma, du Festival franco-américain Colcoa, ou président de la Cinémathèque française – deux fois, etc. En réalité, je le fais pour rendre service, pour me sentir partie intégrante de la société française, pour payer ma dette envers celle-ci, qui m'a tout donné. Enfin, je crois que j'accepte parce que je sais au fond de moi d'où je viens et, connaissant mes limites, me voir proposer de telles fonctions suscite en moi une grande émotion, mêlée d'orgueil. Même sentiment pour les différentes décorations honorifiques que j'ai reçues. Michèle, qui n'a pas mon passé, les a toutes déclinées : Légion d'honneur, Mérite, Arts et Lettres... On ne « refuse » pas une décoration, on la « décline ». À 26 ans, elle avait déjà « décliné » l'ordre national du Mérite, après son expédition Terre de Feu-Alaska. La seule décoration qu'elle a acceptée, avec plaisir, est une décoration grecque qui lui a été décernée au lendemain de la chute des colonels. Pour « services rendus » contre la dictature.

Tout en écrivant le scénario du *Couperet*, j'assiste à plusieurs réunions de l'ARP, de la SACD (Société des auteurs et compositeurs dramatiques) et d'ailleurs, pour travailler à l'élaboration d'une stratégie de défense du principe de l'Exception culturelle devant le Parlement et la Commission de l'Union européenne. Il s'agit de les convaincre de ne pas inclure le cinéma, l'audiovisuel et la culture en général, dans les accords commerciaux de « Libre Échange », au même titre que n'importe quel produit commercial. Ces négociations sont menées sous le signe de la liberté du plus fort. Et dans le secret le plus total.

Sans l'Exception culturelle, les grands groupes, essentiellement américains, lamineraient les productions cinématographiques et audiovisuelles européennes, à commencer par les françaises, qui sont les plus productives.

Alors délégué général de l'ARP, Pascal Rogard était le mieux informé et le plus qualifié pour mener cette bataille. Il m'a demandé de participer aux comités qui se formaient. Pascal était et continue d'être aujourd'hui, comme directeur de la SACD depuis une douzaine d'années, l'un des meilleurs défenseurs de l'Exception culturelle, se rendant régulièrement à Bruxelles et en revenant avec quelques belles victoires. Il faut faire face aux traîtrises, constamment présentes, souriantes, comme celles de José Manuel Barroso, président de la Commission de 2004 à 2014, avec qui j'ai eu un violent échange quand nous avons découvert sa fourberie, ses mensonges et sa totale indifférence pour la culture, du fait de sa soumission aux intérêts américains.

En 2014, Barroso quittait ses fonctions par la petite porte et sans remerciements, remplacé par Jean-Claude Juncker.

Amen est invité au Festival de Haïfa. Nous avons demandé d'inclure *Hanna K.* dans la programmation, occasion de présenter le film en Israël et à Ramallah. Revenir dans ce coin du monde est toujours synonyme pour moi d'une émotion particulière, doublée d'une inquiétude lancinante.

Vu d'avion, Tel-Aviv a beaucoup changé, la ville s'est agrandie, transformée, modernisée. Talem, une jeune femme du consulat de France, nous attend. Pris dans une foule considérable, tous avec des chariots très chargés, nous passons un contrôle minutieux. Avant la sortie, un deuxième contrôle. Une jeune femme portant un badge nous demande nos passeports : « D'où venez-vous ? Où allez-vous ? » « De Paris, nous nous rendons au Festival de Haïfa. » « Et à Ramallah », ajoute Michèle qui aime la vérité en général, un peu plus quand elle est source de polémique. « Ah ! fait la jeune femme, pourquoi faire ? » « Présenter un film », complète Michèle, qui n'a pas vu ma tête. « Attendez ici », dit la jeune femme. Elle s'éloigne pour s'entretenir avec un homme en uniforme. Michèle est imperturbable. Je m'attends au pire. La jeune femme revient, nous tend nos passeports, nous adresse un « *Shalom* » et nous montre la sortie.

La route vers Jérusalem est devenue une autoroute à quatre voies. La ville trois fois sainte s'est extraordinairement étendue à l'est par des implantations israéliennes. L'hôtel American Colony, situé près de la vieille ville, lui, n'a pas changé.

Le consul général de France, Régis Koetschet, nous invite à dîner. C'est un homme grand, brun, souriant, subtil, sans doute le plus humaniste des diplomates que j'aie rencontrés. Parmi les invités, deux hauts fonctionnaires de l'ONU, le directeur de l'INA, qui avait ouvert ici une annexe, Amnon Kapeliouk et sa femme Olga, le journaliste Charles Enderlin et son épouse. Amnon se montrait très critique envers la politique de son gouvernement. Charles Enderlin, journaliste franco-israélien, dont les reportages pour la télévision française sont d'une justesse et d'une impartialité exemplaires, est considéré par la droite israélienne comme un ennemi d'Israël. Ils vont jusqu'à le traiter de nazi. Pas de place pour l'intégrité. Pendant toute la soirée, les discussions ont tourné autour du problème israélo-palestinien. En résumé, aucune politique n'a laissé l'espoir d'une solution pacifique, encore moins la promesse d'un quelconque humanisme. Et si, ici et là, des militants israéliens se battent pour la paix, c'est en vain. La raison du plus fort l'emporte, triomphe sans répit sans le moindre respect ni considération pour le plus faible. C'était l'opinion qui se dégageait de ce dîner, amical et respectueux, sans emballement ni pathos quant à l'histoire du pays. Le moment le plus cocasse fut quand l'un des convives affirma que, parmi les milliers d'immigrants venus de Russie, beaucoup n'étaient pas juifs.

Le lendemain matin, une voiture blindée nous attend pour nous faire visiter Bethléem et le mur en construction. Georges, notre chauffeur, est franco-libanais. Tanguy, notre guide, est étudiant à une annexe de l'ENA. Nous longeons pendant un moment le mur, imposant une séparation au-delà de la physique. Ce qui n'empêchera pas quelqu'un de dire, à l'annonce de sa construction, « quand il y aura la paix nous l'abattrons ». Ce sera alors un sacré travail psychologique et mental pour les habitants des deux côtés.

Après un sévère contrôle au passage du mur de béton et de fils de fer barbelé nous arrivons à Bethléem. Le parvis de la basilique de la Nativité est vide de touristes. Les vendeurs d'objets religieux se précipitent sur nous.

Un guide, ami de Tanguy, insiste pour nous faire visiter l'emplacement précis où est né Jésus. C'est Hélène, proclamée sainte pour avoir découvert ce point précis, quatre siècles après cette naissance, qui a fait construire la basilique à cet emplacement. Son fils, Constantin Ier, empereur de Rome, venait de déclarer le christianisme religion officielle de l'Empire romain. Il venait aussi de fonder une nouvelle capitale, Constantinople la Byzantine, la chrétienne. La sainte Hélène avait également réussi à trouver la tombe de Jésus, vide naturellement puisqu'il était parti au ciel ! Elle avait déniché miraculeusement la croix sur laquelle Jésus avait été crucifié. On peut toujours voir la tombe ainsi que la croix, à l'église du Saint-Sépulcre à Jérusalem, gardées par des moines grecs orthodoxes. Depuis des siècles, des petits morceaux miraculeux de cette croix sont vendus par des moines dans toute la chrétienté. Autre miracle : la croix du Christ reste entière, « grâce à la générosité divine », m'avait murmuré un moine gardien très susceptible, lors de ma première visite au Saint-Sépulcre.

Nous devons aller à Ramallah présenter *Hanna K*. Le consul général nous accompagne. Sa voiture blindée empreinte une belle route bordée de fils barbelés, réservée aux Israéliens, bien distincte de celle qu'utilisent les Palestiniens. Le drapeau français peint sur le capot simplifie le passage des trois *checkpoints* successifs. Nous entrons dans Ramallah par une sorte de route VIP qui permet d'éviter les rues encombrées de voitures et la foule dense que nous croiserons dans toutes les rues du centre. Ramallah donne l'impression d'une ville asphyxiée. Nous nous arrêtons à l'hôtel, à côté d'un cinéma, en attendant le début de la projection. La foule nombreuse qui nous croise nous regarde avec curiosité, avec bienveillance aussi à la vue du drapeau français. La salle du cinéma n'est pas pleine. Le film est en anglais, sans sous-titres en arabe. Le consul me prévient que le débat après le film sera court, car le président Arafat voudrait nous voir ensuite, comme on me l'avait laissé entendre.

J'assiste à la projection et très vite je me rends compte que nous avons eu tort de le montrer sans sous-titres arabes. Chaque phrase a un sens précis et, si on rate quelques mots, on perd le sens du film, pour ne plus suivre que l'anecdote. On perd en même temps le sens des images choisies pour leur concours à l'histoire. Autre découverte, certains plans sont trop longs. Quoi qu'il en soit, le film est là avec sa teneur indiscutablement juste, unique, sur un thème rarement traité auparavant au cinéma.

La projection se termine. Applaudissements… gentils. Ilan, qui conduit le débat, fait une introduction avec une très bonne analyse du film – il avait tout compris. J'appris plus tard qu'il était juif multilingue, vivant à Ramallah et très aimé par les Palestiniens. Il a à peine fini qu'un spectateur se lève pour déclarer, dans un anglais plus que moyen, que « ce film est une mauvaise histoire d'amour qui utilise le problème palestinien comme toile de fond ». Ilan le coupe et m'invite à répondre. Je m'efforce de sortir de mon indifférence. Le film avait suscité tant de contradictions, de fanatisme. Je me lève : « Si j'avais voulu faire une histoire d'amour, je n'aurais pas choisi comme fond le problème palestino-israélien, si complexe, si périlleux, quelque chose a dû vous échapper… » Quelqu'un m'interrompt et s'adresse à lui avec fougue en arabe. Ilan me traduit : « Il lui explique le sujet du film, qu'il n'avait pas compris, il parle très mal anglais. » Le consul me fait signe qu'il est temps de partir. Michèle s'était déjà levée. Le débat s'est poursuivi sans nous.

Nous parcourons la ville, moyennement éclairée mais très vivante, dans la voiture blindée.

Je reprends mes notes de l'époque :

« Un mur de béton entoure la Mouqata, le "Palais" du président Arafat, qui est aussi sa prison », nous précise le consul général. Les gardes le reconnaissent, nous passons facilement les chicanes. L'intérieur est un espace de désolation. Des bâtiments ont été détruits par l'armée israélienne, les gravats, par endroits hauts de plusieurs mètres, sont restés sur place. Notre voiture zigzague parmi les décombres. Nous arrivons devant la Mouqata, seul immeuble encore debout, demeure du président Arafat et siège de son gouvernement. À l'entrée, des gardes armés nous saluent. Le chef du protocole nous attend. Le vestibule est réduit par une construction de sécurité en forme d'entrée de tente. Sur les marches de l'escalier qui monte, sur les paliers, d'énormes bidons, des sacs de sable partout. Les Israéliens menaçaient d'expulser le président Arafat. À voir ces installations, j'ai le sentiment qu'il est décidé à ne pas se laisser faire. Le syndrome ou l'exemple Allende, celui des grands hommes politiques de l'histoire.

Nous sommes conduits dans une petite pièce salon, où sont disposés un petit bureau et cinq chaises dont deux à bras. Au mur, une grande photo de la mosquée al-Aqsa à Jérusalem. Le président Arafat entre. Petit, arrondi, il sourit, embrasse chaleureusement Michèle qu'il connaît, puis moi. Il nous fait asseoir à ses côtés. Une caméra filme, un photographe prend deux, trois photos et sort. Le président a les mains très, très blanches, il continue à tenir les nôtres. « Coutume de bienvenue », nous explique le consul. Le président Arafat vit là depuis deux ans. Pendant qu'il nous parle, je ne peux pas m'empêcher de penser que c'est indigne que le chef d'un peuple, prix Nobel de la paix partagé avec deux grands hommes politiques israéliens, Yitzhak Rabin et Shimon Pérès, reconnu et respecté par les chefs d'État du monde, soit séquestré, bafoué, outragé de la sorte. Il avait négocié avec Yitzhak Rabin, Premier ministre, un accord de paix entre les deux peuples, presque signé avant que Rabin ne soit assassiné par un extrémiste israélien. Soudain, je l'entends changer de sujet, il s'adressait à Michèle. « Je viens de recevoir des nouvelles de Rafah, au sud de Gaza. Deux enfants, sept adultes ont été tués, trente maisons dynamitées, trente autres vont l'être. »

Le consul me fait un signe de tête : il savait déjà.

Et Arafat nous parle de son espoir de paix, des malheurs de son peuple, de la lutte politique pour la paix, en insistant sur le « *political struggle* ». Une demi-heure, puis il s'est excusé, il devait retourner à la réunion du conseil qu'il présidait.

Le photographe est revenu avec les photos tirées.

Le président Arafat nous en a signé une. Sa main tremblait un peu. La peau de son visage et de son cou m'a fait penser à celle de Mitterrand, la dernière fois que je l'avais vu au dîner de SOS Racisme. Il était très affaibli.

Une douzaine de personnes nous attendent au restaurant de l'hôtel. Le consul général nous quitte rapidement, il doit retourner à Jérusalem – le *checkpoint* ferme à 22 heures. La ville est alors coupée du monde jusqu'à 6 heures du matin.

De quoi parle-t-on au dîner, après une projection ? D'abord du film que tous ont unanimement « beaucoup aimé ». C'est une politesse, pour faire plaisir, bien connue des cinéastes, qui finissent par y croire.

Après ces plaisirs partagés, nous avons parlé... nos hôtes ont principalement parlé, jusque très tard dans la nuit, de la situation que vivent tous les Palestiniens, où il se passe tellement, tellement... de quoi ? De disgrâces, d'accidents, d'afflictions, de détresses, de catastrophes, de calamités, d'infortunes, de deuils, d'échecs, d'épreuves, de fatalités, de revers, de chagrins, de massacres, de misères, de pertes, de privations, de supplices, de martyres, d'agonies, de tristesses, tristesses, tristesses...

S'il vous plaît, n'y a-t-il personne pour arrêter cela ?

Réveil très matinal. Dehors, la ville entre dans un mouvement intense et sonore. Georges est là avec sa voiture blindée, accompagné d'un garde du corps. Retour à Jérusalem et sans encombre aux *checkpoints*. Dans le sens opposé, les files d'attente sont longues. Georges commente sans passion : « Les derniers en auront pour la journée. »

Churupe, alias Avi Kleinberger, nous attendait avec Talem pour nous accompagner à Haïfa. Quand Michèle cherchait un partenaire pour la production exécutive de *Hanna K.* en Israël, on lui avait proposé la Rolls Royce des productions, qui faisait les grands films étrangers, et la 2CV des débutants, Churupe et son partenaire Amir. Elle avait préféré la 2CV. Tous deux se sont révélés des collaborateurs exceptionnels, dans cet imbroglio de tournage entre Israël et Territoires occupés, et de bons amis.

En route pour Haïfa, nous passons par Tel-Aviv. Pas de soldats armés dans les rues, pas d'automitrailleuses, pas de *checkpoint*. Pas la moindre trace du conflit palestinien. C'est

441

la Côte d'Azur. À Haïfa, en fin de journée, le soleil éclaire le front de mer d'une lumière vive, prenant des teintes dorées bibliques sur les vieux bâtiments datant des Croisades.

À la soirée inaugurale du festival, les discours se font en hébreu, et sont traduits en anglais. Le dernier est celui du maire de Haïfa, en hébreu ; j'entends mon nom, la salle applaudit. En version anglaise, j'apprends que le maire m'attribue un prix pour l'ensemble de mon œuvre. C'est la surprise. Deux hôtesses viennent me chercher. Pendant qu'elles m'accompagnent jusqu'à la scène, on applaudit à tout rompre. Certains se lèvent pour me tapoter l'épaule, me serrer la main. Je pense, horrifié, que je n'ai préparé aucune réponse, surtout en anglais. Je dois remercier, mais aussi parler de ce que j'ai vécu la veille à la même heure à la Mouqata. Je suis sur la scène : sur quel ton dois-je parler, dénoncer ou simplement raconter ? Le maire me remet l'objet du prix. Je décide de raconter. L'hôtesse place le micro devant moi. La salle debout applaudit. Je balbutie quelques mots de remerciements, ne trouvant rien d'autre à dire. Appréhension ? Pusillanimité ? Sans doute les deux. C'est en retournant à ma place que j'ai trouvé ce que je devais dire et comment le dire, alors que de nombreuses mains se tendaient pour serrer les miennes.

Michèle m'a accueilli sans joie. Armand Amar et Katrin, sa femme, m'ont embrassé chaleureusement. Je me suis senti un peu mieux. Juste un peu. Après un passage rapide à la réception officielle, nous allons au restaurant thaïlando-israélien préféré d'Armand et d'Amnon Kapeliouk. C'était une soirée agréable. Un peu moins pour moi.

À l'hôtel, à Haïfa, on nous donne la suite Ben-Gourion. Une note explique qu'elle est restée telle que le fondateur de l'État d'Israël l'avait habitée. Il y a le même téléphone d'époque. Je ne crois pas au culte des lieux, surtout quand il s'agit d'une chambre d'hôtel. C'était quand même impressionnant. J'ai utilisé le téléphone que Ben Gourion a dû tenir, dans lequel il a dû dire des choses sans doute importantes. J'ai appelé mon fils Alexandre à Paris. Pendant la sonnerie, je me demandais ce que Ben Gourion aurait fait aujourd'hui à la place d'Ariel Sharon et sa politique. Pas de réponse. Alexandre n'est pas à la maison. Le lendemain matin, nous nous réveillons dans le lit de Ben Gourion.

C'était dimanche. *Hanna K.* est projeté dans une petite salle bondée. Je fais une introduction sur les thèmes du film, sur les conditions de tournage. Il n'y aura pas de débat, je n'en ai pas demandé. Celui de Ramallah m'avait refroidi. Les réactions à la sortie étaient plutôt positives, pas hostiles, respectueuses, m'a-t-on dit.

Interview avec Uri Klein, du journal *Haaretz* : il prend des notes, pas trop. Je lui parle du président Arafat. Il me parle de *Z*, qu'il a vu quand il était jeune – il avait applaudi. Son jeune fils l'a vu à la Cinémathèque de Jérusalem, il a aussi applaudi. Il me répète que Golda Meir, l'ancienne Premier ministre israélienne, avait aimé *Z*. Impossible à vérifier. Avant de nous séparer, je lui demande les raisons de cette guerre contre les Palestiniens, et comment pense-t-il qu'elle puisse finir ? « Il y a des gens au gouvernement qui pensent que, depuis deux mille ans et plus, le monde nous a humiliés, rejetés, tués, massacrés, maintenant nous avons un pays et une force militaire. » Il se dresse sur son fauteuil et me montre ses deux poings : « Alors, on ne pardonnera rien, on vous rentrera dedans pour vous montrer que c'est fini, que nous sommes les plus forts. Et qu'on ne retournera plus jamais dans le passé. Et ça, c'est la catastrophe pour Israël, la fin, conclut-il. Israël est trop fort pour subir une catastrophe ou la fin. » « La fin de l'esprit juif », précise-t-il. Nous sommes restés un moment silencieux. Puis nous nous sommes salués cordialement.

Autre interview, avec Yehodan Star du journal *Aharo-nat*, moins expansif. Il prend beaucoup de notes, se montre tonique, intéressé par ce que je pense. Je lui parle de tout ce que j'ai vu depuis plus de quarante-huit heures. De ce que je n'ai pas dit au maire. Ça dure plus d'une heure, il a tout noté.

Pour *Amen* on m'annonce que la grande salle est pleine à craquer. Armand Amar et sa femme Katryn sont là aussi. À la fin de la projection, une forte émotion a envahi la salle. J'ai répondu aux questions, et je me suis rendu compte que beaucoup de spectateurs ignoraient ce que relatait le film. L'échange avec les spectateurs a duré longtemps et s'est pour-suivi dans le superbe Centre culturel français, cadeau de Gas-ton Defferre, maire de Marseille. Cela dura jusqu'à ce que le conseiller culturel prenne la parole, pour me présenter et prononcer une série d'âneries sur le cinéma français et sur moi, et finisse par me demander si j'étais naturalisé français.

Le matin, avant de partir pour Paris, nous prenons le petit déjeuner avec Avraham B. Yehoshua, un grand écrivain que j'avais voulu rencontrer après avoir lu *La Mariée libérée*. Il nous a reçus simplement, je crois amicalement, son épouse également. Je lui ai longuement parlé de son livre. « Faites le film ! » Pas facile d'adapter cette histoire sur la société israé-lienne et les deux peuples. Michèle leur a parlé de notre visite à Ramallah. La position de Yehoshua était qu'il faut vider les colonies, revenir aux frontières de 1967. « Vaste programme ! » Il l'avait admis, mais sa conviction était que les Israéliens, dans leur grande majorité, étaient partisans de la paix, et que la paix passait par ce vaste programme.

Nous nous sommes séparés en nous promettant de nous revoir à l'occasion du prochain voyage, de l'un ou de l'autre, dans nos pays respectifs. Près de dix ans plus tard, à l'occasion de la sortie de son livre, *Perspective*, il réaffirmait avec force ses convictions dans une tribune du journal *Le Monde*.

Deux messages m'attendaient à notre retour à Paris. L'un était signé de « Gabo », Gabriel García Márquez, l'autre du distributeur d'*Amen* au Mexique. Gabo m'invitait dans son école de cinéma à Cuba, où j'étais allé deux fois ces dernières années, pour passer quelques jours avec les étudiants et revisiter le pays décrié par notre monde occidental alors qu'il tolère avec une grande mansuétude d'autres systèmes peu démocratiques.

Au Mexique, *Amen* avait été bloqué par l'Église, avec des interventions discrètes mais fermes auprès des propriétaires de salles de cinéma. Il y avait maintenant une nouvelle possibilité de sortie. Mais le distributeur voulait que je vienne présenter le film, ce qui voulait dire affronter à sa place la bourrasque équatoriale qui s'annonçait.

Dès notre arrivée à Mexico, une conférence de presse était organisée dans un patio fleuri, où une foule de journalistes attendait. Michèle s'est installée discrètement au fond du patio. Il n'y a pas eu de bourrasque. Les questions semblaient contourner les mots téméraires. J'ai fait de longues réponses en incluant les mots qu'ils avaient esquivés. « Non, Pie XII n'était pas pro-hitlérien, aucun des documents, livres, que j'ai consultés ne me permettent de le supposer. Par contre, mon sentiment est qu'il considérait Hitler et son Allemagne comme un ennemi légitime. Contrairement à Churchill et aux Alliés qui pensaient que c'était un ennemi à éradiquer à tout prix. »

Être catholique ou protestant en Allemagne est plus qu'une déclaration d'intention. Cela revient à ce que dix pour cent de vos impôts sur le revenu aillent à chacun des cultes. C'était donc une perte pour l'Église catholique en Allemagne, si elle résistait trop pour ces « deniers du culte ». Les journalistes notaient avec fébrilité, me faisant répéter et détailler les points porteurs de polémique avec le Vatican. J'ai découvert les raisons de leur fébrilité lors du déjeuner offert par le recteur président de l'Université de Mexico : il y avait une polémique avec l'Église à propos des prochaines élections législatives. Le recteur, à la tête de 300 000 étudiants et de 35 000 professeurs, avait également invité à ce déjeuner Pedro Armendáriz, metteur en scène et acteur, l'actrice Diana Charbo, l'écrivaine Poniatowska, Julio Scherer García, grand journaliste et vieille connaissance, admiration mutuelle et franchise sans gêne.

Après l'Église, les questions tournèrent autour de Cuba, de Fidel Castro et de Gabo. Tous étaient sympathisants de Cuba, ils ne comprenaient pas pourquoi Gabo avait défendu Fidel Castro, dans cette terrible histoire de condamnation de trois jeunes Cubains qui avaient pris de force un bateau pour s'enfuir à Miami. Simultanément, vingt autres étaient emprisonnés pour délit d'opinion.

Une précision linguistique : les « pro » appellent Fidel Castro « Fidel », les « contre » l'appellent Castro. De nombreux Latino-Américains suivaient l'exemple de Vargas Llosa, grand écrivain qui, comme les Nord-Américains, était profondément hostile à Castro. Il lui est aussi arrivé d'être contre nous, Français, à propos de l'Exception culturelle, nous qualifiant de pétainistes protectionnistes. Avant de changer de position, suite à une réponse résolue et ironique de Régis Debray.

Je ne pensais pas que Gabo était favorable à la peine de mort. Il était très proche de Mitterrand, qui l'avait abolie en France dès son arrivée au pouvoir. J'avais dit à Scherer, qui voulait mon explication, que Gabo ne pouvait se taire

446

sans que cela ne passe pour un désaveu de Fidel Castro. Le critiquer aurait été un *scoop* mondial contre Cuba, qu'il a toujours défendu.

Rencontre avec les étudiants dans un amphi bondé, enfiévré. Plus d'une heure et demie de débat, où je retrouve ce que j'avais découvert pendant mon long séjour lors du tournage de *Missing*. La misère politique dans laquelle vivent les jeunes, pris dans la gangue d'un système qui se déclare « révolutionnaire institutionnel », et dont la seule façon de se sortir est d'y rester. À la fin de la rencontre, je m'étais senti médiocre face à leurs sollicitations. « Moyen », m'a consolé Michèle.

Le soir, projection publique du film. Deux salles, une très grande et une plus petite, les deux archipleines. *Amen* participait, involontairement, à un débat national. Alors que c'était interdit par la Constitution, une grande partie du clergé mexicain appelait à voter pour le gouvernement sortant.

La polémique nationale dépassait le film, et elle me dépassait. À l'hôtel, la télévision diffuse des images lointaines : « L'Iraq où l'on compte cent Américains tués. » Personne ne compte les Iraquiens. Le président Bush déclare : « *By fighting crime you encourage crime...* » Je coupe. J'en avais assez eu pour la journée.

Nous rentrons sur Paris en passant par Cuba. À l'aéroport de Mexico, pendant des années, chaque voyageur pour Cuba était photographié arbitrairement et à la vue de tous. Par la CIA, disait-on. Maintenant on ne voit plus de photographes, soit ils sont cachés, soit ils ont tellement de photos qu'ils ne savent plus à quoi elles peuvent servir.

Ma relation avec Cuba avait commencé avec Michèle qui y avait fait plusieurs séjours quand elle était journaliste. C'est aussi Cuba, et tout particulièrement Alfredo Guevara – dont j'ai déjà parlé –, qui l'a entraînée dans sa carrière de productrice. Pour une coproduction franco-cubano-mexicaine : *Le Recours de la méthode* ou *Viva el Presidente*, de Miguel Littín, d'après le livre du grand auteur cubain Alejo Carpentier.

La haine des Américains envers Cuba, ainsi que celle d'une grande majorité du monde occidental « libre », comme nous aimons l'appeler, avait attisé ma curiosité pour ce pays et pour ce qu'il s'y passait. Le blocus américain, absurde, aveugle, avait précipité Fidel Castro dans les bras des Soviétiques. On punissait le peuple cubain en lui imposant une pénurie dramatique. Tout en pérennisant par là même le système politique qu'on voulait abattre. La résistance à la punition a engendré un fort sentiment d'orgueil et de dignité nationale.

Malgré des privations de toutes sortes, un système d'éducation avait été mis en place avec une culture générale remarquable, ainsi qu'une sécurité sociale supérieure à celle de nombreux pays occidentaux. Pas loin de Cuba, en Amérique centrale, que je connaissais aussi, la grande majorité des populations vivait dans une totale misère, accompagnée le plus souvent par un régime politique corrompu ou sanglant, quand ce n'était pas les deux à la fois.

À La Havane, Julio García Espinoza, metteur en scène et directeur de l'école de cinéma, nous accueillit en s'excusant avec humour de la chaleur humide et du manque d'air conditionné dans la voiture de l'école.

Gabo et Mercedes, son épouse, nous attendaient pour déjeuner avec Alchimia, présidente de la Fondation du cinéma. Gabo avait une nouvelle idée pour enseigner l'élaboration d'un scénario et voulait que nous l'expérimentions ensemble. Nous en sommes venus à évoquer les trois condamnés à mort et les vingt emprisonnés pour délit d'opinion. « Soixante-dix », m'a corrigé Gabo, pas vingt, soixante-dix emprisonnés pour avoir eu de longues relations avec des Américains et des étrangers. Ils étaient infiltrés. « C'était de la subversion. » Pour les trois condamnés à mort, Gabo pensait que Fidel et le gouvernement s'étaient trouvés face à une forte augmentation de détournements avec violences des embarcations fuyant vers Miami. Il avait fallu faire un exemple. L'explication, sinon la justification, était claire. Mais irrecevable.

Alchimia a proposé que nous allions tous à la clôture du Congrès de la culture. Gabo a refusé. « Il y aura partout des micros qu'on me mettra sous le nez. » Il était harcelé par les journalistes du monde « libre » pour ses positions procubaines et à propos des condamnations à mort. J'aurais préféré rester avec lui. Michèle, avec la complicité d'Alchimia, m'a entraîné au palais Marx où se tenait le congrès.

La Grand-Messe était en cours. Il y avait des discours, qu'une immense foule dans cette immense salle écoutait, discutait, applaudissait. Soudain, un tonnerre d'applaudissements, ceux qui étaient assis ont bondi ! Fidel Castro vient d'entrer en scène. Il va droit au pupitre, suivi d'un homme jeune, grand, avec une longue chevelure – « le ministre de la Culture, Abel Prieto », me crie-t-on dans l'oreille. Applaudissements, à la limite du délire. Fidel Castro remercie avec de légers hochements de tête. En souriant à la salle, il saisit les micros qui sont fixés. Ça a l'air de le contrarier. Tout le monde se calme, s'apaise. Des bruissements divers persistent. Il commence son discours en chuchotant. Silence absolu dans la salle. Le ton monte un peu, la voix est parfaitement contrôlée dans ses inflexions. Il parle de son pays, du monde, des USA, sans amour aucun. La dramaturgie et la construction de son discours sont impressionnantes, c'est du spectacle. Lorsqu'il ironise à propos d'Aznar, Premier ministre espagnol, la salle éclate de rire. Puis aussitôt il fustige sa politique. Aznar est conspué par la salle unanime. C'est un *one man show* politique, suivi par plus de trois mille spectateurs enchantés et subjugués et, entre les deux, lui au pupitre, eux dans la salle, une communion déconcertante, fascinante.

Ils LE croyaient. Aujourd'hui, nous sommes désidéologisés, et nous éprouvons le besoin d'identités, de spiritualités nouvelles, dans le chaos du mondialisme, de l'économisme et du culte des marchés, qui tentent d'imposer une monoculture planétaire correspondant aux intérêts des actionnaires. Le manque de « chef » ou de « guide » charismatique et novateur conduit au tribalisme ou à la religion, qui donne des réponses à tout, pour tous, sur l'origine, l'avenir, la souffrance, le bonheur, la mort, et par-dessus tout sert de consolation à la misère.

Il s'arrête, regarde sa montre, se retourne vers son ministre : « Combien ? » « Deux heures quarante-huit. » « Trois minutes de mieux qu'hier », dit-il s'adressant à la salle. Grands rires, applaudissements enthousiastes pour ce partage d'intimité. Encore quelques mots, avant de conclure avec un « *Viva la Revolución, Viva Cuba. Venceremos.* » Et c'est une frénésie d'ovations qui ébranle la salle. C'est comme une réponse au besoin de dignité de ce peuple mal nourri et qui manque de tout, pour beaucoup à cause du blocus imposé par les Américains et de la mise au pas imposée par ses « amis », les Soviétiques.

Une vieille Peugeot vient me chercher pour m'amener à l'école située en dehors de La Havane. Les étudiants, des Latino-Américains essentiellement, travaillent et vivent sur place. Les professeurs aussi. Durant mon premier séjour, j'y avais passé une semaine. Très spartiate.

Le paysage n'a pas changé. Nous croisons de vieilles voitures américaines des années cinquante que leurs propriétaires maintiennent dans un état étonnant. Une belle Mercedes, avec Gabo et Alchimia à bord, nous double et s'arrête. Ils m'invitent à monter. J'étais choqué de les voir dans cette voiture. Vieux réflexe chrétien gauchisant, qui finit par s'accommoder de tout, sans vraiment rien accepter. Gabo m'esquisse les grandes lignes de son projet d'enseignement du scénario. Je l'écoute en me disant qu'il n'y a pas d'autre école de cinéma au monde où un prix Nobel de littérature enseigne l'écriture du scénario.

Le Voleur de bicyclette de Vittorio De Sica est pour Gabo l'exemple parfait du récit cinématographique avec un fort contenu social. Son idée consistait à demander aux étudiants de choisir une histoire et un thème qu'ils élaboreront, tandis que Gabo ou moi interviendrons pour l'amender, démontrer ses possibilités, ses qualités ou ses limites, ses défauts éventuellement, proposer des solutions littéraires et cinématographiques pour le modifier et l'améliorer, ou y renoncer.

Certaines propositions de Gabo étaient purement littéraires, poétiques. Elles recevaient l'adhésion immédiate des étudiants. J'intervenais pour interroger leur possible traduction en images ou en récit cinématographique. En préambule, je citais certaines œuvres littéraires impossibles à adapter au cinéma, comme *Le Voyage au bout de la nuit* de Céline ou *Cent Ans de solitude* de García Márquez. En définitive, peu de thèmes proposés ont abouti, la plupart sombraient dans un océan de contradictions ou de poncifs. Cet exercice nous avait pris plusieurs heures, sans que la curiosité ou l'intérêt ne faiblisse. Nous avons décidé de poursuivre le lendemain.

Les journalistes invités au Congrès de la culture ayant appris ma présence, une conférence de presse est organisée à l'improviste à l'hôtel. Première question générale sur l'école du cinéma. Réponse sur son importance et ses qualités. Ensuite, la question inévitable : « Avez-vous participé en France au mouvement contre Cuba, contre les condamnations à mort ? » « Oui, pour dire que j'étais contre toute condamnation à mort. Et je préfère encore le dire ici. Je trouve inacceptable qu'on exécute des gens quels que soient leurs crimes. » À ma stupéfaction, il y a eu des applaudissements. Une voix forte jaillit : « Et que pensez-vous de l'emprisonnement des soixante-dix ? » « Je suis contre les condamnations pour délits d'opinion. » Certains journalistes, qui n'étaient venus que pour entendre cela, sont partis. Je suis resté plus d'une heure à parler avec les autres, de l'enseignement à l'école, de Gabo, de la liberté des étudiants qui pouvaient traiter tous les sujets aussi librement que possible. Seul Fidel Castro et l'armée étaient intouchables.

Le soir, projection d'*Amen* dans le cadre du Festival du congrès. Salle comble et remise du prix Corail d'honneur. « Du vrai corail ? » Rires dans la salle. Oui, ça l'était.

Nous avons poursuivi pendant quelques jours les cours avec Gabo malgré la fatigue que lui causait sa maladie. Le dernier jour, il avait invité un journaliste espagnol d'*El País* et une journaliste italienne de *La Repubblica*, Irene Bignardi, tous deux se disant impressionnés par l'école et le cours de scénario. Dîner d'adieu chez Alchimia, avec quelques amis. Soirée très allègre. Ici, on aime davantage le persiflage que la fameuse « autocritique », chère aux communistes. Ainsi, le président de la Chambre des députés a déclaré n'avoir jamais lu Marx. Ignacio Ramonet, du *Monde diplomatique*, enchaîna en disant qu'il avait essayé de le lire sans rien comprendre. Gabo avouait n'avoir jamais ouvert un livre de Marx, par antagonisme poétique. On s'est retourné vers moi : « Les cent premières pages du *Capital*, que j'avais abandonné pour incompatibilité d'humeur. » Michèle et Mercedes nous regardaient, comme si le rhum-tequila, abondamment consommé, nous avait infantilisés !

À l'aéroport, à peine installés dans un petit salon VIP très intime, une porte s'ouvre et Gabo et Mercedes entrent, suivis de Fidel Castro, qui les dépasse d'une tête. Il a embrassé Michèle, m'a serré chaleureusement la main et a posé l'autre sur mon épaule. J'ai senti qu'il s'y appuyait. Vu de près, il semblait vieilli et fatigué, la barbe clairsemée, la peau diaphane et pâle. Mais le verbe restait impeccable. Je me suis dit que j'étais en train de côtoyer ce qui restait de Fidel Castro. Mais aussitôt, je pensai à l'extraordinaire parcours de cet homme qui avait la main sur mon épaule. En dehors des sentiments que l'on peut éprouver à son égard, son aventure personnelle est prodigieuse : quarante-quatre années de pouvoir, malgré des dizaines de tentatives d'assassinat, guidées par la CIA, toutes ratées. Une majorité de Latino-Américains et d'ailleurs le vénèrent. Il a profondément transformé son pays, sans doute d'une manière irrévocable.

La voix de Gabo me ramène à la réalité du salon VIP. Il évoque la soirée avec ces marxistes qui n'avaient pas lu de Marx. « Moi j'ai tout lu », a dit Fidel Castro, puis, en se retournant vers Michèle et moi : « Ce n'est pas un avion ukrainien que vous prenez pour Paris ? » « Non, Air France. » Tout le monde a ri. Sauf moi. C'est Michèle qui m'a rappelé qu'un avion ukrainien, affrété par le gouvernement d'Aznar pour transporter des soldats en Iraq, s'était écrasé. Tous les hommes étaient morts.
Castro parle des intellectuels européens qui ne signent pas de pétition en faveur des quatre-vingts à cent condamnés à

mort exécutés chaque année dans l'Amérique de Bush, ni des mille prisonniers sans statut, enfermés dans le camp de Guantanamo. Il s'appuie maintenant sur l'épaule de Gabo et se retourne souvent vers moi avec un humour volubile, parlant de nos manques européens, de nos suffisances, de nos leaders ridicules, Berlusconi, Tony Blair, Aznar... « toutou de Bush ».

Ces propos sarcastiques et drôles sont interrompus par un officier qui nous annonce que l'embarquement est fini. Fidel embrasse Gabo, Mercedes, Michèle et me serre la main avec quelque insistance. Il s'en va par où il est arrivé en suivant l'officier. Gabo et Mercedes nous proposent de venir quelques jours chez eux à Mexico. Michèle en avait envie, elle avait passé beaucoup de temps chez eux pendant le tournage du film de Littín à Mexico. Mais j'avais hâte de reprendre le scénario du *Couperet*. Plus tard, nous nous sommes revus à Paris. Il voulait l'adresse du meilleur restaurant pour un cassoulet. Je suis retourné à Cuba en 2015. Gabo n'y était pas. Il était parti ailleurs. Pour toujours.

CHAPITRE 22

La lame du couperet

Après Cuba, Paris et un retour à l'apaisement. Jean-Claude Grumberg avait travaillé les dialogues du *Couperet*, qui restaient un peu longs, nous les avons repris ensemble. Lors de notre première collaboration, chaque proposition d'élagage des dialogues l'agaçait. Maintenant, c'est lui qui les proposait. On travaillait sur le fait que notre tragédie n'était pas forcément triste, qu'elle n'interdisait pas le rire, qu'il pouvait en faire partie, à condition qu'il s'agisse d'un rire de situation, et non provoqué par le comédien. Le spectateur doit s'identifier à Bruno, le personnage du film, et à son problème, et se demander ce qu'il a de commun avec lui, l'assassin ou la victime.

Nous avons fini l'écriture du scénario avec l'arrivée de la nouvelle année 2004. Nous l'avons donné à lire à nos enfants et aux très proches. Mais personne ne lit dans l'heure qui suit. En attendant, nous revoyons des amis au cours d'un dîner chez les Lakhdar Brahimi, père de Salem, assistant à la production. Lakhdar vient de rentrer d'Afghanistan, où il représentait le Secrétaire général de l'ONU. Il a élaboré et fait accepter par les différentes factions, après deux ans de négociations, un projet de Constitution. « C'est un bon projet, mais je ne pense pas que ça ira très loin. » Les Américains imposent des dirigeants à leur solde, souvent corrompus. Lakhdar a peu de considération pour Bush, qu'il traite de dindon, et son équipe, dont le vice-président Dick Cheney, qui dirige l'Amérique. Un autre invité ajoute : « Ils pensent acheter les Afghans. Les Afghans ne s'achètent pas, ils se louent au plus offrant. » Lakhdar est convaincu que, dans les conditions actuelles, il n'y aura pas de paix dans ce pays avant de nombreuses années. Son explication est lumineuse. Il analyse les grands problèmes du monde, liés les uns aux autres, avec une grande justesse, en leur donnant leur dimension humaine et politique. C'est un homme dont les analyses donnent un sentiment de quiétude par leur lucidité.

Emmanuel Hamon, compagnon de Julie et père de nos petits-enfants, après avoir lu le scénario du *Couperet* et fait quelques remarques pertinentes, me dit qu'il avait pensé à José Garcia pour le rôle principal, Bruno. L'idée m'a séduite. Je connaissais Garcia dont les compositions comiques sont des plus extravagantes. Contrairement à ses partenaires il ne s'adapte pas aux rires du public, il suit la logique du personnage qu'il incarne, aussi hurluberlu soit-il.

Je l'ai rencontré. Il était surpris. Moi aussi pour le vif intérêt qu'il manifestait au projet. Il a été plus surpris encore de m'entendre lui raconter son personnage. Et après avoir lu le scénario, encore plus intéressé d'avoir à incarner un personnage dramatique. Je retrouvais le désir de Jack Lemmon, le même empressement à sortir de la case dans laquelle nous enfermons souvent les acteurs.

Michèle a entrepris le financement du *Couperet* tout en commençant la préparation du film. J'ai poursuivi le casting avec Joseph Rapp, qui est devenu plus qu'un premier assistant, un véritable collaborateur artistique. Je voulais Ulrich

456

Tukur, que j'avais eu pour *Amen* dans un rôle secondaire mais essentiel. Nous sommes allés à Hambourg, où il jouait *L'Opéra de Quat' sous* de Brecht. Nous sommes descendus au même hôtel où, trente-trois ans auparavant, nous étions avec Montand, lorsque nous avions présenté *L'Aveu*.

Un souvenir affligeant et bouffon, avec le passage du temps, m'est revenu à l'esprit. Après une journée d'interviews répétitives et harassantes, la jeune attachée de presse nous avait invités au spectacle le plus « avant-garde » de Hambourg, qui se jouait dans un petit théâtre plein comme un œuf, surtout rempli d'hommes. Un semblant de loge nous était réservé. Le rideau s'ouvrait sur une petite scène, un décor dépouillé. Un lit et dessus une femme nue. La salle frissonne. Entre en scène un homme habillé. Il se présente, en plusieurs langues, comme l'amant français de la jeune mariée. Elle l'aguiche dans des positions qui font frétiller les hommes dans la salle. L'amant se déshabille en s'adressant à son sexe, invisible dans son sous-vêtement, il se fâche, lui reproche sa paresse. La salle rit gras. On se regarde avec Montand, très refroidis par l'avant-gardisme de l'attachée de presse qui évite nos regards, déçue par notre manque d'intérêt. L'amant se déchaîne sur son sexe qu'il libère, une masse de chair impressionnante. La salle se remplit de gloussements féminins et du silence masculin. Sur le lit, la femme s'exhibe de plus en plus, provoquant rires et cris de la salle.

Avec Montand, on se demandait ce que diable nous faisions là. Nous sommes sortis au moment où l'amant saute sur le lit. Nous avons entendu la salle se taire, mais sans voir les images. L'attachée de presse nous a suivis. Nous n'avons pas commenté son invitation.

À Hambourg, Ulrich Tukur jouait et chantait superbement, même si nous n'avons pas compris un mot de la version originale de l'œuvre de Brecht. Dans *Le Couperet*, Tukur a donné au personnage de Mackie une dimension exceptionnelle de vérité et d'émotion. Karin Viard, admirable comédienne avec qui je voulais travailler depuis longtemps, et Olivier Gourmet ont donné, comme Tukur, une profonde humanité à leurs personnages.

La préparation avançait, mais le financement piétinait. Un sujet difficile : un col blanc au chômage qui tue tous ses concurrents potentiels et finit par avoir le job convoité. Et reste impuni. Luc Besson était intéressé à le coproduire mais en anglais, aux États-Unis. Je n'en avais pas envie. Claude Berri et Jérôme Seydoux refusaient le projet, pour ne pas trahir l'amitié d'un « couple ami » – producteur/metteur en scène – avec qui ils avaient fait des démarches pour obtenir les droits de ce même roman de Westlake. La réponse de l'auteur ne leur était jamais arrivée. En fait, Westlake n'avait jamais pu lire, ni visionner les films envoyés : DVD incompatibles. « De toute façon, avait-il ajouté, sans doute pour nous être agréable, ma décision était prise pour Costa. »

Et puis il y a soudain une embellie : les frères Dardenne sont d'accord pour coproduire à la condition qu'une partie du film soit tournée en Wallonie. Notre ami José-María Morales, fondateur de la société Wanda en Espagne, entre lui aussi en coproduction. Canal+ et France 2 suivent. Mais toujours pas de distributeur. Enfin, Stéphane Célarié, Mars Films/Studio Canal, apporte un concours sans faille au film. Concours qu'il apportera une fois encore, quelques années plus tard, pour le *Capital*, sans le label cette fois de Studio

Canal, Mars Films étant devenu une importante société de distribution indépendante.

Pour finir, la productrice nous a donné son feu vert. José Garcia, devant la caméra, était l'incarnation parfaite de l'ingénieur assassin par déterminisme. Hors caméra, il nous faisait beaucoup rire. Je découvrais l'autre dimension de la popularité d'un grand comique. Les gens dans la rue, adultes et enfants, souriaient et riaient à sa simple vue.

Donald Westlake, de passage à Paris, est venu sur le tournage et a accepté de faire un peu de figuration. Une première pour lui. Familier du gigantisme des équipes américaines et étonné de voir une équipe si peu nombreuse, il cherchait où était le mystère. Je lui expliquais que c'était une équipe normale en France. Ce qui a dû épaissir plus encore le mystère.

Pendant la pause déjeuner, nous avons évoqué entre autres la guerre en Iraq. « Deux cent mille morts et ça continue », m'a-t-il dit avec un brin d'humour à propos du président Bush, en citant sa fameuse phrase : « Plus on combat les terroristes, plus ils se développent. » Nous nous sommes revus, lors de la présentation du film au Festival de Tribeca à New York. Il a écrit un article élogieux sur le film. Donald Westlake est mort en 2008 après avoir écrit plus de cent livres. Il avait 75 ans. Je regrette encore de n'avoir pu aller assister à son enterrement.

Le Couperet allait affronter la presse, puis le public. Moment de plaisir, d'appréhension aussi, qui fait oublier tout le reste. Sauf le nouveau venu qui venait de débarquer dans la famille. Fils de Julie et Emmanuel. Élias, Léo, Costa. Léo pour son autre grand-père, Léo Hamon, qui n'était plus là. Élias était brun et pesait trois kilos trois cents.

Peu après Yasser Arafat, incarnation du combat des Palestiniens, quittait sa Moncada pour un hôpital proche de Paris. Après quelques jours, il quittait l'hôpital pour le paradis de ceux qui y croient. C'était un 11 novembre, une date et un mois qui abondent en assassinats.

Le Couperet est sorti en salles début 2005 et a démenti les pronostics de tous les pessimistes sur son avenir et ses relations avec le public.

Les *boat people* des mers du Vietnam des années 1978-1980 ont désormais fait des émules en Méditerranée. Même si les raisons ne sont pas les mêmes, la détermination, les moyens et les risques sont à peu près équivalents. La Méditerranée est traversée, en ce début d'année 2006, par un monde d'hommes surtout, jeunes, venant d'Afrique, de l'Orient proche et moyen et même lointain. Ils fuient la misère, l'avenir bouché, la répression quotidienne, molle ou cruelle, souvent sanglante. C'est la seule solution contre la soumission, la délinquance ou la fuite. Fuite en quête d'un paradis, aléatoire, douteux, d'accès incertain, sur la route duquel le pire est plus probable que le meilleur.

Je discutais avec Jean-Claude de ce que je considérais être la fureur humaine de toujours, en quête d'une vie meilleure. Il connaissait, c'était dans sa tradition familiale. Comme elle était dans la mienne. Je lui ai proposé de « suivre » un de ces jeunes téméraires. Imaginer son parcours, jusqu'à son arrivée à Paris, ce qui nous permettait de parler aussi de la France. La gageure l'a intéressé.

Nous avons repris nos promenades dans le jardin du Luxembourg, propices aux premières inspirations, modifiables en cas de mieux. Nous avons appelé notre personnage Élias, nom que l'on retrouve dans les trois religions monothéistes et qui a comme racine *ilias* (le soleil en grec). Un homme jeune, dont on ne connaîtra jamais ni le pays d'origine ni la religion. Quant à sa langue, on allait en inventer une pour une scène où notre personnage croise un compatriote désespéré qui lui conseille de rentrer, car, en Occident, il n'y a pas d'espoir. Élias ne se décourage pas, il poursuit sa route vers Paris, route semée d'obstacles multiples.

Nous avons vite limité nos promenades et sommes passés à l'écriture de ce *road movie*. Les épisodes se succédaient, nous notions tout, avec le principe de ne pas hésiter à dire ou écrire l'idée la plus banale qui nous venait à l'esprit ; même principe pour les personnages qui surgissaient. Cette profusion est vite devenue une difficulté : qui garder ? Qui abandonner ?

C'est alors qu'est intervenu un événement perturbateur. Mike Medavoy, une vieille connaissance, ancien dirigeant des Artistes Associés, d'Orion, de Tristar, producteur d'une quarantaine de films, dont *Amadeus, Platoon, Robocop, Philadelphia*, m'a proposé un film d'après un article du magazine *Rolling Stones, The Man Who Sold The War*, sur la manipulation des médias par G.W. Bush et son gouvernement dans le but de convaincre le peuple américain de la justesse de la guerre menée contre l'Iraq. Medavoy me proposait de venir à L.A. pour étudier le projet.

C'était sans doute une bonne échappatoire aux difficultés du scénario en cours, pour retomber sans doute dans celles d'un autre. Mais l'idée de redevenir employé d'un studio, en dépit de l'importance du sujet et des avantages financiers, ne me passionnait pas du tout. J'ai fini par refuser, en me disant que je verrais bien si j'avais eu raison.

Retour à Élias, à son long voyage, épuisant, ponctué de moments d'espoir, de rencontres amicales ou de confronta-

461

tions avec des personnes acariâtres, racistes, voire violentes. Il y avait foison de possibilités et le risque était de tomber dans le mélodrame ou le pur film d'action. Le temps se prolongeait en discussions avec Jean-Claude, avec des retournements parfois radicaux concernant les rencontres d'Élias, jusqu'à son arrivée à Paris.

Un matin, je reçois un coup de fil de Serge Toubiana, pour lequel j'ai beaucoup d'estime. Directeur général de la Cinémathèque française, Toubiana me proposait la présidence de la Cinémathèque. Claude Berri venait de démissionner pour des raisons de santé. Plus de vingt ans auparavant, j'avais quitté la Cinémathèque dans des conditions infamantes, après avoir initié des changements importants et préconisé le déménagement de la Cinémathèque qui s'asphyxiait dans ses locaux à Chaillot. Le projet avait été saboté, je me suis déjà étendu là-dessus. Mais c'est exaspérant de voir, dans ce pays si avancé dans le domaine de l'éducation et de la culture, la façon dont certaines admirations élevées au stade de la vénération finissent dans un véritable culte de la personnalité, paralysant tout changement en art, en politique ou dans les relations humaines. Serait-ce le signe d'un apogée culturel, du règne d'une aristocratie de l'esprit ? Ou le signe d'un pauvre rigorisme culturel ?

Je demandais à Serge Toubiana un délai de réflexion. Michèle en plaisantant à moitié avait menacé de divorcer si j'acceptais une autre « aventure » avec la Cinémathèque. Là, je l'ai entendue me dire : « Si la Cinémathèque t'intéresse encore, accepte. » Sans doute faisait-elle confiance à Toubiana. Claude Berri à son tour insistait sur les qualités de ce dernier. J'ai découvert une nouvelle Cinémathèque, comme nous étions quelques-uns à la rêver vingt ans auparavant, pacifiée, ouverte sur l'avenir, avec des programmes ambitieux.

La Cinémathèque française est aujourd'hui l'exemple parfait de ce que doit être un musée du cinéma.

L'écriture d'un scénario original est un long processus de travail. Les différentes interruptions que j'ai pu imposer à Jean-Claude Grumberg ont dû parfois l'irriter, sans pour autant que le travail en soit affecté. Nous avons avancé avec un certain bonheur dans l'écriture d'*Éden à l'Ouest*, parallèlement aux événements, souvent tragiques, qui secouaient le monde autour de nous.

Nicolas Sarkozy, élu président de la République, a nommé Bernard Kouchner ministre des Affaires étrangères. Chris Marker m'envoie un message de son chat Guillaume : « Kouchner fait de l'entrisme chez Sarko. »

Le dictateur Saddam Hussein, en fuite, a été capturé par les « démocrates » qui lui ont succédé. Il a été jugé rapidement et pendu dans des conditions identiques à celles qu'il utilisait pour ses opposants.

Julie a réalisé son premier film de fiction, *La Faute à Fidel*. L'histoire d'une petite fille qui grandit dans une famille politisée. Autobiographique ? Choisie pour le Festival de Sundance aux USA, elle y est allée enceinte de Théo, respectant ainsi une tradition familiale, Théo qui se préparait à nous rejoindre trois mois plus tard. La famille continuait de grandir.

La guerre en Iraq se transformait en guerre de religion entre musulmans. En France, les guerres de Religion avaient duré trente-cinq ans. Celle d'Iraq n'en est qu'à sa treizième année.

Jean-Claude Brialy, prodigieux acteur et très bon ami, est mort. Nous avons beaucoup de peine. J'avais aimé travailler avec lui.

Une organisation religieuse a inscrit sur son drapeau noir la devise « Il n'est de dieu que Dieu », abstraction à propos d'une nation qui ne manque pas d'abstraction. Ses porte-drapeaux perpètrent des attentats qui tuent des centaines de personnes. Comprenne qui peut.

L'année de guerre 2006 en Iraq a coûté aux Américains 100 milliards de dollars, faisant le beurre et le bonheur des industries de guerre. Et ça continue.

Mon petit-fils Élias, 3 ans, rivalise avec Manu, son père.

Manu : « De qui je suis amoureux ? »

Élias : « De Julie. »

Manu : « Et Julie, de qui elle est amoureuse ? »

Élias : « De moi. »

Oriana Fallaci, grande reporter italienne, est morte. Elle m'avait proposé son livre, *Un homme*, sur Panagoulis, résistant grec contre la dictature. C'était le grand amour d'Oriana, mort au cours d'un « accident », sans doute provoqué. J'avais rencontré cette journaliste volcanique dans son petit bureau de la librairie Brentano's à New York, sur la Cinquième Avenue, face à la Trump Tower. Je lui avais expliqué que je ne pouvais pas envisager de réaliser un autre film sur un assassinat politique, et surtout en Grèce, après *Z*. Elle ne faisait pas confiance aux metteurs en scène européens, qu'elle jugeait « trop esthétisants ». Quand je lui ai suggéré des metteurs en scène américains, elle a répliqué, navrée : « Des illettrés ! Ils ne savent pas qui était là avant, les Égyptiens ou les Grecs ! » Le film ne s'est jamais fait.

Alors que la procession des événements continuait son défilé, avec ses vanités, ses actes fortuits et ses massacres que les auteurs célébraient, nous avons terminé le scénario de l'histoire de l'immigré. Élias arrive enfin à Paris, où il n'est pas accueilli les bras ouverts, comme il en rêvait.

Je commençais à chercher l'acteur pouvant incarner Élias. Nous avions écrit cette histoire en pensant à Mathieu Kassovitz, qui pouvait encore avoir l'air d'avoir 25 ou 30 ans. Il avait ce regard et cette force qui poussent vers l'avant. On s'était parlé plusieurs fois au téléphone au cours de l'écriture. Mais il était plongé dans son film fleuve, *Babylon A.D.*, qui l'a emporté.

On a cherché en France, en Allemagne, en Angleterre, en Amérique. Je l'ai trouvé en Italie : Riccardo Scamarcio, que j'avais vu dans le beau film de Michele Placido, *Romanzo Criminale*.

Le tournage suivait le parcours logique de l'immigrant. La Méditerranée, une île grecque, l'Italie, les Alpes, la Savoie, Paris.

J'avais commencé le montage quand Christine Albanel, ministre de la Culture, nous invite, Michèle et moi, à l'accompagner en Algérie où des accords de coproduction cinématographique allaient être signés, au cours du voyage officiel du président Sarkozy. Michèle qui avait beaucoup œuvré pour ces accords avec Véronique Cayla, alors présidente du Centre national du cinéma, n'avait aucune envie de participer à un voyage officiel. J'ai pourtant accepté. J'avais de l'estime pour Christine Albanel, et j'étais curieux de voir de près le président Sarkozy dans les relations si spéciales qu'il entretenait avec les médias.

Dans une scène d'*Éden à l'Ouest*, au cours de sa traversée de la France, Élias aperçoit au loin un homme à cheval, suivi par un tracteur qui remorque une bétaillère occupée par une foule de journalistes, de cameramen et de preneurs de son, avec leurs perches à micro tendues vers le cavalier. Une scène fidèlement reconstituée d'après la réalité. Le cavalier, c'est le président Sarkozy. Élias regarde, peu surpris, pensant que ça doit être ça la France.

Départ pour Alger. À l'aéroport, je découvris une foule considérable que je ne manquais pas de photographier. Dans l'avion des invités, on m'avait installé à côté de Dalil Boubakeur, le recteur de la Mosquée de Paris, étonné de faire ma connaissance. Il n'a pas cessé de vanter mes talents à haute voix, ce qui était sympathique et embarrassant – mais comment l'arrêter ?

Une fois arrivés à Alger, on nous a installés le long d'un interminable tapis rouge pour accueillir et saluer le président, que nous venions de quitter. Figuration de célébrités. Je suis resté en retrait, pour prendre des photos de cet alignement géométrique et humain.

Un troisième avion rempli de journalistes nous avait précédés. Cameramen, photographes et journalistes étaient déjà installés pour prendre les meilleures images de l'arrivée présidentielle. Après avoir salué et applaudi, on nous a embarqués dans une cinquantaine de voitures et minivans. Les artistes dans des minivans, les politiques dans des voitures, l'ensemble roulant à plus de cent à l'heure. Je suis dans un van avec le comédien Smaïn, Emmanuel Hoog, président de l'INA. Il y a aussi Yasmina, qui m'embrasse, belle dame que je confonds avec l'autre Yasmina. Laquelle des deux est-elle ? On nous dépose à l'hôtel Sheraton, en nous informant que le président fera un discours à 18 heures. Je l'ai raté, des cinéastes amis algériens étant venus me voir.

À 20 heures, pour le dîner offert par le président, le cortège part à toute allure, accompagné de hurlements de sirènes et de coups de sifflet obstinés qui font un véritable concert. À 20 h 30, nous arrivons au restaurant : spécialités du sud de l'Algérie. On me conduit à la table de Mme Albanel, qui m'embrasse. Bernard Kouchner arrive, il m'embrasse en criant « la gauche est présente ! ». Benamou qui passe m'embrasse lui aussi. Arrive Rachida Dati, que je ne connais pas, elle m'embrasse. Heureusement que ni Romain ni Chris Marker ne voient ça.

Le président Sarkozy vient droit sur moi. J'ai un flash, s'il m'embrasse qu'est-ce que je fais ? Il me serre la main très lon-guement. « Je ne vous ai pas vu pendant mon discours. » « On m'a prévenu trop tard, président. » J'ai menti. « Il ne faut pas rater celui à l'université de Constantine, après-demain », me dit-il en me lâchant la main. Je remarque qu'il a, comme les hommes politiques populaires, des mains charnues. Ça doit être à cause de toutes ces mains qu'ils serrent. Ça les muscle.

Henri Guaino, conseiller spécial du président, est placé à côté de moi. Il ne m'embrasse pas. Ouf ! Il me dit être ému de me rencontrer : « Vous êtes le metteur en scène de ma jeunesse. » Je cherche à lui donner un âge pour com-prendre de quels films il s'agit. Je ne trouve pas. À notre table, Kouchner se montre le plus loquace. Nous parlons de la Cinémathèque avec Christine Albanel. Guaino me parle du cinéma français actuel qu'il semble bien connaître. J'évoque avec lui la surexposition médiatique des politiques en général, et du président en particulier. « La distance et le mystère ne seraient-ils pas plus importants ? » Il convient de la nécessité de la distance, de la discrétion, il n'a pas dit « mystère ». Tout en soulignant les difficultés, les nécessités de la politique d'être présente. 22 h 15 : départ à toute allure en direction de l'hôtel. J'appelle Michèle que je réveille pour lui dire les bisous auxquels elle a échappé.

Au programme officiel était inscrit un acte culturel : la visite, matinale, du site archéologique de Tipaza. Il fallait être très ponctuel. Le cortège part chercher sa « tête » c'est-à-dire le président. Chemin faisant, nous bavardons avec Hoog qui va offrir à l'Algérie deux cents heures d'images d'archives concernant son histoire. « Un cadeau de la France, des images avec la France, mais pas toujours en sa faveur, ce qui provoque de nombreuses protestations », me précise-t-il.

Dans le hall de la résidence du président Sarkozy attendent tous les ministres debout. « Ça me fait chier d'attendre le réveil du roi », me murmure Fadela Amara. Je photographie la sortie du président qui semble maussade ce matin. Le cortège part sur les chapeaux de roues.

À l'entrée du site archéologique, des musiciens entourés d'une petite foule en costume traditionnel, porteur des drapeaux des deux pays accueillent le président. Rapide « bain de foule », qui dure le temps des images pour les médias. La visite commence au pas de course, l'archéologue s'échine à adapter ses descriptions au rythme du président, cerné par ceux, nombreux et actifs, qui veulent être sur la photo. Six gardes du corps, têtes rasées, lunettes noires, costumes anthracite, ne savent comment contrôler cet essaim qui ne cesse de virevolter. Je reste à distance sous prétexte de prendre des photos. Demeurée à distance elle aussi, Rama Yade, connue pour son caractère passionné. Nous parlons des Grecs, des Romains, des Phéniciens, qui avaient créé un port dans cette baie « éthérée », me dit-elle. Soudain le président s'extrait de l'essaim pour venir rapidement près de nous. Il me dit être content que je participe à ce voyage. Je lui réponds « moi aussi », ce que je regrette aussitôt. Un « merci Monsieur le Président » aurait été plus correct, plus poli. Il enchaîne en me montrant de l'index Rama Yade, en disant, mi-blague mi-sérieux : « Méfiez-vous d'elle, elle est très politique, dangereuse. » « Je la trouve surtout très belle », lui ai-je répondu, me sentant gêné de cette soudaine familiarité. « Pas si belle que ça, surtout autoritaire, incontrôlable », me répond-il en riant. « Je n'ai qu'un point de vue esthétique », j'enchaîne en riant à mon tour, pendant que je vois Rama Yade lui faisant du revers de la main le geste de s'éloigner en murmurant : « Allez, allez, avance ! » Le président s'est éloigné en me lançant dans un sourire : « Méfiez-vous. À tout à l'heure. »

Bernard Kouchner s'est approché : « Ça va ? »

Je connais Bernard depuis de nombreuses années. Je l'ai rencontré pour la première fois chez les Montand. J'admirais sa création de Médecins sans frontières. Par la suite, nous nous sommes souvent retrouvés pour des « causes » importantes.

La visite du site s'est poursuivie, et tandis que Bernard répondait à des journalistes, j'observais cette mosaïque humaine en mouvement. Je pensais qu'ils n'avaient sans doute pas appris grand-chose à propos de l'aventure phénico-gréco-romaine de ces ruines. En revanche, de nombreuses rencontres avaient lieu, à en juger par le nombre d'apartés. Comme nombreux ont dû être les textos reçus ou envoyés, à commencer par ceux du président.

Bernard m'a fait monter dans sa voiture pour rejoindre Alger. Nous parlons du passé, de sa situation de ministre de Sarkozy. Il me dit son intérêt, sa fatigue aussi, et la difficulté de pouvoir le « coincer pendant une heure pour parler politique étrangère… C'est toujours entre deux portes ». Son portable sonne, un geste : « Qu'est-ce que je te disais ! »

Il s'exaspère, ne réussit à répondre que par bribes. Ses arguments sont vite interrompus. Il insiste, sur un ton fort mais respectueux, cependant son visage et les gestes de sa main libre expriment tout l'opposé. Enfin il raccroche, effondré et hors de lui : « Il veut que j'aille aujourd'hui à Beyrouth. » Il ajoute, comme s'il répondait au téléphone « ça ne sert à rien, ça ne va pas marcher ». Il m'explique : « Il amorce une ouverture avec la Syrie que je trouve néfaste. » Bernard se résigne. Il partira tout à l'heure pour Beyrouth.

Le monument aux Morts pour l'Indépendance est une construction qui ressemble à une cathédrale. Le président Sarkozy dépose sa gerbe avec Bernard à son côté. Je prends des photos. De là, nous partons pour le palais présidentiel, où le président Bouteflika attend au bout de l'interminable tapis rouge. Bernard me fait signe : « Viens, je vais te présenter à Boutef. »

Les deux présidents se saluent, comme il faut, très chaleureusement. Sarkozy présente Bernard, il ne sait pas quoi faire de moi me découvrant derrière eux. C'est Bouteflika qui le sort de son dilemme, en venant vers moi et en me prenant dans ses bras : « Où est Michèle ? » « Elle n'a pas pu venir, elle vous envoie ses amitiés. » On nous fixe avec des sourires interrogatifs.

Nous avions connu Abdelaziz Bouteflika pendant le tournage de *Z* à Alger. Il était alors le plus jeune ministre des Affaires étrangères au monde. Issus de la lutte pour l'Indépendance, ses discours aux Nations unies portaient la voix du Tiers-Monde émergent. Notre relation s'est poursuivie, au-delà du tournage et du film. Appelé à la présidence en 1999, Bouteflika a réussi, avec le soutien de l'armée, à stopper, avec la loi sur la Concorde civile, les tueries de la Décennie noire terroriste – deux cent mille morts, de part et d'autre.

Les deux présidents, suivis de leurs ministres, sont entrés dans le palais. Je suis entré à mon tour. Je me suis vite égaré dans le labyrinthe des couloirs, admirablement décorés d'œuvres d'art traditionnelles algériennes. J'ai erré, personne n'a pu m'indiquer où se réunissaient les ministres de la Culture, Christine Albanel et Khalida Toumi. Quand enfin je les ai trouvées, à force d'errance, les accords de coproduction étaient signés, la cérémonie terminée et le photographe parti.

« Vous ne serez pas sur la photo », a regretté Christine Albanel, amusée. Je ne servais plus à rien ici. À supposer que j'aie servi à quoi que ce soit en venant. Je décidai de rentrer à Paris. Tant pis pour le discours du président à Constantine. Je le lirais sur Internet.

Je ne regrettais pas ce voyage inutile. J'ai vu de près un président français bien différent de ses prédécesseurs.

Un petit livre, au titre « gaucho », *Le Capitalisme total*, ne m'aurait pas intéressé si la signature de son auteur, Jean Peyrelevade, célèbre banquier toujours en exercice, n'avait attiré ma curiosité. Le monde entrait dans une forte crise économique. L'auteur de ce petit livre avait décrit, trois ans plus tôt, en 2005, les causes à l'origine de cette crise qui s'annonçait. De manière prophétique. Ce spécialiste prévoyait le cataclysme économique, en pointant ses responsables avec son livre comme on pointe du doigt : « Les dirigeants d'entreprise ne sont plus que des serviteurs des actionnaires, dont ils poursuivent l'enrichissement. Aucune autre préoccupation ne peut plus inspirer leur action. » Plus loin, il enfonçait le clou : « Si les actionnaires ne sont pas satisfaits, ils remplacent les dirigeants... » Aucun homme politique ne semblait avoir lu ces vérités, concentrées en quatre-vingt-dix pages. Ou alors ils s'en sont foutus, ou pire, ils n'ont pas eu le courage d'agir.

Peu de temps après, en flânant autour des étalages de ma librairie favorite, Compagnie, l'insolite couverture d'un livre a attiré, arraché même, mon attention. La gueule grande ouverte aux dents menaçantes d'un carnivore, chien ou loup, en pleine page, sous le titre *Le Capital*. Grotesque allégorie, me suis-je dit, pour présenter les écrits de Marx. J'ai lu la quatrième de couverture. Cela n'avait rien à voir avec Karl Marx. Il s'agissait des péripéties de la carrière d'un jeune financier promu président d'une des plus grandes banques européennes.

J'ai acheté ce pavé de près de six cents pages, que j'ai lu d'une traite. D'une écriture féroce, troublante de vérité, de complexité humaine, il raconte le pouvoir sans limite de ces banquiers. Stéphane Osmont, l'auteur, s'amusait à décrire la soif d'argent, les passions sexuelles de son personnage, mais aussi ses lâchetés, ses veuleries, ses vices, comme son manque total de lucidité et d'humanisme. À l'évidence, Osmont décrivait quelqu'un qu'il connaissait bien.

Michèle ayant vérifié que les droits du livre étaient libres, j'ai passé une dizaine de jours à approfondir la lecture et vérifier la faisabilité d'une adaptation pour le cinéma. Elle l'était, à condition de sauvegarder l'ascension du personnage jusqu'à son triomphe, mais en en faisant quelqu'un de lucide sur les autres et sur lui-même, plutôt que de le conduire à la déchéance, ce qui était le choix du livre.

Jean-Claude Grumberg, romantique et réaliste, était réfractaire aux banquiers et à leur psychologie algorithmique. J'ai proposé une collaboration à Karim Boukercha, jeune journaliste, écrivain et coscénariste de notre fils Romain pour son film *Notre jour viendra*. Trois jours après avoir terminé le tournage de son film, un nouveau membre est arrivé dans la famille, une petite fille née à Londres, de Romain et Claire, pesant trois kilos neuf cents, appelée Romy. Romy allait avoir une double vie, une à Londres et l'autre à Paris. Nous aussi, en quelque sorte.

472

Nous avons repris avec Karim le long travail d'adaptation et de lectures « économiques » sur la rapacité des banques, les fonds vautours, Goldman Sachs, Lehman Brothers et son dépeçage, sur Deutsche Bank, HSBC, BNP, et quelques autres pour laquelle « la démocratie », comme il est écrit dans *Le Capitalisme total* de Peyrelevade, « n'est qu'un placebo local ».

Nous avons abouti avec Karim à une continuité et en même temps nous avons eu la certitude d'avoir atteint les limites de notre collaboration : plus rien de nouveau ne pouvait être élaboré, inventé par nous deux. Jean-Claude a accepté de finir de travailler sur le scénario avec moi. Il était intéressé par le personnage du banquier, maintenant débarrassé des algorithmes, humanisé, mais tout en gardant son cynisme intact. Ces multiples travaux avec Karim et Jean-Claude ont duré un an, pour aboutir à un scénario satisfaisant qui ouvrait la voie à la recherche des acteurs et du financement.

Une idée de casting ne me quittait pas, depuis de nombreuses semaines : proposer le rôle du jeune banquier en voie d'élévation à l'acteur le moins évident, le plus surprenant : Gad Elmaleh, que je ne connaissais que par ses spectacles, d'une finesse très singulière, et par quelques rôles au cinéma, était de plus parfaitement bilingue.

L'idée a séduit. La rencontre avec Gad s'est déroulée amicalement, et de manière humoristique, ce qui est dans la nature même de cet artiste incomparable. À son « pourquoi moi ? », a suivi une courte explication de ma part, avec l'exemple de Jack Lemmon dans *Missing*, DVD à l'appui. Gabriel Byrne est venu compléter le casting, déjà formé avec Natacha Régnier, Céline Sallette, Hippolyte Girardot, Liya Kebede, Daniel Mesguich, Olga Grumberg et Bernard Le Coq.

Aux différentes avant-premières qui avaient lieu dans toute la France, le public se précipitait, le sourire aux lèvres, prêt à éclater en cascades de rire à chaque apparition de Gad. Mais dans ce film, il n'y avait pas tellement matière à rire. En revanche, dans les pays non francophones, les spectateurs et les critiques, qui ignoraient le talent comique de Gad, appréciaient l'acteur qu'ils trouvaient réellement inspiré.

Il nous arrivait avec Jorge Semprún de prendre notre petit déjeuner au Flore. C'était un rituel erratique, discontinu mais immuable. Ce jour du printemps 2011, il m'a appelé : « Demain chez Lipp. » Il avait un ton déterminé, presque impératif, ce qui ne lui ressemblait pas. Il avait ajouté : « Passe me prendre, nous marcherons. »

Ces dernières années, Jorge marchait un peu courbé, le mal chronique de l'écrivain assis plusieurs heures par jour à sa table. Je lui ai rappelé que Balzac écrivait debout devant un pupitre. « Il avait aussi mal au dos », m'a-t-il répondu, avec ses petits éclats de rire que je connaissais bien.

Nous avons parlé du prix Goncourt, où il siégeait, du nombre écrasant de livres qu'il devait lire et du fait qu'il n'était pas sûr de continuer. Dès que nous nous sommes installés à table, il a repris comme si nous continuions une discussion : « Tu vois un film d'action ou un film intimiste ? » « Les deux, pour l'action il ne s'agit pas de scènes de guerre, elles ont été mille fois faites… L'action serait le voyage d'André Malraux en Amérique, pour expliquer la guerre d'Espagne, puis il décide de faire son film *L'Espoir*. » Jorge propose de considérer aussi comme action ses relations avec les deux femmes, Josette la maîtresse, et Clara l'épouse, surtout Clara, son génie.

Ce projet était ces dernières années notre point de ralliement cinématographique. Un film sur la guerre d'Espagne. « Comment choisit-on dans une histoire vraie ce qu'il faut montrer, et comment le montrer. » Nous avions choisi Malraux pour *L'Espoir* et pour ses engagements politiques. Dans la masse considérable d'événements liés à cette guerre, pourquoi avait-il choisi tel épisode et non tel autre ? Une préoccupation que nous avions eue pendant les trois films que nous avions écrits ensemble. Nous avions fait des choix de manière « instinctive ». Avec ce film, nous pourrions explorer la profondeur de cet « instinct ».

J'avais commencé, quelques années auparavant, à étudier avec Jean-Claude la possibilité d'un film sur la démarche du peintre Géricault. Il narre le naufrage de la frégate *Méduse*, sujet hautement politique à l'époque. Sur le radeau de sauvetage de *La Méduse* sont entassés cent cinquante naufragés. Ils finissent dans une sauvage tuerie anthropophage. Géricault avait symbolisé tout cela avec un minimum de personnages et de moyens, dans son célèbre tableau *Le Radeau de La Méduse*, tableau qui provoqua une vive émotion à l'époque. Nous avions abandonné le projet. Le film venait d'être fait. Mal.

Jorge était revenu sur la partie « intimiste » de Malraux et du film. La possibilité d'avoir deux femmes l'enchantait. Josette, la beauté, amoureuse, complexée, face à l'inatteignable génie, Clara, sans doute toujours amoureuse, surdouée, perspicace, sans cesse consultée par Malraux. Jorge me les a décrites avec tous les menus détails qui font les bonnes scènes du cinéma. Il m'a promis un « premier brouillon général » avant de me préciser son planning. Il finirait son livre dans les deux ou trois mois. Il se ferait opérer du dos et, pendant sa convalescence, on pourrait commencer ensemble le travail d'exploration du sujet comme du scénario. Consultée, Florence Malraux, la

475

fille d'André, allait nous aider dans cette entreprise et dans nos préoccupations d'authenticité.

Jorge n'a pas écrit le « brouillon », il n'a même pas eu le temps de finir son livre. Entré à l'hôpital avec une soudaine et forte fatigue, on lui a décelé une tumeur au cerveau. Le docteur m'avait laissé entendre que c'était sans doute « compliqué ». Malheureusement, ça l'était. Jorge est entré dans un coma devenu rapidement profond et irréversible. Pour le monde, c'était un grand écrivain, un homme éminent qui disparaissait. Pour moi, c'était l'ami qui partait.

CHAPITRE 23

Les morts concentriques

Le désert s'installait petit à petit autour de moi. La famille était là, bien nombreuse, en mouvement constant, joyeuse ou énervante, impatiente du futur, porteuse d'affection et de tendresse. Ça console de bien des chagrins. Ça laisse la mémoire intacte. Les amis partaient, le temps passait, et je me disais que c'était du temps perdu, faute de projet et d'idée satisfaisante, malgré le foisonnement des envies, des colères, des pensées, nées de l'agitation de notre société en pleine crise de pessimisme.

Jean-Claude a eu une idée qui nous a vite conquis. Peut-être un peu trop vite. C'est parti d'une nouvelle de Jack London, *Les Morts concentriques*, sur la cupidité des hommes d'une certaine classe sociale, leur violence, leur soumission à l'argent devenu une forme de religion sans éthique. L'élaboration du scénario a commencé dans une humeur euphorique. Au bout de quelque temps nous allions parachever ce qui pouvait être la suite du *Capital*, lorsque nous nous sommes rendu compte que ce qui était une brillante idée littéraire, un choc de trouvailles exaltantes pour le lecteur, n'offrait guère de résolution logique ni réaliste pour les besoins d'un film, sauf à tomber dans la fantaisie, l'artifice théâtral ou la science-fiction. Le projet fut abandonné, laissant une multitude de feuilles de notes, de débuts, de continuités, tous bons à jeter.

26 juillet, jour anniversaire de Chris Marker. Je ne l'appelle pas. Ce sont des coutumes, des civilités calendaires auxquelles il n'est pas très sensible. En revanche, le calendrier traditionnel chinois et ses douze animaux l'amusent. Cette année 2012 est celle du Dragon. Il nous l'a fait annoncer par Guillaume, son chat virtuel, dans un courriel fin janvier. Il nous précisait que c'était la fête du printemps pour les Chinois, en même temps que le début de leur nouvelle année.

Ce soir-là, rentrant chez nous avec Michèle, un message nous attend de notre amie commune Cécile Izard, sa doctoresse : « Chris vient de mourir. » Je pars immédiatement chez lui, rue Courat. Michèle, bouleversée et en larmes, refuse de m'accompagner. Il n'aurait pas aimé qu'elle le voie mort. Elle non plus.

Fred Savioz m'attend. Il s'occupait depuis un certain temps de mettre de l'ordre dans les archives de Chris, tout en préparant l'inventaire avant leur dépôt à la Cinémathèque. Le désordre bien ordonné de Chris, lisible seulement par lui-même, avait besoin d'un spécialiste pour ordonner, dans ce grand studio, cet antre, cette caverne d'Ali Baba, les centaines de livres, VHS, DVD, affiches, appareils électroniques, cassettes de musique, de films parmi lesquels *L'Héritage de la chouette*, le plus long film de Chris. Avec Fred, il y avait une jeune femme et le médecin de garde du quartier en train de rédiger le constat de décès naturel. Sans un mot je me dirige vers sa « chambre ». Mon cœur s'est mis à battre violemment. La fin de près de cinquante années de relations, tantôt espacées, tantôt très proches, toujours riches en échanges sur tout, le cinéma, l'art, la politique, le monde, et où ne manquait jamais son humour singulier, parfois impitoyable, mais toujours pertinent, toujours pince-sans-rire.

J'approchais de la porte à demi fermée, le cœur en furie, comme pour empêcher l'inadmissible. Je poussais la porte. Chris était assis, appuyé au dossier de son fauteuil, l'ordinateur allumé sur son bureau devant lui. Il avait un bras posé sur l'accoudoir, l'autre laissé pendant, en liberté. Sa tête reposait sur le haut du dossier, les yeux fermés comme pour un moment de repos ou de réflexion, avant de reprendre le travail. Sur le mur, face à lui, l'interphone en Bakélite noire d'un autre temps avec lequel il communiquait avec Simone Signoret lorsqu'il habitait chez eux dans le studio du septième étage, et eux au rez-de-chaussée de la Roulotte, place Dauphine. Il l'avait emporté avec lui quand il avait dû déménager, invité par Michèle à investir la « rue Courat » : « Tu ne peux pas refuser. Tu sais pourquoi ? Parce que Simone est morte un 30 septembre, et moi je suis née un 30 septembre. Elle m'a passé le relais. »

« J'attends qu'un jour Simone m'appelle », disait-il très sérieusement quand nous lui rendions visite dans son antre. Une relation exceptionnelle les avait liés depuis une éternité. Depuis le lycée de Neuilly. Une relation faite d'admiration mutuelle, d'amitié fidèle et sans ombre, de confiance illimitée, nourrie de confidences et d'humour qui n'appartenait qu'à eux. Simone avait donc appelé Chris, sans doute pour lui épargner de terribles souffrances.

Il avait demandé à Cécile qui allait le voir régulièrement : « Et comment ça se passe... le passage ? » « Vous vous laissez aller tranquillement. »

J'ai refermé la porte, le laissant comme il aimait être, sans témoin.

Le médecin avait fini la rédaction du certificat, il regardait autour de lui, fasciné par cet univers inconcevable qui n'allait plus avoir son créateur, son âme. Soudain, il s'est inquiété pour ses honoraires. Je venais de retrouver notre monde. Vers 2 heures du matin les hommes des pompes funèbres ont levé le corps. J'ai vu Chris partir pour la dernière fois, couvert d'un linceul blanc.

Avec une partie de la Commission de l'Union européenne, la bataille pour l'Exception culturelle ne cesse jamais. Il s'agissait, il s'agit toujours, d'empêcher que les créations de l'esprit ne deviennent de simples marchandises, considérées comme n'importe quel produit commercial.

Lors d'un séminaire organisé par Wim Wenders et Volker Schlöndorff pour l'Académie européenne du cinéma à Essen, au château Hugenpoet, étaient réunis István Szabó, Agnieszka Holland, Marjane Satrapi et une dizaine d'autres cinéastes venus de plusieurs pays. Le président Barroso, venu au dîner pour écouter nos propositions sur le cinéma et l'Exception culturelle, a exprimé son accord dans une emphase verbale et gestuelle appuyée que je lui connaissais bien, la même qu'aux précédentes rencontres. Après une intervention intelligente et brillante de Wim Wenders, Barroso nous a répondu par un discours poético-politique, dans lequel étaient invités Aristote, Pessoa, en passant par Malraux, Octavio Paz, et où le mot « marché » était souvent cité. Il nous a tout promis. Il était si réceptif que j'ai fini par lui proposer d'aider le cinéma africain abandonné par tous, y compris par la France qui l'avait pourtant aidé à naître. Le président a montré un vif intérêt et, avec un geste généreux, a dit à sa collaboratrice de noter et de lui rappeler cela.

Il n'a tenu aucune de ses promesses. Bien au contraire il a amorcé la défense et la promotion de la « libre circulation des biens », en incluant les créations culturelles. Ce qui signifiait le déclin du cinéma français et européen. Il cédait à la demande pressante et permanente des géants audiovisuels américains, installés au Luxembourg où ils ne payent pas d'impôts.

Une nouvelle délégation a été formée. Nous voilà à Bruxelles. Il y a là Bérénice Béjo (France), Lucas Belvaux (Belgique), Radu Mihaileanu (France), Cristian Mungiu (Roumanie), Daniele Luchetti (Italie), Dariusz Jabłoński (Pologne). Barroso nous a accordé une heure d'entretien, « Pas une minute de plus », avait insisté son secrétariat. C'était sa méthode. J'ai prévenu ceux de la délégation qui ne connaissaient pas Barroso, qu'il allait occuper tout l'espace-temps qu'il nous accordait. Il fallait l'interrompre, prendre appui sur des passages de son discours, l'interroger ou simplement le contredire. Surtout ne pas se laisser intimider par son amabilité ni par ses citations solennelles.

La rencontre s'est déroulée avec des sourires qui cachaient des glaciers. Assis face à face dans une salle de réunion austère, lui entouré de ses collaborateurs, nous nous sommes présentés. J'étais chargé d'ouvrir la discussion. M'appuyant, Lucas Delvaux voulait que nous commencions par ce qui fâche. J'ai juste demandé : « Mais où sont passées les promesses réitérées du président Barroso ? » Outragé, Barroso s'est lancé dans un discours affable, serviable presque, pour blancs-becs, où étaient encore cités Aristote, Pessoa, et quelques noms nouveaux qui cautionnaient, selon sa rouerie, sa nouvelle politique qui ne changeait rien. Il consentait à conserver l'Exception pour le cinéma, en le séparant de l'audiovisuel qui lui entrerait dans le libre-échange.

C'était une autre manière de démanteler la culture européenne, tout ou presque tout étant lié à l'audiovisuel. Le cinéma plus que le reste. Interrompu par chacun de nous, il reprenait vite la parole pour justifier sa volte-face en évoquant « le Marché qui voulait, le Marché qui exigeait, le Marché qui serait boosté ». Je l'ai interrompu : « Qui est ce Marché dont tous les médias parlent, ce Marché qui exige, à qui il arrive d'être en dépression, ou d'être nerveux, ou satisfait quand il n'est pas euphorique, ou frileux et, pourquoi faudrait-il se soumettre à lui ? »

À la sortie de la réunion, le président Barroso est allé directement devant les caméras. Réflexe présidentiel, j'imagine. De loin, j'ai pu entendre des bribes de sa déclaration, qui donnait ni plus ni moins l'impression que ça ne s'était pas trop mal passé et que, lors d'une prochaine rencontre, nous allions sûrement nous mettre d'accord. Il est parti et la caméra est venue sur moi : « Cet homme est dangereux pour la culture européenne qu'il va aplatir... » Le mot « aplatir » n'était pas des plus heureux, c'était le seul qui m'était venu à l'esprit en ce moment de colère où je devais éviter les superlatifs. Et nous avons poursuivi dans le même esprit avec les autres membres de la délégation qui ont « enfoncé le clou », avec la franchise de leur exaspération.

Plus tard, Barroso a violemment réagi à nos propos en déclarant que mes positions et celles de notre groupe étaient très réactionnaires. La réponse est venue du gouvernement français qui s'est déclaré favorable à l'Exception culturelle, opinion aussi partagée par l'opposition. Un an plus tard, M. Barroso, ayant terminé son deuxième mandat, quittait la présidence de la Commission. Pour son discours d'adieu au Parlement européen, seuls y assistaient 175 députés sur les 750.

Les autres signifiaient par leur absence le peu d'estime qu'ils avaient pour cet homme comme pour son héritage politique.

À propos de Barroso, Angela Merkel avait parlé d'une « erreur de casting ». Cela ne l'a pas empêché, comme les autres chefs d'État européens, de commettre une autre « erreur de casting », ainsi qu'une « erreur d'éthique », en choisissant comme nouveau président M. Jean-Claude Juncker. Sûrs ainsi de vassaliser la Commission grâce à cet autre « *yes man* », bureaucrate éternel qui a transformé son pays, le Luxembourg, en un paradis fiscal pour les compagnies géantes américaines et les multinationales, spoliant ainsi les autres pays de l'Union de milliards d'impôts qui iront grossir la fortune des actionnaires de ces mêmes compagnies. Ces décisions indignes, déshonorantes, discréditent aux yeux d'innombrables Européens, aux miens également, l'idée même de l'Union européenne qui n'a cessé de dégénérer, de se pervertir, depuis le départ de Jacques Delors et de Romano Prodi. Elle est désormais une institution pitoyable avec une bureaucratie triomphante agissant d'une manière insensible et « dictatoriale ».

Le cortège incessant d'hommes politiques, dans les médias, pour déclarer qu'il faut revoir, consolider, fortifier, changer, refonder l'Union européenne, ne faiblit pas. Ce sera à la Commission et à son président de mettre en œuvre ces changements. Et voilà ce brave Luxembourgeois en première ligne. Cela va être exaltant !

Tout en écrivant ce livre, je réfléchis et réunis du matériel sur le cynisme économique, la poésie tragi-comique de l'Euro Groupe, de la Commission et de leurs victimes, dont la Grèce qu'ils ont étouffée.

En mai 2014, des amis me préviennent qu'Aléxis Tsípras, de passage à Paris, souhaitait me rencontrer. Il venait d'être élu, à 34 ans, président d'un petit parti de gauche, Syriza, avec 5 % des suffrages. Aux législatives, il avait porté Syriza à près de 17 %. Une nouvelle génération d'hommes politiques était en train de naître, libérée des servitudes d'un passé politique, culturel et social rétrograde, passéiste. Et d'une classe politique qui avait conduit le pays dans une crise économique dramatique et sans précédent.

Notre rencontre au restaurant Délices d'Aphrodite a duré jusque tard. Il était accompagné d'une collaboratrice et d'un collaborateur, jeunes et tranquilles. Tsípras est un homme au physique agréable, imposant, sa voix basse est chaleureuse, devenant solennelle et autoritaire quand elle lève le ton. Le regard méditerranéen est intense, jamais scrutateur. La discussion a porté sur la Grèce et l'Europe. À une question, je lui ai répondu que ses rencontres politiques à Paris étaient inutiles, du point de vue de son projet politique ainsi que de celui des problèmes grecs au sein de l'Europe. J'ai eu l'impression qu'il le découvrait, à moins qu'il n'ait fait semblant pour me faire plaisir. Ensuite, je lui ai demandé quelles étaient ses relations avec l'Église, l'armée, l'éducation. Il avait des relations d'acceptation mutuelle, sans crispation, rassérénées. L'éducation était le problème numéro un. Et il avait raison. Je ne lui ai pas posé de questions sur son groupe parlementaire que je savais hétéroclite.

Évagoras, le patron du restaurant, ami, féru de politique, diplômé en économie, a fait parler Tsípras. Tout au long de ces échanges amicaux, bon enfant même, l'humour, le persiflage sur les vieux politiciens grecs n'ont pas manqué. Ce qui me frappait, c'était le langage de Tsípras. Pas une fois le vieux vocabulaire ou les expressions conventionnelles du gauchisme et de la radicalisation politique n'ont été prononcés. Il avait un langage simple, direct, dépouillé des scories idéologiques ou sectaires habituelles. Il a insisté avec force sur le nécessaire changement des mentalités politiques, sociales et culturelles de ses concitoyens, qu'il considérait comme l'autre problème du pays. C'est aussi ma conviction, depuis ma découverte en France d'une autre manière d'exercer et de vivre la démocratie.

Nous nous sommes séparés, en échangeant nos moyens respectifs de contact direct. Je lui ai souhaité tout le courage possible pour le futur qui l'attendait.

Fin juillet, Anna, épouse de Giórgos Dalaras, ami et grand chanteur, m'appelle pour me demander de recevoir un de leurs amis qui avait une proposition « importante, très importante » à me faire. La voix d'Anna avait un trémolo insolite, ému, comme si elle connaissait la proposition, sans pouvoir la dévoiler. Le surlendemain, « l'ami » est arrivé avec deux bouteilles du meilleur ouzo, une coutume ancestrale grecque. On n'arrive pas chez quelqu'un pour la première fois les mains vides. J'avais regardé sur Internet son CV : ministre du gouvernement actuel de la coalition droite et socialiste, plusieurs fois ministre dans les gouvernements socialistes précédents. Des extrémistes avaient attenté à sa vie plus d'une fois.

Le ministre, l'homme, était face à moi. Pendant près d'une demi-heure, il m'a fait une analyse complète, profondément pessimiste, de la situation de la Grèce. Il m'a parlé du drame social, politique, économique, psychologique, que vivait le pays depuis près de cinq ans. « Rien n'est en marche normale. Il faut un nouvel élan, une nouvelle majorité. » J'ai eu une sorte de flash : *Il ne va pas me proposer d'être député ou ministre de la Culture, comme l'avait fait dans le passé Papandréou ?* « Il faut de nouveaux hommes, de nouveaux projets, pour éviter au pays un déchirement total. » Il pensait que Samarás, le Premier ministre de droite, était un bon gestionnaire, sans plus, que Venizélos, vice-Premier ministre socialiste, était une catastrophe, et que Tsípras était bon mais que son groupe était divisé, la moitié restant viscéralement hostile à l'Europe... Je me demandais où il voulait en venir. « Seul un président de la République peut donner une nouvelle poussée, un nouvel élan, un nouvel espoir, pour changer le pays. » *Pas ça quand même !* me suis-je dit. « Il faut qu'il soit d'une éthique indiscutable, d'une grande modernité, respecté par tous les Grecs, connu et respecté dans le monde. » Pause, avant proclamation : « Seul vous avez ces avantages, ces capacités. » Et il a poursuivi avec un long exposé sur mes qualités humaines, politiques, professionnelles...

Je l'ai écouté sans aucune réaction, si ce n'est la levée incontrôlée de mes sourcils, vite remis en place. Le ministre m'a précisé aussitôt qu'il n'attendait pas une réponse de moi dans l'immédiat.

Après l'avoir remercié pour l'honneur qu'il me faisait et pour ses bonnes paroles, je lui ai répondu que les changements d'un pays venaient d'hommes politiques forts, intègres et imaginatifs. Le président en Grèce n'avait aucun pouvoir de changer quoi que ce soit, ce n'était qu'une fonction symbolique. « C'est un symbole qu'il nous faut », s'est-il exclamé. Jusqu'ici, les présidents étaient des vieux politiciens, respectés mais usés. Il est reparti sur « mes qualités », enchaînant sur le fait que de nouveaux mouvements, jeunes et modernes, naissaient. Lui-même était à la tête de quelques milliers de personnes, animées d'une ferme volonté de changements.

Je l'écoutais en m'imaginant président et discourant. Ça me donnait un sentiment d'épuisement et de vide. Ma curiosité restait vive. Ma méfiance aussi ; je sentais qu'il y avait manœuvre et qu'elle était subtile, mais que cachait-elle ? Je lui ai demandé si sa démarche, sa « proposition » venait de sa propre initiative ou de celle du pouvoir en place. Il m'a affirmé que nombreux étaient ceux qui savaient, et que beaucoup d'autres suivraient. Il a aussi réitéré qu'il ne voulait pas de réponse immédiate. « C'est déjà fait, je suis citoyen français depuis un demi-siècle, j'ai un âge avancé pour une telle fonction, je parle mal le grec pour avoir peu d'occasions de l'utiliser, je n'ai aucune expertise en activité politique directe… Je suis très indépendant, jusqu'à être un solitaire… » « Nous savons tout ça, nous voulons que vous soyez celui que vous êtes, rien d'autre. » Pour montrer que pour lui tout avait été dit et entendu, il m'a demandé mon sentiment à propos du président Hollande. Puis sur Ségolène Royal, qu'il avait rencontrée le matin même. Elle lui avait parlé des loups, alors que lui voulait parler des photovoltaïques. Il en était très déçu. Il s'est levé : « Tout cela reste entre nous. » Il avait hoché la tête : « Naturellement. » À la sortie, il a remarqué les deux oliviers rabougris dans la cour. Un parasite les empêchait de s'épanouir. Il m'a conseillé une bouillie pour les traiter. Elle s'est avérée efficace.

J'attendais Michèle pour lui annoncer la nouvelle. Aux différentes propositions qui m'ont été faites tout au long des années – directeur du Centre national de la cinématographie grecque, de la Télévision nationale, du Festival de Thessalonique, ministre de la Culture grecque –, elle avait toujours répondu : « Non. Mais enfin si ça t'intéresse et pour un certain temps… » Mais quand vous dites à votre femme qu'on vous propose d'être président de la République, on s'attend à voir son visage s'éclairer de surprise et d'admiration, à une explosion de joie ou une étreinte d'amour infini. Ou tout à la fois. Après m'avoir écouté, elle a fait « bôôôf… ». Et elle est partie travailler sur son ordinateur. Plus tard, nous avons beaucoup ri en imaginant certaines situations officielles liées à la fonction présidentielle. Nous avions aussi décidé de n'en parler à personne, encore moins aux enfants.

À 22 h 30, je reçus un coup de fil d'André Geralimatos, professeur à l'Université de Vancouver, au Canada. Il veut que je revienne à l'université, où ils m'avaient nommé docteur *honoris causa*, pour rencontrer à nouveau les étudiants. « Alors, ils veulent te faire président ? » Je suis resté sans voix. J'ai éludé en promettant de revenir dans son université en début d'année. André était en quelque sorte conseiller du gouvernement grec pour les affaires universitaires avec le Canada.

Michèle s'est vite endormie. Pour ma part, j'ai passé une nuit sans sommeil, tiraillé entre le « Qu'est-ce que je vais faire dans cette galère ? » et la fascination de « jouer un rôle important dans ma vie finissante dans mon pays d'origine ».

Le lendemain matin, nous sommes partis pour l'Île-aux-Moines chez nos amis les Toubiana, passer quelques jours avec eux, prendre des bains dans l'Atlantique et déguster des huîtres. « Vous avez la chambre présidentielle », nous dit Emmanuèle à notre arrivée. J'ai sursauté, Michèle s'est mise à rire, en me faisant une grimace pleine d'ironie. Emmanuèle et Serge n'y comprenaient rien. Emmanuèle a clarifié : « Vous êtes le président de la Cinémathèque. Donc chambre présidentielle. » D'autres amis se sont joints à nous, le temps s'écoulait agréablement. Une vie simple, des goûts simples, des discussions, des bains de mer, des repas exquis, précédés d'un apéritif préparé par Serge, et à nouveau des discussions au cours desquelles, une allusion, un désir ou un déni ouvrait des perspectives insoupçonnées.

Chaque fois que la « proposition » me revenait à l'esprit, je l'écartais. La tranquillité regagnait sa place. Pour un moment. Le soir, tard, Michèle, fervente utilisatrice de Google, visitait la présidence grecque. Elle découvrait un monde de devoirs, de limitations de libertés, entouré d'honneurs, encore des honneurs, et le respect de tous. Un chef d'État sans grand pouvoir, sauf peut-être celui de la parole, avec ses limites, s'il veut être respecté de tous. « Respecté de tous », quelle humiliation !

Pour commencer, le président, une fois choisi, entouré de hiérarques de l'Église vêtus en princes byzantins, prête serment, la main posée sur l'Évangile à la couverture or et argent incrustée de pierres précieuses. Son serment s'adresse à la Sainte Trinité, c'est-à-dire au Père, au Fils et au Saint-Esprit, avant de mentionner le peuple grec. J'avais passé mon enfance à regarder la Sainte Trinité, pendant les messes, sur les icônes de l'église, n'osant pas demander le pourquoi de la présence de cet oiseau au-dessus du Père et du Fils. Pendant mon adolescence, je m'étais demandé pourquoi mettre l'Esprit à part, le Père et le Fils n'en voulaient-ils pas, ou en avaient-ils assez ? La question posée au professeur de la foi m'avait valu une brimade brutale, ainsi que son hostilité jusqu'à l'*Apolytirion*, le baccalauréat.

Le président habite le palais présidentiel, celui des rois du passé, là où ont été fomentés tous les complots de la reine Frederika, ancienne des Jeunesses hitlériennes. Le roi Paul était un grand indolent. « Tu coucheras dans la chambre de Frederika », a persiflé Michèle. Je trouvais ça jubilatoire. Un retour en arrière renversant, désopilant pour l'héritier d'une famille d'anti-royalistes convaincus.

Le président préside les fêtes nationales, les fêtes religieuses, celles de l'armée et de son saint, celle des agriculteurs, celle des pêcheurs. Il assiste à l'installation des juges, à celle de l'université qu'il célèbre dans des discours. Il suit les manifestations sportives, préside les rencontres internationales qu'il inaugure de discours adéquats, appropriés, convenables. Le président est une machine à discours consensuels.

Réveillé très tôt le matin, je combats le cortège de pensées de mon insomnie. Michèle se réveille d'un coup et m'annonce sans préambule, preuve qu'elle y pensait aussi : « Si tu acceptes, je ne m'installerai pas en Grèce. Et nos petits-enfants ? J'irai te voir de temps en temps. » Elle s'est retournée et s'est rendormie.

Je n'y avais pas pensé. Un président ne voyage pas facilement. Ça déclenche une organisation monstre.

Il ne va pas au cinéma avec tout le monde, ne déambule pas dans les rues comme j'aime le faire. Tout ce va-et-vient de cogitations était usant. Je sentais l'aliénation lovée au fond de moi prête à resurgir à chaque moment. Je me réfugiais alors dans le formidable livre de Leonardo Padura, *L'homme qui aimait les chiens*. Trop long pour faire un film, une belle série sans doute.

Les cinq jours à l'Île-aux-Moines ont passé vite, dans une convivialité plaisante, légère, avec ses plaisirs quotidiens, l'insouciance qui régnait était en partie feinte par moi, enlisé dans ma préoccupation baroque. Pendant le petit déjeuner précédant notre départ, nous avons remercié Emmanuèle et Serge pour le plaisir réel que nous avions eu d'être avec eux. J'avais ajouté que c'était un moment de notre vie très particulier, longuement discuté dans la quiétude de leur présence, et bien sûr la sérénité de la chambre présidentielle.

À Serge qui demandait « De quoi s'agit-il ? », je répondais qu'il était trop tôt pour en parler. Une fois sur le ferry, Emmanuèle a appelé Michèle, craignant que la décision soit d'ordre médical. Michèle l'a rassurée : « Non, psychologique. »

Trois jours après notre arrivée à Kéa, le ministre a appelé. « Je peux venir samedi, si cela vous convient. » Le bateau arrivait à 9 h 30. Michèle, avec Jacqueline et Angeliki, des amies, allaient à la plage. Avant de partir, elle m'a demandé : « Qu'est-ce que tu vas lui dire ? » « Rien, je vais l'écouter. » Elle a hoché doucement la tête et m'a montré une photo qui venait d'arriver sur son portable : Théo et Élias. « Qu'est-ce qu'ils vont dire ? » « Élias sera très intéressé. Il aime la politique. Léo, son autre grand-père, était ministre, il en est fier. Théo et Nina ? Je ne sais pas. Maud est une poète, les poètes n'aiment pas le pouvoir… Romy aime la reine, le président ici, c'est comme la reine. » « Tu penses à tout », m'a-t-elle répondu, comme une sentence. « Non, j'essaie de répondre à tout. » Énervé, je suis monté dans la voiture, plus de batterie. Signe prémonitoire ? Je me disais que cette panne était le signe avant-coureur d'une catastrophe, mais laquelle : celle du oui ou celle du non ?

Grâce à Kastriot, un voisin, je suis arrivé au port au moment où le ministre descendait du bateau, accompagné d'un jeune homme, brun et trapu, toujours en alerte, et d'un homme âgé, grand, les cheveux blancs, paisible, sans doute un collaborateur. Le ministre est venu vers moi, ses compagnons ne l'ont pas suivi.

Aussitôt le café prêt, il a recommencé son apologie, enrichie à l'évidence par une étude plus approfondie sur Internet. Sont énumérés les prix reçus. Quelques phrases sur des sujets sociaux, politiques, économiques, prononcées et glanées dans différentes interviews. Le complément hagiographique parachevé par le visionnage du *making of* du *Couperet*, qui lui avait permis « d'admirer mes capacités à diriger une équipe ». Puis il a énuméré et répertorié les qualités de ma femme – qui avait aidé des Grecs à fuir la dictature sous le régime des colonels – et les qualités de nos enfants. Il semblait heureux

491

d'avoir pu associer tout cela à mes qualités, ce qui légitimait aussi le prestige de sa démarche.

J'ai fini par lui demander si le Premier ministre et les autres partis politiques étaient au courant de sa démarche. Le Premier ministre l'était, sans préciser s'il était son messager. Il est reparti sur la nécessité pour le pays d'un *orama*, une vision, un imaginaire commun à tous. Changer aussi l'image du pays pour les Grecs, pour l'étranger, aussi et surtout. Comme président, je pourrais organiser des colloques, des conférences, internationales, sur la philosophie, l'art, les sciences, l'économie…

Le lendemain, au supermarché, mon portable affiche un numéro grec. Un journaliste me demande d'emblée : « On veut vous faire président de la République, qu'est-ce que vous répondez ? » « Je suis en vacances. Au revoir. » Ça a sonné toute la journée. Cette histoire n'allait pas gâcher nos vacances, j'avais de soudains sentiments de panique. Qu'est-ce que je voulais faire dans ce monde que je ne connaissais pas, et avec lequel je n'avais aucun point commun ? Tout ça était si loin de ce qui m'intéresse, de ce que je fais avec passion, avec plaisir. Puis, l'instant d'après, je me disais que j'avais quitté ce pays et fui une société qui me refusait tout il y a soixante ans. On me demandait d'y revenir en « sauveur ». C'était plutôt comique.

Il fallait redescendre sur terre. Nous étions fin août 2014. Le pays allait mal, le peuple était éprouvé, sans perspective d'une amélioration prochaine. L'imbroglio politique autour de la prochaine élection présidentielle, prévue pour janvier 2015, était à son paroxysme. Pour élire le président, il faut réunir les deux tiers des voix de l'Assemblée nationale. Le gouvernement au pouvoir ne les avait pas. Si le président n'était pas élu, il fallait procéder à des élections législatives que le gouvernement était sûr de perdre. Si un président était élu, les législatives étaient reportées à 2017. Cela donnait le temps à la coalition de la droite et des socialistes de redresser son image et gagner les législatives. Ce gouvernement cherchait donc une personnalité de consensus qui pourrait réunir autour de son nom les deux tiers des députés. Les raisons, le zèle du ministre, mon visiteur quémandeur, n'avaient qu'un but : ils cherchaient un mercenaire, un pompier pour empêcher la catastrophe annoncée : la victoire évidente de Tsípras aux élections.

Je décidais d'arrêter toute relation. Le téléphone sonnait, je ne répondais pas. Aux SMS non plus.

Les vraies vacances ont pu enfin commencer. Et avec l'arrivée de l'ensemble de la famille, la maison, le jardin, la plage se sont remplis de voix, de rires, et la vie quotidienne des plaisirs irremplaçables, indispensables.

Ce bien-être s'est prolongé avec le plaisir de présider le jury du Festival de cinéma américain à Deauville. Dix jours à voir des films, à les commenter avec un jury amical : Jean-Pierre Jeunet, Claude Lelouch, Pierre Lescure, Vincent Lindon, Marie-Claude Pietragalla et André Téchiné, tous dévoués à leur passion du cinéma, comme à celle des plaisirs de la table.

Le ministre m'a poursuivi, avec l'envoi par Internet d'un article du journal *Kathimerini*, droite traditionnelle, signé par son directeur. Il résumait les qualités nécessaires du prochain président, et l'auteur de l'article suggérait qu'il ne fallait pas dévoiler le nom de cette personnalité trop tôt, pour qu'elle ne soit pas « usée » par les médias. À peine commentées avec Michèle, ces insinuations ont été vite ensevelies sous les images des films et, entre autres, du documentaire *The Go-Go Boys*, sur deux petits producteurs israéliens qui avaient débarqué et conquis Hollywood en lançant un nouveau genre de films d'action, et en créant un système de financement qui avait ravagé les habitudes des grandes compagnies de production hollywoodiennes : Menahem Golan et Yoram Globus. Il y a des années, nous les avions invités, lors d'un hommage à la Cinémathèque française à Chaillot. Une soirée étonnante, envahie par un public inhabituel, enthousiaste. Menahem Golan me témoignait beaucoup d'amitié, à la méditerranéenne, me prenant par l'épaule, me passant la main dans les cheveux... Sa femme s'était approchée et lui avait parlé en hébreu sur un ton relativement sévère. J'avais perçu les mots *Hannah K.* Il lui avait répondu en hébreu et j'ai pu reconnaître les mots « *controversial director* », accompagnés d'un haussement d'épaules. Puis il m'avait repris par l'épaule et nous avions poursuivi la visite de l'exposition de photos sur leurs productions et sur eux-mêmes. Hollywood ne pouvait pas admettre de telles ardeurs, de telles impétuosités. On les a donc anéantis. Ils sont rentrés en Israël. Golan a persisté seul dans la production de films, sa passion.

Le matin suivant, une autre livraison d'articles. Le journal *Ta Nea*, centre gauche, très populaire : « CG pressenti pour la présidence. » Les films m'occupaient entièrement. La salle obscure était un retour au monde auquel j'appartiens.

Le soir, tard, Hakos, mon frère, le « docteur », m'appelle de Boston. Il est submergé de demandes sur le futur président. Nous avons évoqué les misères de notre enfance, nos fuites respectives, lui en Amérique, moi à Paris, et nous avons beaucoup ri.

À Deauville, l'un des films a remporté tous les suffrages, du jury et du public : *Whiplash* de Damien Chazelle, jeune metteur en scène de talent à qui l'on devra ensuite *La La Land.* Les autres prix ont fait quelques heureux mais, comme dans tous les festivals, plus nombreux étaient les déçus. C'est

494

une règle assez cruelle, acceptée de tous : « l'important c'est de participer ».

Il n'y a pas eu d'accord politique sur un possible président. Les élections législatives ont eu lieu et, comme prévu, Alexis Tsípras et son parti Syriza ont gagné. Je lui ai envoyé un message par SMS pour le féliciter. Sa collaboratrice m'a appelé : « Je vous le passe, il est seul dans son bureau. » J'ai eu le sentiment de parler à un homme sans exaltation ni contentement, malgré son score, mais déjà sous le poids de cette victoire, qui, en chiffres, n'en était pas tout à fait une. 36,3 % des suffrages, quasiment comme Salvador Allende au Chili en 1970. Au Chili comme en Grèce, la Constitution du pays en a fait des vainqueurs, mais pas le peuple. Ce sont là les extravagances de la démocratie, qui conduisent à des alliances contre nature. Tsípras n'y a pas échappé.

À la formation de son gouvernement, il m'a appelé et proposé le poste de ministre de la Culture. Je l'ai remercié chaleureusement, mais j'étais définitivement retourné à ce que je suis : un cinéaste français.

Un événement exceptionnel est passé inaperçu à l'étranger. Comme Premier ministre, Tsípras a prêté serment non pas sur l'Évangile et sur la Sainte Trinité – comme tous les Premiers ministres –, mais au nom du peuple grec et de la Constitution. Un premier pas audacieux vers une séparation de l'Église et de l'État ?

La Commission de l'Union européenne, qui tient la Grèce sous tutelle – disons, pour être exact, sous occupation économique brutale pour sa dette démesurée –, allait recevoir la nouvelle équipe au pouvoir. Celle-ci avait promis aux électeurs la « liberté », avec l'abolition de la dette et quelques autres bonheurs, comme font tous ceux qui aspirent à être élus. Dire la vérité aux électeurs ne fait pas élire. On peut se demander à qui il faut reprocher les promesses non tenues.

Si pour les Grecs, et selon Molière, « le chemin est long du projet à la chose », pour la Commission européenne, le projet avançait sans temps mort, dans toute sa férocité, et poursuivait sa dévastation : punir la Grèce d'une manière draconienne et exemplaire. Peu importait la souffrance d'une grande partie de sa population et la destruction du tissu social et économique. Sans parler de l'exil de dizaines de milliers de jeunes diplômés, qui est un appauvrissement de longue durée.

Plongée dans un délire autoritaire, la Commission se défausse de son entière responsabilité d'avoir laissé la dette grecque atteindre des hauteurs pharamineuses sous les régimes qui avaient précédé celui de Tsípras. On pensait, je pensais, que la Commission de l'UE, face à une nouvelle équipe, jeune et vierge de toute responsabilité, serait prête à des compromis et allait faire preuve de clémence, ou simplement accepter un changement de perspective.

Deux pouvoirs allaient s'affronter : le pot de terre contre le pot de fer. Disons-le en termes de cinéma ou en utilisant la métaphore brechtienne : les Dominants et les Dominés. C'est-à-dire deux groupes d'hommes de caractère différent, avec des idéologies opposées et des intérêts aux antipodes.

Des hommes du Sud face à ceux du Nord. Les Dominants, qui ont l'habitude d'appeler les Méditerranéens des « Pigs », acronymes de Portugal, Irlande, Grèce, Spain, ce qui signifie « cochons » en anglais. La négociation ne pouvait être qu'apocalyptique, aux deux sens du mot, catastrophe ou révélation. Probablement les deux à la fois.

Le projet des Dominants était de ne pas progresser vers un accord, mais vers une capitulation sans conditions. Faire acquitter cette dette colossale, impossible à rembourser, et maintenir en l'accroissant l'occupation économique et la sou-mission du pays. En résumé, instaurer une situation coloniale. Un exemple parmi d'autres : une société publique allemande achète quatorze aéroports régionaux à des prix qu'elle impose elle-même. Elle emprunte de l'argent à la Deutsche Bank pour payer son achat et c'est l'État grec qui est contraint de garantir le prêt et paie les intérêts.

Le projet des Dominés était de convaincre que cette poli-tique, appliquée depuis cinq ans, se révèle incapable d'avoir des résultats positifs, et ne permet pas de retrouver la dignité et peut-être la liberté pour le pays.

Il y a, avec cette confrontation, un film à faire, *a priori* impossible vu la complexité de la situation. J'ai décidé, tou-jours selon le mot du grand écrivain grec Níkos Kazantzákis « d'aller là où il est impossible d'aller ».

Je me suis mis à observer les deux parties. Je suis retourné dans leur univers à Bruxelles, non pour revoir leur inextri-cable tour de Babel idéologique, que je connaissais, mais pour ressentir ce qu'elle inspirait, ce qu'était son labyrinthe de certitudes, ses mentalités, ses croyances, ses ambitions person-nelles, et quels étaient ses désirs, quelles terreurs insufflait-elle, et quels sentiments engendrait-elle ? J'y ai rencontré un sage, un employé « permanent », totalement transparent pour les célèbres intermittents qui défilent sans cesse. Mon « perma-nent » connaît tout, toutes, tous. Il est un personnage tel qu'on pourrait l'inventer pour un scénario.

J'ai suivi les péripéties du groupe des Dominés : leur diri-geant, personnage central, son spécialiste en économie, autre personnage de premier plan, et leurs collaborateurs. Ils sont descendus dans la fosse aux lions de la Commission, où vivent aussi quelques hyènes. Les nouveaux venus, des néophytes, n'ont ni la pratique zoologique, ni l'expérience psychiatrique de la situation et des commissaires.

Les Dominés, parfaitement galvanisés par leurs responsabilités, par l'espoir qu'ils suscitent, sont parfaitement unis autour de leurs deux hommes principaux, le dirigeant et le spécialiste en économie, dont l'harmonieuse complémentarité s'enrichit d'une solide amitié.

Pour le groupe des Dominants, le premier sacrilège des Pigs se produit dès leur arrivée dans le Temple sans l'Uniforme. Pas de cravate, attribut de classe, de virilité, elle est bannie dans leur famille politico-philosophique. Le groupe des Dominants est nombreux. Il y a deux présidents, un spécialiste en économie. Et un hiérarque, au pouvoir occulte, le Coryphée à l'exercice de leur croyance à l'ultralibéralisme, religion à l'éthique élastique, adaptable aux intérêts du plus fort.

J'avais là une base pour le début d'un scénario dont je sentais que les difficultés iraient en s'amplifiant, tout comme ma fascination, ma fringale de continuer aussi. Les premières attaques et coups de boutoir des Dominants se sont heurtés à une résistance de la part des Dominés, motivée, argumentée, raisonnée après avoir été philosophée par leur spécialiste en économie, stupéfiant par ses qualités pour un Pigs.

Cette résistance prolonge les négociations, exaspère les Dominants qui multiplient les coercitions, les humiliations. Par-dessus tout, elle horripile leur Coryphée qui veut la poursuite de la punition par une rapide « soumission totale ». Refusant tout examen de la dette, malgré la conviction générale qu'elle est impossible à payer en l'état. La situation est bloquée. C'est la fin du premier acte.

La solution pour débloquer la situation est pour les Dominants de diviser les Dominés, de créer la dissension entre eux pour casser leur cohésion. La discorde intestine pourrait naître des différences sociales, idéologiques, des jalousies, des ressentiments, des ambitions, toutes occultées par leur action politique actuelle. Parallèlement, il faut s'assurer la sauvegarde de celui qui a le pouvoir de décision politique, tout en rin-gardisant, en creux, le spécialiste en économie. Procédé que les Américains appellent « *character assassination* ». Il s'agit de diffuser, avec subtilité et discrétion, des insinuations sur son caractère impétueux, ce qui correspond à la réalité, mais derrière lequel il cacherait son incompétence, son ignorance des réalités.

Il n'écoute que lui-même, s'éternise et sabote la négociation. Tout cela, glissé avec subtilité et discrétion à l'oreille d'amis représentants des médias, fait vite le tour du monde. Les Dominants disposent d'un système d'écoute qui leur permet de tout prévoir et de faire naître des discordes parmi les Dominés. Malgré une résistance farouche, la confiance entre amis s'érode petit à petit, le « joker » prend place. Le groupe se divise. Les attaques *ad hominem* ont fait leur travail. Simultanément, le chef des Dominés est reconnu, considéré, honoré, traité d'égal à égal par les autres chefs d'État, davantage encore par les Allemands, très entreprenants. Celui-ci est conscient que c'est une course à la séduction, cependant que rien ne lui est concédé. La passion du pouvoir, « seule position à partir de laquelle on peut agir », joue aussi son rôle. Parfaite justification pour rester au pouvoir. Tout en admettant être « *hooked* », comme à la pêche à l'espadon. « *The character assassination* » a atteint son but. La victime, la proie des hyènes – les lions aussi ont eu leur part –, est éjectée de la fosse et du palais de l'Union. C'est la fin du deuxième acte.

Le troisième acte se déroule en une nuit. Historique. C'est un huis clos. Dix-huit hommes en colère, pour plaire à « l'Alle-mande », contre un homme seul, porteur de l'espoir de millions d'autres. Réunis dans cet immense palais de l'Union, aux interminables couloirs, aux vastes salles de réunion meublées de belles couleurs d'acajou, équipées des derniers appareils électroniques, des mystères et des menaces sont à l'œuvre. Là les sentiments humains sont souvent exclus, quand ils ne sont pas bannis. Une abomination sociale sera scellée cette nuit-là, dans ces salles couleur acajou.

Au cours de ma recherche, j'ai découvert les postures de chacun, leur doctrine, les manœuvres, certaines de leurs intrigues, les velléités de l'un d'entre eux pour venir au secours de l'Homme seul. Je n'ai pas pu connaître la psychologie des autres, mais à la chasse à courre la meute n'a que la psychologie de sa suprématie. Il me manque une grande partie de leurs dialogues et monologues. Je pense pouvoir les trouver. Sans quoi, je vais les imaginer, les inventer. Les politiques sont si peu originaux, si prévisibles dans leur manière de perpétrer et de justifier un crime.

Le projet de film prend forme. Je décide de passer à l'écriture du scénario, comme une priorité absolue, décide de ne procéder à aucune reconstitution, de distancier les personnages donnés, les composantes de la réalité directe. Vaste difficulté.

Là-dessus, arrive le Brexit. Les Britanniques décident de quitter l'Union européenne. « Tant mieux » pour les uns, « dommage » pour les autres. Pour moi personnellement, c'est mieux que bien. Des voix se sont levées pour changer l'Union « européiste » avec son intrusion dans la vie des peuples qui l'avait rendue insupportable. Mais on en oublie les bienfaits. Comme souvent avec les peuples. Nos dirigeants politiques émus prennent feu, s'élancent, déclarent, demandent, souhaitent, exigent, promettent de faire une nouvelle Union, plus pratique, plus simple et plus humaine. Bref, la changer en beaucoup mieux et vite.

Mais j'ai confiance en la capacité de nos hommes politiques de promettre beaucoup et de ne réaliser que ce que les circonstances permettent, c'est-à-dire le minimum ou, mieux encore, le *statu quo*. Tous les espoirs me sont permis pour continuer à travailler sur le scénario.

Cet optimisme se prolongeait dans la famille, où une ferveur footballistique, propagée par nos petits-enfants, était vécue par nous, les adultes, avec plaisir, sans ergoter sur les chauvinismes qui se dissimulent derrière le patriotisme.

La victoire française sur l'équipe allemande, en demi-finale, avait flatté notre nationalisme. La perte de la finale de l'Euro 2016, face aux Portugais, nous a plongés dans une grosse déprime. Même en me défendant, à grand renfort d'autodérision, je me sentais froissé. J'ai appelé Théo, comme après chaque match quand nous ne le voyions pas ensemble, pour le commenter et, cette fois-ci, se consoler mutuellement. Théo a refusé de me parler, en pleine détresse, humiliation et vexation, comme s'il était responsable de cette défaite. Il pleurait.

Le lendemain, l'humeur s'était embellie. Je lui ai raconté l'avanie footballistique que j'avais subie étant jeune. J'avais son âge quand le directeur de l'école m'avait fait sortir des rangs avant la prière du matin, et m'avait infligé une grosse humiliation verbale, conclue du va-et-vient de deux gifles, à vous faire tourner comme une toupie. Il m'avait suivi de loin en allant à l'école, et m'avait vu en train de tirer le long du trajet dans un objet pris pour un ballon de foot. J'imitais, semble-t-il, Mouratis, un célèbre footballeur. Son récit sur mes imitations de Mouratis avait fait glousser toute l'école. J'avais passé la matinée à cacher mes larmes et ma fureur.

L'humiliation était si grande que pendant les soixante-dix années qui ont suivi, chaque rencontre avec un objet ressemblant à un ballon de foot ou à une simple canette, dans

501

n'importe quelle rue, est pour moi un événement spécial. Je shoote dedans avec une joie que Théo, comme mes autres petits-enfants, filles incluses, partagent avec enthousiasme, avec des passes, des dribles, des tacles, et ce malgré l'agacement de Michèle et les lourds regards des autres adultes.

Élias a aussi pleuré pour les Bleus.

Je leur ai promis que je les emmènerais à Moscou, avec leurs cousines, pour voir le pays et assister au match où les Bleus gagneront la Coupe du monde. Des sourires ont fleuri autour de moi. Nous irons donc à Moscou pour la Coupe du monde.

La passion footballistique qui avait secoué la famille s'était vite atténuée, comme toute passion sans consistance, mais il restait la promesse du Mondial en Russie, consolatif vite promis, vite regretté.

Diable ! Aller passer une semaine à Moscou, voir deux ou trois matchs par jour, hurler avec Théo et Élias, prendre un plaisir qui ne me passionnerait pas vraiment. Mais j'avais promis !

En attendant Moscou, ou pas – je serais peut-être en tournage, je l'espérais secrètement –, je décidais de laisser de côté ce livre, de le faire lire à nos enfants avant d'y revenir pour y faire les corrections que demande toujours le recul.

Je revenais dans la réalité quotidienne avec ses méandres familiaux, sociaux et politiques. L'élection présidentielle française occupait une foule de candidats parmi lesquels un très jeune homme que personne ne prenait au sérieux. L'élection américaine mettait au premier plan un candidat si singulier qu'il faisait peur et rire tout à la fois. Sans parler de notre président en fonction mis quotidiennement au pilori. Ce qui ne manquait pas de me faire quelque peine. Il nous avait fait plaisir et convaincu pendant sa campagne présidentielle avec son anaphore « Moi, président je… » et ses quinze promesses qui resteront dans l'histoire.

Je suis vite retourné à mon refuge, mon projet de film sur l'Europe et la Grèce pour lequel je réunissais depuis un certain temps du matériel, essentiellement médiatique, des témoignages et des documentaires.

Michèle, qui était partie sur un tournage à Salonique pendant l'été 2015, avait vécu la crise de près, les banques fermées, les files d'attente interminables de retraités pour retirer quelques euros par jour. Elle m'avait envoyé une interview de Yánis Varoufákis dans le journal anglais *The Guardian* avec un commentaire lapidaire : « Il y a là un film ! »

Yánis Varoufákis était le ministre grec de l'Économie pendant les six premiers mois du gouvernement radical d'Alexis Tsípras. Il avait essayé de négocier avec les autorités européennes la dette grecque et il avait une image très controversée. Admiré par les uns, décrié par les autres. Ce qui crée souvent le scepticisme chez les tiers, dont je fais partie.

Dans un discours prononcé en France, il avait résumé les six mois de sa fonction ministérielle, ses relations avec le monde politique grec, dont Alexis Tsípras, Premier ministre, qui l'avait choisi, et ensuite leur rupture. Il décrivait en détail les négociations menées à Bruxelles avec les responsables de l'Union et plus spécialement avec ceux de l'Eurogroupe, un organisme qui réglemente, systématise les économies des pays membres de l'Union, mais qui n'a aucune existence légale et donc pas de comptes rendus de séances.

Son exposé sans pareil, vécu « derrière les portes closes » alors que je ne disposais que d'informations indirectes, m'a paru être ce qui me manquait pour bâtir la continuité du scénario que j'avais imaginé après avoir lu ses livres *The Global Minotaur* sur l'économie mondiale et ses péripéties, et aussi *And the weak suffer what they must ?* (*Et les faibles subissent ce qu'ils doivent ?*).

Avec Michèle, nous avons demandé à le rencontrer. Il nous a reçus avec sa compagne Danaë, et a fait preuve d'un empressement sympathique, simple, et d'une grande ouverture d'esprit. Sa connaissance du monde et ses tribulations économiques m'ont impressionné ainsi que son franc-parler, sans excès pour les hommes et les faits avec qui il avait eu affaire. Je l'ai écouté longtemps avec attention et beaucoup d'intérêt.

Mon scepticisme à son égard s'est dissipé. Il s'agissait pour ses détracteurs d'une stratégie de « *character assassination* ».

Je lui ai demandé de me laisser lire le manuscrit du livre qu'il était en train d'écrire. Je crois toujours que ce que l'on écrit a une meilleure valeur éthique que ce que l'on dit sur le même sujet. La pérennité de l'encre engage à plus de sincérité que la souplesse de la langue. Il a accepté et me l'a envoyé chapitre après chapitre. Seize en tout et en anglais.

Dès les premiers envois, je me suis trouvé devant une matière édifiante et explosive. Un univers riche en événements et d'une précision politique et économique difficile à soupçonner. Avec aussi les portraits d'un groupe d'hommes et de femmes aux agissements impossibles à imaginer à ce niveau de responsabilité. Les passions les conduisaient souvent loin de leurs devoirs ou de la logique sociale et de la vérité. Et de la démocratie. À moins que ce ne soit cela la logique économique.

En attendant le chapitre suivant je retournais dans les méandres du quotidien.

Un événement dénué de logique et de raison venait d'avoir lieu. Donald Trump était élu président des USA. À propos de sa personnalité baroque, je ne cessais de me demander s'il n'avait pas besoin chaque matin d'une coiffeuse pour ordonner si impeccablement sa coiffure et quel était le produit qu'il utilisait pour qu'elle résiste ainsi aux pires coups de vent.

Pendant mon adolescence, le seul produit dont nous disposions pour faire tenir la crête-de-coq de nos cheveux, très à la mode alors, était l'eau fortement sucrée. Une fois la crête sculptée et séchée, elle était indestructible.

Le dernier chapitre du manuscrit, le dix-septième et la postface, ont été suivis par le livre imprimé qui venait de sortir à Londres sous les louanges unanimes. Le titre : *Adults in the room*. Phrase reprise par Mme Christine Lagarde qui, à son origine, avait été interprétée en sens unique par certains médias. Elle prenait ici toute sa vérité, cruelle sur quelques représentants de l'Union, toujours en manque d'un imaginaire européen.

Peut-être cet imaginaire était-il en route ? Emmanuel Macron venait d'être élu président, balayant les lepénistes au soulagement de la grande majorité des Français. Il venait de changer l'image de la France dans le monde et promettait de changer l'Europe, ainsi que bien d'autres choses. Attendons pour voir et sentir.

Adults in the room est un livre unique dans son domaine. Yánis Varoufákis raconte des situations vécues, écrites avec passion, avec talent et une subjectivité constamment soucieuse d'éthique. Sous l'apparence d'un récit autobiographique, ce livre cache une tragédie, celle d'un pays et de son peuple, les Grecs, dont Nietzsche écrivait dans *La Naissance de la tragédie* :

« De toutes les races d'hommes, la plus accomplie, la plus belle, la plus justement enviée, la plus séduisante, la plus entraînante vers la vie, les Grecs, comment, justement ceux-ci eurent-ils besoin de la tragédie ? »

Il parlait d'autres Grecs, mais la tragédie n'a jamais quitté ces cieux et la mer bleue, ces paysages à la beauté sans égale sont toujours habités par des hommes dont les affrontements ne sont pas « le mythe tragique, ingénieux expédient contre la vérité... ».
Ils sont la réalité humaine dans sa vérité tragique.

Je contemple ce livre de plus de cinq cents pages à côté de la masse de documentation, la pile de journaux et revues, les dizaines de photos, les enregistrements vidéo, mes notes, tout ce que j'ai amassé sur la jungle de l'économie européo-grecque, leurs serviteurs et leurs victimes, il me vient alors à l'esprit l'histoire de ce petit garçon qui visitait l'atelier d'un sculpteur où l'on venait de livrer un gros bloc de marbre. De retour à l'atelier quelques semaines plus tard le petit garçon voit, comme sortant du bloc de marbre, une partie du corps d'une belle femme. Curieux, il demande au sculpteur : « Comment tu savais qu'elle était dedans ? »

Je sais que le film se trouve dans cette masse de documents. Mais comment l'en faire sortir ?

Juin 2017

Index

Index des films

Remerciements

Je ne terminerai pas ce livre sans remercier chaleureusement Serge Toubiana,

mon premier lecteur attentif après la famille proche.

Nathalie Nezick,

Régis Debray,

François Samuelson

et Léonie Bégé qui a bataillé pour déchiffrer mon manuscrit souvent illisible.

Crédits photographiques

Cahier 1
Photos 1, 2, 3, 4 et 5, famille Gavras. Photo 6, photo de tournage, *DR*. Photo 7, © Limot, *DR*. Photo 8, 9, 10, 11 et 12, photos de tournage, *DR*. Photo 13, © Rosy Rouleau-Gamma, *DR*. Photo 14, © KG Productions, *DR*. Photo 15, © Alexandre Gavras. Photo 16, © KG Productions, *DR*. Photo 17, © Costa-Gavras. Photo 18, tirée des « Dossiers de l'écran », *DR*. Photos 19, 20 et 21, *DR*.

Cahier 2
Photo 21, © Patrick Chauvel, *DR*. Photo 23, © Roberto Bonifazi-La Stampa, *DR*. Photo 24, © Daniel Keryzaouën, *DR*. Photo 25, © Traverso, *DR*. Photo 26, *DR*. Photos 27 et 28, © Costa-Gavras. Photos 29, 30, 31 et 32, photos de tournage ou privées, *DR*. Photo 33, © Cinquini, *DR*. Photo 34, photo de tournage, *DR*. Photo 35, © Gill de Vlieg pour You and Me Images. Photo 36, *DR*. Photo 37, photo de tournage, *DR*. Photo 38, © Sam Siegel, Metropolitan Photo Service Inc. *DR*. Photo 39, *DR*.

Table